Di Giorgio Faletti
nel catalogo Baldini Castoldi Dalai *editore*
potete leggere

Niente di vero tranne gli occhi

Giorgio Faletti

Io uccido

Baldini Castoldi Dalai
Editori dal 1897
http://www.bcdeditore.it   e-mail: info@bcdeditore.it

A Davide e Margherita

Per la strada va
la morte, incoronata,
di fiori d'arancio appassiti.
Canta e canta
una canzone
sulla sua chitarra bianca
e canta e canta e canta.

Federico García Lorca

Primo carnevale

L'uomo è uno e nessuno.

Porta da anni la sua faccia appiccicata alla testa e la sua ombra cucita ai piedi e ancora non è riuscito a capire quale delle due pesa di più. Qualche volta prova l'impulso irrefrenabile di staccarle e appenderle a un chiodo e restare lì, seduto a terra, come un burattino al quale una mano pietosa ha tagliato i fili.

A volte la fatica cancella tutto e non concede la possibilità di capire che l'unico modo valido di seguire la ragione è abbandonarsi a una corsa sfrenata sul cammino della follia. Tutto intorno è un continuo inseguirsi di facce e ombre e voci, persone che non si pongono nemmeno la domanda e accettano passivamente una vita senza risposte per la noia o il dolore del viaggio, accontentandosi di spedire qualche stupida cartolina ogni tanto.

C'è musica dove si trova, ci sono corpi che si muovono, bocche che sorridono, parole che si scambiano e lui sta fra di loro, uno in più per la curiosità di chi vedrà sbiadire giorno per giorno anche questa fotografia.

L'uomo si appoggia a una colonna e pensa che sono tutti inutili.

Di fronte a lui, dall'altra parte della sala, sedute una di fianco all'altra a un tavolo vicino alla grande vetrata che dà sul giardino, ci sono due persone, un uomo e una donna.

Nella luce soffusa, lei è sottile e dolce come la malinconia, ha i capelli neri e gli occhi sono verdi, talmente luminosi e grandi che li vede anche da lì. Lui ha occhi solo per la sua bellezza e le parla all'orecchio, per farsi sentire oltre il frastuono della musica.

Si tengono per mano e lei ride alle parole del compagno, rovesciando la testa all'indietro o nascondendo il viso nell'incavo della sua spalla.

Poco fa lei si è voltata, forse punta in qualche modo dalla fissità dello sguardo dell'uomo appoggiato a una colonna, cercando l'origine di un lontano disagio. I loro occhi si sono incrociati ma quelli di lei sono passati indifferenti sulla sua faccia come sul resto del mondo che la circonda. È tornata a regalare il miracolo di quegli occhi all'uomo che è con lei e che la ricambia con lo stesso sguardo, impermeabile a ogni messaggio esterno al di fuori della sua presenza.

Sono giovani, belli, felici.

L'uomo appoggiato a una colonna pensa che presto moriranno.

1

Jean-Loup Verdier premette il pulsante del telecomando e solo quando la saracinesca fu aperta a metà accese il motore, per non respirare i gas di scarico nello spazio ristretto del box. La luce dei fari lasciò lentamente la parete di metallo che si sollevava per andare a bucare lo schermo nero dell'oscurità davanti a lui. Mise su *drive* la leva del cambio automatico e, quando l'apertura fu completa, premette l'acceleratore e guidò lentamente l'SLK all'esterno. Pigiò il tasto di chiusura puntando il telecomando con il braccio alzato sulla testa, e mentre aspettava il *clang* della porta che si richiudeva rimase a guardare il panorama che si apriva davanti al cortile di casa sua.

Montecarlo era un letto di cemento sul mare. Sotto i suoi occhi la città quasi non aveva forma, avvolta nella leggera foschia di vapore che rifletteva le luci accese nella sera. Poco sotto di lui, i campi illuminati del Country Club, già su territorio francese, dove probabilmente si stava allenando qualche star del tennis internazionale, di fianco al dito alzato di Parc Saint-Roman, uno dei grattacieli più alti della città. Più giù, verso Cap d'Ail, sotto la rocca della città vecchia, si indovinava il quartiere di Fontvieille, strappato all'acqua metro per metro, pezzo per pezzo.

Accese contemporaneamente una sigaretta e la radio sintonizzata su Radio Monte Carlo. Mentre avviava la macchina su per la rampa che portava alla strada, con il telecomando azionò l'apertura del cancello. Svoltò a sinistra e scese lentamente verso la città godendo l'aria già calda di fine maggio.

Dalla radio arrivava *Pride*, un brano degli U2, l'inconfondibile ritmica di chitarra in sottofondo. Sorrise. Stefania Vassallo, la dee-jay che conduceva la trasmissione a quell'ora su Radio Monte Carlo, aveva un'autentica passione per «The Edge», il chitarrista della band irlandese. Non perdeva occasione per infilare un loro pezzo nel suo programma. In radio l'avevano presa in giro per mesi per l'aria sognante che aveva ostentato come un make-up quando era finalmente riuscita a conquistarsi un'intervista con i suoi idoli.

Mentre da Beausoleil scendeva la strada tutta curve che porta verso il centro, prese a battere il tempo con il piede sinistro alternato a un levare della mano destra sul volante, assecondando Bono che raccontava con voce piena di ruggine e di malinconia storie di un uomo venuto *in the name of love*.

C'era un anticipo d'estate nell'aria, con quel particolare aroma che solo le città di mare hanno. Odore di salmastro, pini, rosmarino e nulla di fatto. Promesse e scommesse. Non mantenute le prime, perse le seconde.

Il mare, i pini, il rosmarino e le fioriture d'estate sarebbero stati lì ancora per molto, molto tempo dopo di lui e di tutti quelli come lui, che si affannavano in quel posto e in altri posti come quello.

Tuttavia stava viaggiando con la macchina scoperta senza nessun problema di temperatura, vento nei capelli, anche lui con le sue buone promesse nel cuore e le sue buone scommesse nella vita.

C'era di peggio al mondo.

Nonostante l'ora, era solo sulla strada.

Prese il mozzicone della sigaretta tenendolo fra il pollice e il medio e lo lanciò verso l'alto, seguendone nello specchietto retrovisore la parabola luminosa. Lo vide battere sull'asfalto e disperdersi in minuscole scintille. L'ultima boccata di fumo si perse nello stesso vento.

Arrivò al fondo della discesa e rimase un istante indeciso su che strada fare per raggiungere la zona del porto. Mentre percorreva la rotonda optò per un giro in centro e imboccò Boulevard d'Italie.

I turisti iniziavano ad affollare il Principato. Il periodo del Gran Premio di Formula Uno, appena finito, era come un segnale dell'inizio dell'estate monegasca. D'ora in poi, i giorni, le sere e le notti della costa sarebbero stati un viavai di attori e spettatori. Da una parte limousine con autista e gente dall'aria sufficiente e annoiata all'interno. Dall'altra utilitarie con all'interno gente sudata e ammirata. Uguali a quelli che adesso stavano in piedi davanti alle vetrine, il riflesso delle luci negli occhi. C'era sicuramente qualcuno che si chiedeva come trovare il tempo per venirsi a comperare quella giacca, mentre qualcun altro si chiedeva come trovare il denaro. Erano il bianco e il nero, due categorie estreme, in mezzo alle quali si stendeva una serie impressionante di sfumature di grigio. Molti a vivere con l'unico scopo di buttare fumo negli occhi, altri cercando di buttarlo via.

Jean-Loup pensò che le priorità della vita, tutto sommato, sono abbastanza semplici e ripetitive, e in pochi posti al mondo come quello era possibile quantificarle. La caccia al denaro al primo posto. Alcuni ce l'hanno e tutti gli altri lo vogliono. Semplice. Un luogo comune diviene tale per la dose di verità che cela al suo interno. Forse il denaro non dà la felicità, ma aspettando che la felicità arrivi è un bel modo per passare il tempo.

Questo pensavano tutti.

Il cellulare nel taschino della camicia si mise a suonare. Lo tirò fuori e rispose senza nemmeno leggere sul display il nome del chiamante, tanto sapeva benissimo di chi si trattava. La voce di Laurent Bedon, il regista e autore di *Voices*, la trasmissione che Jean-Loup conduceva su Radio Monte Carlo ogni notte, gli arrivò mescolata al fruscio dell'aria sul microfono del telefonino.

«Pensi che questa sera ci degnerai della tua presenza oppure dobbiamo fare senza la nostra *star*?»

«Ciao, Laurent. Sto arrivando, sono già per strada.»

«Bene. Lo sai che a Robert, quando un dee-jay non è in radio almeno un'ora prima dell'inizio della trasmissione, gli va in tilt il pacemaker. Ha già le palle che gli fumano.»

«No, anche quelle? Non bastavano le sue sigarette?»

«Sembra di no.»

Nel frattempo, Boulevard d'Italie era diventato Boulevard des Moulins. Le vetrine illuminate, sui due lati della strada, erano spalancate su un mare di promesse, come gli occhi ammiccanti di prostitute di lusso. E in quanto tali bastava un po' di denaro per vederle realizzate…

Furono disturbati dal leggero fischio dell'elettronica del cellulare che entrava in conflitto con la radio della macchina. Jean-Loup lo spostò all'altro orecchio e il sibilo terminò. Come se fosse stato un segnale convenuto, Laurent cambiò tono.

«A parte gli scherzi, datti una mossa. Ho avuto un paio…»

«Aspetta un attimo. Polizia», lo interruppe Jean-Loup.

Abbassò di scatto la mano e si mise addosso la sua migliore faccia di tolla. Era arrivato al semaforo, all'incrocio con Avenue de la Madone, e si era fermato nella corsia di sinistra in attesa del verde. Un poliziotto in divisa stava in piedi all'angolo e controllava che gli automobilisti seguissero alla lettera le istruzioni del suo collega luminoso. Sperò di aver nascosto il telefono abbastanza in fretta da non farsi vedere. A Montecarlo erano molto rigorosi rispetto all'uso del cellulare durante la guida. In quel momento non aveva voglia di perdere tempo in discussioni con un inflessibile poliziotto del Principato.

Quando il verde scattò, Jean-Loup svoltò a sinistra, passando sotto lo sguardo sospettoso dell'agente. Lo vide girare la testa e seguire l'SLK con lo sguardo mentre spariva giù per la breve discesa che passava davanti all'Hotel Metropole. Non appena fu sicuro di essere fuori portata, Jean-Loup sollevò la mano e accostò di nuovo il telefonino all'orecchio.

«Scampato pericolo. Scusa, Laurent. Dicevi?»

«Ti dicevo che ho avuto un paio di idee plausibili e voglio discuterne con te prima di andare in onda. Fai in fretta.»

«Plausibili quanto? Come il 32 o il 27?»

«Vai a fare in culo, pezzente», ribatté di botto Laurent, ironico ma un po' piccato.

«Come diceva quel tale, non mi servono dei consigli, mi servono degli indirizzi.»

«Smettila di dire cazzate e sbrigati, piuttosto.»

«Ricevuto. Sono già all'ingresso del tunnel», mentì Jean-Loup. Dall'altra parte la comunicazione fu interrotta. Jean-Loup sorrise. Laurent definiva ogni volta le sue nuove idee in quel modo, plausibili. Dando a Cesare quel che è di Cesare, doveva ammettere che lo erano quasi sempre. Purtroppo per lui, definiva allo stesso modo i numeri che *sentiva* sarebbero usciti alla roulette, cosa che non succedeva quasi mai.

All'incrocio girò a sinistra per la discesa di Avenue des Spelugues. Intravide alla sua destra il riflesso delle luci della piazza, con l'Hotel de Paris e il Café de Paris messi l'uno di fronte all'altro, come sentinelle ai lati del casinò, a condividerne le luci. Le transenne e le tribune mobili erette in quel punto in occasione del Gran Premio erano state smontate a tempo di record. Niente doveva offuscare troppo a lungo la sacralità pagana di quel posto, interamente dedito al culto del gioco, del denaro e dell'apparenza.

Lasciò alla sua destra e poi alle sue spalle la piazza del Casinò e percorse ad andatura moderata la discesa che pochi giorni prima le Ferrari, le Williams e le McLaren avevano percorso a una velocità pazzesca. Dopo la curva del Portier gli arrivarono sul viso la brezza che veniva dal mare e le luci gialle del tunnel. Lo percorse sentendo l'aria rinfrescarsi, immerso in quella luminosità innaturale che mescolava i colori e li rendeva tutti uguali. All'altra uscita ritrovò lo spettacolo del porto illuminato, dove in quel momento stavano galleggiando, con ogni probabilità, un centinaio di milioni di euro di barche. In alto, a sinistra, la rocca, con la reggia avvolta di luci diffuse, pareva controllare con garbo che il sonno del principe e della sua famiglia non venisse disturbato.

Nonostante l'abitudine, era uno spettacolo che non poteva lasciare indifferenti. Jean-Loup riusciva a capire come un abitante di Osaka o di Austin o Johannesburg, davanti a un'immagine come quella, potesse rimanere senza fiato e farsi venire il gomito del tennista a forza di scattare fotografie.

A quel punto era praticamente arrivato. Costeggiò il porto, dove i lavori di rimozione delle transenne procedevano con molta più calma, passò davanti alle Piscine e, subito dopo la Rascasse, piegò a sinistra e imboccò la rampa del parcheggio sotterraneo, scavato per tre piani esattamente sotto l'ampio slargo davanti alla sede della radio.

Mollò la macchina nel primo spazio libero e prese le scale per salire all'aperto. L'eco della musica dello Stars 'n Bars gli arrivò dalle porte aperte del locale. Era un punto obbligato per gli habitué della vita notturna di Monaco, un video-pub dove bere una birra o gustare qualche piatto di cucina tex-mex aspettando che la notte invecchiasse, prima di sparpagliarsi per le discoteche e i locali della costa.

I portici della grande costruzione in cui aveva sede Radio Monte Carlo, affacciati su Quai Antoine Premier, ospitavano un sacco di attività estremamente eterogenee: ristoranti, concessionarie di costruttori di barche, gallerie d'arte, gli studi di Tele Monte Carlo.

Jean-Loup arrivò davanti alla porta a vetri e suonò il campanello del videocitofono. Si mise di fronte alla telecamera in modo che inquadrasse solo un primissimo piano del suo occhio destro.

La voce di Raquel, la segretaria, uscì dall'apparecchio minacciosa per quanto riusciva a esserlo.

«Chi è?»

«Buonasera, sono il signor Occhio per Occhio. Mi può aprire, per favore? Mi sono messo le lenti a contatto e l'impronta della retina non funziona.»

Indietreggiò in modo che la ragazza lo riconoscesse. Dal citofono uscì prima una risata attutita, poi una voce accondiscendente.

«Sali, signor Occhio per Occhio. .»

«Grazie. Ero venuto per venderle un'enciclopedia ma a questo punto mi basterebbe un po' di collirio…»

Subito dopo ci fu lo schiocco secco della serratura che scattava. Quando arrivò al quarto piano, la porta automatica dell'ascensore scivolò di lato e si trovò davanti il viso paffuto di Pierrot, fermo sul pianerottolo con una pila di cd fra le mani.

Pierrot era una specie di mascotte della radio. Aveva ventidue anni ma il suo cervello era quello di un bambino. Era un po' più basso della media, con un viso tondo e certi capelli sempre dritti che in qualche modo a Jean-Loup davano la buffa impressione che il ragazzo sorridesse perennemente attraverso un ananas.

Pierrot era l'essere vivente più incorruttibile che ci fosse sulla faccia della terra. Aveva il dono, che solo certi caratteri semplici hanno, di ispirare simpatia a prima vista e di provare simpatia solo per chi riteneva la potesse meritare. E il suo istinto raramente sbagliava.

Adorava la musica e la sua mente, che si ingarbugliava nel più elementare dei ragionamenti, quando ne parlava diventava di colpo analitica e lineare. Conservava una memoria da computer per quanto riguardava lo sterminato archivio della radio e la musica in generale. Bastava accennargli il titolo o il motivo di una canzone per vederlo partire a razzo e tornare poco dopo tenendo fra le mani il disco o il cd in cui era contenuta. Per questa somiglianza con il personaggio del film, in radio l'avevano battezzato «Rain Boy».

«Ciao, Jean-Loup.»

«Pierrot, che fai ancora qui a quest'ora?»

«Mia mamma lavora fino a tardi, questa sera. I signori hanno una cena. Passa a prendermi *quando è un po' più dopo.*»

Jean-Loup sorrise dentro di sé allo strafalcione del ragazzo. Il modo di esprimersi di Pierrot apparteneva a una lingua tutta sua personale, un linguaggio a parte, in cui il candore degli errori e l'assoluta innocenza con cui venivano pronunciati diventava a volte fonte di battute fulminanti. La madre, quella che sarebbe venuta a prenderlo *quando è un po' più dopo*, si guadagnava da vivere facendo la donna delle pulizie presso una famiglia di italiani residenti a Montecarlo.

Li aveva conosciuti un paio di anni prima, quando se li era trovati fermi davanti all'ingresso della radio. Jean-Loup non aveva quasi notato quella strana coppia, finché la donna non si era avvicinata e gli si era rivolta timidamente, con l'aria di chi chiede perennemente scusa al mondo della sua presenza. Si era reso conto che aspettavano lui.

«Mi perdoni, lei è Jean-Loup Verdier?»

«Sì, signora. Che posso fare per lei?»

«Ecco, ci scusi se la disturbiamo, ma potrebbe fare un autografo a mio figlio, per favore? Pierrot ascolta sempre la radio e lei è il suo preferito.»

Jean-Loup aveva guardato il suo vestito dimesso, aveva guardato i suoi capelli che parevano ingrigiti prima del tempo. La donna doveva essere più giovane degli anni che dimostrava di avere. Aveva sorriso.

«Certo, signora. Mi sembra il minimo che possa fare per un ascoltatore così assiduo.»

Mentre prendeva con una mano il foglio di carta e la biro che la madre gli tendeva, Pierrot si era avvicinato.

«Sei uguale.»

Jean-Loup era rimasto perplesso.

«Uguale a cosa?»

«Uguale come nella radio.»

Jean-Loup si era girato verso la donna, perplesso. Lei aveva abbassato lo sguardo e la voce.

«Sa, mio figlio è… come dire…»

Si era bloccata come se non trovasse una parola che invece sapeva da tanto tempo. Jean-Loup aveva guardato attentamente Pierrot e visto sul suo viso la diversità, e aveva provato pena per lui e per la donna.

Uguale come nella radio…

Jean-Loup in qualche modo aveva realizzato che nel suo linguaggio intendeva dire che era esattamente come se l'era *immaginato* ascoltando la sua voce alla radio. A quel punto Pierrot aveva sorriso e quel pezzo di strada si era come illuminato ed era nata l'immediata, istintiva simpatia che solo quel ragazzo strambo sapeva suscitare.

«Va bene, giovanotto, adesso che so che mi ascolti, posso dire che questa è una buona giornata. Per cui il minimo che posso fare per te è un clamoroso autografo. Mi reggi questo, per favore?»

Aveva allungato al ragazzo un pacco di fogli e cartelline che teneva sotto il braccio, per avere le mani libere per scrivere. Mentre Jean-Loup firmava l'autografo, Pierrot aveva scorso un attimo il primo foglio fra quelli che teneva fra le mani. Aveva rialzato la testa guardandolo con aria soddisfatta.

«Three Dog Night», aveva detto con la sua vocina tranquilla.

«Come?»

«Three Dog Night. La risposta alla prima domanda è Three Dog Night. E alla seconda è Alan Allsworth e Ollie Alsall», aveva ripetuto Pierrot con una personalissima pronuncia inglese.

Jean-Loup si era accorto che il primo foglio conteneva un questionario musicale per il concorso a premi della trasmissione del pomeriggio, che aveva compilato poche ore prima.

La prima domanda era: «Che gruppo degli anni Settanta cantava la canzone *Celebrate*?» E la seconda: «Quali furono i chitarristi dei Tempest?»

Pierrot aveva letto e risposto esattamente alle prime due domande. Jean-Loup aveva guardato stupito la madre. La donna si era stretta nelle spalle, come se dovesse chiedere scusa anche di quello.

«Pierrot ha una passione per la musica. Se dovessi dar retta a lui, non comprerei il pane per comperare i dischi. Lui è… be', lui è com'è, però quando si tratta di musica ricorda tante cose di quello che legge e sente alla radio.»

Jean-Loup aveva indicato il foglio delle domande che il ragazzo teneva ancora in mano.

«Vuoi provare a rispondere anche alle altre, Pierrot?»

Una per una, senza esitazione, Pierrot aveva snocciolato quindici risposte esatte praticamente nel tempo necessario a leggere le domande. E non erano delle più semplici. Jean-Loup era allibito.

«Signora, questo è molto di più che ricordare tante cose. Questo significa essere un'enciclopedia.»

Aveva ripreso i fogli dalle mani del ragazzo e risposto con un sorriso al suo sorriso. Aveva indicato con la mano il palazzo da cui trasmetteva Radio Monte Carlo.

«Pierrot, ti piacerebbe fare un giro per la radio e vedere da dove trasmettiamo la musica?»

Lo aveva guidato per gli studi, gli aveva mostrato il posto da cui provenivano le voci e la musica che ascoltava da casa sua, gli aveva offerto una Coca-Cola. Pierrot guardava tutto con aria affascinata, con gli stessi occhi scintillanti con cui la madre leggeva la gioia sul viso del figlio. Ma quando era entrato nell'archivio, nel seminterrato, davanti a quella marea di cd e dischi in vinile il viso di Pierrot si era illuminato come un'anima beata all'ingresso in Paradiso.

Quando poi tutti in radio avevano conosciuto la sua storia (il padre se n'era andato dall'oggi al domani non appena era stato chiaro l'handicap del figlio, lasciando lui e la madre soli e in brache di tela), ma soprattutto toccato con mano la sua conoscenza musicale, in qualche modo si era trovata la maniera di farlo entrare nello staff di Radio Monte Carlo. Alla madre non era sembrato vero. Pierrot aveva un posto dove stare mentre lei era al lavoro e in più riceveva anche un piccolo stipendio.

Ma soprattutto *era felice*.

Promesse e scommesse, pensò Jean-Loup. A volte qualcuna era mantenuta, a volte qualcuna era vinta. Forse al mondo c'era di meglio, ma era già qualche cosa.

Pierrot entrò nell'ascensore, tenendosi stretti i cd con una mano per premere il pulsante.

«Vado sotto nella *stanza* a posare questi, poi vengo a trovarti, così *vedo la tua trasmissione*.»

La stanza era il suo modo personale di definire l'archivio, e *vedere la trasmissione* non era, nel caso specifico, una delle sue solite alchimie linguistiche. Significava che quel giorno poteva starsene dietro la grande vetrata a sentire e guardare con occhi adoranti Jean-Loup, il suo migliore amico, il suo idolo assoluto. Nell'orario in cui Jean-Loup andava in onda, di solito Pierrot era già a casa sua e seguiva la trasmissione per radio.

«Va bene, ti tengo un posto in prima fila.»

La porta si chiuse sul sorriso di Pierrot, molto più luminoso delle luci asettiche dell'ascensore.

Jean-Loup attraversò il pianerottolo e compose sulla serratura alfanumerica il codice di apertura della porta. Immediatamente di fronte all'ingresso c'era la lunga scrivania di legno dove Raquel svolgeva allo stesso tempo la funzione di receptionist e di segretaria. La ragazza, una bruna esile dal viso magro ma piacevole, che di solito esibiva un'aria molto all'altezza della situazione, lo accolse con un dito puntato verso di lui.

«Tu corri dei rischi. Un giorno di questi vedrai che ti lascio fuori.»

Jean-Loup si avvicinò e deviò il dito come se fosse una pistola carica.

«Non ti hanno mai detto di non puntare il dito così? E se per caso fosse carico e partisse un colpo? Tu piuttosto, come mai sei ancora qui a quest'ora? Ho visto in giro anche Pierrot. C'è in ballo una festa di cui io non sono al corrente?»

«Nessuna festa, solo straordinari. Tutta colpa tua, che stai sbancando l'audience e ci costringi a dei tour de force da stacanovisti.»

Indicò con la testa un punto alle sue spalle.

«Vai dal boss, che ci sono novità.»

«Belle? Brutte? Così così? Si è deciso finalmente a chiedere la mia mano?»

«So che te ne vuole parlare lui. È nell'ufficio del presidente», rispose sorridendo Raquel, ma tenendosi sul vago.

Jean-Loup passò oltre e fece pochi passi attutiti dalla moquette azzurra disseminata di piccole corone stilizzate color panna. Si fermò davanti all'ultima porta sulla destra. Bussò e aprì senza attendere di essere invitato a entrare. Il boss era seduto alla scrivania e manco a dirlo stava al telefono. A quell'ora l'aria dell'ufficio era ormai un luogo mistico per fumo di sigarette, un punto di ritrovo fra l'anima di quella che aveva tra le dita e delle molte altre fumate in precedenza.

Il direttore di Radio Monte Carlo era l'unico che Jean-Loup conoscesse a fumare delle pestilenziali sigarette russe, di quelle dal lungo bocchino in cartone che andava ripiegato secondo un rituale quasi woo-doo prima dell'uso.

Robert gli fece cenno di sedersi.

Andò a prendere posto su una delle poltrone in pelle nera di fronte alla scrivania. Mentre Robert finiva la comunicazione e chiudeva il guscio del Motorola, con una mano Jean-Loup agitò l'aria davanti a sé.

«Vogliamo fare di questa stanza un posto per i nostalgici della nebbia? Londra o morte? Anzi, no, Londra *e* morte? Lo sa il presidente che in sua assenza gli impesti l'ufficio? Nel caso, ho materiale per ricattarti fino alla fine dei tuoi giorni.»

Radio Monte Carlo, l'emittente in lingua italiana del Principato, era stata assorbita da una società che gestiva un pool di emittenti private la cui sede era in Italia, a Milano. La direzione, lì a Monaco, era interamente demandata a Bikjalo, e il presidente si faceva vedere solo in caso di riunioni importanti.

«Sei un farabutto, Jean-Loup. Uno sporco farabutto senza fisico.»

«Non so come fai a fumare quella schifezza. Stai per superare quel limite impalpabile tra il fumo e il gas nervino. O forse l'hai già superato da anni e noi parliamo col tuo fantasma senza essercene mai accorti.»

Robert rimase impassibile, invulnerabile all'umorismo di Jean-Loup come al fumo delle sue sigarette.

«Il mio silenzio esprime un'evidente superiorità davanti a questi commenti quasi femminei. Non è per sentire squallide battute sulle mie sigarette che sono qui ad attendere che il tuo prezioso sedere poggi sulla mia poltrona. E bada che dico "prezioso" perché è noto a tutti che con *quello* ragioni…»

Lo scambio di battute faceva parte di un piccolo rituale che fra di loro andava avanti da anni ma, nonostante questo, Jean-Loup pensava che erano ben lontani dal potersi definire amici. L'uso di quell'umorismo distruttivo in realtà celava la difficoltà di arrivare fino in fondo a Robert Bikjalo. Forse era una persona intelligente, ma sicuramente era una persona astuta. Un uomo intelligente a volte dà al mondo più di quanto riceve, uno furbo cerca di prendere il più possibile e dare in cambio il minimo indispensabile. Jean-Loup conosceva bene le regole della danza nel mondo in genere e nel suo ambiente in particolare: era il dee-jay che conduceva *Voices*, una trasmissione di grande successo su Radio Monte Carlo. La gente come Bikjalo stava ad ascoltarti soltanto in funzione di quanta gente ti ascoltava da casa.

«Vorrei solo dirti quello che penso di te e della tua trasmissione prima di cacciarti inesorabilmente in mezzo a una strada…»

Si appoggiò allo schienale e finalmente spense la sigaretta in un posacenere pieno di cadaveri. Lasciò cadere un silenzio da poker fra di loro. Proseguì con il tono di chi dice «vedo!» avendo in mano un gran bel punto.

«Oggi ho ricevuto una telefonata a proposito di *Voices*, il tuo programma. Era una persona molto vicina alla Reggia. Non chiedermi chi, perché posso dirti solo il peccato e non il peccatore…»

Il tono del direttore cambiò di colpo. Un sorriso a quaranta denti fiorì sul suo viso mentre calava una scala reale.

«Il principe in persona ha espresso il suo compiacimento per il successo della trasmissione!»

Jean-Loup si alzò dalla poltrona con un identico sorriso, diede un «cinque» alla mano tesa verso di lui e tornò a sedersi. Bikjalo continuò il suo volo sulle ali dell'entusiasmo.

«Montecarlo ha sempre avuto l'immagine, in ogni caso, di un posto ricco, di un paradiso fiscale usato per evadere le tasse un po' in tutto il mondo. Ultimamente, con i casini che sono successi in America e con la crisi economica che circola più o meno dappertutto, ci siamo un po' appannati…»

Disse quel «ci siamo» come gentile concessione al mondo, ma aveva l'aria di chi non si sente troppo coinvolto negli altrui problemi. Prese dal pacchetto una nuova sigaretta, piegò il filtro con le mani, se la infilò in bocca e l'accese con l'accendino sulla scrivania.

«Qualche anno fa, di questa stagione, sulla piazza del Casinò c'erano duemila persone. Adesso, certe sere, tira un'aria da *day after* che fa paura. L'impegno che sei riuscito a dare a *Voices*, rivolgendo la trasmissione verso il sociale, ha portato un aspetto nuovo. Ora molta gente pensa a Montecarlo come a un posto dove si possono anche risolvere i problemi, dove si può telefonare per chiedere aiuto. Anche per la radio, non ti nascondo, è stato un bel botto. Ci sono un sacco di sponsor nuovi all'orizzonte, e questo ti dà il termometro del successo del programma.»

Jean-Loup inarcò istintivamente un sopracciglio e sorrise. Robert era un manager e per lui il successo significava, in ultima analisi, un sospiro di sollievo e un senso di soddisfazione al momento di compilare un bilancio. I tempi eroici di Radio Monte Carlo, quelli di Jocelyn e Awanagana ed Herbert Pagani, per intenderci, erano finiti. Adesso stavano vivendo i tempi economici.

«Devo dire che siamo stati bravi. Tu soprattutto. A parte la formula vincente della trasmissione e gli sviluppi che ha avuto in seguito, il successo è dovuto in modo determinate alla tua capacità di condurla contemporaneamente in francese e in italiano. Io ho solo fatto il mio lavoro…»

Bikjalo fece un gesto vago che riassumeva una modestia che non gli apparteneva del tutto. Si riferiva in ogni caso a una sua intuizione molto acuta dal punto di vista manageriale. La validità del programma e il talento bilingue del suo conduttore lo avevano indotto a tentare una manovra che aveva portato a termine con l'abilità del diplomatico consumato. Aveva creato, supportato dagli ascolti e dai risultati, una specie di *joint-venture* con Europe 2, un'emittente francese con una linea editoriale molto vicina a quella di Radio Monte Carlo, che trasmetteva da Parigi.

Il risultato era che adesso *Voices* copriva, come messa in onda, gran parte del territorio italiano e di quello francese.

Robert Bikjalo mise i piedi sulla scrivania e sbuffò il fumo della sigaretta verso l'alto. Jean-Loup pensò che come posizione era molto istituzionale e allegorica. Probabilmente il presidente non l'avrebbe giudicata nello stesso modo.

Il direttore proseguì, trionfale.

«A cavallo fra giugno e luglio ci sono i Music Awards. Mi sono giunte voci che hanno pensato a te come presentatore. E poi c'è il Festival du Cinéma et de la Télévision. Stai andando al massimo, Jean-Loup. Molti personaggi nella tua situazione si sono trovati in difficoltà al momento del salto in video. Tu sei una persona dall'aspetto accattivante e, se ti giochi bene le tue carte, ho paura che per colpa tua ci sarà presto un bel braccio di ferro tra la radio e la televisione.»

Jean-Loup sorrise e guardò l'orologio. Si alzò dalla sedia.

«Credo che Laurent, invece, stia facendo un bel braccio di ferro col suo fegato. Non ci siamo ancora parlati e dobbiamo scalettare tutta la puntata di questa sera.»

«Di' a quella specie di regista e autore che lo attende lo stesso marciapiede che attende te.»

Jean-Loup si avviò verso la porta. Mentre stava per uscire, Robert lo bloccò.

«Jean-Loup?»

Si girò. Bikjalo stava seduto sulla poltrona e si dondolava con l'espressione di Silvestro che è finalmente riuscito a mangiarsi il canarino.

«Dimmi.»

«Va da sé che se tutte quelle menate televisive vanno in porto il tuo manager sono io…»

Jean-Loup pensò che Bikjalo aveva la stessa faccia che doveva avere il compianto La Palisse quando ne diceva una delle sue. Decise che avrebbe venduto cara la pelle.

«Ho sofferto per sopportare una percentuale del fumo delle tue sigarette. Per avere una percentuale del mio denaro dovrai soffrire perlomeno altrettanto.»

Quando chiuse la porta, Robert Bikjalo guardava il soffitto con aria sognante. Jean-Loup ebbe l'impressione che stesse già contando il denaro che non aveva ancora guadagnato.

2

Jean-Loup, attraverso la grande vetrata della cabina di regia, stava osservando la città e i suoi giochi di luce che si riflettevano sull'acqua immobile del porto. Sopra, avvolta nell'oscurità, la presenza protettiva del Mont Agel sulla cui cima, segnalato da una serie di luci rosse, c'era il ripetitore della radio, quello che permetteva loro di raggiungere e coprire l'Italia.

La voce di Laurent gli arrivò alle spalle, uscendo dall'interfono.

«Pausa finita, si torna al lavoro.»

Senza curarsi di rispondere, il dee-jay si staccò dalla finestra e tornò in postazione. Si mise le cuffie e si sedette davanti al microfono. Laurent, attraverso il vetro della cabina di regia, mostrò a Jean-Loup la mano aperta per indicargli che mancavano cinque secondi alla fine della serie di spot pubblicitari.

Laurent mandò in onda il breve jingle di *Voices*, per sottolineare il ritorno in trasmissione. Era stata, almeno fino quel momento, una puntata di tutto riposo, anche molto divertente a tratti, senza il connotato dolente che qualche volta erano chiamati a supportare.

«Jean-Loup Verdier, ancora. Ancora *Voices*, da Radio Monte Carlo, sperando che in questa bella notte di maggio non ci siano persone che abbiano bisogno del nostro aiuto, ma solo della nostra musica. Mi hanno appena fatto segno che c'è una telefonata.»

Infatti, la luce rossa in alto sulla parete si era accesa e Laurent aveva puntato verso di lui l'indice della mano destra, per confermargli che c'era una chiamata in linea. Jean-Loup si appoggiò con i gomiti sul piano del tavolo e si rivolse al microfono che aveva davanti.

«Pronto?»

Ci furono un paio di scariche e poi silenzio. Jean-Loup alzò la testa e guardò Laurent inarcando le sopracciglia. Il regista si strinse nelle spalle a indicare che il problema non veniva da loro.

«Sì, pronto?»

Finalmente la risposta arrivò attraverso l'aria e nell'aria la radio la rimandò e divenne di tutti. Prese posto nelle casse di diffusione della regia e nella loro mente e nella loro vita. Da quel momento in poi e per tanto tempo il buio sarebbe diventato un po' più buio e sarebbe servito molto rumore per coprire tutto quel silenzio.

«Ciao, Jean-Loup.»

C'era qualcosa di innaturale nel suono di quella voce. Sembrava intubata ed era stranamente piatta, senza espressione e senza colore. Le parole avevano la scia di un'eco soffocata, come un lontano aereo in partenza.

Di nuovo Jean-Loup guardò interrogativamente Laurent, che usò ancora l'indice della mano destra, descrivendo dei brevi cerchi in aria, per indicare che la distorsione dipendeva dalla comunicazione.

«Ciao. Chi sei?»

Ci fu un istante di esitazione all'altro capo del filo. Poi la risposta quasi soffiata nel suo innaturale riverbero.

«Non ha importanza. Io sono uno e nessuno.»

«La tua voce è disturbata, si sente male. Da dove chiami?»

Pausa. La leggera scia di un aereo diretto verso non si sa dove. L'interlocutore non rilevò l'appunto di Jean-Loup.

«Anche questo non ha importanza. L'unica cosa che conta è che è arrivato il momento di parlarci, anche se questo vuol dire che dopo né tu né io saremo più gli stessi.»

«In che senso?»

«Io sarò presto un uomo inseguito e tu starai dalla parte dei cani abbaianti che daranno la caccia alle ombre. È un peccato, perché adesso, in questo preciso momento, tu e io siamo uguali, siamo la stessa cosa.»

«In cosa siamo uguali?»

«*Per il mondo siamo tutti e due una voce senza volto, da ascoltare con gli occhi chiusi, immaginando. Là fuori è pieno di gente occupata solo a procurarsi una faccia da mostrare con orgoglio, a costruirsene una che sia diversa da tutte le altre, senza nessuna preoccupazione all'infuori di quella. È il momento di uscire e andare a vedere cosa c'è dietro...*»

«Non capisco cosa vuoi dire.»

Ancora una pausa, lunga abbastanza da far sembrare caduta la comunicazione. Poi la voce ritornò e qualcuno fra di loro ebbe l'impressione di sentirci l'impronta di un sorriso.

«*Capirai, nel tempo.*»

«Non riesco a seguire i tuoi ragionamenti.»

Ci fu una leggera pausa, come se l'uomo, all'altro capo del filo, stesse studiando le parole.

«*Non fartene un problema. A volte è difficile anche per me.*»

«E allora perché hai chiamato, perché stai qui a parlare con me?»

«*Perché io sono solo.*»

Jean-Loup chinò la testa sul tavolo e se la strinse fra le mani.

«Parli come un uomo che sta chiuso in una prigione.»

«*Tutti siamo chiusi in una prigione. La mia me la sono costruita da solo, ma non per questo è più facile uscirne.*»

«Mi spiace per te. Credo di intuire che non ami la gente.»

«*Tu la ami?*»

«Non sempre. A volte cerco di capirla e quando non ci riesco cerco almeno di non giudicarla.»

«*Anche in questo siamo uguali. L'unica cosa che ci fa differenti è che tu, quando hai finito di parlare con loro, hai la possibilità di sentirti stanco. Puoi andare a casa e spegnere la tua mente e ogni sua malattia. Io no. Io di notte non posso dormire, perché il mio male non riposa mai.*»

«E allora tu che cosa fai, di notte, per curare il tuo male?»

Jean-Loup incalzò leggermente il suo interlocutore. La risposta si fece attendere e fu come se un oggetto avvolto in diversi strati di carta prendesse lentamente la luce.

«*Io uccido…*»

«Che signif…»

La voce di Jean-Loup fu interrotta da una musica che uscì dalle casse. Era un brano arioso, malinconico, dalla melodia coinvolgente, eppure, dopo quelle ultime due parole, parve diffondersi nell'aria come una minaccia. Durò in tutto una decina di secondi, poi, di colpo com'era arrivata, la musica si spense.

Nel silenzio di colla che seguì, tutti udirono distintamente il *clic* della comunicazione interrotta. Jean-Loup alzò di scatto la testa verso gli altri. Nella stanza, il fruscio fresco del condizionatore e il gelo dei loro pensieri, eppure fu come se tutti, contemporaneamente, si fossero girati a guardare verso il bagliore accecante di Sodoma e Gomorra in fiamme.

Dopo quell'episodio, riuscirono in qualche modo a trascinare la trasmissione fino al momento di lanciare la sigla. Non c'erano state più telefonate da parte del pubblico. O meglio, dopo la strana chiamata, il centralino era stato intasato di telefonate, ma nessuna era stata mandata in onda.

Jean-Loup si tolse le cuffie e le appoggiò sul tavolo, accanto al microfono. Si accorse che quella sera, nonostante il condizionatore, aveva i capelli sudati, come dopo una leggera corsa.

Né tu né io saremo più gli stessi.

Per tutto il tempo residuo aveva passato solo musica, dilungandosi a puntualizzare la strana analogia fra Tom Waits e l'italiano Paolo Conte, entrambi atipici come interpreti ed estremamente significativi come autori. Tradusse i testi di due loro canzoni e ne sottolineò l'importanza. Fortunatamente avevano anche diverse scappatoie per le serate disperate, e quella senza dubbio lo era. C'erano alcuni numeri di telefono di riserva a cui appoggiarsi quando la trasmissione non riusciva a decollare. Chiamarono alcuni artisti amici pregandoli di intervenire e passarono un quarto d'ora in compagnia della poesia e dell'umorismo di Francis Cabrel.

La porta di comunicazione si aprì e la testa di Laurent fece capolino fra gli stipiti.

«Tutto bene, Jean-Loup?»

Jean-Loup lo guardò come se non lo vedesse.

«Sì, tutto bene.»

Si alzò e insieme uscirono dallo studio, incrociando gli sguardi perplessi e in qualche modo sfuggenti di Barbara e di Jacques, il fonico. La ragazza indossava una camicetta azzurra e Jean-Loup notò che aveva due larghe chiazze di sudore sotto le ascelle.

«C'è stato un casino di telefonate. Due hanno chiesto se era un giallo a puntate e quando andava in onda la prossima, poi almeno una dozzina di persone sdegnate per i mezzucci a cui siamo costretti a ricorrere per aumentare l'ascolto. Ha chiamato anche il boss ed è arrivato come un falco. È già nell'ufficio del presidente che ci aspetta. Ci è cascato anche lui e ci ha chiesto se siamo impazziti. Sembra che uno degli sponsor gli abbia telefonato subito e non credo fosse una telefonata di congratulazioni.»

Jean-Loup immaginava la stanza, se possibile, ancora più intasata del fumo delle sue sigarette, e un discorso leggermente meno entusiasta di quello che gli aveva fatto prima della trasmissione.

«Come mai il centralino non ha filtrato la chiamata?»

«Mi venga un colpo se riesco a capire che cosa è successo. Raquel dice che la telefonata non è passata attraverso di lei. Per un motivo che non sa spiegare è arrivata direttamente sulla linea dello studio. Ci dev'essere stato un contatto o che so io. Per me è il nuovo centralino elettronico che inizia a lottare per l'autocoscienza. Vedrai che un giorno o l'altro ci troviamo tutti a combattere con le macchine, come in *Terminator*.»

Uscirono dalla regia uno di fianco all'altro, diretti verso l'ufficio di Bikjalo, senza avere il coraggio di guardarsi in faccia. Fra di loro la sottile intercapedine di quelle due parole.

Io uccido...

Passarono davanti alla postazione dei computer, perplessi. Il suono angosciante di quella voce pareva ancora aleggiare nell'aria.

«E quella musica finale? A me sembra di conoscerla...»

«Anche a me. Se non sbaglio è una colonna sonora. Mi sembra che sia *Un uomo, una donna*, un vecchio film di Lelouch. Roba del '66 o giù di lì.»

«E che significa?»

«A me lo chiedi?»

Jean-Loup pareva interdetto. Avevano davanti un fatto assolutamente nuovo, che non riuscivano a classificare nelle precedenti esperienze radiofoniche. A livello emozionale, soprattutto.

«Tu che ne pensi?»

«Tutte sciocchezze.»

Laurent accompagnò le parole con un gesto noncurante della mano, ma nonostante ciò sembrava avesse parlato più per il desiderio di convincere se stesso che di convincere l'altro.

«Dici?»

«Ma sì, centralino a parte, credo sia soltanto lo scherzo di pessimo gusto di un idiota.»

Si fermarono davanti alla porta dell'ufficio di Bikjalo e Jean-Loup impugnò la maniglia. Finalmente si guardarono in faccia. Laurent sottolineò il suo pensiero.

«Sarà soltanto una cosa strana da raccontare allo Sporting e di cui riderci sopra.»

L'espressione di Laurent, tuttavia, era quella di chi non è completamente convinto di quello che sta dicendo. Jean-Loup spinse la porta e, mentre entravano nell'ufficio del direttore, si chiese se quella telefonata fosse una promessa o una scommessa.

3

Jochen Welder azionò il comando del verricello elettrico e tenne premuto il pulsante per far scendere l'ancora e una lunghezza di catena adeguata per mantenere la *Forever* alla fonda. Quando fu certo della tenuta dell'ancoraggio spense il motore. L'imbarcazione, uno splendido due alberi di ventidue metri disegnato dal suo amico Mike Farr e costruito appositamente per lui dai cantieri Beneteau, iniziò a ruotare lentamente. Spinta da una brezza leggera che soffiava verso terra, seguì la corrente, ponendosi con la prua in direzione del mare aperto. Arijane, che era rimasta a controllare la discesa dell'ancora, si girò e andò verso di lui, camminando disinvolta sul ponte, appoggiandosi solo ogni tanto al tientibene per ammortizzare il leggero rollio provocato dalle onde. Jochen rimase a guardarla socchiudendo appena gli occhi e ammirò per l'ennesima volta la sua figura snella, atletica, vagamente androgina. Assorbì la solidità del suo corpo e il fascino della sua gestualità con un senso di calore alla bocca dello stomaco. Sentì il desiderio salirgli dentro come un piccolo dolore e pensò con gratitudine alla casualità del destino, che aveva disegnato una donna che lui stesso, se l'avesse fatta con le sue mani, non avrebbe saputo costruirsi così vicina al personale concetto di perfezione.

Non aveva ancora avuto il coraggio di dirle che l'amava.

Lei lo raggiunse presso la ruota del timone, gli passò le braccia intorno al collo e appoggiò la bocca alla sua guancia in un bacio soffice. Jochen sentì il calore del suo alito e l'aroma naturale del suo corpo e pensò ancora una volta che non esiste miglior profumo di una pelle con un buon odore. Sapeva di mare e di cose da scoprire, poco per volta, senza fretta. Il sorriso di Arijane brillò nel controluce del tramonto e Jochen immaginò, più che vederlo, il riflesso scintillio nei suoi occhi.

«Credo che scenderò a fare una doccia. Dopo, se vuoi, la puoi fare anche tu, e se oltre alla doccia ti vorrai pure fare questa barbaccia, forse accetterò volentieri qualsiasi proposta tu voglia farmi per il dopocena…»

Jochen ricambiò il suo sorriso con un sorriso altrettanto complice e si passò una mano sulla barba di due giorni.

«Strano, credevo che a voi donne piacesse la figura dell'uomo con la barba leggermente incolta…»

Parodiò la voce dei trailer dei film d'avventura degli anni Cinquanta.

«Quello che vi circonda la spalla con il braccio e con l'altro guida la sua barca verso l'orizzonte.»

Arijane si adeguò al gioco. Si sciolse dall'abbraccio e si diresse sottocoperta muovendosi come una diva del muto.

«Non ho nessuna difficoltà a immaginarmi in viaggio verso l'orizzonte con te, mio eroe, ma non credo cambi molto se ci vado senza avere le guance in fiamme.»

Sparì oltre la soglia come un'attrice dietro le quinte dopo una battuta a effetto.

«Arijane Parker, i tuoi avversari ti credono una giocatrice di scacchi, ma nessuno tranne me sa quello che veramente sei…»

La testa di lei fece capolino per un istante dalla porta, curiosa.

«Vale a dire?»

«Il più bel clown che io abbia mai conosciuto.»

«Certo! Per questo sono così brava con gli scacchi, perché non li prendo per niente sul serio.»

E sparì di nuovo. Jochen vide stamparsi sul ponte il riflesso della luce accesa e poco dopo sentì lo scroscio della doccia.

Non riusciva a togliersi il sorriso dalla faccia.

Aveva conosciuto Arijane qualche mese prima, in occasione del Gran Premio del Brasile, quando era stato invitato a un rice-

vimento organizzato da uno degli sponsor del team, una multinazionale che produceva abbigliamento sportivo. Di solito cercava
di evitare al massimo questo tipo di impegni mondani, specialmente vicino alle gare, ma quella volta c'era un intento benefico a
favore dell'Unicef e non se l'era sentita di rifiutare.

Nonostante tutto, si aggirava leggermente a disagio per i salo-
ni pieni di gente, elegantissimo in uno smoking talmente perfetto
da non sembrare neanche lontanamente noleggiato per l'occasione. Aveva in mano un bicchiere di champagne che non riusciva a
bere e sul viso una noia che non riusciva a mascherare.

«Lei si diverte sempre così tanto oppure oggi si sta sforzando
particolarmente?»

Si era girato al suono della voce e si era trovato davanti il sorriso e gli occhi verdi di Arijane. Indossava uno smoking da uomo,
con la camicia aperta, senza la classica cravatta a farfalla. Aveva ai
piedi un paio di scarpe da tennis bianche. L'abbigliamento e i capelli neri tagliati corti la facevano sembrare una versione elegante
di Peter Pan. Aveva visto diverse volte la sua foto sui giornali e
aveva riconosciuto subito Arijane Parker, la bizzarra ragazza di
Boston che era uscita dall'anonimato mettendo alle strette tutti i
più grandi campioni di scacchi del mondo. La battuta era stata
pronunciata in tedesco e Jochen aveva risposto nella stessa lingua.

«Mi avevano proposto come alternativa la fucilazione, ma sic-
come ho degli impegni per il fine settimana, sono stato costretto
ad accettare questo…»

Aveva indicato con un cenno del capo il salone pieno di gente. Il sorriso della ragazza si era accentuato e la sua espressione divertita aveva dato a Jochen la sensazione di aver appena superato
un esame. Aveva teso una mano verso di lui.

«Arijane Parker.»

«Jochen Welder.»

Aveva avvolto con la sua quella mano offerta e provato la netta sensazione che quel gesto avesse un significato particolare, che
nello sguardo che si stavano scambiando ci fosse già un discorso

più avanti di quello che potevano condurre con delle semplici parole. Erano usciti fuori, all'aperto, sulla grande terrazza sospesa sul respiro silenzioso della notte brasiliana.

«Com'è che parli così bene il tedesco?»

«La seconda moglie di mio padre, che casualmente è mia madre, è di Berlino. Fortunatamente è rimasta sposata con lui abbastanza a lungo per insegnarmelo.»

«Perché una ragazza proprietaria di una testa così bella decide di tenerla china ore e ore su una scacchiera?»

Arijane aveva inarcato un sopracciglio e gli aveva ributtato la palla, rispondendo alla domanda con una domanda.

«Perché un uomo proprietario di una testa così interessante decide di nasconderla in quella specie di pentola che vi mettete su voi piloti?»

Léon Uriz, il rappresentante dell'Unicef che si occupava della manifestazione, era arrivato in quel momento a reclamare la sua presenza nella sala grande. Jochen aveva lasciato Arijane a malincuore e lo aveva seguito, deciso a togliere quanto prima il punto di domanda all'ultima frase di lei. Prima di superare la soglia della grande vetrata si era girato a guardarla. Era in piedi vicino alla balaustra e lo osservava, una mano infilata in una tasca. Con un sorriso e un cenno d'intesa, aveva alzato verso di lui il bicchiere di champagne che ancora stringeva.

Il giorno successivo, dopo il turno di prove libere del giovedì, era andato a vederla nel torneo che stava giocando. Il suo arrivo aveva in qualche modo provocato scalpore fra il pubblico e i giornalisti. Era chiaro che la presenza di Jochen Welder, due volte campione del mondo di Formula Uno, a una partita di Arijane Parker non era casuale e sicuramente lontana da un suo interesse per gli scacchi di cui non c'era alcuna notizia precedente. Lei era seduta al tavolo di gara, separato da una transenna in legno dal tavolo dei giudici e dallo spazio riservato al pubblico. Aveva girato la testa nella direzione del brusio e, nel vederlo, la sua espressione non era per nulla cambiata, come se non l'avesse riconosciuto. Era ritornata con lo sguardo fisso alla scacchiera che la divideva dal suo avversario. Jochen aveva ammirato la sua concentrazione, la sua testa china a osservare la disposizione del gioco, la stranezza di quella figura esile di donna in un ambiente che di solito parla un linguaggio maschile. Da quel momento Arijane aveva sbagliato alcune mosse in modo incomprensibile. Lui non capiva niente di scacchi ma lo aveva intuito dai commenti del pubblico di appassionati che gremiva la sala. Di colpo si era alzata e aveva appoggiato il re sulla scacchiera, in segno di resa. Senza guardare nessuno, a testa bassa, aveva raggiunto una porta di legno che si apriva sul fondo della sala. Jochen aveva cercato di raggiungerla ma era sparita senza lasciare traccia.

Le prove cronometrate e poi l'impegno dei momenti prima della gara gli avevano impedito di cercarla ancora. Se l'era trovata a sorpresa ai box, il mattino del Gran Premio, subito dopo il *briefing* dei piloti. Stava controllando l'esecuzione delle modifiche alla macchina che aveva suggerito ai meccanici dopo il warm-up e la sua voce lo aveva sorpreso come la volta del loro primo incontro.

«Be', devo dire che la tuta non ti dona quanto lo smoking, ma se non altro è più allegra.»

Si era girato ed era davanti a lui, gli immensi occhi verdi che luccicavano, i capelli seminascosti da un berretto con il logo di uno sponsor. Portava una T shirt leggera, sotto la quale il seno s'indovinava libero da costrizioni, e un paio di bermuda colorati, come quasi tutti lì intorno. Aveva al collo un passi della Foca e un paio di occhiali da sole sostenuti da una fettuccia di plastica. La sorpresa lo aveva paralizzato, tanto che Alberto Regosa, il suo ingegnere di pista, gli aveva lanciato una frase scherzosa.

«Ehi, Jochen, se non chiudi la bocca credo che oggi farai fatica ad allacciarti il casco.»

Aveva messo una mano sulla spalla di Arijane e risposto contemporaneamente a lei e allo scherzo dell'amico.

«Vieni, leviamoci di qui. Ti potrei anche presentare *qualcuno* ma è inutile familiarizzare, visto che da domani dovrà cercarsi un altro lavoro e non sarà più con noi.»

Aveva accompagnato la ragazza fuori dal box, mentre ricambiava con il dito medio della mano destra nascosta dietro la schiena la battuta dell'ingegnere. Aveva guardato sfacciatamente le belle gambe che spuntavano dai bermuda.

«Onestamente, devo dire che anche a te lo smoking non stava male, ma preferisco così. C'è sempre un'ombra di legittimo sospetto verso le gambe delle ragazze in pantaloni.»

Avevano riso insieme e poi Jochen le aveva illustrato brevemente la confusione e l'attività del mondo delle corse automobilistiche, che Arijane non conosceva per niente. Le aveva spiegato chi era chi e cosa era cosa, alzando a tratti la voce per non essere coperto dall'accensione di qualche motore. Quando era giunto il momento dell'allineamento sulla griglia, l'aveva invitata ad assistere alla gara dai box.

«Temo che ora dovrò andare a mettermi la pentola sulla testa, come dici tu. Ci vediamo dopo.»

L'aveva salutata e affidata alle cure di Greta Ringer, la p.r. del team. Si era infilato nella monoposto e mentre i meccanici gli allacciavano le cinture aveva alzato la testa e l'aveva guardata. Attraverso la feritoia del casco i loro occhi si erano di nuovo parlati, ed era un linguaggio che sovrastava l'emozione della gara. In corsa era uscito quasi subito, dopo una decina di giri. Aveva fatto una buona partenza ma poi, mentre era in quarta posizione, la sospensione posteriore, punto debole della loro macchina, aveva ceduto di colpo, mandandolo in testacoda all'uscita di un curvone veloce sulla sinistra. Aveva sbattuto violentemente contro le protezioni, rimbalzando verso il centro pista e carambolando con la sua Klover F109 semidistrutta. Aveva avvertito via radio il team che tutto era okay ed era rientrato a piedi. Appena arrivato ai box aveva cercato Arijane con lo sguardo ma non l'aveva vista. Solo dopo aver spiegato al team manager e ai tecnici il motivo dell'incidente era potuto andare a cercarla. L'aveva trovata nel motor-home, seduta di fianco a Greta, che si era allontanata discretamente al suo arrivo. Si era alzata in piedi e gli aveva circondato il collo con le braccia.

«Posso accettare che la tua presenza mi faccia perdere la semifinale di un torneo importantissimo, ma credo che farò fatica a perdere un po' di vita ogni volta che tu rischierai la tua. Però adesso puoi baciarmi, se vuoi…»

Da quel giorno non si erano più lasciati.

Jochen accese una sigaretta e rimase da solo, seduto nella semioscurità, a fumare e a osservare le luci della costa. Aveva ormeggiato la barca poco fuori Cap Martin, davanti a Roquebrune, leggermente spostato sulla destra rispetto alla grande «V» azzurra sulla montagna, l'insegna del Vista Palace Hotel, il grande albergo costruito a picco sulla roccia. Sulla sinistra splendeva Montecarlo, bella e finta come una dentiera, immersa nelle luci che non meritava e nel denaro che non le apparteneva. Erano passati tre giorni dal Gran Premio e, dopo il bagno di folla del week-end della gara, la città rientrava velocemente nella sua plastificata normalità. Dove poco prima aveva dominato la velocità delle macchine da corsa riprendeva il traffico pigro e ordinato sotto il sole di maggio, con una prospettiva d'estate che non era più quella di un tempo, né per lui né per nessun altro.

Jochen Welder, a trentaquattro anni, si sentiva vecchio e aveva paura.

La paura la conosceva bene, era una compagnia abituale per un pilota di Formula Uno. Ci si coricava da anni ogni sabato prima della gara, qualunque fosse la donna che in quel momento divideva la sua vita e il suo letto. Aveva imparato ormai a riconoscerne addirittura l'odore, nelle sue tute impregnate di sudore appese ad asciugare nei box. Per tanto tempo l'aveva lucidata e battuta la sua paura, dimenticata ogni volta che allacciava il casco o che saliva in macchina e stringeva le cinture di sicurezza, aspettando il soffio potente dell'adrenalina che si scarica nelle vene. Adesso era diverso, adesso aveva paura della paura. Quella che sostituisce il ragionamento all'istinto, che ti fa staccare il piede dall'acceleratore un attimo prima del necessario e che un attimo prima del necessario ti fa cercare il pedale del freno. Quella che di colpo ti rende muto e parla soltanto attraverso un cronometro, mentre spiega quanto sia veloce un secondo per un uomo comune e quanto sia lento invece per un pilota.

Il telefono cellulare infilato nel supporto di fianco a lui prese a squillare. Era convinto di averlo spento e lo guardò con la tentazione di farlo ora. Poi, con un sospiro, lo estrasse dal suo alloggiamento e premette il pulsante che apriva la comunicazione.

«Ma dove diavolo ti sei cacciato?»

La voce di Roland Shatz, il suo manager, saltò fuori dall'apparecchio come quella di un presentatore televisivo in un quiz a premi, salvo che di solito quelli non sono arrabbiati con i concorrenti. Se lo aspettava ma non era del tutto preparato.

«In giro...» rispose evasivo.

«In giro un cazzo! Ma lo sai il casino che sta succedendo?»

Non lo sapeva, ma poteva benissimo immaginarselo. Dopotutto, un pilota che perdeva una gara già praticamente vinta per un errore alle ultime curve era sempre un bel po' di nero sulle pagine bianche della stampa sportiva di tutto il mondo. Roland non gli diede il tempo di ribattere e continuò per la sua strada.

«Il team ha cercato di coprirti in tutti i modi di fronte ai giornalisti, ma Ferguson è incazzato come una iena. Per tutto il Gran Premio non hai fatto un solo sorpasso, ti sei trovato in testa solo perché gli altri sono usciti o hanno rotto e vai a gettare al vento una gara in quel modo! Il titolo più clemente sui giornali è *Jochen Welder a Montecarlo perde la gara e perde la faccia.*»

Tentò una debole protesta, senza tuttavia crederci troppo.

«Vi ho detto che c'era qualcosa nell'assetto...»

Il manager non lo lasciò neanche finire.

«Balle! I referti della telemetria sono lì e cantano meglio di Pavarotti. La macchina era perfetta e finché gli ha retto il motore Malot te le ha suonate di santa ragione, anche se sulla griglia è partito dopo di te.»

François Malot era la seconda guida della squadra, un giovane pilota dal talento acerbo che Ferguson, il team-manager della Klover F1 Racing Team, si stava allevando e coccolando da tempo. Non aveva ancora l'esperienza necessaria, ma era un ottimo collaudatore e di grinta e coraggio ne aveva da vendere. Non a caso gli addetti ai lavori del Circus l'avevano tenuto d'occhio sin da quando correva in Formula Tre, finché Ferguson non aveva battuto tutti sul tempo mettendolo sotto contratto per due anni. D'altronde lo stesso Shatz aveva brigato non poco per diventarne il procuratore. Era la legge dello sport e della Formula Uno in particolare, pianeta piccolissimo dove il sole sorge e tramonta con una rapidità spietata.

Al telefono, Roland cambiò improvvisamente tono e nella sua voce c'era l'impronta evidente dell'amicizia che lo legava a Jochen, che andava ben oltre il semplice rapporto di lavoro. Dava tuttavia l'impressione di impersonare da solo il poliziotto buono e quello cattivo degli interrogatori.

«Jochen, ci sono dei problemi. La settimana prossima è prevista una sessione di prove private a Silverstone, con la Williams e la Jordan. Se ho capito bene tu non sei convocato. Preferiscono che i test della nuova sospensione li portino avanti Malot e Barendson, il collaudatore. Tu lo sai che significa questo, vero?»

Certo che lo sapeva. Conosceva troppo bene il mondo delle corse per non saperlo. Quando un pilota non viene messo al corrente delle ultime novità tecniche del team, ci sono serie probabilità che i responsabili non vogliano dargli la possibilità di portare in un'altra squadra informazioni preziose. Vale a dire niente rinnovo del contratto.

«Cosa ti aspetti che io dica, Roland?»

«Niente, non mi aspetto che tu dica niente. Vorrei solo che tu, quando corri, usassi il cervello e il piede che hai sempre dimostrato di avere.»

Ci fu un istante quasi impercettibile di pausa.

«Stai con quella là, vero?»

Jochen, suo malgrado, sorrise.

Roland non aveva nessuna simpatia per Arijane, che nei loro dialoghi non aveva un nome ma era semplicemente «quella là».

D'altronde nessun manager prova simpatia per una donna che ritiene responsabile dell'ammosciamento di un suo pilota. Aveva avuto decine di donne, prima, che Shatz aveva valutato esattamente per quello che erano, l'inevitabile corollario per uno che stava come lui al centro dell'attenzione, tante piccole belle lune che brillavano alla luce riflessa del sole del campione. Stranamente aveva rizzato le antenne quando era entrata Arijane nella sua vita e si era messo sulla difensiva. Forse era ora di cominciare a spiegargli che Arijane non era la malattia ma che, casomai, ne era un sintomo. Jochen parlò col tono di chi deve convincere un bambino cocciuto a lavarsi anche dietro le orecchie.

«Roland, non ti passa per la testa che il film possa essere arrivato alla fine? Ho trentaquattro anni e molti piloti della mia età si sono già ritirati. Quelli che ancora stanno in circolazione sembrano la caricatura di ciò che erano.»

Non menzionò volutamente quelli che erano morti. Erano nomi e visi e occhi e risate di uomini che tutt'a un tratto erano diventati corpi avvolti nella carrozzeria contorta di una monoposto, un casco colorato reclinato da una parte, un'ambulanza mai troppo veloce, un elicottero mai troppo rapido, un medico mai troppo bravo.

Roland ebbe un guizzo di ribellione alle sue parole.

«Ma che stai dicendo, Jochen? La Formula Uno sappiamo tutti e due com'è, ma ho un mucchio di proposte dall'America per la Cart. Hai ancora un bel po' di tempo per divertirti e guadagnare un sacco di soldi senza correre rischi.»

Jochen non ebbe il coraggio di gettare acqua sul fuoco manageriale di Roland. I soldi non erano sicuramente l'incentivo che poteva cambiare il suo stato d'animo. Aveva soldi a sufficienza per due generazioni. Se li era guadagnati rischiando la pelle in tutti quegli anni e non si era fatto coinvolgere, come tanti suoi colleghi, nel turbine dell'aereo personale o dell'elicottero e di case sparse in ogni parte del mondo. Non se la sentì di dire a Shatz che il problema era un altro, che purtroppo non si divertiva più. Per qualche motivo il filo si era spezzato e per sua fortuna non era successo mentre lui ci stava sopra in equilibrio.

«Va bene, ne possiamo parlare.»

Shatz capì che non era il caso di insistere, per il momento.

«Okay, cerca di essere in forma per la Spagna. Il mondiale non è ancora chiuso e bastano un paio di belle gare per rimettere in discussione tutto. Nel frattempo divertiti, bell'uomo!»

Roland chiuse la comunicazione e Jochen rimase a osservare l'apparecchio, quasi a vederci attraverso il viso pensieroso del suo manager.

«Bravo. Aspetti che io mi allontani e ti attacchi al telefono. Devo sospettare che ci sia un'altra donna nella tua vita?»

Arijane uscì all'aperto e salì verso di lui strofinandosi i capelli con un asciugamano.

«No, era Roland.»

«Ah!»

C'era tutta la loro situazione in quel monosillabo.

«Non gli sono simpatica, vero?»

Jochen l'attirò verso di sé circondandole la vita sottile con le braccia. Posò la guancia sul suo ventre e parlò senza guardarla in viso.

«Non è questo il problema. Roland ha le sue preoccupazioni, come tutti, ma è un amico ed è in assoluta buonafede.»

Arijane gli carezzò i capelli.

«Gliel'hai detto?»

«No, ho preferito non parlarne al telefono. Penso che lo dirò a lui e a Ferguson a Barcellona, la settimana prossima. In ogni caso l'annuncio ufficiale del mio ritiro lo darò a fine stagione. Non voglio essere inseguito dai giornalisti più di quanto già non sia.»

La loro storia era stata un boccone ghiottissimo per la stampa di tutto il mondo. I loro volti erano stati sulle prime pagine dei rotocalchi per mesi e i cronisti mondani ci avevano sguazzato, scrivendo e inventando tutto il possibile sul loro conto.

Jochen alzò il viso verso di lei e le cercò gli occhi. La sua voce era un sussurro emozionato.

«Ti amo, Arijane. Ti amavo ancora prima di conoscerti e non lo sapevo.»

Lei non rispose. Si limitò a guardarlo al riflesso della luce che veniva da sottocoperta. Jochen provò un piccolo brivido di insicurezza, ma ormai l'aveva detto e non poteva e non voleva tornare indietro.

Secondo carnevale

La testa dell'uomo emerge dall'acqua poco lontano dalla prua del *Beneteau*. Attraverso il vetro della maschera subacquea individua la catena dell'ancora e pinneggiando lentamente la raggiunge. Si aggrappa con la mano destra e rimane a osservare la barca, che riflette con lo scafo in vetroresina la luce della luna piena. Il suo respiro, nell'erogatore, è calmo e tranquillo.

La bombola da cinque litri che porta sulle spalle non è adatta alle lunghe immersioni ma è leggera, maneggevole, e garantisce un'autonomia sufficiente alle sue necessità. Indossa una muta nera, anonima, senza scritte o inserti colorati, spessa abbastanza da garantirgli una valida protezione contro il freddo durante tutta la sua permanenza in acqua. Non può usare nessun tipo di torcia elettrica, ma la luce quasi sfacciata del plenilunio non ne fa sentire la mancanza. Prestando bene attenzione a non provocare il minimo sciacquio, si lascia scivolare di nuovo sotto il pelo dell'acqua, costeggia la sagoma dello scafo sommerso, con la lunga deriva in controluce protesa verso il fondale scuro, più in basso. Emerge a poppa dell'imbarcazione e si appende alla scaletta che è rimasta abbassata.

Bene.

Questo gli avrebbe evitato evoluzioni per salire a bordo. Scioglie il tratto di sagola che porta legato intorno alla vita. Aggancia un moschettone alla scaletta e per prima cosa append e a quello che sta all'altra estremità la scatola a chiusura ermetica che ha con sé. Vuole togliere anche la bombola, le pinne e la cintura dei piombi e lasciarle attaccate alla scaletta, un metro sotto il pelo dell'acqua.

Non può permettersi di essere limitato nei movimenti, anche se la sorpresa nei confronti di due persone colte nel sonno avrebbe agito a suo favore e facilitato il suo compito.

Sta per togliersi le pinne quando percepisce un passo sul ponte della barca. Abbandona la scaletta e si sposta alla sua destra, per avere la protezione della murata. Dal suo posto fra le ombre, vede la ragazza uscire all'aperto e rimanere in piedi, come incantata dal gioco della luna sul mare calmo e piatto. L'accappatoio bianco che indossa è per pochi istanti un riflesso in più, ma poi, con un solo gesto fluido, la ragazza lo lascia scivolare a terra ed è nuda nella luce.

Dalla sua posizione, l'uomo la vede di profilo e ammira il suo corpo solido, la linea perfetta del seno piccolo e sodo, segue con lo sguardo la traccia delle natiche che si scioglie nelle gambe lunghe e nervose.

Con movimenti che sembrano d'argento, la giovane donna raggiunge la scaletta e tende un piede a provare la temperatura dell'acqua.

L'uomo sorride ed è il sorriso acuminato di uno squalo.

Non riesce a credere alla sua fortuna.

Spera ardentemente che la ragazza non tema il confronto con l'acqua fredda e che subisca il fascino di un bagno in mare sotto la luce della luna piena. Quasi avesse colto il suo pensiero, la ragazza si gira, inizia a scendere la scaletta e si lascia dolcemente scivolare fra le onde, rabbrividendo alla temperatura frizzante dell'acqua che le fa venire la pelle d'oca e le raggrinzisce piacevolmente i capezzoli.

Si allontana nuotando dalla barca, puntando verso il largo, sul lato opposto a quello dove sta in agguato la sua figura avvolta nella muta nera. Il movimento silenzioso con cui l'uomo si lascia sprofondare sotto il pelo dell'acqua ha la sinistra fluidità del predatore che inizia il gioco di caccia con la preda ignara, un gioco crudele che ha sempre in palio la vita.

Aiutandosi con le mani, svuota completamente i polmoni attraverso l'erogatore per scendere più agevolmente. Poi si pone parallelo al fondale e inizia a muoversi in direzione della ragazza. Poco dopo arriva sotto di lei. Alza la testa e la vede su in alto, macchia scura in controluce sul pelo dell'acqua, muovere i piedi e le mani per tenersi a galla. Risale lentamente, respirando piano per non tradire la sua presenza con le bolle d'aria. Quando la ragazza è a portata di mano, l'afferra per le caviglie e la tira con forza verso il basso.

Arijane avverte con sorpresa la presa violenta che la trascina sotto la superficie. Il movimento con cui viene attirata verso il fondo è talmente improvviso che non ha nemmeno il tempo di riempirsi i polmoni d'aria. Si trova di colpo un metro sott'acqua e quasi immediatamente sente allentarsi la presa alle caviglie. Scalcia istintivamente per darsi una spinta verso l'alto ma due mani si posano sulle sue spalle, apponendo un peso che invece la spinge ancora più giù, verso il fondale, lontano dal pelo dell'acqua che luccica sopra la sua testa come una promessa beffarda di aria e di luce. Sente due braccia rapaci circondarle il busto e saldarsi come una cintura sopra il seno, il contatto viscido del neoprene di una muta da sub aderire alla schiena nuda e un corpo sconosciuto allacciarsi al suo, mentre l'aggressore le circonda il bacino con le gambe cercando di impedirle ogni movimento.

Il terrore circonda la ragione con un muro di gelo.

Inizia a divincolarsi selvaggiamente, mugolando, ma i suoi polmoni, già in debito d'ossigeno, bruciano in un attimo tutte le residue riserve. Man mano che cresce il bisogno d'aria, Arijane sente le forze svanire, sempre più in balia della stretta mortale del corpo tenacemente avvinghiato al suo, che la trascina inesorabile verso la notte senza luna del fondale.

Ha la percezione che sta per morire, che qualcuno la sta uccidendo senza che le sia concesso di sapere il perché. Dai suoi occhi escono salate le lacrime del rimpianto che vanno a confondersi con i milioni di gocce anonime nel mare indifferente che l'avvolge. Sente il buio di quell'abbraccio espandersi ed entrare a far parte di lei, come una boccetta d'inchiostro nero versata nell'acqua pulita di un catino. Una mano fredda e spietata prende a frugare freneticamente in ogni parte del suo corpo, dentro e fuori, quasi a cercare ed estinguere ogni minima scintilla di vita che incontri sul suo cammino, finché non raggiunge il suo giovane cuore di donna e lo ferma per sempre.

L'uomo sente il corpo rilassarsi improvvisamente, nel momento stesso in cui la vita lo abbandona. Attende qualche istante e poi gira il cadavere della ragazza con la faccia verso di sé, le mette le braccia sotto le ascelle e inizia a muovere i piedi pinnati per risalire verso l'alto. Man mano che procede verso la superficie luminosa, il volto della giovane donna smette di essere una macchia scura e prende lentamente forma oltre il vetro della maschera. Appaiono i lineamenti delicati, il naso sottile, la bocca semiaperta dalla quale escono poche, ultime, beffarde bollicine d'aria. Appaiono gli splendidi occhi verdi senza vita fissati dal flash spietato della morte, mentre si avvicinano a quella luce che non possono più vedere e che non gli appartiene più.

L'uomo guarda apparire il viso della donna che ha ucciso come un fotografo guarda svilupparsi una fotografia di cui è particolarmente ansioso. Quando è perfettamente sicuro della bellezza di quel volto, di nuovo lo squalo sorride.

Il capo dell'uomo emerge infine dall'acqua. Sempre sorreggendo il cadavere, si avvicina alla scaletta. Prende la sagola che aveva fissato in precedenza alla struttura tubolare in metallo e la gira intorno al collo della donna, in modo che la sorregga mentre si spoglia della bombola e dell'erogatore. Il corpo scivola sotto il pelo dell'acqua provocando un leggero vortice. I capelli della ragazza rimangono a galleggiare pochi centimetri sotto la superficie seguendo lo sciabordio delle onde contro lo scafo, muovendosi mollemente come i tentacoli di una medusa sotto la luce della luna.

Si toglie le pinne, la maschera e i piombi e li appoggia delicatamente in coperta, senza provocare il minimo rumore. Quando è libero, si aggrappa con la mano sinistra alla voluta della scaletta e sgancia la corda che regge il cadavere, sostituendoci il sostegno del suo braccio destro. Senza sforzo apparente sale i pochi gradini di legno, portando con sé il corpo della sua vittima. Lo adagia di traverso sul ponte, perpendicolarmente alla lunghezza della barca. Lo osserva un lungo istante e poi si china a raccogliere l'accappatoio che la ragazza indossava prima del suo bagno notturno.

Come un segno di tardiva pietà, lo stende sulla donna supina sul tek del ponte, quasi a riparare quel corpo freddo dal fresco di una notte che per lei non finirà mai più.

«Arijane?»

La voce arriva improvvisa da sottocoperta. L'uomo gira istintivamente la testa in quella direzione. Forse il compagno della ragazza si è svegliato per la sensazione di essere solo nella cabina. Forse nel letto ha allungato una gamba per cercare il contatto della pelle di lei e non lo ha trovato, nella luminosità biancastra che il chiarore della luna spande nella camera da letto.

Non avendo risposta, adesso uscirà di sicuro a cercarla.

Coperto dalla muta nera che fa di lui un'ombra ancora più scura di quelle proiettate dalla luna, si alza e si va a nascondere dietro la protezione fornita dalla congiunzione dell'albero e del boma.

Dal suo punto di osservazione, vede prima apparire la testa e poi il corpo dell'uomo salito all'aperto in cerca della sua donna. È completamente nudo. La sua testa gira intorno seguendo la direzione dello sguardo e si blocca non appena emerge del tutto sul ponte e la vede. Sta sdraiata a poppa, oltre la barra del timone, presso la scaletta. Ha il viso girato dalla parte opposta e pare dormire, distrattamente coperta dal suo accappatoio bianco. Muove un passo verso di lei. Sente bagnato sotto i piedi, abbassa gli occhi e si accorge di tracce umide sul pavimento di legno. Forse pensa che abbia fatto il bagno e ha un moto di tenerezza verso quel corpo che pare abbandonato al sonno nel chiarore lunare. Magari, con gli occhi della mente, la vede nuotare fluida nel silenzio, im-

magina il suo corpo bagnato ricoprirsi di un riflesso come di sta
gnola mentre esce dall'acqua e si asciuga minuziosamente. La raggiunge silenzioso, forse con il desiderio di svegliarla con un bacio,
trascinarla in cabina e fare l'amore con lei. Le si accovaccia di fianco e le posa una mano sulla spalla che spunta dall'accappatoio.
L'uomo con la muta nera può sentire distintamente le sue parole.

«Amore…»

La donna non dà il minimo segno di aver sentito. La sua pelle è gelata.

«Amore, non puoi stare qui al freddo…»

Ancora nessuna risposta. Jochen sente una strana angoscia scavare una nicchia nello stomaco. Le prende delicatamente la testa
con le mani, gira il viso di Arijane verso di lui e si trova negli occhi
uno sguardo senza vita. Il movimento fa uscire un rivolo d'acqua
dalla bocca semiaperta. Capisce immediatamente che è morta e un
urlo silenzioso gli sconvolge la mente. Si alza in piedi con uno scatto e nel preciso istante in cui raggiunge la posizione eretta sente un
braccio umido circondargli la gola. Una violenta pressione lo costringe a inarcare la schiena, curvandolo all'indietro.

Jochen è un uomo di statura leggermente superiore alla media
e il suo corpo è quello di uno sportivo, perfettamente allenato da
lunghe sedute in palestra e da ore di jogging per sostenere la tremenda fatica fisica di un Gran Premio. Tuttavia l'aggressore è più
alto di lui e altrettanto robusto. A suo favore giocano la sorpresa e
lo sgomento in cui l'altro è precipitato scoprendo la morte della ragazza. Il pilota alza istintivamente le mani e afferra il braccio in-
guainato nella muta che gli stringe la gola impedendogli il respiro.
Cerca con tutte le sue forze di allentare la presa che lo soffoca. Con
la coda dell'occhio percepisce uno scintillio riflesso alla sua destra.
Una frazione di secondo dopo, il coltello che l'aggressore impugna,
affilato come un rasoio, saetta con un leggero sibilo nell'aria, descrivendo un veloce arco di circonferenza dall'alto verso il basso.

Il corpo della vittima ha un sussulto e si contrae nell'agonia
della morte mentre la lama penetra fra le costole e gli spacca il cuo-

re. Sente in bocca il gusto innaturale del suo sangue e muore mentre ancora ha negli occhi il sorriso gelido della luna.

L'uomo continua a premere il coltello finché il corpo non è un peso completamente abbandonato fra le sue braccia. Solo allora lascia l'impugnatura e lo sostiene, puntellandolo con il proprio corpo. Con estrema facilità lo accompagna ad adagiarsi sul ponte. Rimane un istante a guardare i due corpi senza vita ai suoi piedi, respirando piano per calmare l'affanno. Poi afferra il cadavere dell'uomo per le braccia e comincia a trascinarlo sottocoperta.

Ha poco tempo e molto lavoro da fare prima del sorgere del sole.

L'unica cosa di cui sente la mancanza, in quel momento, è la musica.

4

Roger uscì sul ponte del *Baglietto* e respirò l'aria fresca del mattino. Erano le sette e trenta di quella che si preannunciava una splendida giornata. Dopo la settimana del Gran Premio, i proprietari dello yacht su cui era imbarcato se n'erano andati e lo avevano lasciato alla sua cura, in attesa della crociera estiva che di solito durava un paio di mesi. Sarebbe rimasto nel porto di Montecarlo in tutta tranquillità per un altro mese e mezzo almeno, senza la presenza assillante dell'armatore e di sua moglie, una rompiscatole rifatta così carica di gioielli che sotto il sole bisognava guardarla con gli occhiali scuri.

Donatella, la cameriera italiana del Restaurant du Port, stava finendo di apparecchiare i tavoli del *dehors*. Di lì a poco sarebbero arrivati quelli degli uffici e dei negozi sul porto a fare colazione. Roger rimase in silenzio a osservarla finché lei non si accorse della sua presenza. Gli sorrise e spinse impercettibilmente in fuori il seno.

«Bella la vita, eh?»

Roger continuò la schermaglia che fra di loro durava da qualche tempo. Assunse un'espressione accorata.

«Certo, però potrebbe essere molto meglio...»

Donatella superò i pochi metri che separavano i tavoli dalla poppa della barca e si fermò sotto di lui. La camicetta aperta lasciava intravedere il solco intrigante fra i seni e Roger ci infilò lo sguardo come una lenza in mare. La ragazza se ne rese conto ma non diede il minimo segno di fastidio.

«Magari, se invece di usare tanto gli occhi usassi le parole nel modo giusto... Ehi, ma che fa quel pazzo?»

Roger girò la testa in direzione dello sguardo della ragazza e vide un *Beneteau* due alberi puntare dritto verso la linea delle barche ormeggiate, a tutta velocità. Sul ponte non c'era nessuno.

«Maledetti imbecilli.»

Lasciò Donatella e corse a prua del *Baglietto*. Cominciò ad agitare freneticamente le braccia, urlando.

«Ehi, voi del due alberi, fate attenzione…»

Dalla barca non venne alcun segno di vita. Continuava a puntare dritta verso il molo senza diminuire la velocità. Ormai era a pochi metri e la collisione sembrava inevitabile.

«Ehi voi…»

Roger lanciò un ultimo grido disperato e poi si aggrappò al corrimano, in attesa dell'impatto. Con uno schianto secco, la prua del *Beneteau* speronò il *Baglietto* sulla fiancata sinistra e scivolò a incastrarsi fra il suo scafo e quello della barca ormeggiata di fianco, inclinandosi leggermente. Fortunatamente il motore non aveva la potenza sufficiente per creare dei grossi danni e i parabordi contribuirono ad attutire l'impatto, tuttavia sulla vernice dello yacht rimase il segno grigiastro della strisciata. Roger era furibondo. Lanciò un urlo in direzione della barca che lo aveva speronato.

«Ma siete impazziti, brutti idioti?»

Dal due alberi non ci fu nessuna risposta. Dal ponte del *Baglietto*, Roger saltò direttamente sulla prua del *Beneteau*, mentre una piccola folla di curiosi si stava raggruppando sul molo. Quando raggiunse la poppa vide qualcosa che lo lasciò perplesso. La barra del timone era bloccata. Qualcuno ci aveva infilato il mezzo marinaio, fissandolo con una sagola. Una scia rossastra partiva dal ponte e proseguiva giù per la scaletta che portava sottocoperta. C'era qualcosa di strano e di sinistro in tutto ciò, e Roger cominciò ad avvertire un senso di freddo allo stomaco. Scese la scaletta lentamente, seguendo la striscia che terminava ai piedi del tavolo aperto in una pozza più scura. Roger sentì la pelle accapponarsi quando si rese conto che era sangue. Si avvicinò con le gambe che gli tremavano leggermente. Qualcuno, sul piano del tavolo, aveva scritto con lo stesso liquido due parole.

Io uccido...

La minaccia della scritta e di quei tre punti di sospensione era agghiacciante. Roger aveva ventotto anni e non era un eroe, tuttavia qualcosa più forte di lui lo spinse verso la porta di quella che probabilmente era la camera da letto. Si fermò un istante, con la bocca secca dalla tensione, davanti al battente socchiuso, poi lo spinse con decisione.

Fu sommerso da una zaffata di odore dolciastro, che lo prese alla gola e gli diede un leggero senso di nausea. Non ebbe nemmeno la forza di gridare. Per gli anni che ancora doveva vivere, quello che vide sarebbe tornato ogni notte nei suoi sogni, trasformandoli in incubi.

Il poliziotto che stava salendo a bordo e la gente sul molo lo videro uscire freneticamente sul ponte, piegarsi oltre il bordo della barca e vomitare in mare, il corpo scosso da violenti conati isterici.

5

Frank Ottobre si svegliò e prese percezione del suo corpo, steso fra le lenzuola di un letto non suo, in una casa non sua, in una città non sua.

Subito dopo, il ricordo filtrò nella sua testa come il sole fra le tapparelle, e il dolore era intatto come l'aveva lasciato la sera prima. Se c'era ancora il mondo fuori e in quel mondo c'era un modo per dimenticare, la sua mente glieli vietava tutti e due. Il telefono cordless appoggiato sul tavolino da notte alla sua sinistra si mise a suonare. Si girò nel letto e protese la mano verso il led lampeggiante dell'apparecchio.

«Pronto?»

«Ciao, Frank.»

Chiuse gli occhi e subito arrivò il viso che quella voce nella cornetta evocava. Naso rincagnato, capelli color della sabbia, gli occhi, odore del dopobarba, camminata indolente, occhiali scuri a volte e un vestito grigio che era quasi una divisa.

«Ciao, Cooper.»

«Lo so che per te è presto, ma sono sicuro che eri già sveglio.»

«Già… Che succede?»

«Qui praticamente di tutto, in questo momento. Il delirio assoluto. Siamo in servizio ventiquattr'ore su ventiquattro. Se fossimo il doppio di quelli che siamo, servirebbe ancora il doppio degli uomini per starci dietro. Tutti si sforzano di far finta che niente sia successo, ma hanno paura. E non possiamo dar loro torto, visto che la paura ce l'abbiamo anche noi.»

Ci fu una breve pausa.

«Tu, piuttosto, come stai?»

Già, io come sto?

Si rivolse quella domanda come se solo in quel momento si fosse rammentato di essere vivo.

«Bene, direi. Sto qui a Montecarlo e me la spasso nel jet-set. L'unico pericolo è che fra tutti questi miliardari corro il rischio di sentirmi ricco anch'io. Me ne verrò via quando sentirò il desiderio di comperare una barca di quaranta metri e non mi sembrerà una follia.»

Si alzò dal letto tenendo il telefono attaccato all'orecchio e, completamente nudo, si diresse verso la stanza da bagno. Nella penombra si sedette sulla tazza e iniziò a orinare.

«Se riesci a comperarla dimmi come hai fatto, che ci provo anch'io.»

Cooper non si era fatto ingannare dalla sua ironia dolente ma aveva deciso di stare al gioco. Frank se lo immaginò seduto nel suo ufficio, al telefono, con un sorriso tirato e la pena per lui dipinti sul volto. Cooper era quello di sempre. Lui, invece, era un uomo che stava colando a picco e lo sapevano tutti e due.

Ci fu silenzio per un attimo, poi a Frank parve distintamente di sentire il sibilo con cui Cooper lasciava sgonfiare la loro finzione. La sua voce era più dura e più ansiosa, adesso.

«Frank, non pensi…»

Sapeva già cosa voleva dire e lo bloccò subito.

«No, Cooper. Non ancora. Non me la sento di tornare. È troppo presto.»

«Frank, Frank, *Frank*! È passato quasi un anno. Quanto pensi sia necessario per…»

Nella testa di Frank le parole dell'amico si persero nell'immenso spazio fra lì e l'America e il vuoto delle galassie. Sentì solo la voce dei suoi pensieri.

Già, quanto tempo, Cooper? Un anno, cento anni, un milione di anni? Quanto serve a un uomo per dimenticare di aver spezzato due vite?

«E in più Homer ha detto chiaramente che puoi tornare in servizio quando vuoi, se ti può essere utile. *Tu* saresti utile, in ogni caso. Lo sa solo il cielo quanto c'è bisogno di gente come te in questo momento. Non pensi che essere qui e sentirti parte di qualcosa, alla fine di tutto questo…»

La voce di Frank fu una lama di colpo così affilata da tagliare qualsiasi tentativo di vicinanza.

«Cooper, alla fine di tutto questo c'è solo una cosa…»

Il silenzio di Cooper era quello di chi ha una domanda che gli urla dentro e ha paura anche solo a sussurrarla. Poi la sua voce arrivò e tutto lo spazio fra lì e l'America non era nulla paragonato alla distanza che c'era fra di loro.

«Che cosa, Frank, per l'amor di dio?»

«Dio non c'entra. È una cosa che riguarda solo me. Me e me. E tu lo sai che è una lotta senza prigionieri.»

Allontanò il telefono dall'orecchio e rimase a guardare nella penombra il suo dito che chiudeva la comunicazione.

Alzò lo sguardo verso il suo corpo nudo riflesso nel grande specchio del bagno. Piedi scalzi sul freddo marmo del pavimento, gambe muscolose e di colpo su, verso gli occhi spenti, e poi giù, in basso, verso l'appuntamento con il torace e le cicatrici rossastre che lo attraversavano.

Quasi animata da una volontà propria, la mano destra salì lentamente a sfiorarle. Lasciò che arrivasse liberamente il frammento giornaliero della morte che si portava dentro.

Quando si era svegliato la prima cosa che aveva visto era il viso di Harriet. Poi lentamente dalla foschia era emerso anche il viso di Cooper. Quando era riuscito a mettere a fuoco la stanza aveva visto Homer Woods, seduto impassibile su una poltroncina addossata alla parete di fronte al letto, i capelli tirati indietro, gli occhi azzurri che lo guardavano senza espressione dietro gli occhiali cerchiati d'oro.

Aveva girato la testa verso sua moglie e si era reso conto come in un sogno di essere in una stanza d'ospedale, la luce verdastra che filtrava attraverso le tende alla veneziana, un mazzo di fiori sul tavolo, tubi che uscivano dal suo braccio, il monotono bip di un'unità di monitoraggio, tutto che girava. Aveva cercato di parlare ma la voce non riusciva a salire da dentro.

Harriet si era avvicinata, accostando il viso al suo. Gli aveva messo una mano sulla fronte. Aveva sentito la mano ma non le sue parole perché era sprofondato ancora nel posto da cui era appena emerso.

Quando finalmente era ritornato in sé e aveva potuto parlare e sapere, Homer Woods era lì, in piedi di fianco ad Harriet.

Cooper non c'era.

La luminosità nella stanza era cambiata, ma era ancora o di nuovo la luce del giorno. Frank si chiese quanto tempo fosse passato dall'ultimo suo risveglio e se Homer fosse rimasto lì tutto il tempo. Il suo vestito era lo stesso e l'espressione anche. Frank rammentò di non avergli mai visto un vestito e un'espressione diversa. Forse aveva a casa un armadio pieno di vestiti e di espressioni tutte uguali. «Mister Husky», lo chiamavano in ufficio, per i suoi occhi azzurri che avevano la consistenza di vetro degli occhi di un cane da slitta.

Harriet aveva ancora la mano nei suoi capelli e una lacrima le rigava il viso. Il suo sguardo dava l'impressione che quella lacrima fosse lì dall'inizio del tempo, che facesse parte di lei.

«Ciao, amore, bentornato.»

Si era alzata dalla sedia di fianco al letto per appoggiare le labbra sulle sue in un leggero bacio salato. Frank aveva respirato l'odore del suo alito come un marinaio respira l'aria che porta il profumo della costa, l'aria di casa.

Homer si era fatto discretamente indietro di un passo.

«Cos'è successo? Dove sono?» aveva chiesto Frank con una voce afona che non gli sembrava la sua. Gli doleva stranamente la gola e non ricordava nulla. L'ultima immagine era quella di una porta spinta con il piede e la soggettiva delle sue braccia che reggevano la pistola mentre entrava in una stanza. Poi il lampo e il tuono e la sen-

sazione di una mano enorme che lo spingeva in alto, verso un'oscurità senza dolore.

«Sei in ospedale. Sei stato in coma per una settimana. Ci hai fatto prendere un bello spavento.»

La lacrima pareva ora saldata sul viso di sua moglie come se fosse diventata una piega della pelle. Splendeva come il suo dolore.

Si era fatta di lato e aveva lanciato un'occhiata a Homer, lasciandogli tacitamente il resto delle spiegazioni. Lui si era avvicinato al letto e lo aveva guardato da dietro lo schermo degli occhiali.

«I due Larkin avevano messo in giro la voce che ci sarebbe stato uno grosso scambio di merce e di soldi fra loro e i loro contatti, in quel magazzino. Molta merce e molti soldi. Hanno fatto tutto ad arte per cercare di ingolosire Harvey Lupe e i suoi e convincerli a tentare un'irruzione e prendersi tutto, la roba e il denaro. La costruzione era imbottita di esplosivo. Si sarebbero liberati in un unico fuoco di artificio di ogni problema di concorrenza sulla piazza. Invece di Lupe ci siete arrivati tu e Cooper. Lui era ancora all'esterno del magazzino, sul lato sud, quando tu sei entrato dalla parte degli uffici. La botta verso Cooper è stata in parte assorbita dalle strutture dei ponteggi all'interno e se l'è cavata con qualche calcinaccio in faccia e qualche ammaccatura. Tu hai preso il grosso dell'esplosione e fortunatamente per te i Larkin sono dei grossi spacciatori ma dei pessimi artificieri. Sei vivo per miracolo. Non riesco neanche a rimproverarti per non aver aspettato la squadra. Se foste entrati lì tutti insieme sarebbe stata una carneficina.»

Adesso sapeva tutto ma ancora non ricordava nulla. Pensava solo che da due anni lui e Cooper stavano lavorando per fregare i Larkin e invece quelli, senza volerlo, avevano fregato loro.

Lui, per l'esattezza.

«Che cos'ho?» aveva chiesto Frank, che riceveva sensazioni molto confuse dal suo corpo. Sentiva un vago senso di costrizione e vedeva, come se appartenesse a un altro, la sua gamba destra bloccata da un gesso.

Aveva risposto un medico, entrato nella stanza giusto in tempo *per sentire la domanda. Aveva i capelli precocemente spruzzati di bianco, ma il viso e il modo di fare di un ragazzino. Gli aveva sorriso inclinando la testa di lato, in modo cerimonioso.*

«Salve, gentile signore. Sono il dottor Foster, uno dei responsabili della sua presenza in questo mondo. Spero che non me ne voglia per questo. Se vuole glielo dico io che cosa ha. Qualche costola rotta, una lesione alla pleura, una gamba fratturata in due punti, buchi di varia entità dappertutto, ferite serie al torace, trauma cranico. E lividi su tutto il corpo per cui si può tranquillamente ritenere una persona di colore. In più c'è, o meglio c'era, una scheggia metallica che si è fermata a un millimetro dal cuore e che ci ha fatto sudare per portarla via prima che si portasse via lei.»

Mentre parlava aveva sollevato una cartella clinica appesa ai piedi del letto. Si era avvicinato alla testiera e aveva premuto un pulsante, permettendogli di sentire l'odore del suo camice lavato di fresco.

«E ora, se i presenti ci vogliono scusare, penso sia il caso di dare una controllata a quello che abbiamo combinato per rimediare al disastro.»

Harriet e Homer Woods si erano avviati verso la porta, aprendola giusto in tempo per far entrare un'infermiera di colore che spingeva un carrello carico di materiali per la medicazione. La sua pelle sembrava ancora più scura nel bianco della divisa. Harriet, uscendo, aveva lanciato uno sguardo strano al monitor che seguiva l'andamento del cuore di suo marito, quasi ritenesse indispensabile la sua presenza per farli funzionare tutti e due. Poi aveva girato la testa e aveva chiuso la porta dietro di sé.

Mentre il medico e l'infermiera si agitavano intorno al suo corpo pieno di bende e drenaggi, Frank aveva chiesto uno specchio. L'infermiera non aveva commentato quella richiesta ma, con un sorriso, era andata a staccare dal muro lo specchio a lato della porta e glielo aveva messo davanti.

Si era trovato di fronte, stranamente senza emozione, il viso pallido e gli occhi sofferenti di Frank Ottobre, agente speciale dell'FBI, ancora vivo.

Specchio su specchio, occhi su occhi.

Il presente si sovrappose al ricordo e nel grande specchio della stanza da bagno Frank ritrovò il suo tempo e i suoi occhi mentre si chiedeva se veramente ne era valsa la pena, per tutti quei medici, di darsi tanto da fare solo per restituirgli quella vita.

Tornò in camera da letto e accese la luce. Cercò il pulsante della tapparella nella fila di interruttori di fianco al letto. Lo premette e con un ronzio la serranda iniziò a sollevarsi, mescolando la luce del sole alla luce elettrica.

Frank andò alla portafinestra, scostò le tende, tirò la maniglia della porta scorrevole e il vetro si aprì dolcemente.

Uscì sul terrazzo.

Stesa ai suoi piedi c'era Montecarlo, tutta lastricata d'oro e d'indifferenza. Davanti a lui, sotto il sole che stava salendo, giù fino in fondo al mondo, un mare azzurro che rifletteva il cielo senza vederlo. Ripensò alla conversazione con Cooper. C'era il suo Paese in guerra, dall'altra parte di quel mare. Una guerra che riguardava lui e quelli come lui. Una guerra che riguardava tutto il mondo che voleva vivere alla luce del sole, senza ombre e senza paure. E lui avrebbe dovuto essere là, a difendere quel mondo e quella gente.

Un tempo lo avrebbe fatto, un tempo sarebbe stato in prima linea come Cooper, Homer Woods e tutti gli altri. Adesso quel tempo era passato. Aveva quasi dato la vita per il suo Paese e le cicatrici che aveva addosso lo testimoniavano.

E Harriet...

Un soffio di brezza fresca arrivò fino a lui e lo fece rabbrividire. Si rese conto di essere ancora nudo. Mentre rientrava in casa si chiese che cosa potesse farsene ormai il mondo di Frank Ottobre, agente speciale dell'FBI, quando nemmeno lui sapeva bene che cosa fare di se stesso.

6

Scendendo dalla macchina il commissario Nicolas Hulot, della Sûreté Publique del Principato di Monaco, vide la barca a vela incastrata fra le altre due, leggermente inclinata di lato.

Si avviò verso la banchina. L'ispettore Morelli venne verso di lui percorrendo la passerella del *Baglietto* che era stato speronato dal due alberi. Quando si trovarono di fronte, il commissario rimase sorpreso di vederlo sconvolto. Morelli era un ottimo poliziotto. Aveva seguito corsi di addestramento persino presso il Mossad, il servizio segreto israeliano. Ne aveva viste di cotte e di crude. Eppure era pallido, e mentre gli parlava faceva fatica a sostenere il suo sguardo, quasi come se quello che stava succedendo fosse colpa sua.

«Allora, Morelli?»

«Commissario, è un macello. Non ho mai visto una cosa del genere…»

Tirò un lungo sospiro e Hulot ebbe per un attimo la sensazione che stesse per mettersi a vomitare.

«Claude, calmati e fammi capire. Cosa intendi per "un macello"? A me hanno detto che c'è stato un omicidio.»

«Due, commissario. Ci sono i corpi di un uomo e una donna, o almeno quello che ne resta.»

Il commissario Hulot si girò a guardare la folla di curiosi radunata a ridosso delle transenne che delimitavano la zona. Aveva un terribile presentimento. Il Principato di Monaco non era un posto dove succedevano cose simili. La polizia era una delle più efficienti al mondo e il tasso di criminalità così basso da esserci solo lì e nei sogni di qualunque ministro degli Interni. C'era un poliziotto ogni sessanta abitanti. C'erano telecamere in ogni posto. Tutto era sotto controllo. Gli uomini lì si arricchivano o si rovinavano, ma non si uccidevano. Non c'erano rapine, non c'erano omicidi, non c'era malavita.

A Montecarlo, per definizione, non succedeva mai niente.

«Qualcuno ha visto qualcosa?»

Morelli indicò con la mano un uomo sui trent'anni che stava seduto nel *dehors* del bar fra un agente e un assistente del medico legale. Il locale, che di solito a quell'ora traboccava di gente e di magliette firmate, era semideserto. Tutti quelli che potevano essere utili come testimoni erano stati trattenuti, ma era stato impedito l'accesso a qualsiasi altro cliente. Il proprietario stava sulla soglia di fianco a una cameriera dal seno prosperoso e si torceva le mani nervosamente.

«Il marinaio del *Baglietto* contro il quale si è incastrato il due alberi. Si chiama Roger Qualchecosa. È salito a bordo a protestare per la collisione. Non ha trovato nessuno in coperta, così è sceso giù e li ha trovati lui. È sotto shock e stanno cercando di cavargli qualcosa. L'agente Delorme, che è nuovo, è salito sulla barca dopo di lui. Ora è seduto in macchina e non è conciato molto meglio.»

Il commissario girò di nuovo la testa dall'altra parte, verso i curiosi chiusi fra le transenne e Boulevard Albert Premier, dove una squadra di operai stava finendo di smontare le strutture dei box e delle tribune erette per la gara. Rimpianse la confusione del Gran Premio, la folla e i piccoli disagi che a volte si portava appresso.

«Andiamo a vedere.»

Salirono la passerella traballante del *Baglietto* e da lì, grazie a un'altra passerella tesa fra i ponti delle due barche, furono sul *Beneteau*. Hulot vide, scendendo dall'alto, il timone bloccato con il mezzo marinaio e poi la striscia di sangue ormai rappreso che partiva dal pavimento di tek marino e scivolava a perdersi nel buio sottocoperta. Nonostante il sole che ormai scaldava parecchio, sentì le punte delle dita farsi di colpo fredde.

Ma cosa diavolo era successo su quella barca?

Morelli gli indicò i gradini che portavano sottocoperta.

«Se non le dispiace l'aspetto qui, commissario. Una volta basta e avanza, in una mattinata.»

Scendendo gli scalini ricoperti di legno antiscivolo, quasi si scontrò con il dottor Lassalle, il medico legale, che stava per uscire. Il suo incarico nel Principato era una sinecura e la sua esperienza professionale estremamente limitata. Hulot non aveva nessuna stima di lui, né come persona né come professionista. Aveva ottenuto l'incarico grazie alle conoscenze e alle pubbliche relazioni della moglie e si godeva la vita e lo stipendio senza fare quasi mai nulla del lavoro per cui veniva pagato. In qualche modo, Hulot lo aveva sempre paragonato a un medico condotto di lusso. La sua presenza lì significava che era l'unica persona disponibile in quel momento.

«Buongiorno, dottor Lassalle.»

«Buongiorno, commissario.»

Il medico pareva sollevato dalla sua presenza. Era chiaro che si trovava di fronte a una situazione che non era in grado di gestire.

«Dove sono i corpi?»

«Di là, venga a vedere.»

Adesso che i suoi occhi si erano abituati alla penombra, vide la striscia di sangue che proseguiva sul pavimento e spariva dietro una porta aperta. Alla sua destra c'era un tavolo da pranzo aperto, su cui qualcuno, con il sangue, aveva tracciato una scritta.

Io uccido...

Hulot sentì le mani farsi due pezzi di ghiaccio. Si costrinse a respirare profondamente dal naso per calmarsi. Lo raggiunse l'odore dolciastro del sangue e della morte, quelli che portano angoscia e mosche.

Seguì la striscia di sangue ed entrò nella cabina che si apriva sulla sinistra. Quando fu sulla porta e vide quello che c'era all'interno, in un istante il freddo partì dalle mani e si trasmise a tutta la sua persona, e divenne un unico blocco di gelo.

Stesi sul letto, uno di fianco all'altra, c'erano i cadaveri di un uomo e una donna, completamente nudi. La donna non aveva ferite apparenti sul corpo mentre sul petto dell'uomo, all'altezza del cuore, c'era una larga macchia rossastra dalla quale il sangue era sceso a imbrattare il lenzuolo. Il sangue era dappertutto. Sulle pareti, sui cuscini, sul pavimento. Sembrava impossibile che in quei due poveri corpi senza vita ci potesse essere tutto quel sangue.

Il commissario si costrinse a fissare i volti dei due cadaveri. La loro faccia non esisteva più. L'assassino aveva completamente asportato la pelle della testa, capelli compresi, esattamente come si scuoia un animale da pelliccia.

Rimase a fissare agghiacciato gli occhi spalancati verso un soffitto che non vedevano, i muscoli del viso rossastri di sangue raggrumato, i denti esposti in un sorriso macabro che l'assenza di labbra non avrebbe spento mai più.

A Hulot sembrò che la sua vita si dovesse fermare lì per sempre, che sarebbe rimasto in piedi sulla porta della cabina a fissare quello spettacolo di orrore e di morte in eterno. Per un istante pregò il cielo che la persona capace di quello scempio avesse avuto almeno la misericordia di uccidere quei due poveretti prima di infliggere loro quel supplizio.

Si riscosse a fatica e tornò verso la cucina, dove Lassalle lo stava aspettando. Anche Morelli si era fatto forza ed era sceso. Stava in piedi davanti al dottore, spiando il viso del commissario per vederne le reazioni.

Si rivolse prima di tutto al medico.

«Cosa mi dice, dottore?»

Lassalle si strinse nelle spalle.

«La morte risale a qualche ora fa. Il *rigor mortis* è appena iniziato. Le macchie ipostatiche paiono confermarlo. L'uomo presumibilmente è stato ucciso con un'arma da taglio, un colpo netto che gli ha spaccato il cuore. Sulla donna, a parte…» Il medico fece una pausa per deglutire un groppo di saliva. «…A parte le mutilazioni, non ci sono segni, almeno sulla parte frontale. Non ho mosso i corpi perché stiamo aspettando quelli della scientifica. Sicuramente l'autopsia chiarirà molte cose.»

«Si sa chi erano i due?»

Questa volta fu Morelli a rispondere.

«Dal libretto di navigazione la barca risulta intestata a una società di Montecarlo. Non abbiamo ancora fatto una perquisizione accurata per via dei rilievi.»

«La scientifica ci farà un bel cazziatone. Con tutta la gente che è andata e venuta su questa barca, la scena è inquinata e chissà quante cose sono andate perse.»

Hulot guardò il pavimento e la striscia di sangue. C'erano qua e là delle impronte di piedi che non aveva notato prima. Quando girò lo sguardo verso il tavolino si sorprese a farlo con l'assurda speranza che quella folle scritta disperata non ci fosse più.

Sentì due voci concitate provenire dalla coperta. Salì i pochi gradini e si trovò di colpo in un altro mondo, nel sole, alla luce e alla vita, all'aria fresca di salmastro, senza quell'odore di morte che si respirava sotto.

In piedi sul ponte un agente stava cercando di trattenere un uomo sui quarantacinque anni che urlava in francese con un forte accento tedesco e che cercava di superare lo sbarramento posto dal poliziotto.

«Mi lasci passare, le ho detto!»

«Non si può, è vietato. Nessuno può passare.»

L'uomo cercava di divincolarsi con forza dall'agente che gli bloccava le braccia. Era rosso in viso e aveva un comportamento isterico.

«Le dico che devo passare. Devo sapere che cosa è succ…»

L'agente vide il commissario e gli si dipinse sul viso un'espressione di sollievo.

«Commissario, mi scusi, ma non siamo riusciti a fermarlo.»

Hulot fece un cenno come a dire che tutto andava bene e l'agente lasciò la presa. L'uomo si rassettò il vestito con fare seccato e si diresse verso il commissario con l'aria di chi, finalmente, può parlare con un pari grado. Si fermò davanti a lui e si tolse gli occhiali da sole per fissarlo direttamente negli occhi.

«Buongiorno, commissario. Posso sapere cosa sta succedendo su questa barca?»

«E io posso sapere con chi sto parlando?»

«Mi chiamo Roland Shatz e le garantisco che è un nome che conta qualcosa. Sono un amico del proprietario di questa imbarcazione. Esigo una risposta.»

«Signor Roland Shatz, io mi chiamo Hulot e probabilmente il mio nome conta molto meno del suo, ma sono un commissario di polizia. Questo significa che, su questa barca, chi fa le domande ed esige le risposte, fino a prova contraria, sono io.»

Hulot vide distintamente la collera montare negli occhi di Shatz. L'uomo si avvicinò di un passo e la sua voce si abbassò leggermente di tono.

«Signor commissario…» sibilò a pochi centimetri dal suo viso. C'era un disprezzo infinito nelle sue parole. «Questa barca appartiene a Jochen Welder, due volte campione del mondo di Formula Uno, di cui io sono il manager e un amico personale. E sono anche un amico personale di sua altezza il principe Alberto, per cui lei adesso mi dirà per filo e per segno che cosa è successo a questa barca e ai loro occupanti!»

Hulot lasciò sospese per un istante quelle parole fra di loro. Poi la sua mano scattò con la velocità del fulmine e afferrò Shatz per il nodo della cravatta, torcendola fino a fargli mancare il respiro. Vide il suo volto farsi di colpo paonazzo.

«Ah, tu vuoi sapere… E allora eccoti accontentato, vieni a vedere che cosa succede su questa barca, brutto stronzo!»

Era furibondo. Strattonò violentemente il manager e lo obbligò a seguirlo sottocoperta.

«Vieni, amico personale del principe Alberto, vieni a vedere con i tuoi occhi cosa succede su questa barca!»

Si fermò davanti alla porta della cabina e finalmente mollò la presa. Indicò con la mano i due corpi stesi sul letto.

«Guarda!»

Roland Shatz riacquistò il respiro e lo perse contemporaneamente. Quando realizzò il senso della scena che aveva di fronte, il suo viso si fece di colpo mortalmente pallido. Il bianco dei suoi occhi fu un breve lampo nella penombra e poi cadde a terra svenuto.

7

Scendendo a piedi verso il porto, Frank vide il capannello di gente ferma a osservare le macchine della polizia e gli uomini in divisa che si affannavano fra le barche attraccate alla banchina. Sentì il suono di una sirena montare piano alle sue spalle. Rallentò leggermente il passo. Tutto quello spiegamento di forze significava qualcosa di più di quanto si poteva vedere, una semplice collisione fra due imbarcazioni.

E poi c'erano i giornalisti. Frank aveva troppa esperienza per non riconoscerli al volo. Si aggiravano fiutando e cercando notizie con una frenesia che solo qualcosa di grosso poteva creare. La sirena, che prima suonava lontana come un presentimento, divenne una realtà.

Due auto della polizia sbucarono veloci dalla Rascasse, costeggiarono il molo e si bloccarono davanti alle transenne. Un agente si affrettò a spostarle per farle passare. Le macchine si fermarono dietro all'ambulanza che era parcheggiata parallela al molo, le portiere posteriori aperte.

A Frank sembrarono le fauci spalancate di una bestia pronta a ingoiare il suo pasto.

Dalle automobili scesero degli uomini, alcuni in divisa, un paio in borghese. Si diressero verso la poppa di un grosso yacht ormeggiato poco più in là. In piedi davanti alla passerella, Frank vide il commissario Hulot. I nuovi arrivati si fermarono a parlare con lui, per poi salire insieme sul panfilo e passare sul ponte della barca incastrata sbilenca fra le altre due.

Frank girò lentamente intorno alla folla assiepata e si portò a ridosso del muro, sul lato destro del bar. Si trovò in una posizione da cui poteva vedere comodamente tutta la scena.

Dalla stiva del due alberi uscirono allo scoperto degli uomini che trasportavano a fatica, sul ponte inclinato, due sacche di plastica chiuse da una grossa cerniera sulla parte superiore. Frank riconobbe immediatamente i contenitori per i cadaveri.

Rimase a osservare il trasporto dei corpi fino all'ambulanza con una strana indifferenza. Una volta il luogo di un crimine era il suo habitat naturale. Adesso osservava quello spettacolo come qualcosa che non gli era mai appartenuto, senza il senso di sfida che ogni poliziotto prova davanti a un delitto e senza il senso di raccapriccio che la morte violenta provoca nella gente comune.

Mentre le porte dell'ambulanza venivano chiuse sul loro carico, il commissario Hulot e quelli che erano con lui scesero in fila indiana la passerella del *Baglietto*.

Hulot si diresse direttamente verso la piccola folla di giornalisti trattenuti ormai a stento da due agenti. C'erano reporter della carta stampata, cronisti di emittenti radio, rappresentanti della televisione. Il commissario arrivò su di loro come il vento fra le canne. Da lontano immaginò l'incrociarsi di domande, vide i microfoni tesi in modo spasmodico verso la bocca del poliziotto per riuscire a strappare qualche notizia, anche solo un frammento su cui intrecciare parole e parole per suscitare interesse. Quando i giornalisti non potevano offrire la verità, si accontentavano di accendere la curiosità.

Mentre Hulot fronteggiava la stampa, girò la testa dalla sua parte. Frank capì che lo aveva visto. Il commissario abbandonò il gruppo dei giornalisti con l'espressione del poliziotto che ripete una serie interminabile di «no comment». Se ne andò inseguito da un disperato volo di domande alle quali non poteva o non sapeva dare una risposta. Si fermò contro la transenna sotto di lui e gli fece cenno con la mano di avvicinarsi. A malincuore Frank si staccò dal muro, si fece largo tra la gente e arrivò davanti a Hulot, fermandosi dall'altra parte dello sbarramento di ferro.

I due si guardarono. Il commissario probabilmente si era svegliato da poco ma aveva già l'aria stanca, come se non avesse dormito per niente nelle ultime quarantotto ore.

«Ciao, Frank. Vieni dentro.»

Fece un cenno all'agente in piedi vicino a loro, che scostò un poco la transenna per farlo passare. Si sedettero nel *dehors* del bar, sotto un ombrellone. Hulot fece vagare gli occhi intorno, come se non riuscisse a capacitarsi di quello che stava succedendo. Frank si tolse i Ray-Ban e aspettò il suo sguardo.

«Che succede?»

«Due morti, Frank. Morti ammazzati», disse senza guardarlo. Fece una pausa. Poi si girò finalmente a cercare i suoi occhi.

«E non due qualunque. Jochen Welder, il pilota di Formula Uno. La sua ragazza, Arijane Parker, una campionessa di scacchi piuttosto famosa.»

Frank non disse niente. Sapeva, senza sapere come, che non era finita.

«Non hanno più la faccia. L'assassino li ha scuoiati come animali. È stato uno spettacolo terribile. Non ho mai visto tanto sangue in vita mia.»

Nel frattempo, la partenza lamentosa dell'ambulanza e del furgone della polizia scientifica furono il segnale che non c'era ormai più nulla da vedere. I curiosi presero ad allontanarsi a poco a poco, vinti dal caldo e richiamati ad altre attività. I giornalisti avevano ormai raccolto tutto quello che era possibile ottenere e anche loro stavano smobilitando.

Hulot fece un'altra pausa. Lo guardò fisso negli occhi e in silenzio disse molte parole.

«Vuoi dare un'occhiata?»

Frank avrebbe voluto dire di no. Tutto dentro di lui diceva di no. Non avrebbe mai più visto tracce di sangue o mobili rovesciati o toccato la gola di un uomo steso a terra per capire se era morto. Lui non era più un poliziotto, lui non era più nemmeno un uomo. Lui non era niente.

«No, Nicolas. Non me la sento.»

«Non te lo chiedo per te. Te lo chiedo per me.»

Frank Ottobre guardò Nicolas Hulot come se lo vedesse per la prima volta, eppure lo conosceva da anni. Avevano collaborato in passato in un'indagine che aveva collegato il Bureau con la Sûreté Publique, per una storia di riciclaggio internazionale di denaro legato al traffico di droga e al terrorismo. La polizia monegasca, per sua natura e per sua efficienza, era in perenne contatto con le polizie di tutto il mondo, compreso l'FBI. Frank era stato inviato a seguire in loco l'inchiesta per la sua perfetta conoscenza del francese e dell'italiano. Con Hulot si era trovato bene ed erano diventati subito amici. Si erano tenuti in contatto e una volta lui e Harriet erano venuti in Europa, ospiti suoi e della moglie. A loro volta gli Hulot stavano progettando un viaggio in America quando era successa la cosa di Harriet…

Frank pensò che non riusciva ancora a dare il loro nome ai fatti, come se non nominare la notte significasse automaticamente che il buio non sarebbe arrivato. Quello che era successo, nella sua testa era ancora *la cosa di Harriet*.

Quando aveva saputo, Hulot gli aveva telefonato quasi tutti i giorni per mesi. Lo aveva convinto infine a lasciare il suo isolamento e a venire lì, da lui. Con la discrezione di chi è veramente amico, gli aveva procurato l'appartamento in cui era ospite a Montecarlo, quello di André Ferrand, un manager che si trasferiva per parecchi mesi in Giappone.

Hulot in quel momento lo guardava come un uomo in mare guarda un salvagente. Frank non poté fare a meno di chiedersi chi dei due fosse l'uomo e chi il salvagente. Erano due persone sole contro la fantasia crudele della morte.

Frank si rimise gli occhiali e si alzò con uno scatto, prima di seguire l'impulso di girare le spalle e fuggire.

«Andiamo.»

Seguì come un automa l'amico fin sul *Beneteau*, sentendo il cuore che batteva sempre più forte. Il commissario gli indicò i gradini che scendevano all'interno del due alberi e lo lasciò passare per primo. Vide che l'amico aveva registrato il particolare del timone bloccato ma non aveva detto nulla. Quando furono sottocoperta Frank si guardò in giro, muovendo gli occhi dietro la cortina degli occhiali scuri.

«Uhmm... Barca di lusso, mi pare. Tutto computerizzato. Questa è una barca da navigatore solitario.»

«Già, al proprietario i soldi non mancavano di certo. Se pensi che se li è guadagnati rischiando la pelle per anni in una macchina da corsa e poi è finito in questo modo...»

Frank vide le tracce lasciate dall'assassino e quelle familiari lasciate dalla scientifica per trovarne altre, più subdole e meno evidenti. Segni di rilevamento delle impronte digitali, misurazioni, perquisizione accurata. Anche se tutti gli oblò erano stati aperti, c'era ancora odore di morte nell'aria.

«I due sono stati trovati di là, in camera da letto, stesi l'uno di fianco all'altra. Le impronte di piedi che vedi in giro sono state lasciate da scarpe di gomma. Forse i calzari di una muta. I segni delle mani non hanno lasciato impronte digitali. L'assassino portava dei guanti e non se li è mai tolti.»

Frank percorse il corridoio, arrivò davanti alla cabina padronale e si fermò sulla soglia. Fuori era calmissimo ma dentro aveva l'inferno. Aveva visto spesso scene come quella, aveva visto il sangue schizzare fin sui soffitti, aveva visto autentiche carneficine. Ma erano uomini che lottavano contro altri uomini, in modo spietato, per cose umane. Potere, soldi, donne o quant'altro. Erano criminali che lottavano con altri criminali. In ogni caso, uomini contro uomini.

Qui aleggiava nell'aria la battaglia di qualcuno con i suoi demoni personali, quelli che divorano la mente come la ruggine divora il ferro. Nessuno meglio di Frank poteva capirlo.

Si sentì mancare il respiro e tornò sui suoi passi. Hulot attese che fosse vicino a lui e riprese il racconto.

«Dal porto di Fontvieille dove erano ormeggiati ci hanno detto che Jochen Welder e la Parker sono usciti in mare ieri mattina

Non sono rientrati, per cui pensiamo si siano fermati alla fonda da qualche parte lungo la costa. Qui vicino, presumibilmente, visto che non avevano molto carburante. La meccanica del delitto non è del tutto chiarita ma abbiamo un'ipotesi che pare plausibile. Abbiamo trovato un accappatoio sul ponte. Forse la ragazza era uscita a prendere aria. Forse stava facendo un bagno. L'assassino deve essere arrivato da terra, a nuoto. In ogni modo l'ha sorpresa, l'ha tirata sott'acqua e l'ha fatta annegare. Il corpo di lei non aveva ferite. Poi ha beccato lui, fuori, sul ponte, e lo ha pugnalato. Li ha trascinati in camera da letto e con calma ha fatto quel… quel lavoro, che dio lo fulmini. Poi ha portato la barca verso il porto, ha bloccato il timone in modo che puntasse verso la banchina e se n'è andato come era venuto.»

Frank rimase in silenzio. Nonostante la penombra, non si era tolto gli occhiali. Con la testa china pareva fissare la striscia di sangue che passava fra di loro come una rotaia.

«Che ne dici?»

«Ci vuole uno con un bel sangue freddo per fare tutto questo, se le cose sono andate come hai detto tu.»

Voleva andarsene da lì, voleva tornare a casa, non voleva aver visto quello che aveva visto, non voleva dire quello che stava dicendo. Voleva tornare sul molo e proseguire tranquillamente, sotto il sole, la sua passeggiata verso il nulla. Voleva respirare senza accorgersi di farlo. Tuttavia continuò a parlare.

«Se è arrivato da terra significa che quello che ha fatto non è stato un raptus di follia, ma che l'ha premeditato e preparato con cura. Sapeva dove stavano quei due e con tutta probabilità era esattamente loro che voleva colpire.»

L'altro annuì come se avesse udito qualcosa che in qualche modo pensava anche lui.

«Non è tutto, Frank. Ha lasciato questo a commento di quello che ha fatto.»

Hulot si scostò con un movimento che diede maggiore risalto a ciò che c'era alle sue spalle. Dietro di lui apparve il tavolo di legno e la scritta delirante che pareva tracciata dalla matita di Satana.

Io uccido…

Frank si tolse gli occhiali, come se la luce sottocoperta non fosse sufficiente a mettere a fuoco il senso di quelle parole.

«Se i fatti sono andati così, questa scritta significa una cosa, Nicolas. Non è solo il commento a quello che ha fatto. Significa che lo farà ancora.»

Terzo carnevale

L'uomo chiude la pesante porta ermetica dietro di sé.

Il battente si appoggia silenzioso, combaciando perfettamente con lo stipite di metallo e diventando tutt'uno con la parete. Il volano di chiusura, simile a quello delle torrette dei sommergibili, ruota con facilità fra le sue mani. L'uomo è forte ma si capisce che il meccanismo viene oliato spesso e tenuto in perfetta efficienza. L'uomo è molto scrupoloso e meticoloso nelle sue cose. Nel luogo dove si trova regnano perfetti ordine e pulizia.

È solo, chiuso nel suo posto segreto che esclude gli uomini, la luce del giorno e la semplice liquidità del ragionamento. Nella sua mente si affollano e trovano la loro giusta collocazione la fretta furtiva dell'animale che si rintana e la lucida concentrazione del predatore che ha individuato la sua vittima, il sangue e il rosso del tramonto, voci che urlano e voci che sussurrano, pace e guerra.

Il locale ha una forma rettangolare piuttosto ampia. La parete di sinistra è interamente occupata da una scaffalatura piena di apparecchiature elettroniche. C'è un impianto completo di registrazione sonora composto da due unità Alesis a 8 piste collegate a un computer Macintosh. L'impianto è integrato da macchine per la manipolazione del suono montate a cascata sulla destra della parete. Ci sono compressori, filtri Focus Rite e Pro Tools, alcuni *racks* di effetti musicali Roland e Korg. C'è uno scanner con il quale si possono ascoltare comunicazioni radio su tutte le frequenze, comprese quelle della polizia.

All'uomo piace ascoltare le voci nell'aria. Volano da una parte all'altra dello spazio, appartengono a persone senza volto e senza corpo, sono la fantasia e la libertà di immaginare, sono la sua voce sul nastro e la sua voce nella testa.

L'uomo solleva da terra la scatola a chiusura ermetica che aveva appoggiato per chiudere il volano. Sulla destra, contro il muro di metallo, c'è un tavolo di legno su due cavalletti. L'uomo ci depone la scatola. Si siede sulla sedia da ufficio con le ruote che gli permette con un semplice movimento di raggiungere la parete opposta dove si comanda l'impianto di registrazione. Accende una lampada sul tavolo, che si aggiunge alla luce delle plafoniere al neon che stanno appese al soffitto.

L'uomo sente il battito crescente dell'eccitazione raggiungere a poco a poco il suo cuore mentre fa scattare a una a una le cerniere della scatola.

La notte non è trascorsa invano. L'uomo sorride. Fuori da lì, in un giorno uguale a mille altri giorni, ci sono uomini che lo stanno cercando.

Cani di pezza con gli occhi di vetro, immobili nella vetrina luccicante del loro mondo. Altre voci nell'aria, che si rincorrono invano, come vano è il senso della loro corsa.

Lì, nella benedizione della penombra, la casa torna a essere la casa, il giusto ritrova la sua essenza, il passo la sua eco. Lo specchio che non si è frantumato riflette a terra il sasso lanciato inutilmente. Il suo sorriso si allarga e i suoi occhi splendono come stelle che annunciano l'avverarsi di un'antica profezia. Nel silenzio assoluto, solo la sua mente percepisce la musica solenne che c'è nell'aria mentre solleva lentamente il coperchio della scatola.

Nello spazio ristretto del suo posto segreto si sparge l'odore del sangue e del mare. L'uomo sente l'angoscia serrargli lo stomaco. Il battito trionfale del suo cuore diventa di colpo il rintocco di una campana di morte.

Si alza in piedi di scatto, tuffa le mani nella scatola e con i gesti delicati di un collezionista estrae quello che resta del volto di Jochen Welder, gocciolante di sangue e di acqua di mare. La chiusura ermetica della scatola non ha retto e l'acqua salata si è infiltrata nel contenitore. Ispeziona ruotando le mani i danni provocati dal sale. Dove è venuta a contatto con l'acqua marina la pelle è cotta e chiazzata di bianco. I capelli senza vita sono stopposi e arruffati.

L'uomo lascia cadere il suo trofeo nella scatola come se solo in quel momento gli facesse ribrezzo. Si affloscia sulla sedia e si prende il capo fra le mani sporche di sangue e salsedine. Incurante, se le passa fra i capelli, mentre la testa s'inchina al peso della sconfitta.

Tutto inutile. L'uomo sente la rabbia arrivare da lontano ed è il fruscio di una corsa nell'erba alta, il fiato ansimante, il tuono che si frantuma sui tetti fra bisbigli di paura.

La sua ira esplode. Si rialza di colpo, afferra il contenitore, lo solleva sopra la testa e lo scaglia contro il muro di metallo. La parete risuona come un diapason accordato ai rintocchi di morte che l'uomo sente dentro. La scatola rimbalza, finisce al centro della stanza. Gira su se stessa e si ferma di lato, il coperchio semidivelto dalla violenza dell'urto contro il muro. I poveri resti di Jochen Welder e Arijane Parker escono dalla scatola e si spargono a terra. L'uomo li guarda con disprezzo, come si guarda un secchio di spazzatura rovesciato per errore sul pavimento.

Il momento di rabbia dura poco. Il fiato ritorna lentamente normale. Il cuore si calma. Le mani si abbassano lungo i fianchi, strisciando lungo il tessuto dei pantaloni. Gli occhi ridiventano quelli del sacerdote che ascolta nel silenzio voci di precognizione che solo lui può sentire.

Ci sarà un'altra notte. E poi molte altre notti ancora. E mille volti di uomini in cui spegnere il sorriso come la candela dentro a una stupida zucca vuota.

Si rimette sulla sedia e si spinge contro la parete piena di apparecchiature elettroniche. Cerca nello scaffale a terra che percorre tutta la lunghezza della stanza, zeppo di dischi e cd. Ne tira fuori uno e lo infila nell'impianto quasi con frenesia. Preme il tasto d'avvio e una musica d'archi si diffonde dalle casse.

È un suono malinconico, che evoca il vento freddo dell'autunno, quando soffia rasoterra e costringe le foglie accartocciate al suolo in una morbida danza turbinante.

L'uomo si rilassa contro lo schienale. Sorride di nuovo. Il fallimento è già scordato, stemperato nella dolcezza di quella musica.

Ci sarà un'altra notte. E molte altre notti ancora.

Suadente come l'aria che si sparge con un vortice nella stanza, con la musica arriva la voce.

Sei tu, Vibo?

8

«*Merde!*»

Nicolas Hulot gettò il giornale che teneva fra le mani su quelli che già ingombravano la sua scrivania. Tutti, francesi e italiani, riportavano in prima pagina la notizia del duplice omicidio. Nonostante il tentativo di tenere riservate certe informazioni, era trapelata ogni cosa. Le modalità del delitto, di per sé, sarebbero state un boccone che avrebbe fatto scattare la voracità dei reporter come piranha su un quarto di bue. Poi c'era il fatto che le vittime erano due personaggi famosi, per cui i titoli erano un'apoteosi di creatività. Un campione del mondo di Formula Uno e la sua ragazza che, guarda caso, era una scacchista di fama mondiale.

Era una miniera d'oro che ogni giornalista avrebbe scavato pure a mani nude.

Qualcuno particolarmente capace era riuscito a risalire passo passo gli avvenimenti, grazie probabilmente alla testimonianza, magari profumatamente retribuita, del marinaio che aveva scoperto i corpi. Sul particolare della scritta lasciata sul tavolo, la fantasia dei cronisti si era scatenata in modo particolare.

Ognuno ne aveva dato la sua personale interpretazione, lasciando abilmente spazio alla fantasia del lettore.

Io uccido...

Il commissario chiuse gli occhi ma la scena che aveva davanti non cambiò. Non riusciva a togliersi dalla mente quei segni tracciati col sangue sul legno. Quelle cose non succedevano nella realtà. Quelle erano invenzioni degli scrittori per vendere libri. Erano trame di film che qualche sceneggiatore di successo scriveva nella sua casa sulla spiaggia di Malibu sorseggiando un drink. Quelle erano indagini che riguardavano di diritto investigatori americani con la faccia di Bruce Willis o John Travolta, dal fisico atletico e dalla pistola facile, non un commissario ormai più vicino alla pensione che alla gloria.

Si alzò dalla scrivania e camminò fino alla finestra con il passo di un uomo provato dalla fatica di un lungo viaggio.

Gli avevano telefonato tutti, seguendo in ordine di tempo la scala gerarchica. A tutti aveva dato le stesse risposte, visto che tutti facevano le stesse domande. Guardò l'orologio. Di lì a poco ci sarebbe stata una riunione per il coordinamento delle indagini. Oltre a Luc Roncaille, il direttore della Sûreté, ci sarebbe stato Alain Durand, il procuratore generale, che aveva deciso di prendere direttamente in mano l'inchiesta in qualità di giudice istruttore, e, pareva, anche il consigliere per l'Interno. Mancava solo il principe che, secondo l'ordinamento interno, era il capo supremo delle forze di polizia, ma non era ancora detto…

Con chiunque avrebbe usato le sole cose che aveva a disposizione in quel momento: poche informazioni e molta diplomazia.

Sentì bussare alla porta e si girò.

«Avanti.»

La porta si aprì ed entrò Frank, con l'espressione di chi si trova in un posto e vorrebbe essere da un'altra parte.

Hulot si stupì nel vederlo entrare, tuttavia non poté impedirsi di provare un senso istintivo di sollievo. Sapeva che era un gesto di gratitudine nei suoi confronti, una piccola solidarietà per il mare di guai in cui stava annaspando. Ecco, Frank Ottobre, il Frank di un tempo, sarebbe stato esattamente il tipo di poliziotto adatto a condurre un'indagine come quella, anche se sapeva che il suo amico non voleva essere un poliziotto, mai più.

«Ciao, Frank.»

«Ciao, Nicolas, come va?»

Hulot ebbe l'impressione che l'altro lo avesse chiesto per evitare di sentirsi rivolgere la stessa domanda.

«Come va? Te lo puoi immaginare come va. Mi è arrivato addosso un meteorite quando avrei sopportato a fatica un sassolino. Sono in un casino inimmaginabile. Li ho tutti addosso. Sembrano cani che abbiano scambiato le mie chiappe per una volpe.»

Frank non disse nulla e andò a sedersi sulla poltrona davanti alla scrivania.

«Siamo in attesa dei risultati dell'autopsia e dei rilevamenti della scientifica, anche se pare ci sia poco o nulla di significativo. Gli esperti hanno setacciato la barca centimetro per centimetro e non è saltato fuori nulla. Abbiamo fatto fare una perizia calligrafica della scritta sul tavolo e anche lì siamo in attesa dei risultati. Siamo tutti a mani giunte a pregare che non sia vero quello che sembra…»

Spiava sul viso dell'americano il sorgere di un minimo interesse per quello che stava dicendo. Conosceva la sua storia e sapeva che non era un bel bagaglio da portare, per nessuno. Dopo la perdita della moglie e le circostanze che l'avevano causata, Frank pareva vivere con l'intento sistematico di autodistruggersi, come se si ritenesse responsabile di tutte le colpe del mondo.

Aveva visto persone perdersi nell'alcol, altre in qualche cosa di peggio, altre togliersi addirittura la vita nel tentativo disperato di cancellare un rimorso. Frank invece rimaneva lucido, integro, quasi volesse impedirsi di dimenticare, come se volesse scontare giorno per giorno, con ferocia, una pena senza attenuanti. La sentenza era stata emessa e lui era il giudice e il condannato allo stesso tempo.

Hulot si sedette e appoggiò i gomiti sul piano del tavolo. Frank rimase in silenzio, le gambe accavallate sulla poltrona, senza espressione. Nicolas continuò come se gli costasse una fatica terribile.

«E noi non abbiamo niente. Niente di niente. Il nostro uomo ha probabilmente indossato una muta da sub per tutto il tempo, compreso calzari, guanti e cappuccio. Questo significa niente impronte digitali e nessuna traccia organica, vale a dire niente peli e niente capelli. Ha lasciato delle impronte di piedi e mani che appartengono a una tipologia fisica così normale da poter comprendere milioni di persone.»

Hulot fece una pausa. Gli occhi di Frank sembravano due pezzi di carbone, scuri come la miniera in cui erano stati scavati.

«Abbiamo iniziato delle indagini sulle vittime. Puoi immaginare due persone così quanta gente abbiano incontrato nel corso della vita che conducevano, sempre in giro di qua e di là…»

Di colpo l'atteggiamento del commissario cambiò, colto dall'ansia improvvisa di un'idea.

«Perché non mi aiuti, Frank? Posso far chiamare il tuo capo, posso chiedere di muovere le pedine giuste per farti aggregare all'indagine come persona preparata e informata sui fatti. È già successo in passato, in fondo. E poi una delle vittime era una cittadina americana… Tu sei il tipo adatto per un caso come questo. Parli perfettamente italiano e francese, sei a conoscenza dei metodi investigativi e della mentalità delle polizie europee. Conosci la gente di qui. Sei l'uomo giusto nel posto giusto.»

La voce arrivò sul viso di Frank come il vento che porta il temporale, ma le nubi nei suoi occhi appartenevano a un'altra tempesta.

«No, Nicolas. Tu e io non abbiamo gli stessi ricordi, ormai. Quello che ero non lo sono più. Non lo sarò mai più.»

Il commissario si alzò dalla poltrona, girò intorno alla scrivania e si appoggiò al piano, in piedi di fronte a Frank. Si chinò leggermente verso di lui, quasi a voler dare più forza alle sue parole.

«Non ti è mai venuto il sospetto che quello che è successo ad Harriet non sia colpa tua? O perlomeno, non completamente?»

Frank girò la testa a guardare fuori dalla finestra. La sua mascella si contrasse come se volesse trattenere con i denti una risposta che si era già dato troppo volte. Il suo silenzio fece montare la collera di Hulot, che alzò di un tono la voce.

«Cristo, Frank! Lo sai cos'è successo. Lo hai visto con i tuoi occhi. Là fuori c'è un assassino che ha già ucciso due persone e potrebbe ammazzarne ancora. Io non so che cosa hai in testa esattamente, ma non pensi che contribuire a fermare questo maniaco potrebbe essere un bel sistema per sentirti meglio? Non pensi che aiutare gli altri possa essere un modo per aiutare anche te stesso? Aiutarti a *tornare a casa*?»

Frank riportò lo sguardo sul suo amico. I suoi erano gli occhi di un uomo che poteva andare in qualunque luogo sentendo di non appartenere a nessuno.

«No.»

Quel monosillabo pronunciato con voce tranquilla rimase eretto fra di loro come un muro. Per un istante bloccò tutti e due. In quel momento erano il fotogramma singolo di una storia di cui non conoscevano la fine.

Bussarono alla porta ed entrò Claude Morelli, senza aspettare la risposta.

«Commissario…»

«Che c'è Morelli?»

«C'è di là uno di Radio Monte Carlo…»

«Digli che non parlo con i giornalisti, adesso. Ci sarà una conferenza stampa più avanti, quando lo deciderà il direttore.»

«No, commissario. Questo non è un giornalista. È un dee-jay che fa una trasmissione musicale, la sera. È venuto con il direttore della radio. Hanno letto i giornali e dicono che forse hanno delle informazioni sulla faccenda dei due delitti al porto.»

Hulot non seppe come prendere la notizia. Tutto ciò che poteva essere utile era autentica manna dal cielo. Quello che temeva era una sfilata di mitomani convinti di sapere tutto sugli omicidi o addirittura disposti a confessare di essere loro gli assassini. Però nessuna pista poteva essere trascurata.

Nessuna.

Tornò al suo posto dietro la scrivania.

«Falli entrare.»

Morelli uscì e questo sembrò un segnale convenuto. Frank si alzò dalla poltrona e si diresse alla porta. Non c'era ancora arrivato che il battente si aprì e rientrò Morelli, accompagnato da due persone. Uno era un ragazzo giovane, con i capelli lunghi e neri, sui trent'anni, e l'altro un tipo intorno ai quarantacinque circa. Frank li guardò di sfuggita e si defilò per lasciarli entrare. Approfittò dell'occasione per infilarsi nella porta rimasta aperta.

Lo bloccò sulla soglia la voce di Nicolas Hulot.

«Frank, sei proprio sicuro che non ti vuoi fermare?»

Senza una parola, Frank Ottobre uscì e chiuse l'uscio dietro di sé.

9

Uscendo dal comando di polizia, Frank piegò a sinistra in Rue Suffren Raymond e dopo poche decine di metri si ritrovò in Boulevard Albert Premier, il viale che costeggia il porto. Una gru si muoveva indolente sullo sfondo del cielo azzurro. La squadra di operai era ancora al lavoro per smontare le strutture dei box e caricarle sui camion.

Tutto procedeva secondo le regole.

Attraversò la strada e si fermò sulla *promenade* davanti al porto a guardare le barche ormeggiate. Sulla banchina non era rimasta traccia di quello che era successo.

Il *Beneteau* era stato trainato via e sicuramente era da qualche parte, a disposizione della polizia per il prosieguo delle indagini. Il *Baglietto* e l'altra barca contro cui si era incagliato stavano ancora lì, a galleggiare senza memoria, comprimendo mollemente i parabordi l'uno contro l'altro quando il movimento delle onde li faceva avvicinare. Le transenne erano state spostate. Non c'era più nulla da vedere.

Il bar del porto aveva ripreso la sua normale attività. Probabilmente quello che era successo aveva addirittura fatto aumentare la clientela, alimentata da curiosi che volevano essere dove era successo quello che era successo. Forse il giovane marinaio che aveva scoperto i cadaveri adesso era lì, a godersi il suo momento di popolarità e a raccontare quello che aveva visto. Oppure zitto davanti a un bicchiere per cercare di dimenticarlo.

Si sedette sulla banchina di pietra.

Un bambino passò a tutta velocità sui Rollerblade, seguito da una bambina più piccola in difficoltà con i pattini che gli chiedeva di aspettarla con voce lamentosa. Un uomo con un labrador nero aspettò paziente che il cane finisse di fare i suoi bisogni, poi estrasse un sacchetto di plastica e una paletta dalla tasca e raccolse da terra il prodotto del misfatto canino, per andare diligentemente a riporlo nella cassetta dei rifiuti.

Gente normale. Persone che vivevano come tanti, come tutti, forse con più denaro, forse con più felicità o con l'illusione di potersela procurare più facilmente. Forse era tutta apparenza e nient'altro. Per quanto dorata, una gabbia era sempre una gabbia, e ognuno era artefice del proprio destino. Ognuno costruiva la propria vita o la distruggeva secondo le regole che si era imposto. O le regole che rifiutava di imporsi.

Per nessuno c'era scampo.

Una barca stava uscendo dal porto e una donna bionda con un costume azzurro dalla prua agitò la mano per salutare qualcuno sulla riva. Vista da lontano assomigliava ad Harriet.

Frank sentì una vampata di calore nervoso salirgli dallo stomaco al viso. In un attimo il mare si sovrappose al mare, il riflesso al riflesso, la memoria allo sguardo.

Dopo che era uscito dall'ospedale, lui e Harriet avevano preso in affitto un cottage sulla costa della Georgia, in un posto isolato. Era una casa di legno, con il tetto in tegole canadesi rosse, costruita fra le dune a un centinaio di metri dal mare. Aveva sul davanti una veranda fatta di grandi vetrate scorrevoli, che d'estate si potevano aprire trasformandola in una specie di patio.

Di notte ascoltavano il vento che soffiava tra la rara vegetazione e il rumore delle onde dell'oceano che si frangevano sul bagnasciuga. Restavano nel letto e sentiva sua moglie che si stringeva forte a lui prima di addormentarsi, come se avesse un frenetico bisogno di rassicurarsi della sua presenza, come se non riuscisse a convincersi che lui era veramente lì con lei, vivo.

Di giorno stavano sulla riva a prendere il sole e a nuotare. Quel tratto di costa era praticamente deserto. Quelli che cercavano il mare e la confusione della spiaggia affollata andavano altrove, nei posti alla moda, a guardare i culturisti che si allenavano o le ragazze dai seni e dai sederi rifatti che passavano sculettando, come se stessero facendo un provino per Baywatch.

Lì, steso sull'asciugamano, Frank poteva esporre al sole senza vergogna il suo corpo smagrito, le cicatrici rossastre che aveva dappertutto, il segno dolente dell'operazione al cuore, quella che era servita per rimuovere la scheggia che per poco non lo uccideva.

A volte Harriet, sdraiata di fianco a lui, percorreva con le dita la carne sensibile della cicatrice e gli occhi le si inumidivano di lacrime. Non parlavano di quello che era successo. A volte cadeva il silenzio fra di loro, quando tutti e due pensavano alla stessa cosa con pensieri differenti, quando ricordavano le sofferenze di quegli ultimi mesi e il prezzo che avevano pagato.

Allora non avevano il coraggio di guardarsi negli occhi. Ognuno girava la testa verso il suo pezzetto di mare finché uno dei due, sempre in silenzio, trovava la forza per girarsi ad abbracciare l'altro.

Ogni tanto scendevano a fare provviste a Honesty, un villaggio di pescatori che era il centro abitato più vicino. Sembrava un posto in Scozia più che in America. Era un paese tranquillo, senza nessuna ansia di turismo, fatto di case in muratura e legno molto simili fra di loro, costruite lungo la strada che seguiva una linea parallela alla spiaggia, dove una striscia di cemento adagiata sulle rocce arginava le onde durante il maltempo invernale.

Pranzavano in un ristorante con grandi vetrate, costruito a ridosso dell'imbarcadero, su una palafitta, con un pavimento di legno che risuonava per i passi dei camerieri. Bevevano vino bianco così freddo da appannare i bicchieri e mangiavano astice appena pescato, macchiandosi le dita e spruzzandosi addosso il sugo quando cercavano di aprire le chele. Sovente ridevano come ragazzini e Harriet sembrava non pensare a niente e Frank nemmeno.

Non avevano parlato di nulla finché non era arrivata la telefonata. Erano in casa e Frank stava tagliando le verdure per l'insala-

ta. Dal forno usciva un buon profumo di pesce e di patate arrosto. Fuori il vento sollevava sabbia dalle sommità delle dune e il mare era spruzzato di schiuma bianca. Le vele solitarie di due windsurf tagliavano veloci le onde, di fronte a un grosso fuoristrada parcheggiato sulla spiaggia. Harriet era sulla veranda e per il sibilo del vento non aveva sentito suonare il telefono. Lui si era sporto dalla soglia della cucina con in mano un grosso peperone rosso.

«Harriet, telefono. Rispondi tu, per favore, che io ho le mani occupate.»

Sua moglie si era alzata ed era andata verso il vecchio apparecchio appeso al muro, che continuava a squillare con un suono antico. Aveva staccato la cornetta e lui era rimasto a guardarla.

«Pronto?»

Non appena aveva ricevuto la risposta, la sua espressione era cambiata, come succede quando si riceve una brutta notizia. Il sorriso si era spento ed era rimasta in silenzio per un attimo. Poi aveva appoggiato la cornetta sul ricevitore e aveva guardato Frank con un'intensità che sarebbe tornata per lungo tempo a tormentare le sue notti.

«È per te. È Homer.»

Aveva girato le spalle ed era tornata sulla veranda, senza aggiungere altro. Lui era andato all'apparecchio e aveva impugnato la cornetta ancora calda della mano di sua moglie.

«Sì?»

«Frank, sono Homer Woods. Come stai?»

«Bene.»

«Bene davvero?»

«Sì.»

Se Homer si era accorto del suo modo telegrafico di parlare non l'aveva dato a intendere. Aveva continuato come se la loro ultima conversazione fosse avvenuta dieci minuti prima.

«Li abbiamo presi.»

«Chi?»

«I Larkin, intendo. Li abbiamo sorpresi con le mani nel sacco, stavolta. Senza bombe di mezzo. C'è stata una sparatoria e Jeff Larkin ci ha lasciato le penne. C'era una montagna di roba e una montagna di dollari ancora più grossa. E carte. Si sono aperte delle strade nuove che promettono molto bene. Con un po' di fortuna, abbiamo abbastanza materiale per mettere un sacco di gente col culo per terra.»

«Bene.»

Aveva detto la stessa parola di prima con lo stesso tono, ma ancora una volta il suo capo non lo aveva rilevato.

Immaginava Homer Woods nel suo ufficio di legno scuro, seduto alla scrivania con il telefono in mano, gli occhi azzurri dietro gli occhiali cerchiati d'oro, immutabili come il suo vestito grigio con il gilet e la camicia di oxford azzurro.

«Frank, è grazie soprattutto al lavoro tuo e di Cooper se siamo arrivati ai Larkin. Qui tutti lo sanno e ci tenevo a dirtelo. Quando pensi di tornare?»

«Francamente non lo so. Presto, credo.»

«Va bene, non intendo forzarti. Però ricordati quello che ti ho detto.»

«Va bene, Homer. Ti ringrazio.»

Aveva riattaccato ed era uscito a cercare Harriet. Stava seduta sulla veranda e guardava i due ragazzi che avevano smontato i wind-surf e li stavano caricando sul tetto del fuoristrada.

Si era seduto in silenzio accanto a lei sulla panchetta di legno a due posti. Per un po' erano rimasti vicini a guardare la spiaggia, finché la macchina dei ragazzi non si era allontanata, come se quella presenza estranea, anche se lontana, fosse da sola un impedimento a qualsiasi comunicazione.

Era stata Harriet a rompere la pausa.

«Ti ha chiesto quando intendi tornare, non è vero?»

«Sì.»

Fra di loro non c'erano mai state menzogne e Frank non intendeva cominciare proprio adesso.

«*E tu lo vuoi?*»

Frank si era girato verso di lei ma Harriet aveva evitato accuratamente di incontrare il suo sguardo. Era tornato anche lui a guardare il mare e le onde che si rincorrevano nel vento, bianche di schiuma.

«*Harriet, sono un poliziotto. Non ho scelto questa vita per necessità, ma perché mi piaceva. Ho sempre desiderato fare quello che faccio e non so se mi adatterei a fare altro. Non so nemmeno se ne sarei capace. C'è un proverbio italiano che mi ripeteva sempre mia nonna. Dice che chi nasce quadro non muore tondo...*»

Si era alzato e aveva messo una mano sulla spalla di sua moglie, che si era leggermente irrigidita.

«*Io non so a quale delle due forme appartengo, Harriet, quello che so è che non la voglio cambiare.*»

Era rientrato in casa e, quando era tornato a cercarla, lei era sparita. C'erano le sue impronte sulla sabbia davanti alla casa che si dirigevano verso le dune. L'aveva vista di lontano camminare vicino al bagnasciuga, una minuscola figura dai capelli agitati dal vento. L'aveva seguita con lo sguardo finché altre dune l'avevano nascosta alla vista. Aveva pensato che volesse stare da sola e che in fondo era giusto così. Era rientrato in casa e si era seduto al tavolo, davanti a un cibo che non aveva più voglia di mangiare.

Di colpo non si era sentito più così sicuro di quello che le aveva detto poco prima. Forse c'era un'altra vita possibile, per loro due. Forse era vero che chi nasceva quadro non poteva diventare tondo, ma poteva smussare gli angoli, arrotondarli, in modo che nessuno dovesse restarne ferito.

Soprattutto le persone che amava.

Si era concesso una notte per riflettere. Il mattino dopo ne avrebbe riparlato con lei. Insieme, ne era sicuro, avrebbero trovato una soluzione.

Non c'era stato nessun mattino dopo, per loro due.

Aveva atteso il ritorno di Harriet fino a pomeriggio inoltrato. Mentre il sole stava calando e allungava le ombre delle dune come dita scure sulla spiaggia, aveva visto due figure che si avvicinano camminando lentamente lungo la battigia. Aveva stretto gli occhi per proteggerli dal riflesso del sole infuocato del tramonto. Erano ancora troppo lontani per distinguerli bene. Frank, attraverso la finestra aperta, vedeva le impronte delle persone che si stavano avvicinando stamparsi dietro di loro a ogni passo, lasciando una traccia a partire dalle dune che delimitavano il suo orizzonte sullo sfondo. I loro vestiti svolazzavano nel vento e le loro figure tremolavano, come filtrate attraverso il vapore quando esce dall'asfalto in lontananza. Quando erano stati vicini a sufficienza da poterli vedere bene, Frank si era reso conto che uno dei due era lo sceriffo di Honesty.

Aveva sentito l'agitazione crescere dentro di lui come un sinistro presagio. Si era infine trovato di fronte quell'uomo che assomigliava più a un contabile che a un poliziotto e le sue preoccupazioni erano diventate un'agghiacciante realtà. Tenendo il cappello in mano ed evitando il più possibile di incontrare il suo sguardo, lo sceriffo lo aveva messo al corrente di quello che era successo.

Un paio d'ore prima, dei pescatori che stavano costeggiando il litorale a duecento metri dalla riva sulla loro imbarcazione avevano avvistato una donna corrispondente alla descrizione di Harriet. Stava in piedi sulla cima di una scogliera che interrompeva come un incidente geologico la lunga litania di dune della costa. Era sola e guardava verso il mare. Quando erano arrivati più o meno alla sua altezza, la donna si era gettata. Non vedendola riemergere, avevano immediatamente deviato la rotta della barca per andare a soccorrerla. Uno di loro si era tuffato in acqua nel punto in cui era caduta ma, nonostante gli sforzi, non erano riusciti a trovarla. Avevano immediatamente avvertito l'ufficio di polizia ed erano iniziate le ricerche, vane fino a quel momento.

Il mare aveva restituito il corpo di Harriet solo due giorni dopo, quando le correnti lo avevano portato ad arenarsi in un'insenatura, un paio di miglia a sud della casa.

Mentre procedeva all'identificazione, Frank si era sentito come un assassino davanti al cadavere della sua vittima. Aveva osservato

*il viso di sua moglie steso sul bancone della cella mortuaria e con un
cenno del capo aveva contemporaneamente confermato l'identità di
Harriet e la propria condanna. Grazie alla testimonianza dei pescatori non c'era stata praticamente inchiesta, ma questo non era servito a liberare Frank dal rimorso che si portava dentro.*

*Era stato così occupato ad avere cura di sé che non aveva notato
la profonda depressione in cui Harriet era caduta. Nessuno l'aveva
notata, ma questa non era un'attenuante. Lui avrebbe potuto capire
quello che si agitava nella mente di sua moglie. Lui avrebbe dovuto
capire. C'erano stati tutti i segnali ma, nel suo delirio di autocom-
miserazione, era riuscito a ignorarli. E la loro discussione dopo la telefonata di Homer era stata il colpo di grazia.*

In definitiva, non si era rivelato né tondo né quadro, solo cieco.

*Se ne era andato da quel posto col corpo di sua moglie chiuso in
una bara, senza nemmeno passare dal cottage a fare le valigie.*

In tutto quel tempo non era riuscito a versare una sola lacrima.

«Mamma, guarda, c'è un uomo che piange.»

La voce infantile lo riscosse da quella sorta di trance in cui
era caduto. Di fianco a lui una bambina con i capelli biondi e un
vestito blu fu zittita con uno strattone dalla madre, che lo guardò
e sorrise imbarazzata. Se ne andò in fretta, tenendo per mano la
figlia.

Frank non si era accorto di piangere. Non sapeva nemmeno
da quanto lo stesse facendo.

Quelle lacrime arrivavano da lontano. Non erano la salvezza,
non erano l'oblio, semplicemente un sollievo. Rappresentavano
una piccola tregua per poter respirare un attimo, sentire solo per
un momento la vera temperatura del sole, vedere il vero colore del
mare, ascoltare il suo cuore che batteva nel petto, una volta tanto,
senza il suono di un tamburo di morte.

Stava scontando la sua follia.

Il mondo intero stava scontando la sua follia.

Se lo era ripetuto per ore, dopo la morte di Harriet, seduto su una panchina nel giardino della St. James Clinic, dove lo avevano ricoverato sull'orlo della pazzia. Lo aveva capito definitivamente mesi più tardi, quando era successo il disastro del World Trade Center, quando aveva visto in televisione quei due monumenti cadere come solo le illusioni possono cadere. Uomini si lanciavano con aerei contro dei grattacieli nel nome di Dio, mentre qualcuno, comodamente seduto in un ufficio, già sapeva come sfruttare la loro follia in Borsa. Altri uomini si guadagnavano da vivere costruendo e vendendo mine, e a Natale portavano ai loro figli regali comperati uccidendo e storpiando altri bambini. La coscienza era un accessorio il cui valore era legato al fluttuare del prezzo di un barile di petrolio. E in mezzo a tutto questo non c'era da sorprendersi se ogni tanto veniva fuori qualcuno che, da solo, scriveva col sangue il suo destino.

Io uccido…

Il rimorso per la morte di Harriet sarebbe stato un compagno di viaggio abbastanza crudele da non abbandonarlo mai. Da solo, sarebbe stato una pena sufficiente per il resto dei suoi giorni. Non avrebbe dimenticato. Non avrebbe potuto farlo nemmeno se la sua vita fosse durata in eterno. E non sarebbe riuscito a perdonarsi nemmeno se la sua vita fosse durata il doppio dell'eternità.

Non poteva mettere fine alla pazzia del mondo. Poteva solo mettere fine alla propria, e sperare che chi poteva ancora farlo seguisse il suo esempio. E cancellare per sempre quella o altre scritte come quella. Rimase seduto sulla pietra a piangere, incurante della curiosità dei passanti, finché decise che non aveva più lacrime.

Allora si alzò e lentamente si diresse verso il comando di polizia.

10

«*Io uccido…*»

La voce rimase un istante in sospeso nell'auto e sembrò nutrirsi del ronzio soffocato del motore per continuare a risuonare nell'abitacolo come un'eco.

Il commissario Hulot premette un tasto dell'autoradio e il nastro si bloccò sulla voce di Jean-Loup Verdier che riprendeva a stento la trasmissione. Dopo il colloquio con il dee-jay e Robert Bikjalo, il direttore di Radio Monte Carlo, una piccola crudele speranza aveva fatto capolino da dietro la montagna che gli investigatori cercavano disperatamente di scalare.

Forse quella arrivata durante la trasmissione *Voices* era semplicemente la telefonata di un mitomane, una casualità inaudita, una coincidenza da congiunzione astrale millenaria. Però quelle due parole, «*Io uccido…*» lanciate come una minaccia alla fine della comunicazione, erano uguali a quelle lasciate sul tavolo di legno di una barca, scritte col sangue di vittime innocenti.

Hulot fermò la macchina a un semaforo rosso. Una donna che spingeva una carrozzina attraversò la strada davanti a loro. Fermo alla loro destra, un ciclista con una bicicletta gialla e una tuta azzurra in fibra si appoggiò al palo del semaforo, sorreggendosi per non togliere i piedi dai fermi sui pedali.

Dappertutto intorno a loro c'erano colore e calore. C'era un'estate che stava arrivando, con tutte le sue promesse, nei bar all'aperto, nelle strade piene di gente, sul lungomare animato dove uomini, donne e bambini non chiedevano altro che di vederle mantenute.

Era tutto normale.

Solo in quell'auto ferma a un semaforo rosso, acceso come sangue su una lampadina, aleggiava una presenza che aveva il potere di oscurare tutta quella luce e di virare i colori del mondo nelle tonalità opache del bianco e nero.

«Ci sono novità dalla scientifica?» chiese Frank.

Il rosso divenne verde. Hulot mise la marcia e si mosse. Il ciclista si allontanò rapidamente. Il suo mezzo a pedali consentiva una velocità superiore a quella delle colonne di macchine che procedevano lentamente lungo la costa.

«È arrivato il rapporto del patologo. L'autopsia l'hanno fatta a tempo di record. Si vede che qualcuno che conta ha fatto diventare roventi i telefoni, per avere un risultato così in fretta. Tutto confermato. La ragazza è morta per asfissia da annegamento, però nei suoi polmoni non c'era acqua di mare. Significa che è morta senza avere la possibilità di risalire. Di solito i polmoni si riempiono d'acqua quando chi annega va su e giù diverse volte prima di sprofondare definitivamente. In questo caso l'assassino deve averla sorpresa in acqua, tirata sotto e fatta affogare. Il cadavere è stato passato al setaccio. Nessun segno, nessuna traccia sul corpo. Lo hanno esaminato in tutti i modi possibili con gli strumenti che hanno a disposizione al laboratorio.»

«E lui?»

Il viso di Hulot si rabbuiò.

«Per quel che riguarda lui il discorso è diverso. È stato ucciso con un colpo di arma da punta e da taglio molto acuminata, inferto dall'alto verso il basso. La lama è penetrata fra la quinta e la sesta costola ed è andata dritta a spaccargli il cuore. La morte è stata pressoché istantanea. L'assassino deve averlo aggredito all'esterno, sul ponte, dove c'erano le macchie di sangue. Nonostante l'effetto sorpresa, Jochen Welder era bello robusto. Non era altissimo, ma in ogni caso piuttosto alto per la media dei piloti. E molto allenato. Jogging e palestra, intendo dire. Per cui l'aggressore deve essere piuttosto ben messo anche lui, agile e forte.»

«I cadaveri sono stati violentati? Sessualmente, intendo.»

Hulot scosse la testa.

«No. O meglio, lui sicuramente no. Lei aveva avuto da poco un rapporto. C'erano residui di liquido seminale all'interno della vagina, ma con ogni probabilità si tratta di quello di Welder. Credo che al novanta per cento l'esame del DNA ce lo confermerà.»

«Be', questo escluderebbe il movente sessuale, perlomeno di tipo canonico.»

Frank lo disse col tono di chi scopre che nell'incendio della sua casa un tovagliolo si è salvato.

«Per quel che riguarda le impronte e le altre tracce organiche, come puoi immaginare sulla barca ne sono state trovate a bizzeffe. Manderemo anche questa roba all'analisi del DNA, ma non mi sorprenderei se questa strada non portasse assolutamente a nulla.»

Superarono Beaulieu e gli alberghi di lusso in riva al mare, con i parcheggi pieni di macchine lucide, odorose di cuoio e di radica, placidamente in sosta all'ombra, sotto gli alberi dei parchi. Dappertutto c'erano aiuole fiorite di mille colori nella luce di quella giornata splendida. Frank si lasciò distrarre dai fiori rossi di un *ibiscus* nel giardino di una villa.

Ancora rosso. Ancora sangue.

Tornò con la mente nell'auto. Si protese a spostare una bocchetta di ventilazione che puntava aria fredda dritta sul suo volto.

«Quindi non abbiamo niente.»

«Niente di niente.»

«Le misurazioni antropometriche delle impronte?»

«Anche da quelle nulla di rilevante. Dovrebbe trattarsi di un individuo alto intorno al metro e ottanta, cinque centimetri più, cinque centimetri meno, del peso approssimativo di settantacinque chili. Una tipologia fisica comune a molte migliaia di persone.»

«Un atleta, insomma.»

«Già, un atleta... Un atleta molto abile manualmente.»

Frank aveva una serie di domande che gli urgevano nella testa, ma non voleva urtare il suo amico, che pareva riflettere e trarre delle conclusioni personali mentre esponeva i dati in suo possesso. Attese in silenzio.

«Quello che ha fatto ai cadaveri non è un lavoro da poco. L'ha condotto con una certa perizia. Sicuramente non era la prima volta che faceva una cosa del genere. Forse si tratta di qualcuno che ha a che fare con un ambiente medico…»

Frank fu spiacente di raffreddare le speranze del suo amico.

«Vale la pena di tentare, non si sa mai. Sarebbe troppo bello, però. Banale, direi. Purtroppo in certi dettagli l'anatomia di un uomo non differisce molto da quella di un qualunque animale. Basta che il nostro uomo si sia allenato con un paio di conigli per essere in grado di fare quello che ha fatto anche su un essere umano.»

«Conigli, eh? Esseri umani come conigli…»

«È furbo, Nicolas. È pazzo furioso, però è furbo e freddo come il ghiaccio. Ci vuole uno che abbia del freon nelle vene per fare quello che ha fatto lui, mandare la barca ad arenarsi in mezzo alle altre e andarsene tranquillamente come era venuto. E perdipiù con l'intenzione precisa di sfidarci, di prenderci in giro.»

«La musica, intendi dire?»

«Sì. Ha chiuso la telefonata con un pezzo della colonna sonora di *Un uomo, una donna.*»

Hulot ricordò di aver visto il film di Lelouch anni prima, agli inizi del rapporto con Céline, sua moglie. Ricordava perfettamente la bella storia d'amore e che l'avevano vissuta come un buon augurio per il loro futuro.

Frank continuò, rammentandogli un particolare che in quel momento non aveva focalizzato.

«Nel film, il protagonista maschile è un pilota di rally.»

«Adesso che mi ci fai pensare, è vero. E Jochen Welder era un pilota. Ma allora…»

«Esatto. In radio, oltre ad annunciare la sua intenzione di uccidere ha lasciato anche un'indicazione su *chi* voleva uccidere. Ma non è finita, secondo me. Ha ucciso e lo vuole fare ancora. E noi dobbiamo impedirglielo. Come, non lo so, ma dobbiamo farlo a tutti i costi.»

La macchina si fermò a un altro semaforo rosso, sulla breve discesa alla fine di Boulevard Carnot. Davanti a loro c'era Nizza, città di mare, sbiadita e umana, lontana dalla pulizia patinata di Montecarlo e dalla sua popolazione di pensionati di lusso.

Mentre guidava la sua auto verso Place Masséna, Hulot si voltò a guardare Frank sul sedile di fianco. Teneva lo sguardo fisso davanti a sé, con l'espressione assorta di Ulisse che attende di sentire il canto delle sirene.

11

Nicolas Hulot fermò la 206 al cancello del Centro di polizia di
Auvare in Rue de Roquebillére.

Un agente in divisa, ritto davanti alla guardiola, si mosse con
aria seccata per far sloggiare quei due dall'ingresso riservato al
personale di polizia. Dal finestrino dell'auto il commissario esibì il
distintivo.

«Commissario Hulot, Sûreté Publique di Monaco. Ho un appuntamento con il commissario Froben.»

«Scusi commissario. Non l'avevo riconosciuta. A sua disposizione.»

«Lo può avvertire del mio arrivo, per favore?»

«Provvedo subito, commissario. Entri pure, nel frattempo.»

«Grazie, agente.»

Hulot avanzò di qualche metro e parcheggiò la macchina sul
lato in ombra della strada. Frank scese e si guardò in giro. La ca-
serma di Auvare era un complesso di costruzioni a due piani, con
i muri color cemento e i tetti in coppi rossi, gli infissi delle porte e
delle finestre in legno scuro. Una serie di edifici rettangolari ordinatamente disposti a scacchiera, senza nessun collegamento fra di
loro. Sul lato più corto di ognuno, quello rivolto alla strada, c'era
una scala esterna che saliva al piano superiore.

Il commissario si chiese come poteva apparire tutto quello che
avevano intorno attraverso gli occhi dell'americano. Nizza era una
città diversa in un mondo diverso. Forse addirittura un altro pianeta, di cui capiva la lingua ma la cui mentalità faceva parte solo
della sua cultura e non della sua vita.

Piccole case, piccoli caffè, piccole persone.

Nessun sogno americano, nessun grattacielo da abbattere, solo piccoli sogni, quando c'erano, a volte sbiaditi dall'aria di mare come i muri di certe case. Piccoli sogni, ma che quando si spezzavano diventavano lo stesso un grande dolore.

Sul muro proprio di fronte all'ingresso del Centro, qualcuno aveva appiccicato un manifesto contro la globalizzazione. Uomini che lottavano per rendere il mondo tutto uguale contro altri uomini che lottavano per non perdere la propria identità. L'Europa, l'America, la Cina, l'Asia… Erano solo spazi colorati sulle carte geografiche, sigle sulle tabelle dei cambiavalute, nomi su vocabolari nelle biblioteche. Adesso c'era Internet, c'erano i media, le notizie in tempo reale. Segni di un mondo che si allargava o che si riduceva a seconda dell'angolo da cui lo si stava guardare.

L'unica cosa che tagliava veramente le distanze era il male, presente dappertutto, che parlava ovunque un unico linguaggio e scriveva i suoi messaggi sempre con lo stesso inchiostro.

Frank chiuse la portiera della macchina e si girò verso di lui.

Hulot vide un uomo di trentotto anni con gli occhi di un vecchio a cui la vita aveva negato la saggezza. Vide un viso scuro, latino, coperto da un'ombra più scura dei suoi occhi e dei suoi capelli e dell'impronta della barba sulle sue guance. Un uomo dal corpo atletico, forte, un uomo che aveva già ucciso altri uomini, protetto da un distintivo e dalla giustificazione di essere dalla parte giusta. Forse il male non aveva cura, non aveva un antidoto. Ma c'erano gli uomini come Frank, monatti toccati e resi immuni dal male stesso.

La guerra non finiva mai.

Mentre Hulot chiudeva l'auto, videro il commissario Froben, della squadra omicidi, che collaborava alle indagini, uscire dalla porta in legno dell'edificio di fronte e venire verso di loro.

Rivolse a Hulot un largo sorriso, mostrando i denti grandi e regolari, che diede luce al volto dai lineamenti marcati. Aveva una corporatura massiccia, che gonfiava la giacca del vestito da Galeries Lafayette, e il naso rotto di chi in passato ha praticato del pugilato. Le piccole cicatrici intorno alle sopracciglia confermarono a Frank questa ipotesi.

Froben strinse la mano a Hulot. Il suo sorriso si accentuò e i suoi occhi grigi divennero due fessure, mandando le cicatrici a confondersi in una ragnatela di piccole rughe.

«Ciao, Nicolas. Come te la passi?»

«Tu mi devi dire come me la passo. In questo mare di merda che promette tempesta, mi serve l'aiuto di tutti gli amici.»

Froben spostò lo sguardo su Frank. Hulot fece le presentazioni.

«Lui è Frank Ottobre, agente speciale incaricato dell'FBI. Molto speciale. È stato aggregato alle indagini dal suo comando.»

Froben non disse niente ma i suoi occhi espressero la considerazione per le qualifiche di Frank. Tese una mano dalle dita grandi e forti, riservando anche a lui lo stesso sorriso aperto.

«Claude Froben, umile commissario della Omicidi.»

Mentre affrontava la stretta vigorosa di Froben, Frank ebbe l'impressione che avrebbe potuto spezzargli le dita, se solo avesse voluto. Quell'uomo gli piacque subito. Dava l'impressione di forza e delicatezza insieme. Frank non si sarebbe stupito di trovarlo con i figli, dopo il lavoro, a montare modellini di navi, maneggiandone con cura sorprendente le parti più fragili.

Hulot venne subito al sodo.

«Novità sul nastro?»

«L'ho affidato a Clavert, il migliore dei nostri tecnici. Un mago, direi. L'ho lasciato che lo stava analizzando con i suoi marchingegni. Venite, vi faccio strada.»

Froben li precedette ed entrarono nella porta da cui era appena uscito. Li guidò per il breve corridoio, immerso in una luce diffusa che proveniva da una finestra alle loro spalle. Hulot e Frank lo seguirono finché la nuca sale e pepe di Froben, che finiva in un collo corto e tozzo sulle spalle robuste, ridivenne il suo viso. Si fermò davanti a una scala che scendeva sulla sinistra. Fece un gesto con la grossa mano squadrata.

«Prego.»

Scesero due rampe di scale e si trovarono in un vasto stanzone pieno di apparecchiature elettroniche, illuminato da freddi tubi al neon che aiutavano la scarsa luce che arrivava nel seminterrato dai lucernari a livello della strada.

Seduto a un bancone c'era un ragazzo magro, i capelli tagliati a zero per mascherare un'incipiente calvizie. Indossava un camice bianco aperto su un paio di jeans e una camicia a quadri portata fuori dai pantaloni. Aveva sul naso un paio di occhiali curvi con le lenti gialle.

I tre si fermarono dietro alla sedia con rotelle su cui stava seduto manovrando assorto dei potenziometri. Si girò a guardarli. Hulot si chiese come facesse a non rimanere accecato uscendo al sole con quelle lenti.

Froben non fece alcuna presentazione e l'uomo non sembrò averne bisogno. Probabilmente, per il suo modo di pensare, se quei due sconosciuti stavano lì, era perché ci dovevano stare.

«Allora, Clavert, che ci dici del nastro?»

Il tecnico si strinse nelle spalle.

«Poco, commissario… Non ho delle belle notizie. Ho esaminato la registrazione con tutti i macchinari che ho a disposizione. Niente. La voce è artefatta e non può essere in alcun modo identificata.»

«Vale a dire?»

Clavert fece un passo indietro, rendendosi conto che non tutti i presenti potevano avere la sua preparazione tecnica.

«Tutte le voci umane si muovono secondo frequenze che fanno parte di un bagaglio personale, identificabile come le impronte della retina o le impronte digitali. Una certa quantità di acute, di basse e di medie che non variano anche se si cerca di alterare la voce, parlando in falsetto, per esempio. È possibile visualizzare queste frequenze tramite apposite apparecchiature e riprodurle poi su un diagramma. Si tratta di macchinari abbastanza comuni che fanno parte, ad esempio, della normale dotazione degli studi di registrazione musicale. Servono per distribuire le frequenze ed evitare che un brano sia troppo ricco delle une o delle altre.»

Clavert si avvicinò alla tastiera di un computer Macintosh e mise la mano sul mouse. Fece una serie di *clic* e comparve una schermata bianca attraversata da linee orizzontali parallele fra di loro. In mezzo alle linee se ne muovevano altre due, una di colore verde e una di colore viola, più grandi e tutte frastagliate.

Il tecnico indicò con la freccia del mouse quella di colore verde.

«Ecco, questa linea è la voce di Jean-Loup Verdier, il dee-jay di Radio Monte Carlo. L'ho analizzata e questo è il diagramma fonico che ne è uscito.»

Fece un altro *clic* e lo schermo divenne un grafico che evidenziava una linea gialla che si muoveva su uno sfondo scuro, imprigionata fra linee parallele azzurre. Clavert con un dito indicò la schermata.

«Le linee azzurre orizzontali sono le frequenze. La linea gialla indica su quali di queste si muove la voce analizzata. Prendendo la voce di Verdier in diversi punti della registrazione e sovrapponendoli, si vede che combaciano perfettamente.»

Clavert ritornò alla schermata precedente. Cliccò sulla linea viola.

«Questa è l'altra voce.»

Comparve di nuovo il grafico, ma questa volta la linea gialla si muoveva in modo spezzettato ed entro campi molto più ridotti.

«In questo caso, la persona al telefono ha fatto passare la sua voce attraverso un apparecchio dotato di filtri che, grazie a una serie di distorsioni e compressioni, mescola le frequenze dell'emissione vocale sconvolgendole completamente. Basta variare leggermente i valori di uno dei filtri per avere un grafico ogni volta completamente diverso.»

Hulot intervenne e fece una domanda.

«È possibile risalire al modello dell'apparecchio utilizzato attraverso l'analisi della registrazione? Magari si può risalire a chi è stato venduto.»

Il tecnico mostrò un'espressione dubbiosa.

«Non credo. Queste macchine sono reperibili in commercio abbastanza facilmente. Ce ne sono di diverse marche e con prestazioni variabili a seconda del prezzo e della marca, ma per una finalità come questa sono tutte ugualmente funzionali. Oltretutto l'elettronica è in continua evoluzione, per cui c'è un mercato abbastanza vasto dell'usato. Tutta roba che in genere finisce nelle mani dei patiti dell'*home-recording*, quasi sempre senza fatturazione. Onestamente non credo sia una strada percorribile.»

Froben intervenne senza convalidare completamente il parere disfattista di Clavert.

«In ogni caso vedremo cosa si può fare. Abbiamo così pochi elementi in mano che niente può essere trascurato.»

Hulot si girò a osservare Frank. Si guardava in giro, apparentemente assorto in altri pensieri, come se sapesse già tutto per conto suo. Tuttavia il commissario era certo che niente di quello che stavano dicendo gli sfuggiva e che stava immagazzinando ogni dato.

Si rivolse di nuovo a Clavert.

«E sulla telefonata arrivata senza passare per il centralino che cosa può dirci?»

«Be', su questa non saprei formulare un'ipotesi precisa. I casi sono sostanzialmente due. Tutti i centralini telefonici sono dotati in genere di numeri passanti. Basta conoscerli per evitare di essere filtrati dalla telefonista. Radio Monte Carlo sicuramente non è la NASA in quanto a segretezza, per cui non è poi così impensabile che qualcuno possa esserseli procurati. La seconda ipotesi è un po' più complicata, anche se non fantascientifica. A me sembra la più verosimile...»

«Vale a dire?»

Clavert si appoggiò allo schienale della sedia.

«Mi sono informato. Il centralino di Radio Monte Carlo è gestito da un programma computerizzato e ha una funzione che permette di visualizzare in tempo reale il numero telefonico dei chiamanti. La finalità è ovvia...»

Si diede uno sguardo in giro per accertarsi che fosse chiara anche a tutti i presenti.

«Ebbene, al momento della telefonata sul display non è comparso nessun numero, per cui la persona che ha chiamato deve aver collegato al telefono un dispositivo elettronico che neutralizza la funzione del centralino.»

«È una cosa difficile da ottenere?»

«Un risultato simile può essere raggiunto abbastanza facilmente da un buon conoscitore di elettronica e di telefonia. Non è necessario un genio delle telecomunicazioni. Percorrendo la strada di Internet, qualsiasi discreto hacker è in grado di farlo.»

Hulot si sentiva come un detenuto durante l'ora d'aria. Ovunque girasse lo sguardo, si trovava davanti un muro.

«È possibile stabilire se la chiamata sia arrivata da un telefono fisso o da un cellulare?»

«No. Tuttavia escluderei un cellulare. Se ha usato il Web, il cellulare è molto più lento e impreciso nei collegamenti. Chi ha fatto tutto questo è troppo furbo per non tenerne conto.»

«Ci sono possibilità di ulteriori analisi sul nastro?»

«Con gli apparecchi che ho qui a disposizione, no. Ho intenzione di mandare una copia del DAT al laboratorio scientifico di Lione, per vedere se loro riescono a cavarci qualcosa di più.»

Hulot appoggiò una mano sulla spalla di Clavert.

«Bene. Priorità assoluta. Se da Lione dovessero fare storie le faremo avere gli appoggi necessari per ottenere la massima celerità.»

Clavert ritenne che l'argomento fosse concluso. Estrasse un chewing-gum dal taschino del camice, lo scartò e se lo infilò in bocca.

Per un attimo scese il silenzio. A suo modo, ognuno dei quattro pensava a quello che era stato detto.

«Venite, vi offro un caffè», disse per primo Froben.

Li precedette di nuovo su per le scale, sul pianerottolo girò a sinistra e dopo pochi passi si trovarono davanti a una macchinetta per la distribuzione automatica infilata in una nicchia. Froben estrasse una scheda magnetica.

«Caffè per tutti?»

Gli altri due annuirono. Il commissario infilò la scheda, premette un tasto e la macchina si mise in moto con un ronzio, scodellando un bicchierino di plastica sul piano di mescita.

«Che ne pensi, Frank?» chiese Hulot all'americano, che continuava a restare in silenzio.

Frank si decise e diede voce ai suoi pensieri.

«Non abbiamo molte strade. Qualsiasi direzione s'imbocchi pare non porti assolutamente a niente. Te l'avevo detto, Nicolas, abbiamo di fronte un uomo molto, molto astuto. Ci sono troppe coincidenze per pensare che sia semplicemente stato baciato in fronte dalla buona sorte. Per adesso, l'unico legame che abbiamo con questo bastardo è rappresentato da quella telefonata. Se noi siamo abbastanza fortunati e lui è abbastanza narcisista, ne farà delle altre. Se siamo *molto* fortunati, le farà alla stessa persona. Se lo siamo ancora di più, commetterà un errore. È l'unica speranza che abbiamo per scoprirlo e fermarlo prima che uccida ancora.»

Finì di bere il suo caffè e gettò il bicchiere di plastica nel contenitore dei rifiuti.

«Credo sia ora di fare due chiacchiere serie con Jean-Loup Verdier e quelli di Radio Monte Carlo. Mi spiace ammetterlo, ma per il momento siamo nelle loro mani.»

Si avviarono verso l'uscita.

«Immagino che giù nel Principato ci sia… come dire… un certo fermento», disse Froben a Hulot.

«Be', definirlo "fermento" è come definire Mike Tyson "un tipo nervoso". Siamo quasi al collasso. Montecarlo è una cartolina, lo sai. Da noi l'immagine è tutto. Abbiamo speso tonnellate di soldi per garantire soprattutto due cose: eleganza e sicurezza. E poi ti sbuca fuori questo tipo che ci prende elegantemente per il culo. Se questa storia non si risolve in fretta, sentirai distintamente lo scricchiolio di molte poltrone…»

Hulot fece una pausa. E un sospiro.

«Compresa la mia.»

Arrivati sul portone, si salutarono. Froben rimase a guardarli mentre si allontanavano. Sul suo viso da pugile c'era la solidarietà, ma anche il sollievo di non trovarsi al loro posto.

Hulot e Frank si avviarono verso il parcheggio dove avevano lasciato la macchina. Quando furono all'interno, mentre accendeva il motore, il commissario si girò a guardare Frank nella luce incerta dell'auto. Era quasi ora di cena e si scopriva affamato.

«Café de Turin?»

Il Café de Turin era una trattoria molto spartana, del tipo panche e tavolacci, in Place Garibaldi. Ci si poteva mangiare dell'ottimo *coquillage*, magari con una bottiglia di Muscadet gelato. Ci aveva portato Frank e sua moglie quando erano venuti in Europa, e i due erano letteralmente impazziti nel vedere il lungo bancone pieno di frutti di mare e il personale con guanti da lavoro impegnato ad aprire le conchiglie. Avevano guardato con occhi luccicanti i camerieri passare con i grandi vassoi pieni di ostriche e tartufi di mare e grandi gamberoni rossi, da mangiare con la maionese. Ci erano tornati diverse volte e il piccolo ristorante era diventato il loro *sancta sanctorum* gastronomico. Hulot aveva esitato a menzionare quel posto, temendo che il ricordo potesse disturbare Frank. Però l'americano sembrava cambiato, o perlomeno *intenzionato* a cambiare. Se voleva tirare fuori la testa dalla sabbia, anche quello era un modo per farlo. Frank fece un cenno con il capo, quasi a confermare contemporaneamente la scelta e i buoni propositi di Hulot. Qualsiasi cosa avesse nella testa non era sul suo viso.

«Vada per il Café de Turin.»

Hulot si rilassò impercettibilmente.

«Sai, mi sono un po' stancato di muovermi e parlare come il personaggio di un telefilm. Mi sembra di essere una caricatura del tenente Colombo. Ho bisogno di una mezz'ora di normalità. Devo staccare un po' la spina, altrimenti divento pazzo.»

Era scesa la sera e le luci della città si erano accese. Frank, in silenzio, guardava fuori dal finestrino la gente che usciva e si sparpagliava e vociava nelle case, nei bar, nei ristoranti, nei posti di lavoro. Migliaia di persone dai volti anonimi.

Tutti e due sapevano che le parole di Hulot erano una bugia. In mezzo a quella tranquilla gente d'estate c'era un assassino, e loro due, finché non fosse finita, non sarebbero riusciti a pensare ad altro.

12

Dietro il vetro della cabina di regia, Laurent Bedon, il regista, fece il conto alla rovescia, eliminando a una a una le dita dalla mano sollevata. Poi indicò Jean-Loup Verdier con l'indice puntato.

Alle sue spalle la luce rossa della messa in onda si accese.

Il dee-jay avvicinò leggermente la poltrona al microfono, retto da un corto braccio snodato appoggiato sul piano davanti a lui.

«Ciao a tutti quelli che ci ascoltano adesso e a tutti quelli che nel corso della serata ascolteranno le nostre voci. Ci sarà musica e ci saranno delle persone che porteranno qui la loro vita, che non sempre procede al ritmo della musica che vorremmo ascoltare…»

Si fermò e si ritrasse leggermente. Il mixer mise in diffusione le note arruffate di *Born to Be Wild* degli Steppenwolf.

Pochi secondi e di nuovo la voce calda e suadente di Jean-Loup fu mandata in dissolvenza sulla musica.

«Noi siamo qui, siamo pronti, se possiamo servire a qualcosa. Per chi ci ha messo il cuore e altrettanto cuore non ha trovato, per chi si è sbagliato e ci ha messo troppo sale, per chi non avrà pace finché non riuscirà a scoprire in quale maledetto barattolo hanno nascosto lo zucchero, per chi rischia di annegare nella piccola alluvione delle sue lacrime. Siamo qui con voi e, nonostante tutto, come voi siamo vivi. Aspettiamo la vostra voce. Aspettatevi la nostra risposta. Io sono Jean-Loup Verdier e questa è Radio Monte Carlo. Questa è *Voices*.»

Ancora *Born to Be Wild*. Ancora la corsa delle chitarre distorte giù per una discesa rocciosa, sollevando polvere e spostando ghiaia.

«Cazzo, quanto è bravo!»

Frank Ottobre, seduto di fianco a Laurent nella cabina di regia, non riuscì a impedire al commento di precipitarsi fuori dalla sua bocca. Il regista si girò a guardarlo con un sorriso sulle labbra.

«Vero?»

«Non mi stupisco che abbia tanto successo. Ha una voce e un modo di fare che arrivano direttamente nello stomaco.»

Barbara, la mixer audio seduta alla sua destra, contro il bancone di regia, fece un gesto verso Frank, indicando le sue spalle. Lui fece ruotare la poltrona girevole e nel riquadro di vetro della porta insonorizzata vide Hulot che gli faceva dei cenni.

Si alzò e lo raggiunse fuori dallo studio.

Il commissario aveva il viso stanco, il viso di un uomo che da un po' dorme poco e dorme male. Frank osservò le borse scure sotto gli occhi, i capelli grigi che avrebbero avuto bisogno di una regolata, il colletto della camicia orlato di vita grama. Un uomo che negli ultimi tempi aveva visto e sentito cose di cui avrebbe fatto volentieri a meno. Aveva cinquantacinque anni e ne dimostrava dieci di più.

«Come va qui, Frank?»

«Niente. La trasmissione ha un successo strepitoso. Lui è un fenomeno. È uno nato per fare quello che fa. Non so quanto lo pagano, ma sicuramente non ruba nulla. Per quello che riguarda noi, niente di niente. Silenzio assoluto.»

«Ti va una Coca?»

«Sono americano, ma i miei nonni paterni erano siciliani, Nicolas. Sono per tradizione molto più legato al caffè che alla Coca-Cola.»

«Vada per il caffè, allora.»

Si avviarono verso la macchina automatica al fondo del corridoio. Hulot si raschiò le tasche alla ricerca di monetine. Frank esibì con un sorriso una tessera.

«Il fatto che io sia dell'FBI ha profondamente impressionato il direttore. Siamo ospiti della radio, se non per il vitto, almeno per le bevande.»

Introdusse la tessera nella macchina e premette un pulsante. Quando l'erogazione finì, si chinò a prendere il bicchiere pieno di liquido nero e lo porse a Hulot. Il commissario bevve un sorso di caffè. Pensò che faceva schifo. O era la sua bocca che faceva schifo?

«Ah, dimenticavo. È arrivato il referto della perizia calligrafica…»

«Allora?»

«Perché mi fai la domanda se sai già la risposta?»

Frank scosse la testa.

«Non conosco la risposta nel dettaglio, ma penso di sapere grossomodo quello che stai per dirmi.»

«Già, dimenticavo che sei dell'FBI. Hai intuizioni fulminanti e tessere omaggio. Il messaggio non è stato scritto a mano.»

«No?»

«No. Quel figlio di puttana ha usato una mascherina. Ha incollato delle lettere su un foglio di cartone e le ha ritagliate. Se l'è portato dietro e quando ne ha avuto la necessità, lo ha appoggiato sul tavolo e c'è andato sopra col sangue. Come facevi a saperlo?»

Di nuovo Frank scosse la testa.

«Ti dico che non lo sapevo. Ma mi sembrava strano che quell'uomo avesse dimostrato una cura maniacale nel non lasciare tracce per poi cadere in un errore così grossolano.»

Hulot gettò la spugna e, con una smorfia di disgusto, lanciò il suo caffè bevuto a metà nel bidone dei rifiuti. Guardò l'orologio con un sospiro.

«Fammi andare a vedere se mia moglie ha ancora la stessa faccia. Ci sono due auto nel parcheggio, ognuna con due agenti. Una in più, non si sa mai. Gli altri ragazzi sono ai loro posti. Per ogni evenienza io sono a casa.»

«Okay, se succede qualcosa ti chiamo.»

«Non dovrei dirlo, ma sono contento che stasera ci stia tu qui. E che tu sia qui, in generale. Ciao, Frank.»

«Ciao, Nicolas. Salutami tua moglie.»

«Sarà fatto.»

Frank guardò il suo amico allontanarsi, le spalle leggermente curve sotto la giacca.

Da tre giorni piantonavano Radio Monte Carlo in attesa che succedesse qualcosa, dopo aver stretto un accordo con il direttore. Quando gli avevano prospettato le loro intenzioni, seduti nel suo ufficio, Robert Bikjalo li aveva guardati con gli occhi socchiusi, come a difendersi dal fumo della sigaretta pestilenziale che aveva fra le dita. Aveva valutato il discorso del commissario Hulot mentre scuoteva un briciolo di cenere dalla polo Ralph Lauren. Aveva riportato su di loro gli occhi a fessura che lo facevano assomigliare a un furetto.

«Così voi pensate che quell'uomo possa richiamare?»

«Non ne siamo sicuri. È solo un'ottimistica supposizione. Ma se lo farà, ci serve la vostra collaborazione.»

Hulot e Frank sedevano di fronte, su due poltrone di pelle. Frank aveva notato che l'altezza delle poltrone era sapientemente calibrata per dare modo a chi stava seduto alla scrivania di guardare gli interlocutori dall'alto in basso.

Bikjalo si era girato verso Jean-Loup Verdier, seduto su un comodo divano uguale alle poltrone alla sinistra della scrivania.

Il dee-jay si era passato una mano nei capelli scuri, portati piuttosto lunghi. Aveva fissato Frank con occhi verdi e interrogativi. Aveva sfregato poi le mani l'una contro l'altra, in un accenno di nervosismo.

«Io non so se sono capace di fare quello che mi chiedete. Cioè, non so come devo comportarmi. Un conto è condurre una trasmissione, parlare al telefono con persone normali, un conto è parlare con… con…»

Frank aveva capito che Jean-Loup faceva fatica a pronunciare la parola «assassino» ed era intervenuto in suo aiuto.

«Lo so che non è facile. Non è facile nemmeno per noi cercare di capire che cosa possa avere in testa quell'uomo. Però saremo qui, ti daremo tutte le indicazioni possibili e saremo pronti per ogni evenienza. Abbiamo anche convocato un esperto.»

Si era girato a guardare Nicolas, che fino a quel momento era rimasto in silenzio.

«Sarai assistito da uno psicopatologo, il dottor Cluny, un consulente della polizia che collabora anche come negoziatore e gestisce i contatti con i criminali in caso di detenzione di ostaggi.»

«Va bene. Se mi dite voi cosa devo fare, sono pronto.»

Jean-Loup guardò Bikjalo, come a lasciare a lui l'ultima parola.

Il direttore fissava il filtro in cartone della sigaretta russa ripiegato secondo l'uso. Aveva preso il discorso alla lontana.

«Certo che è una bella responsabilità...»

Frank sapeva già dove voleva arrivare. Si era alzato dalla poltrona, sovvertendo il pronostico. Adesso era lui che dominava Bikjalo dall'alto.

«Senta, non so se le è chiara la situazione. Per chiarirgliela definitivamente forse è opportuno che io le mostri una cosa.»

Frank si era chinato e aveva estratto alcune foto 20x30 dalla borsa di Hulot, posata a terra vicino alla poltrona. Le aveva gettate sulla scrivania.

«Noi stiamo dando la caccia a un uomo capace di fare questo.»

Le foto ritraevano il cadavere di Jochen Welder e di Arijane Parker e lo scempio che era stato fatto della loro testa. Lo sguardo di Bikjalo si era posato sull'immagine e subito era impallidito.

Hulot aveva sorriso dentro di sé.

Frank era tornato a sedersi.

«Quest'uomo è ancora in giro e secondo noi quello che ha fatto lo potrebbe fare ancora. Siete la nostra unica strada per poterlo fermare. Qui non si tratta di una strategia per aumentare l'audience. Questa è una caccia all'uomo che ha come risultato che delle persone vivano o muoiano.»

Gli occhi di Frank avevano lasciato gli occhi incantati di Bikjalo, come lo sguardo ipnotico di un serpente lascia per un attimo quello di una preda con cui vuole giocare. Aveva preso dalla scrivania il pacchetto di sigarette e lo aveva esaminato con apparente curiosità.

«Senza contare che questa faccenda, se si risolve grazie a voi, può portare una popolarità a questa radio e a Jean-Loup che non potreste raggiungere in mille anni.»

Bikjalo si era rilassato. Aveva spinto le foto verso Frank, toccandole con la punta delle dita come se scottassero. Si era appoggiato alla poltrona con un'aria sollevata. La conversazione stava rientrando in parametri che poteva gestire.

«D'accordo, se c'è da aiutare la legge, se c'è da essere utili, Radio Monte Carlo non si tira certo indietro. D'altronde, *Voices* è proprio questo. Un aiuto alla gente che ne ha bisogno. C'è solo una cosa che vorrei chiedere in cambio, se è possibile…»

Aveva fatto una pausa. Il silenzio di Frank lo aveva spinto a continuare.

«Un'intervista in esclusiva con lei, condotta da Jean-Loup, appena tutto sarà finito. Prima di tutti gli altri. Qui, alla radio.»

Frank aveva guardato Hulot, che aveva assentito con un impercettibile cenno del capo.

«Affare fatto.»

Si era alzato di nuovo.

«Arriveranno i nostri tecnici con le loro attrezzature per mettere i telefoni sotto controllo. Poi altre cose che spiegheranno loro nel dettaglio. Cominciamo stasera stessa.»

«Bene. Dirò ai nostri di mettersi a disposizione per dare il massimo della collaborazione.»

La riunione era finita. Tutti si erano alzati. Frank si era ritrovato davanti allo sguardo un po' smarrito di Jean-Loup Verdier. Gli aveva stretto un braccio, rassicurante.

«Grazie, Jean-Loup. Stai facendo una cosa ottima. Sono sicuro che te la caverai benissimo. Hai paura?»

Il dee-jay aveva sollevato due occhi limpidissimi, verdi come l'acqua marina.

«Sì, da morire.»

13

Frank guardò l'ora. Jean-Loup stava lanciando l'ultima tranche di pubblicità prima della fine della trasmissione. Laurent fece un gesto verso Barbara. La mixer fece scorrere i cursori per far entrare in dissolvenza il nastro registrato sulla voce del dee-jay.

Avevano cinque minuti di pausa.

Frank si alzò e arcuò leggermente la schiena per stirarla.

«Stanco?» chiese Laurent mentre si accendeva una sigaretta. Il fumo salì e fu immediatamente assorbito dagli aspiratori.

«Non particolarmente. In qualche modo, sono abituato alle attese.»

«Beato lei! Io sto letteralmente morendo di ansia», disse Barbara mentre si alzava scuotendo con la mano i capelli rossi. L'ispettore Morelli, seduto su una sedia imbottita contro la parete, sollevò lo sguardo dal giornale sportivo che stava leggendo. Di colpo parve più interessato al corpo della ragazza sotto il leggero vestito estivo che alle vicende del Campionato del Mondo di calcio.

Laurent fece girare la poltrona e si trovò di fronte a Frank.

«Forse non sono fatti miei, ma c'è una cosa che le vorrei chiedere.»

«Me la chieda allora, poi le dico se sono fatti suoi o no.»

«Cosa si prova a fare un lavoro come il suo?»

Frank lo fissò un istante come se non lo vedesse. Laurent pensò che stesse riflettendo. Non poteva sapere che in quel momento Frank Ottobre stava vedendo una donna stesa sul tavolo in marmo di un obitorio, una donna che nel bene e nel male era stata sua moglie. Una donna che nessuna voce avrebbe potuto risvegliare.

«Cosa si prova a fare un lavoro come il mio?»

Frank ripeté la domanda come se avesse bisogno di sentirla un'altra volta prima di rispondere.

«Dopo un po', si prova solo a dimenticare.»

Laurent si girò di nuovo verso il bancone di regia, imbarazzato. Probabilmente aveva fatto una domanda stupida. Non riusciva a provare simpatia per quell'americano dal corpo atletico e gli occhi freddi come la brina, che si muoveva e parlava come se fosse una cosa a parte rispetto al mondo che lo circondava. Un atteggiamento che escludeva qualsiasi tipo di contatto. Era un uomo che non dava niente, proprio perché non chiedeva niente. Eppure era lì, in attesa, e nemmeno lui pareva sapere *quali cose* stesse aspettando.

«Questo è il penultimo spot», disse Barbara sedendosi di nuovo al mixer. La sua voce interruppe quel momento di stallo. Morelli ritornò alla cronaca sportiva ma continuò a leggere il suo giornale lanciando frequenti occhiate ai capelli della ragazza che scendevano oltre lo schienale della poltrona.

Laurent fece un gesto a Jacques, l'operatore alla consolle. Dissolvenza. Una musica epica di Vangelis entrò in diffusione. Una luce rossa si accese nella cabina di Jean-Loup. La sua voce tornò a spandersi nella stanza e nell'aria.

«Sono le undici e quarantacinque a Radio Monte Carlo. Una notte è appena iniziata. Siamo qui con la musica che volete sentire e le parole che volete ascoltare. Nessuno vi giudica ma tutti vi ascoltano. Questa è *Voices*, chiamateci.»

Di nuovo la cabina di regia fu gonfia di musica che avanzava lenta e ritmata, evocando le onde del mare. Dietro il vetro della sua postazione, Jean-Loup si muoveva tranquillo su un terreno che conosceva perfettamente. In cabina di regia, il led della linea telefonica prese a lampeggiare. Frank ebbe stranamente un brivido.

Laurent fece un gesto verso Jean-Loup. Il dee-jay raccolse l'indicazione con un cenno del capo.

«C'è qualcuno che chiama. Pronto?»

Un attimo di silenzio, poi un rumore innaturale. Improvvisamente la musica in sottofondo parve diventare una musica funebre. La voce che uscì dalle casse l'avevano già sentita tutti, registrata su un nastro e impressa nelle loro teste.

«Ciao, Jean-Loup.»

Frank si raddrizzò sulla sedia come se il suo corpo fosse stato percorso da una scarica elettrica. Fece schioccare le dita in direzione di Morelli. L'ispettore perse di colpo la sua indolenza. Si alzò in piedi e prese il microfono del walkie-talkie che aveva appeso alla cintura.

«Ragazzi, ci siamo. Contatto. State in campana.»

«Ciao, chi sei?» chiese Jean-Loup.

Nella voce intubata al telefono ci fu una specie di sorriso.

«Lo sai chi sono, Jean-Loup. Io sono uno e nessuno.»

«Tu sei quello che ha già chiamato una volta?»

Morelli uscì dalla stanza di corsa. Rientrò poco dopo con il dottor Cluny, lo psicopatologo della polizia che stava in corridoio, in attesa come tutti. L'uomo prese una sedia e si sedette di fianco a Frank. Laurent azionò l'interfono che permetteva di comunicare direttamente con le cuffie di Jean-Loup senza entrare in diffusione.

«Lo faccia parlare più a lungo che può», disse Cluny mentre si allentava la cravatta e slacciava il colletto della camicia.

«Sì, amico mio. Ho chiamato una volta e chiamerò ancora. I cani sono lì con te?»

La voce elettronica portava con sé scie di fuoco dell'inferno e la freddezza del marmo. L'atmosfera nella stanza pareva rarefatta come se i condizionatori, invece di soffiare aria fresca, l'aspirassero.

«Quali cani?»

Una pausa. Poi ancora la voce.

«Quelli che mi danno la caccia. Sono lì con te?»

Jean-Loup alzò la testa e guardò verso di loro, come smarrito. Cluny si avvicinò leggermente al microfono dell'interfono.

«Lo assecondi. Gli dica tutto quello che vuole sentirsi dire ma lo faccia parlare…»

Jean-Loup riprese la conversazione. La sua voce pareva di piombo.

«Perché me lo chiedi? Tu lo sapevi già che ci sarebbero stati.»

«Di loro non m'importa nulla. Non sono niente. È di te che m'importa.»

«Perché io? Perché chiami me?»

Ancora una pausa.

«Te l'ho detto, perché sei come me, una voce senza una faccia. Ma tu sei fortunato, tu fra noi due sei quello che può alzarsi al mattino e uscire alla luce del sole.»

«E tu non lo puoi fare?»

«No.»

In quel monosillabo secco c'era la negazione assoluta, il rifiuto che non ammette repliche, la rinuncia totale.

«Perché?» chiese Jean-Loup.

La voce cambiò. Si fece sospesa, più soffice, come attraversata da raffiche di vento.

«Perché qualcuno ha deciso così. E io posso fare ben poco…»

Silenzio. Cluny si girò verso Frank e bisbigliò, sorpreso.

«Sta piangendo…»

Dopo una lunga pausa, l'uomo riprese a parlare.

«Io posso fare ben poco. Ma c'è solo un modo di rimediare al male, ed è combatterlo con lo stesso male.»

«Perché fare del male quando tutto intorno a te è pieno di gente che ti può aiutare?»

Una nuova pausa. Un silenzio, come di riflessione, poi di nuovo la voce, una condanna rabbiosa.

«Ho chiesto aiuto, ma l'unico che ho avuto è quello che mi ha ucciso. Dillo ai cani. Dillo a tutti. Non ci sarà pietà perché non c'è pietà, non ci sarà perdono perché non c'è perdono, non ci sarà pace perché non c'è pace. Solo un osso per i tuoi cani…»

«Cosa vuoi dire?»

Una pausa più lunga. L'uomo al telefono aveva recuperato il controllo delle sue emozioni. La voce fu di nuovo il soffio di vento dal nulla.

«*Tu ami la musica, vero Jean-Loup?*»

«Certo. E tu?»

«*La musica non tradisce, la musica è la meta del viaggio. La musica è il viaggio stesso.*»

Di colpo, come la volta precedente, dal telefono scaturì, lenta e suadente, la voce di una chitarra elettrica. Poche note, sospese, solari, il gioco di un musicista che stava dialogando col suo strumento.

Frank riconobbe le note di *Samba Pa Ti* addomesticate dalle dita e dalla fantasia di chi la stava suonando. Solo la chitarra, in un'introduzione esasperata, allungata allo spasmo, alla quale rispose un applauso scrosciante.

Di colpo, come era arrivata, la musica si spense.

«*Ecco l'osso che i cani ti hanno chiesto. Ora devo andare, Jean-Loup. Stanotte ho da fare.*»

Il dee-jay fece la domanda con la voce che tremava.

«Che cosa hai da fare, questa notte?»

«*Lo sai che faccio di notte, amico mio. Lo sai benissimo.*»

«No che non lo so. Ti prego, dimmelo.»

Silenzio.

«*Non è la mia mano che lo ha scritto, ma tutti lo sanno, ormai, cosa faccio di notte...*»

Ancora una pausa che fu per tutti come la sospensione di un rullo di tamburo.

«*Io uccido...*»

La voce sparì dalla linea ma rimase nelle loro orecchie come un corvo sui fili del telefono. Le ultime parole furono il lampo di un flash. Per un attimo diventarono tutti delle facce e dei corpi in una diapositiva, come se ognuno avesse perso la profondità che permette all'aria di arrivare ai polmoni.

Frank si riscosse per primo.

«Morelli, chiama i ragazzi e vedi se sono riusciti a combinare qualcosa. Laurent, siamo sicuri che è tutto registrato?»

Il regista era appoggiato al bancone con il volto fra le mani. Rispose Barbara per lui.

«Certo. Posso svenire adesso?»

Frank la guardò. Il suo viso era una macchia bianca sotto una matassa di capelli rossi. Le mani le tremavano leggermente.

«No, Barbara, ho ancora bisogno di lei. Faccia fare subito una cassetta della telefonata, mi serve fra cinque minuti.»

«Già fatta. Ho predisposto un secondo registratore in pausa che ho messo in azione un secondo dopo l'inizio della telefonata. Basta riavvolgere il nastro.»

Morelli lanciò verso la ragazza uno sguardo di ammirazione e fece in modo che lei se ne accorgesse.

«Benissimo. Brava. Morelli?»

Morelli distolse gli occhi da Barbara e arrossì, come se fosse stato colto in fallo.

«Sta venendo su uno dei ragazzi. Da quel che ho capito, non credo ci siano buone notizie.»

In quel momento entrò nello studio un uomo giovane dalla carnagione scura, di evidente origine africana. Frank si alzò di scatto.

«Allora?»

Il tecnico si strinse nelle spalle. Sul suo viso scuro si dipinse il rammarico.

«Niente. Non siamo riusciti a rintracciare la telefonata. Quel bastardo deve aver usato qualche marchingegno parecchio efficace…»

«Cellulare o telefono fisso?»

«Non sappiamo. Abbiamo a disposizione anche un'unità di controllo satellitare, ma non abbiamo rilevato input di chiamata né da un telefono fisso né da un cellulare.»

Frank si girò verso lo psicopatologo che stava ancora seduto sulla sua sedia, pensieroso, tormentandosi con i denti l'interno della guancia.

«Dottor Cluny?»

«Non so, devo risentire il nastro. L'unica cosa che posso dire è che non mi sono mai trovato a contatto con un soggetto simile in tutta la mia vita!»

Frank estrasse dalla giacca il cellulare e compose il numero di Hulot. Dopo una breve attesa il commissario rispose. Sicuramente non dormiva.

«Nicolas, ci siamo. Il nostro amico si è fatto vivo.»

«Lo so, ho sentito la trasmissione. Mi sto vestendo. Arrivo subito.»

«Bene.»

«Siete ancora in radio?»

«Sì, siamo ancora qui, ti aspettiamo.»

Frank chiuse il telefono.

«Morelli, non appena il commissario arriva, riunione generale. Laurent, mi serve anche il vostro aiuto. Se non sbaglio, ho visto una sala riunioni vicino all'ufficio del direttore. Possiamo metterci lì?»

«Certamente.»

«Bene. Barbara, nella sala riunioni c'è modo di ascoltare il nastro?»

«Sì, c'è un DAT e tutto quello che vogliamo.»

«Perfetto. Abbiamo poco tempo, dobbiamo volare.»

Nella confusione si erano completamente dimenticati di Jean-Loup. La sua voce arrivò attraverso l'interfono.

«È tutto finito, adesso?»

Attraverso il vetro lo videro appoggiato allo schienale della sua poltrona, fermo, immobile, come una farfalla sul velluto. Frank andò a premere il pulsante che gli permetteva di parlare con lui.

«No, Jean-Loup. Questo purtroppo è solo l'inizio. Tu comunque sei stato bravissimo.»

Nel silenzio che seguì videro Jean-Loup appoggiare lentamente le braccia sul tavolo e nascondere la testa fra gli avambracci.

14

Hulot arrivò poco dopo, contemporaneamente a Bikjalo. Il direttore pareva piuttosto scosso. Entrò nei locali dell'emittente camminando un po' discosto dal commissario, come se prendere le distanze da lui significasse automaticamente prendere le distanze da tutta quella storia. Forse solamente adesso si rendeva conto di cosa significasse. C'erano in giro per la radio uomini armati, c'era nell'aria una tensione nuova, sconosciuta. C'era una voce, e con quella voce era arrivato il senso della morte.

Frank li aspettava appoggiato alla parete di legno chiaro, davanti alla porta della sala riunioni. Di fianco a lui Morelli. Parevano tutti e due figli dello stesso silenzio. Entrarono insieme nella stanza dove tutti gli altri erano seduti intorno al lungo tavolo, in attesa. Il leggero brusio dei commenti si interruppe. Le tende a pannelli erano tirate, le finestre aperte. Giungevano da fuori i rumori soffocati del tranquillo traffico notturno di Montecarlo.

Hulot prese posto alla destra di Frank, lasciandogli la sedia a capotavola e l'incarico tacito di condurre la riunione. Indossava la stessa camicia e non appariva più riposato di quando se ne era andato.

«Adesso ci siamo tutti. A parte il commissario e il signor Bikjalo, che peraltro hanno ascoltato la trasmissione da casa, eravamo tutti qui, questa sera. Abbiamo sentito tutti quello che è successo. Gli elementi in nostro possesso non sono molti. Purtroppo non è stato possibile intercettare la provenienza della telefonata...»

Frank fece una pausa. Il giovane scuro e il suo collega, seduti al tavolo con l'aria mogia, si mossero imbarazzati sulla sedia.

«Non è colpa di nessuno. Certamente l'uomo che ha telefonato non è uno sprovveduto e sa come fare per evitare di essere localizzato. La tecnica che di solito usiamo per questo scopo oggi è stata usata contro di noi. Per cui nessun aiuto in questo senso. Visto che forse ci può fornire un'indicazione, io proporrei di riascoltare la registrazione della telefonata, prima di formulare delle ipotesi.»

Il dottor Cluny assentì col capo, e questo parve riassumere il parere di tutti.

Frank si rivolse a Barbara, che stava in piedi sul fondo della sala, appoggiata a un mobile su cui era montato un impianto hi-fi.

«Barbara, può far partire il nastro?»

La ragazza premette un tasto e la stanza fu di nuovo piena di fantasmi. Ascoltarono ancora una volta la voce di Jean-Loup dal mondo dei vivi e quella dell'uomo dal suo posto pieno di ombre. Nel silenzio la registrazione arrivò fino alle ultime parole.

«Io uccido…»

Alla fine Bikjalo si fece sfuggire istintivamente un commento liberatorio.

«Quest'uomo è pazzo!»

Il dottor Cluny prese l'osservazione come un coinvolgimento personale. Il suo sguardo da miope era nascosto dietro occhiali con la montatura in tartaruga e oro. Il naso affilato e leggermente aquilino pareva il becco di un gufo saggio. Lo psicopatologo si rivolse a Bikjalo, ma parlava per tutti.

«Nel senso stretto della parola, sicuramente si tratta di un folle. Tenete tuttavia presente che questo individuo ha già ucciso due persone con una modalità agghiacciante, che prevede una furia interiore esplosiva ma anche una lucidità che poche volte è possibile riscontrare nell'esecuzione di un crimine. Telefona e non si riesce a rintracciarlo. Uccide e non lascia tracce di nessun tipo, se non insignificanti. È un uomo che non va sottovalutato. Lo si capisce dal fatto che lui non sottovaluta noi. Ci sfida ma non ci sottovaluta.»

Si tolse gli occhiali, rivelando due macchie rosse alla radice del naso. Probabilmente Cluny non portava mai le lenti a contatto. Se li rimise subito, come se si sentisse a disagio senza.

«Sapeva benissimo che saremmo stati qui, sa che la caccia è scattata, non per niente fa riferimento ai cani. È un uomo intelligente, probabilmente di cultura superiore alla media. E sa che noi brancoliamo nel buio, perché ci manca l'elemento che è la chiave principale della soluzione di qualsiasi delitto…»

Fece una pausa. Frank notò che Cluny era decisamente molto bravo nell'attirare l'attenzione su quello che diceva. Probabilmente la stessa cosa la pensava Bikjalo, perché aveva iniziato a guardarlo con un interesse quasi professionale. Lo psicopatologo continuò.

«Ci è assolutamente sconosciuto il movente. Non sappiamo qual è la molla che ha spinto quest'uomo a uccidere e successivamente a fare quello che ha fatto. C'è solo un rituale che per lui ha un significato preciso, anche se non lo conosciamo. La sua pazzia da sola non ci può fornire una traccia, perché non è evidente. Quest'uomo vive in mezzo a noi, come una persona normale, fa cose che tutte le persone normali fanno: beve l'aperitivo, compra il giornale, va al ristorante, ascolta musica. Soprattutto ascolta musica. Questo è il motivo per cui chiama qui. In una trasmissione che sovente offre aiuto alle persone in difficoltà, lui cerca un aiuto che non vuole avere dove c'è una musica che gli piace sentire.»

«Perché dice "aiuto che non vuole avere"?» chiese Frank.

«Il suo No all'offerta di aiuto è stato perentorio. Lui ha già deciso che nessuno lo può aiutare, quale che sia il suo problema. Il trauma che si trascina dietro deve averlo condizionato in modo pazzesco, fino a far esplodere la furia latente che soggetti come questo si portano dentro fin dall'atto della nascita. Odia il mondo e probabilmente nei confronti del mondo si ritiene in credito. Deve aver subito delle umiliazioni terribili, almeno dal suo punto di vista. La musica deve essere stata una delle poche isole felici nella sua esistenza. Infatti la sola indicazione che ci arriva da lui parla il linguaggio della musica. Quel brano è un messaggio. Ci ha dato un altro indizio, che va unito a quello che ha lasciato con la prima telefonata. È una sfida ma è anche una preghiera inconscia. In pratica ci chiede di fermarlo, se ci riusciamo, perché lui da solo non si fermerà mai.»

Nella stanza c'era un mondo di ombra, muffa e ragnatele. Un posto che non veniva mai sfiorato dalla luce del sole. Il regno dei topi.

«Barbara, possiamo riascoltare il pezzo della registrazione dove c'è la musica?»

«Certo.»

La ragazza premette un tasto. Quasi immediatamente la stanza fu piena delle note di quella chitarra, smarrita in una versione di *Samba Pa Ti* meno rigorosa del solito, più scollata, interpretata. Ci fu un'ovazione di pubblico all'attacco delle prime note, come accade in un concerto dal vivo, quando un cantante inizia un suo cavallo di battaglia e gli spettatori lo riconoscono immediatamente.

Quando finì, Frank fece girare lo sguardo sui presenti.

«Vi ricordo che nella prima telefonata il brano musicale racchiudeva al suo interno l'indizio per capire quali sarebbero state le sue vittime. La colonna sonora di un film che racconta la storia di un pilota e della sua compagna. *Un uomo, una donna*. Come Jochen Welder e Arijane Parker. Qualcuno ha una vaga idea di cosa significhi *questo* brano, adesso?»

Dal fondo del tavolo Jacques, il fonico, si schiarì la voce, come se avesse difficoltà a prendere la parola in quel contesto.

«Be', io direi che la canzone la conosciamo tutti…»

«Non dare niente per scontato», lo riprese cortesemente Hulot. «Fai conto che nessuno in questa stanza sappia niente di musica, anche se ti pare sciocco. A volte certe indicazioni arrivano da dove meno te lo aspetti.»

Jacques arrossì leggermente. Alzò la mano destra come per chiedere scusa.

«Volevo dire che la canzone è molto famosa. Si tratta di *Samba Pa Ti*, di Carlos Santana. Si tratta per forza di un'esecuzione dal vivo, a giudicare dalla presenza del pubblico. E deve essere un pubblico bello grande, tipo stadio, per avere quella risposta, anche se a volte le registrazioni *live* vengono successivamente rinforzate in studio aggiungendo degli applausi registrati a parte.»

Laurent si accese una sigaretta. Il fumo volteggiò nell'aria, si diresse danzando verso la finestra aperta e sparì nella notte. Rimase sospeso il leggero sentore di zolfo del fiammifero.

«Tutto qui?»

Jacques arrossì di nuovo e rimase in silenzio, non sapendo cosa dire. Hulot arrivò a cavare d'impaccio il ragazzo. Lo guardò sorridendo.

«Bene. Grazie, giovanotto, questo è già un ottimo inizio. Qualcuno può aggiungere qualcosa? Questa canzone ha un significato particolare? È stata nel corso del tempo associata a qualche avvenimento strano, a qualche personaggio specifico, vi è legato qualche aneddoto di qualsiasi genere?»

Molti dei presenti si guardarono fra di loro, come per aiutarsi reciprocamente a ricordare.

Frank suggerì un'altra strada.

«Qualcuno di voi riconosce *questa* esecuzione? Se si tratta, come sembra, di una registrazione dal vivo, avete idea di dove sia stata fatta? O in quale disco sia contenuta? Jean-Loup?»

Il dee-jay stava seduto in silenzio accanto a Laurent, assorto, come se i discorsi nella stanza non lo riguardassero. Pareva ancora scosso dalla conversazione avuta con quella voce sconosciuta al telefono. Alzò il viso e fece segno di no con la testa.

«È possibile che sia una registrazione pirata?» chiese Morelli.

Barbara scosse la testa.

«Non direi. Il suono mi sembra piuttosto datato. Dal punto di vista sia tecnico sia artistico. Questa è una vecchia registrazione, fatta in analogico, non in digitale. E inoltre questo è vinile, un vecchio 33 giri. Si sente dai fruscii di sottofondo. Però la qualità è ottima. Non sembrerebbe la registrazione fatta da un dilettante, perdipiù con un'apparecchiatura approssimativa, tenendo conto dei limiti tecnici dell'epoca. Per cui deve trattarsi sicuramente di un Lp in commercio, a meno che non sia una vecchia lacca mai messa in produzione.»

«Una lacca?» chiese Frank guardando la ragazza.

Non poteva fare a meno di condividere l'ammirazione di Morelli. Barbara aveva un cervello di prim'ordine e un corpo assolutamente adeguato. Se l'ispettore voleva percorrere quella strada, era meglio che si attrezzasse al massimo.

«Una lacca è una prova di stampa che si faceva una volta nella discografia, prima dell'avvento dei cd», chiarì per lei Bikjalo. «Si trattava in genere di poche copie in materiale facilmente deteriorabile, che si usavano per controllare la qualità dell'incisione. Certe lacche sono oggetto di culto e sono molto ricercate dai collezionisti. Tuttavia la caratteristica della lacca era che, a mano a mano che veniva utilizzata, peggiorava la qualità del suono in progressione geometrica. Non direi che si tratti del nostro caso.»

Di nuovo il silenzio scese a confermare che tutto quello che si poteva dire era stato detto.

Hulot si alzò dalla sedia e fu il segnale che la riunione poteva dirsi conclusa.

«Signori, è inutile che io vi ricordi l'importanza che ogni minimo indizio può avere in questo caso. Abbiamo un assassino libero che in qualche modo si prende gioco di noi, al punto di fornirci un'indicazione su quello che pare essere il suo unico obiettivo: uccidere ancora. Qualsiasi cosa vi venga in mente, a qualsiasi ora del giorno o della notte, non fatevi scrupolo di chiamare me o Frank Ottobre o l'ispettore Morelli. Prima di andare via prendetevi i numeri di telefono.»

Si alzarono tutti. A uno a uno uscirono dalla stanza. I due tecnici della polizia se ne andarono per primi, come se volessero evitare il confronto diretto con Hulot. Gli altri si fermarono il tempo necessario per ricevere da Morelli un biglietto con i numeri di telefono. L'ispettore indugiò particolarmente nel darlo a Barbara, che non sembrò spiaciuta di quell'indugio. In un'altra occasione, Frank avrebbe visto quell'interesse come una mancanza. In quel momento gli sembrò una rivalsa che la vita si prendeva sull'oscurità di quella notte.

Lasciò correre.

Si avvicinò a Cluny che stava parlando sottovoce con Hulot.

I due si allargarono leggermente per farlo entrare nella conversazione.

«Volevo farvi presente che nella telefonata c'è un'indicazione importante per evitarci confusioni o perdite di tempo...»

«Cioè?» chiese Hulot.

«Ci ha dato la prova che non si trattava di uno scherzo e che è proprio lui l'uomo che ha assassinato quei due poveretti nella barca.»

Frank assentì col capo.

«Non l'ho scritto di mia mano...»

Cluny lo guardò compiaciuto.

«Esatto. Solo il vero assassino poteva sapere che la scritta era stata tracciata in modo meccanico e non a mano. Non ne ho parlato davanti a tutti perché mi sembra che sia una delle poche cose relative all'indagine che non sia di dominio pubblico.»

«Esatto. Grazie dottor Cluny. Ottimo lavoro.»

«Di niente. Ci sono delle analisi che devo fare. Linguaggio, stress vocale, analisi della sintassi e cose così. Continuerò a studiarlo finché salta fuori qualche cosa. Mi faccia avere una copia del nastro.»

«La avrà. Buonanotte.»

Lo psicopatologo uscì dalla stanza.

«E adesso?» chiese Bikjalo.

«Voi quello che potevate fare l'avete fatto», rispose Frank, «Adesso tocca a noi.»

Jean-Loup sembrava frastornato. Sicuramente era un'esperienza di cui avrebbe fatto a meno. Forse quello che era successo non era così eccitante come se l'era immaginato.

La morte non è mai eccitante, la morte è sangue e mosche, pensò Frank.

«Sei stato bravo, Jean-Loup. Io non avrei saputo fare di meglio. L'abitudine non conta nulla. Quando si ha a che fare con un assassino, è sempre la prima volta. Adesso va' a casa e cerca di non pensarci per un po'…»

Io uccido…

Tutti sapevano che non c'era spazio per il sonno, quella notte. Non mentre qualcuno usciva di casa alla ricerca di un pretesto per la sua ferocia e altro cibo per la sua follia. Mentre i sussurri che aveva nella testa diventavano grida che potevano mescolarsi alle urla di una nuova vittima.

Jean-Loup abbassò le spalle, come sconfitto.

«Grazie. Credo che andrò a casa.»

Li salutò e uscì, con un fardello abbastanza greve da schiantare spalle ben più robuste. In fondo era solo un uomo, poco più che un ragazzo, che trasmetteva musica e parole da una radio.

Hulot si diresse verso la porta.

«Bene, andiamo anche noi. Qui non serviamo più a niente, per il momento.»

«Vi accompagno. Esco anch'io. Vado a casa, anche se penso che questa notte sarà difficile dormire…» disse Bikjalo cedendo il passo a Frank.

Quando arrivarono davanti alla porta, sentirono digitare dall'esterno il codice della serratura. La porta si aprì e comparve Laurent. Sembrava molto eccitato.

«Meno male. Speravo di trovarvi ancora qui. Mi è venuta un'idea. So chi ci può aiutare!»

«Per cosa?» chiese Hulot.

«La musica, voglio dire. So chi ci può aiutare a individuarla.»

«Vale a dire?»

«Pierrot!»

Bikjalo si illuminò in viso.

«Ma certo, "Rain Boy"!»

Hulot e Frank si guardarono.

«"Rain Boy"?»

«È un ragazzo che viene a dare una mano in radio e si occupa dell'archivio», spiegò il direttore. «Ha ventidue anni ma il cervello di un bambino. È il pupillo di Jean-Loup e stravede per lui. Si getterebbe nel fuoco se lui glielo chiedesse. Lo chiamiamo "Rain Boy" perché è come Dustin Hoffman nel film *Rain Man*. Ha dei limiti notevoli ma è un computer quando si tratta di musica. È l'unica dote che ha, però è fenomenale.»

Frank guardò l'ora.

«Dove abita questo Pierrot?»

«Non lo so di preciso. Si chiama Corbette e abita con la madre poco fuori Mentone, mi pare. Il marito era un figlio di puttana che se n'è andato e li ha mollati quando ha capito che il figlio era poco più che un deficiente.»

«Non c'è nessuno che ha l'indirizzo o il numero di telefono?»

Laurent si diresse spedito al computer sulla scrivania di Raquel.

«Ce l'ha la segretaria. Sia il numero di casa sia quello del cellulare della madre.»

Il commissario Hulot guardò l'orologio.

«Mi dispiace per la signora Corbette e suo figlio, ma credo che stanotte avranno una sveglia fuori programma...»

15

La madre di Pierrot era una donna grigia con un vestito grigio.

Seduta su una sedia della sala riunioni, guardava con occhi straniti quegli uomini che stavano intorno a suo figlio. L'avevano svegliata nel cuore della notte e si era spaventata non poco quando al citofono le avevano detto che era la polizia. Le avevano fatto svegliare Pierrot, li avevano fatti vestire in fretta e furia e caricati su una macchina che era partita a una velocità che le aveva messo paura.

Si erano lasciati alle spalle il condominio popolare dove vivevano. La donna si era preoccupata dei vicini. Meno male che a quell'ora di notte nessuno li aveva visti partire su quella macchina della polizia, come due delinquenti. La sua vita era già abbastanza grama, fatta di chiacchiere e bisbigli al suo passaggio, per aggiungerne degli altri.

Il commissario, quello più anziano e con la faccia da brava persona, l'aveva rassicurata che non aveva nulla da temere, che avevano bisogno di suo figlio per una cosa importantissima. Adesso erano lì e si chiedeva a cosa potesse servire l'aiuto di uno come Pierrot, quel figlio che lei amava come se fosse un genio e che la gente accettava a malapena come uno stupido.

Guardò ansiosa Robert Bikjalo, il direttore di Radio Monte Carlo, che permetteva a suo figlio di stare lì, in un posto sicuro, a occuparsi di quello che amava di più al mondo, la musica. Che c'entrava la polizia? Pregò che Pierrot, nella sua ingenuità, non ne avesse combinata una grossa. Non avrebbe sopportato che con qualche pretesto le togliessero suo figlio. L'idea di restare sola senza di lui e che lui fosse da qualche parte senza di lei l'atterriva. Sentì le dita fredde dell'ansia prenderle lo stomaco e serrarlo in una morsa. Purché...

Bikjalo le fece un sorriso rassicurante, a conferma che tutto andava bene.

Tornò a osservare quel tipo più giovane, quello con la faccia dura e la barba lunga, che parlava francese con un leggero accento straniero, accovacciato a terra per avere il viso di Pierrot, seduto su una sedia, alla sua altezza. Suo figlio lo guardava incuriosito, ascoltando quello che gli diceva.

«Scusa se ti abbiamo svegliato a quest'ora, Pierrot, ma ci serve il tuo aiuto per una cosa importante. Una cosa che solo tu puoi fare...»

La donna si rilassò. Quell'uomo aveva una faccia che incuteva timore ma la sua voce era tranquilla e gentile. Pierrot lo ascoltava per niente impaurito. Anzi, pareva che quell'avventura notturna fuori programma, quel viaggio su un'auto della polizia e l'essere di colpo trasportato al centro dell'attenzione lo inorgoglissero molto.

Provò un acuto senso di tenerezza e protezione per quel suo figlio strano che viveva in un mondo astratto tutto suo, fatto di musica e pensieri puliti. Dove anche le *parole sporche*, come le chiamava lui, avevano il senso candido del gioco dei bambini.

Il tipo giovane continuò con la sua voce pacata.

«Adesso ti faremo sentire una canzone, una musica. Ascoltala. Ascoltala attentamente. Vedi se la riconosci e se riesci a dirci che cos'è o in quale disco c'è quella musica. Ci proverai?»

Pierrot rimase in silenzio. Poi annuì in modo quasi impercettibile.

L'uomo si alzò e premette il tasto del registratore che stava alle sue spalle. Le note di una chitarra entrarono di colpo nella stanza. La donna osservò il viso di suo figlio teso nella concentrazione, assorto ad ascoltare il suono aperto intorno a lui dalle casse di diffusione. Pochi secondi e poi la musica finì. L'uomo si chinò di nuovo a terra di fianco a Pierrot.

«Vuoi risentirla?»

Sempre in silenzio, il ragazzo fece cenno di no col capo.

«La riconosci?»

Pierrot girò gli occhi verso Bikjalo, come se fosse per lui il solo referente.

«C'è», disse piano.

Il direttore si avvicinò.

«Vuoi dire che ce l'abbiamo?»

Di nuovo Pierrot fece cenno di sì con la testa, quasi a dare maggiore peso alle sue parole.

«Questa c'è, nella stanza…»

«Che stanza?» chiese Hulot, avvicinandosi.

«La stanza è l'archivio. È sotto, nel seminterrato. Il posto dove Pierrot lavora. Ci sono migliaia di dischi e cd e lui li conosce tutti, uno per uno.»

«Se sai dov'è nella stanza, vuoi andarla a prendere per noi?» chiese gentilmente Frank. Quel ragazzo stava rendendo loro un servigio impagabile e non voleva assolutamente spaventarlo.

Pierrot tornò a guardare il direttore, come a chiedere il permesso.

«Vai, Pierrot, portacela, per favore.»

Pierrot si alzò dalla sedia e attraversò la stanza con la sua buffa andatura caracollante. Sparì dalla porta, seguito dagli occhi ansiosi e stupiti di sua madre.

Il commissario Hulot si avvicinò alla donna.

«Signora, mi scuso ancora per il modo incivile in cui l'abbiamo svegliata e portata qui. Spero che non vi siate spaventati troppo. Lei non immagina nemmeno di quale utilità potrebbe essere suo figlio questa notte. Le siamo veramente grati per averci permesso di ottenere il suo aiuto.»

La donna si sciolse in un piccolo orgoglio per suo figlio. Si strinse imbarazzata intorno al collo il vestito da pochi soldi che aveva frettolosamente indossato sulla camicia da notte.

Poco dopo Pierrot tornò, silenzioso come se n'era andato. Teneva sotto braccio la copertina un po' consunta di un disco a 33 giri. Arrivò davanti a loro e l'appoggiò sul tavolo. Estrasse dall'interno il disco in vinile con cura religiosa, in modo da non appoggiare le mani sui solchi.

«È questo. Qui c'è», disse Pierrot.

«Vuoi farcela sentire, per favore?» chiese quello giovane, con la stessa voce premurosa.

Il ragazzo si avvicinò all'impianto e cominciò a maneggiarlo da esperto. Premette un paio di pulsanti, sollevò il coperchio del giradischi e infilò il disco sul perno. Pigiò il tasto di avvio. Il piatto iniziò a girare. Pierrot prese delicatamente la testina e l'appoggiò sul disco.

Quelle che uscirono dalle casse erano le stesse note che uno sconosciuto aveva inviato loro poco prima, come sfida beffarda a fermare i suoi passi nella notte.

Ci fu un momento di esultanza generale. Tutti, in qualche modo, trovarono la maniera di sottolineare quel piccolo trionfo personale di Pierrot, che si guardava in giro con un sorriso sul viso innocente.

La madre lo guardava con una dedizione negli occhi che solo in parte quel successo poteva ripagare. Un momento, un momento solo in cui il mondo pareva essersi ricordato di suo figlio e gli stava dando quel po' di soddisfazione che fino ad allora gli aveva negato.

Si mise a piangere. Il commissario le mise gentilmente una mano sulla spalla.

«Grazie, signora. Suo figlio è stato grande. Adesso è tutto a posto. Vi faccio subito accompagnare a casa da una nostra auto. Lei lavora, domani?»

La donna alzò il viso rigato di lacrime, sorridendo imbarazzata per quell'attimo di debolezza.

«Sì, lavoro come domestica presso una famiglia di italiani che abita qui a Montecarlo.»

Il commissario le sorrise a sua volta.

«Lasci il nome di questa famiglia a quel signore con la giacca marrone, l'ispettore Morelli. Vedremo di farle avere un paio di giorni di vacanza retribuita per compensarla del disagio di questa notte. Così può stare un po' con suo figlio, se vuole…»

Il commissario raggiunse Pierrot.

«In quanto a te, giovanotto, ti piacerebbe passare una giornata su un'auto della polizia, parlare alla radio con la centrale ed essere un poliziotto onorario?»

Forse Pierrot non sapeva che cosa fosse un poliziotto onorario, ma all'idea di essere scarrozzato su una macchina della polizia i suoi occhi si illuminarono.

«Mi date anche le manette? E posso suonare la sirena?»

«Certo, quanto vuoi. E avrai un bel paio di manette lucide tutte tue, se ci prometti che prima di arrestare qualcuno ci chiedi il permesso.»

Hulot fece cenno a un agente che prese in consegna Pierrot e sua madre per accompagnarli a casa. Mentre uscivano sentì il ragazzo parlare con sua madre.

«Adesso che sono un *poliziotto in orario*, arresto la figlia della signora Narbonne che mi prende sempre in giro, la porto in prigione e…»

Non seppero mai la fine che avrebbe fatto la povera figlia della signora Narbonne perché i tre arrivarono in fondo al corridoio e la voce di Pierrot si spense.

Frank si appoggiò al tavolo e guardò pensieroso la copertina del disco che il ragazzo aveva portato dall'archivio.

«Carlos Santana. "Lotus". Disco *live*. Registrazione dal vivo fatta in Giappone nel 1975…»

Morelli prese in mano la *cover* e la osservò attentamente, girandola in tutte e due i sensi.

«Perché quell'uomo ci ha fatto sentire una canzone tratta da un disco registrato in Giappone quasi trent'anni fa? Cosa ci vuole dire?»

Hulot guardava dalla finestra l'auto con Pierrot e sua madre allontanarsi. Si girò e alzò il braccio sinistro per vedere l'ora. Le quattro e mezza.

«Non lo so, ma dobbiamo cercare di capirlo il più in fretta possibile.»

Fece una pausa che rappresentava il pensiero di tutti.

«Se non è già troppo tardi...»

16

Allen Yoshida firmò l'assegno e lo porse all'incaricato del catering.

Per la festa a casa sua aveva fatto venire appositamente da Parigi uno staff del suo ristorante preferito, Le Pré Catelan, al Bois de Boulogne. Gli era costato un occhio della testa ma ne era valsa la pena. Aveva ancora in bocca il gusto sopraffino della zuppa di rane e pistacchi che faceva parte del menu straordinario di quella serata.

«Grazie, Pierre. È stato tutto superbo, come al solito. Come noterà, ho aggiunto all'importo dell'assegno una mancia per voi.»

«Grazie a lei, signor Yoshida. Lei è generoso come sempre. Non si disturbi ad accompagnarmi, conosco la strada. Buonanotte.»

«Buonanotte, amico mio.»

Pierre fece un leggero inchino che Yoshida ricambiò. L'uomo se ne andò camminando silenzioso e sparì oltre la porta in legno scuro. Yoshida attese di sentire il rumore dell'auto che si metteva in moto. Prese un telecomando sul tavolo e lo puntò contro un pannello di legno sul muro alla sua sinistra. Il pannello si aprì silenzioso mostrando una serie di schermi collegati ad altrettante telecamere a circuito chiuso piazzate in diversi punti della casa. Vide la macchina di Pierre uscire dal cancello d'ingresso sulla strada e gli uomini della sorveglianza chiudere i battenti alle sue spalle.

Era solo.

Attraversò il grande salone che mostrava dappertutto i segni del party. Il personale del catering aveva rimosso quello che era di sua competenza e se n'era andato discretamente, come d'abitudine. Il giorno dopo sarebbe arrivata la servitù a finire il lavoro. Allen Yoshida non amava avere gente in casa. Le persone al suo servizio arrivavano al mattino e se ne andavano la sera. In caso di necessità pregava qualcuna di loro di fermarsi, oppure si appoggiava a un'organizzazione esterna. Preferiva essere l'unico padrone delle sue notti, senza timore che orecchi e occhi indiscreti venissero per caso a conoscenza di qualcosa che voleva tenere esclusivamente per sé.

Uscì in giardino attraverso le enormi portefinestre aperte sulla notte. Fuori, un sapiente gioco di luci colorate creava effetti d'ombra fra piante d'alto fusto, cespugli e aiuole fiorite, merito di un architetto di giardini che aveva fatto venire dalla Finlandia. Si slacciò la cravatta a farfalla dell'elegante smoking di Armani e sbottonò la camicia bianca. Puntando i piedi si tolse le scarpe di vernice senza slacciarle. Si chinò e levò anche i calzini di seta, lasciandoli dietro di sé. Amava la sensazione dei piedi nudi sull'erba umida. Si diresse verso la piscina a sfioro tutta illuminata, che di giorno pareva finire direttamente in mare e che in quel momento sembrava un'enorme acquamarina incastonata nel buio della notte.

Si sdraiò su una chaise-longue in tek sul bordo della vasca e stese le gambe. Si guardò intorno. Sul mare poche luci in quella notte di luna calante. Davanti a lui, oltre il promontorio in controluce, si indovinava il bagliore di Montecarlo, da dove era arrivata la maggior parte degli ospiti di quella serata.

Alla sua sinistra, la casa.

Si girò a guardarla. Amava quella casa e si riteneva un privilegiato a esserne entrato in possesso. Ammirò le linee dal gusto rétro, l'eleganza della costruzione unita a un rigore funzionale frutto del genio di un architetto che aveva progettato quella casa per la «divina» dell'epoca, Greta Garbo. Quando l'aveva acquistata, dopo che era stata chiusa per anni, l'aveva fatta sistemare da un architetto contemporaneo altrettanto geniale, quel Frank Gehry responsabile del progetto del Museo Guggenheim di Bilbao.

Gli aveva lasciato mano libera, pregandolo solo di mantenere inalterato lo spirito della casa. Quello che ne era uscito era strepitoso, la classe assoluta unita alla tecnologia più avanzata. Una residenza che faceva rimanere tutti a bocca aperta, esattamente com'era successo a lui la prima volta che c'era entrato. Aveva pagato senza fiatare la cifra della parcella che mostrava un numero di zeri tale da parere infinito.

Si appoggiò allo schienale della sdraio, muovendo la testa per sgranchire le articolazioni della nuca. Infilò una mano nella tasca interna della giacca e ne estrasse una boccettina d'oro. Svitò il tappo e fece cadere sul dorso della mano un pizzico di polverina bianca. Avvicinò la mano al naso e sniffò direttamente la cocaina da lì, passandosi poi due dita sulle narici per rimuovere i rimasugli di polvere.

Tutto intorno a lui era una testimonianza di successo e di potenza. Tuttavia Allen Yoshida non si faceva illusioni. Ricordava ancora benissimo suo padre che si spezzava la schiena scaricando dai vagoni refrigerati le casse di pesce fresco che arrivavano dalla costa, per poi caricarle sul suo pick-up e rifornire i ristoranti giapponesi della città. Lo ricordava al ritorno dal lavoro entrare in casa preceduto da un odore di pesce che, per quanto si lavasse, non riusciva a togliere dalle mani. Ricordava la loro casa malandata in quel quartiere altrettanto malandato di New York, che da quando ne sentiva parlare dai suoi genitori avrebbe avuto bisogno di sistemare il tetto e l'impianto idraulico. Aveva ancora nelle orecchie il gorgoglio dei vecchi tubi ogni volta che si apriva un rubinetto e lo sbocco di acqua rugginosa che ne veniva fuori. Bisognava aspettare un paio di minuti prima che tornasse trasparente e potersi lavare.

Lui era cresciuto lì, figlio di un giapponese e un'americana, a cavallo fra le due culture, *gaijin* per la mentalità ristretta della comunità giapponese e muso giallo per gli americani bianchi. Per tutti gli altri, neri, portoricani, italiani, era solo un ragazzino mezzosangue in più per le strade della città.

Sentì la scossa lucida della cocaina che entrava in circolo. Si passò una mano tra i capelli folti e lucidi come seta.

Da tempo non si faceva illusioni. Non se le era mai fatte. Tutta quella gente che era stata lì quella sera non avrebbe mosso un passo se lui non fosse diventato quello che era diventato. Se lui non avesse rappresentato i miliardi di dollari che rappresentava. A nessuno di loro probabilmente importava realmente sapere se lui fosse un genio oppure no. Quello che interessava a tutti era che quel suo genio gli avesse fruttato una fortuna personale che lo annoverava di diritto fra i dieci uomini più ricchi del mondo.

Il resto contava poco e non importava a nessuno. Una volta raggiunto il risultato, non serviva a niente sapere *come* era stato raggiunto. Per tutti lui era il brillante creatore di «Sacrifiles», il sistema operativo che contendeva alla Microsoft il mercato mondiale dell'informatica. Aveva diciotto anni quando lo aveva lanciato e creato la Zen Electronics con il finanziamento di una banca che aveva creduto nel progetto, dopo che aveva mostrato a un gruppo di investitori allibiti la semplicità operativa del suo sistema.

Avrebbe dovuto esserci con lui Billy La Ruelle, a dividere quel successo. Billy La Ruelle, il suo amico del cuore, studente come lui alla scuola d'informatica, quello che un giorno era arrivato a casa sua con l'idea geniale di un rivoluzionario sistema operativo da far girare in un ambiente DOS. Ci avevano lavorato nel segreto più assoluto, da lui e da Billy, per mesi, passandoci pure le notti, con i loro due computer collegati in rete. Purtroppo Billy era caduto dal tetto, quel giorno che ci erano saliti per sistemare l'antenna del televisore, prima della partita decisiva dei play-off tra i Chicago Bulls e i Lakers. Era scivolato sul piano inclinato come uno slittino sul ghiaccio e si era trovato appeso alla grondaia. Lui era rimasto a guardarlo immobile, senza fare nulla, mentre Billy lo pregava di aiutarlo. Il suo corpo stava sospeso nel vuoto e si sentiva il cigolio sinistro della lamiera che a poco a poco cedeva sotto il peso. Vedeva le nocche delle sue mani bianche nello sforzo di rimanere aggrappato al bordo tagliente della grondaia e con quello alla vita.

Billy era precipitato con un urlo, guardandolo disperato con gli occhi sbarrati. Si era schiantato con un tonfo sull'asfalto davanti alla rimessa ed era rimasto immobile, il collo piegato in un angolo innaturale. Il pezzo della grondaia che si era staccato era volato beffardo a incastrarsi esattamente nel cesto da basket che stava appeso al muro sotto casa, dove lui e Billy si sfidavano nelle pause di lavoro. Mentre la madre di Billy si precipitava fuori di casa urlando, lui era sceso nella camera dell'amico, aveva scaricato su alcuni floppy tutto quello che c'era nel computer prima di cancellare l'hard disk in modo che non ne rimanesse traccia.

Aveva infilato i dischetti nella tasca posteriore dei jeans e poi era corso in cortile, vicino al corpo senza vita di Billy.

La madre era seduta a terra, aveva il capo del figlio posato sulle sue gambe e gli parlava accarezzandogli i capelli. Allen Yoshida aveva consumato le sue lacrime di coccodrillo. Si era inginocchiato anche lui, sentendo la consistenza dura dei dischetti che gli tendevano la tasca dei calzoni. Un vicino aveva chiamato un'ambulanza. Il mezzo di soccorso era arrivato a tutta velocità, preceduto da un suono di sirena stranamente simile al lamento della madre di Billy, e si era fermato con uno stridio di gomme e di freni. Ne erano scesi degli uomini che avevano portato via senza fretta il corpo del suo amico coperto da un telo bianco.

Una vecchia storia. Una storia da dimenticare. Adesso i suoi genitori abitavano in Florida e suo padre era riuscito finalmente a togliersi la puzza di pesce dalle mani. O se no, grazie ai dollari del figlio, tutti erano disposti a definirla profumo. Aveva pagato le spese per far disintossicare la madre di Billy dall'alcol e aveva procurato a lei e a suo marito una casa in un quartiere residenziale, dove vivevano senza problemi grazie ai soldi che passava loro ogni mese. La madre del suo amico, una volta che si erano incontrati, gli aveva baciato le mani. Per quanto si fosse lavato, aveva sentito per molto tempo quel bacio bruciare sulla sua pelle.

Si alzò dalla sedia e rientrò verso casa. Si tolse la giacca e se la mise in spalla, tenendola con una mano. Sentì l'umidità della notte che impregnava il tessuto leggero della camicia, facendolo aderire alla pelle.

Staccò una gardenia bianca da un cespuglio fiorito e se la portò alle narici. Nonostante il naso anestetizzato dalla cocaina, riusciva a percepirne ugualmente la fragranza delicata.

Rientrò nel salone ed estrasse il telecomando dalla tasca della giacca. Premette un tasto e le vetrate antisfondamento si chiusero senza un rumore, scivolando sui cardini perfettamente oliati. Allo stesso modo spense le luci, lasciando solo il chiarore di cortesia di alcune lampade incassate nei muri.

Adesso era solo, finalmente. Era il momento di dedicare un po' di tempo a se stesso e al suo piacere. Al suo segreto piacere.

Le modelle, i banchieri, le rockstar, gli attori che affollavano i suoi party non erano che spruzzi di colore su un muro bianco, volti e parole da dimenticare con la stessa disinvoltura con cui cercavano di farsi notare. Allen Yoshida era un bell'uomo. Aveva ereditato dalla madre americana le proporzioni e il fisico longilineo degli yankee e dal padre il corpo asciutto e definito degli orientali. Il suo viso era un miscuglio delle due razze, in un'armonia raffinata di tratti, col fascino arrogante di tutte le casualità. Il suo denaro e il suo aspetto attiravano il mondo. La sua solitudine lo incuriosiva.

Le donne, specialmente, che esibivano seni e sguardi e corpi carichi di promesse così semplici da verificare, in quella ricerca ossessiva di contratti che era la vita. Visi così aperti e così facili da leggere che prima ancora di iniziare già si leggeva la parola «fine».

Per Allen Yoshida il sesso era il piacere degli stupidi.

Dal salone passò in un breve corridoio che lo collegava alla cucina e alla sala da pranzo. Si fermò davanti a una superficie di radica ricurva. Premette un pulsante alla sua destra e la parete scivolò nel muro.

Di fronte a lui, una scala che scendeva.

La imboccò percorso da una leggera impazienza. Aveva una cassetta nuova da vedere, un video inedito che gli era stato consegnato il giorno prima. Non aveva ancora trovato il tempo per farlo come piaceva a lui, comodamente seduto nella sua saletta di proiezione con monitor al plasma, gustando ogni istante della ripresa bevendo un bicchiere di champagne gelato.

Quando aveva lasciato che Billy La Ruelle cadesse dal tetto, Allen Yoshida non era diventato soltanto uno degli uomini più ricchi del mondo. Aveva scoperto un'altra cosa, che avrebbe cambiato la sua vita. Vedere gli occhi sbarrati e il volto terrorizzato del suo amico mentre penzolava nel vuoto, sentire la disperazione nella sua voce mentre gli chiedeva di aiutarlo, *gli era piaciuto.*

Se ne era reso conto solo dopo, a casa, quando si era spogliato per fare la doccia e aveva scoperto le mutande tutte sporche di sperma. In quel momento tragico che aveva causato la morte del suo amico, aveva avuto un orgasmo.

Da allora, dal preciso istante di quella scoperta, aveva imboccato senza remore la strada del suo piacere, allo stesso modo con cui aveva imboccato senza rimorsi la strada della ricchezza.

Sorrise. Quel sorriso fu come una ragnatela luminosa sul suo viso indecifrabile. Era vero che il denaro comperava tutto. La complicità, il silenzio, il delitto, la vita e la morte. Per il denaro gli uomini erano disposti a uccidere, a dare sofferenza e a riceverla. Lui lo sapeva bene, ogni volta che una nuova cassetta si aggiungeva alla sua collezione e ne sborsava il prezzo esorbitante.

Erano filmati di autentiche torture e uccisioni, uomini, donne, a volte bambini, presi dalla strada, portati in luoghi sicuri e ripresi mentre venivano sottoposti a ogni genere di sevizie prima di essere ammazzati sotto l'occhio indifferente di una videocamera.

Aveva nella sua cineteca della autentiche chicche. Un'adolescente avvolta lentamente nel filo spinato prima di essere bruciata viva. Un uomo di colore letteralmente scorticato, fino a diventare un'unica rossa macchia di sangue. Le loro urla di dolore erano musica per le sue orecchie mentre sorseggiava il vino ghiacciato e aspettava la conclusione del suo piacere.

Ed era tutto *vero*.

In fondo alla scala si trovò in un ampio locale illuminato. Alla sua sinistra due biliardi Hermelin, uno tradizionale e uno americano, per lui appositamente costruiti e fatti venire dall'Italia. Appese al muro, le stecche e tutto l'occorrente per il gioco. C'erano poltrone e divani intorno a un mobile che nascondeva un bar, uno dei tanti disseminati per la casa.

Passò oltre e andò a fermarsi davanti alla parete di fronte a lui, coperta da un pannello di radica. Alla sua destra, su un piedistallo di legno alto circa un metro e mezzo, c'era un gruppo marmoreo del periodo ellenico raffigurante una venere in gioco con Eros, illuminata da un faretto alogeno che pendeva dal soffitto.

Non si soffermò sulla delicatezza dell'opera, sulla tensione fra i due personaggi raffigurati che l'artista era riuscito a trasmettere con la sua arte. Pose le mani sulla base della statua e spinse. Il coperchio di legno ruotò su se stesso, mostrando l'interno cavo della base. Adagiato sul fondo c'era il quadrante di una serratura a tastiera.

Yoshida digitò il codice alfanumerico che solo lui conosceva e la parete di radica scivolò sofficemente di lato, sparendo in parte nel muro alla sinistra.

Oltre l'apertura c'era il suo regno. C'era il piacere che lo aspettava, segreto come il piacere doveva essere per diventare assoluto.

Stava per oltrepassare la soglia quando sentì un violento colpo dietro le spalle, il lampo di un dolore acuto e immediatamente il refrigerio del buio.

Quarto carnevale

Quando Allen Yoshida torna in sé, ha lo sguardo annebbiato e gli fa male la testa.

Cerca di muovere un braccio ma non ci riesce. Strizza gli occhi per recuperare la nitidezza della vista. Finalmente li riapre e scopre di essere su una poltrona, al centro della stanza. Le sue mani e le sue gambe sono legate con del filo di ferro. La sua bocca è coperta da un pezzo di nastro adesivo.

Davanti a lui, seduto su una sedia, c'è un uomo che lo fissa in silenzio. Di lui non si vede assolutamente nulla.

Indossa quello che sembra un comune camice da lavoro in tela scura, di almeno quattro o cinque taglie superiore alla sua. Il viso è coperto da un passamontagna nero e la parte scoperta all'altezza degli occhi è protetta da un paio di grandi occhiali scuri con le lenti a specchio. In testa ha un cappello nero dalle falde abbassate. Le mani sono coperte da guanti pure neri.

Lo sguardo terrorizzato di Yoshida percorre la figura. Sotto la palandrana i calzoni, neri come tutto il resto, mostrano la stessa caratteristica del camice. Sono sovradimensionati rispetto a quella che sembra la corporatura dell'uomo. Cadono lunghi ad appoggiarsi sulle scarpe di tela formando delle pieghe, come quelli di certi ragazzi vestiti secondo la moda hip-hop.

Yoshida nota una cosa strana. All'altezza delle ginocchia e dei gomiti, ci sono delle sporgenze che tendono la stoffa degli abiti, come se la persona seduta di fronte a lui avesse delle prolunghe legate alle gambe e alle braccia.

Rimangono in silenzio per un tempo che a Yoshida sembra interminabile, l'uomo che non si decide a parlare e lui che non riesce a farlo.

Come ha fatto costui a entrare? Anche se in casa era solo, la villa è circondata da un servizio di vigilanza invalicabile, composto da uomini armati, cani e telecamere. Come è riuscito a superare quello sbarramento?

E soprattutto, che cosa vuole da lui? Denaro? Se è questo il problema può dargliene quanto ne vuole. Qualsiasi cosa desideri può dargliela. Non c'è nulla che il denaro non possa comperare. Nulla. Se solo potesse parlare…

L'uomo continua a guardarlo in silenzio, seduto sulla sedia.

Yoshida emette un mugolio indistinto, soffocato dal nastro adesivo che gli preme la bocca. La voce dell'uomo esce finalmente da quella macchia scura che è il suo corpo.

«Salve, signor Yoshida.»

La voce è calda e armoniosa, ma stranamente all'uomo legato sulla poltrona sembra più dura e tagliente del filo di ferro che gli serra le gambe e le braccia.

Spalanca gli occhi ed emette di nuovo un mugolio indistinto.

«Non si affanni a cercare di comunicare, tanto non riesco a capirla. E in ogni caso quello che potrebbe dirmi non riveste per me alcun interesse.»

L'uomo si alza dalla sedia muovendosi in modo che pare innaturale, a causa degli abiti enormi e delle strane protesi alle ginocchia e ai gomiti.

Si porta alle sue spalle. Yoshida cerca di girare la testa per tenerlo sotto controllo. Sente di nuovo la voce provenire da un punto dietro di lui.

«Si è creato un bel posto qui, un posto discreto, dove godere delle sue piccole gioie private. Nella vita, ci sono piaceri che raramente si possono dividere con qualcuno. Io la capisco, signor Yoshida. Credo che nessuno meglio di me la possa capire…»

Parlando, l'uomo è tornato di fronte a lui. Indica con un gesto l'ambiente intorno a loro.

La stanza rettangolare in cui si trovano non ha finestre. L'aerazione è garantita da un sistema di ventilazione le cui bocchette si aprono sui muri poco sotto l'altezza del soffitto. Sul fondo, appoggiato alla parete, c'è un letto con le lenzuola in seta sormontato da un quadro, l'unica concessione alla semplicità quasi monacale della camera. Le due pareti più lunghe sono quasi interamente coperte di specchi per eliminare ogni sensazione claustrofobica con l'illusione ottica di una stanza più grande.

Di fronte al letto, una serie di monitor al plasma, sistemati secondo uno schema di multivisione e collegati a un gruppo di videoregistratori VHS e DVD. Proiettando un filmato, si ci si può trovare circondati dalle immagini ed essere come al centro dell'azione.

Ci sono inoltre videocamere per la ripresa che coprono in modo organico tutta l'area della stanza, in modo che nemmeno un angolo ne sia escluso. Anche le macchine da ripresa sono collegate al sistema di registrazione e proiezione.

«È qui che si rilassa, signor Yoshida? È qui che dimentica il mondo quando vuole che il mondo si dimentichi di lei?»

La voce calda dell'uomo a poco a poco trasmette il freddo. Yoshida lo sente salire dalle gambe e dalle braccia che stanno perdendo sensibilità a causa della mancanza di circolazione. Sente il filo di ferro scavare un solco nella sua carne, esattamente come quella voce scava nella sua testa.

Con i suoi movimenti artefatti, l'uomo si china su una borsa di tela che sta appoggiata a terra, di fianco alla sedia su cui prima era seduto. Ne estrae un disco, un vecchio Lp con la copertina protetta da una busta di nylon.

«Le piace la musica, signor Yoshida? Questa è celestiale, mi creda. Una cosa da veri intenditori, quale lei è, d'altronde...»

Si avvicina all'impianto hi-fi addossato alla parete alla loro sinistra e lo esamina. Si gira verso di lui e la luce della stanza è un breve lampo riflesso nello specchio delle lenti.

«Complimenti, non ha trascurato nulla. Mi ero preparato

un'alternativa, nel caso non avesse avuto un giradischi, ma vedo che lei è molto ben attrezzato, a quanto pare.»

Accende l'impianto e mette il disco sul piatto dopo averlo estratto con cura dalla copertina. Appoggia la testina sul vinile.

Le note di una tromba escono dalle casse e si spargono nell'aria. È una musica accorata, così tenue da evocare i ricordi, la malinconia che spezza il fiato, le sofferenze acute che chiedono solo di essere dimenticate. È la musica senza memoria che la memoria desidera per cessare di esistere.

L'uomo rimane un attimo immobile ad ascoltare, la testa leggermente piegata di lato. Yoshida lo immagina con gli occhi socchiusi dietro gli occhiali scuri. È un momento, poi l'uomo si riscuote.

«Bello, vero? Robert Fulton, un grande. Forse il più grande di tutti. E come tutti i grandi, un incompreso…»

Si avvicina incuriosito al quadro dei comandi dell'impianto video.

«Spero di capirci qualcosa. Non vorrei che lei avesse un'attrezzatura troppo complicata per le mie misere conoscenze, signor Yoshida. No, mi sembra tutto abbastanza chiaro.»

Preme alcuni pulsanti e i monitor si accendono, con l'effetto neve tipico dell'assenza di programma. Armeggia ancora qualche istante e finalmente le videocamere entrano in funzione. Sugli schermi appare la figura di Yoshida, immobilizzato sulla poltrona al centro della stanza, davanti a una sedia vuota.

L'uomo pare compiaciuto di se stesso.

«Ottimo. Questo impianto è straordinario. D'altronde da lei non mi sarei aspettato niente di meno.»

L'uomo arriva davanti al suo prigioniero, gira la sedia e ci si siede a cavalcioni. Appoggia le braccia deformate allo schienale. Le protesi ai gomiti tendono la tela del camice che ha indosso.

«Lei si chiederà che cosa voglio da lei, vero?»

Yoshida emette un nuovo mugolio prolungato.

«Lo so, lo so. Se pensa che è il suo denaro che voglio, si tranquillizzi. Non mi interessa il denaro, né il suo né quello di chiunque altro. Sono qui per uno scambio.»

Yoshida lascia uscire uno sbuffo d'aria dal naso. Meno male. Chiunque sia quell'uomo, qualunque sia il suo prezzo, forse c'è il modo di mettersi d'accordo. Se non è il denaro che vuole, sicuramente è qualcosa che il denaro può comperare. Non c'è nulla che i soldi non possano comperare, si ripete. Nulla.

Si rilassa sulla poltrona. La morsa del filo di ferro sembra un po' più leggera, adesso che intravede uno spiraglio, una possibilità di trattativa.

«Ho dato un'occhiata alle sue cassette mentre lei dormiva, signor Yoshida. Mi pare che lei e io abbiamo molti punti in comune. Tutti e due, in qualche modo, abbiamo un interesse nella morte di persone a noi sconosciute. Lei per suo intimo piacere, io perché lo devo fare…»

L'uomo china la testa come se guardasse il legno lucido dello schienale. Yoshida ha l'impressione che segua un pensiero personale e che quel pensiero per un attimo l'abbia portato lontano da lì. Nella sua voce c'è il senso di ineluttabilità che è l'essenza stessa della morte.

«Qui finiscono i punti in comune fra di noi. Lei lo fa per interposta persona, io sono costretto a farlo da solo. Lei è uno che guarda uccidere, signor Yoshida…»

L'uomo avvicina il viso senza volto al suo.

«Io uccido…»

Di colpo Yoshida sa di non avere scampo. Gli tornano alla mente le prime pagine di tutti i giornali che hanno riportato l'omicidio di Jochen Welder e Arijane Parker, la donna che era con lui. Da alcuni giorni i telegiornali sono pieni dei particolari agghiaccianti di quei due delitti, compresa la firma lasciata col sangue dall'assassino sul tavolo di una barca. Le stesse parole pronunciate dall'uomo che ora sta seduto davanti a lui. È assalito dallo sconforto. Nessuno sarebbe venuto in suo soccorso perché nessuno conosce l'esistenza della stanza segreta. Se anche gli uomini del servizio di guardia lo avessero cercato, non trovandolo in casa avrebbero proseguito le ricerche all'esterno.

Riprende a mugolare e inizia ad agitarsi sulla sedia in preda al panico.

«Lei ha qualcosa che mi interessa, signor Yoshida, che mi interessa molto. Ecco perché le dico che mi sento in dovere di proporle uno scambio.»

Si alza dalla sedia e va ad aprire l'anta di vetro del mobile in cui sono contenute le cassette VHS. Ne tira fuori una vergine, la toglie dal suo involucro e la mette nel videoregistratore.

Preme il tasto rec che comanda l'inizio della registrazione.

«Una cosa per il mio piacere contro una cosa per il suo piacere.»

Con un movimento fluido, infila una mano nella tasca del grembiule e quando la estrae impugna un pugnale che manda un luccichio sinistro. Si avvicina a Yoshida che si dimena selvaggiamente, incurante del filo di ferro che gli sega la carne. Con lo stesso movimento fluido gli pianta il pugnale in una coscia. Il mugolio isterico del prigioniero diventa un urlo di dolore soffocato dal nastro adesivo che ha sulla bocca.

«Ecco, questo è quello che si prova, signor Yoshida.»

Quell'ennesimo «signor Yoshida», pronunciato con voce soffocata, suona nella stanza come un elogio funebre. Il pugnale macchiato di sangue cala di nuovo, questa volta sull'altra coscia della vittima.

Il movimento è così rapido che questa volta Yoshida non prova quasi dolore, solo un senso di fresco alla gamba. Subito dopo, l'umido tiepido del sangue che cola lungo il polpaccio.

«È strano, vero? Forse le cose cambiano, viste da un'ottica diversa. Ma vedrà che alla fine sarà ugualmente soddisfatto. Avrà anche questa volta il suo piacere.»

L'uomo, con fredda determinazione, continua a pugnalare la sua vittima legata alla poltrona, mentre i suoi gesti vengono ripresi e rimandati sugli schermi dalle telecamere. Yoshida si vede pugnalato molte e molte volte. Vede il sangue fiorire in larghe macchie rosse sulla sua camicia bianca, con l'uomo che solleva e cala, nella stanza e sullo schermo, la lama del suo pugnale, ancora e ancora. Vede i suoi occhi impazziti dal terrore e dal dolore riempire lo spazio indifferente dei monitor.

La musica di sottofondo, nel frattempo, è cambiata. La tromba lacera l'aria con degli acuti sostenuti da una ritmica accentuata, una sonorità fatta di percussioni etniche che evocano ritualità tribali e sacrifici umani.

L'uomo e il suo pugnale continuano la loro agile danza intorno al corpo di Yoshida, aprendo ovunque ferite che il sangue esce a testimoniare, sui tessuti dei vestiti e sul pavimento di marmo.

La musica e l'uomo si arrestano contemporaneamente, come in un balletto provato all'infinito.

Yoshida è ancora vivo e cosciente. Sente il sangue e la vita scorrere dalle ferite aperte ovunque nel suo corpo, che adesso è un unico segnale di dolore. Una goccia di sudore, dalla fronte, scende a bruciare nel suo occhio sinistro. L'uomo gli pulisce il viso madido con la manica del camice macchiato di sangue. Uno sbuffo rossastro, tondo come una virgola, rimane sulla sua fronte.

Sangue e sudore. Sangue e sudore, come tante altre volte. E su tutto, lo sguardo per nulla sorpreso delle telecamere.

L'uomo ansima, sotto il passamontagna di lana. Va a fermare il videoregistratore e preme il tasto di riavvolgimento. Quando la cassetta è tornata all'inizio, l'uomo preme il tasto play.

Sugli schermi, davanti agli occhi semichiusi di Yoshida e al suo corpo che si dissangua lentamente, ricomincia tutto da capo. È di nuovo la prima pugnalata, quella che gli ha attraversato come un ferro rovente la coscia. E poi la seconda, col suo soffio fresco. E poi le altre…

La voce dell'uomo adesso è quella del fato, morbida e indifferente.

«Ecco quello che le offro. Il mio piacere per il suo piacere. Si metta tranquillo, signor Yoshida. *Si rilassi e si guardi morire…*»

Yoshida sente la voce arrivare come attraverso uno spazio pieno di ovatta. I suoi occhi sono fissi sullo schermo. Mentre il sangue lentamente abbandona il suo corpo, mentre il freddo sale a poco a poco a occupare ogni cellula, non riesce a fare a meno di provare per se stesso l'identico malato piacere.

Quando la luce abbandona i suoi occhi, non si capisce se stia guardando l'inferno o il paradiso.

17

Margherita Vizzini infilò la rampa d'ingresso del Parking des Boulingrins, nella piazza del Casinò. C'era poca gente in giro, a quell'ora del mattino. Gli abitanti di Montecarlo che facevano vita notturna, quelli ricchi o quelli disperati, stavano ancora dormendo. Ed era un po' troppo presto per il turismo di passaggio. Quelle che erano in circolazione erano tutte persone dirette al lavoro, come lei. Passò dalla luce del sole, dalle persone sedute al Café de Paris per la colazione, dalle aiuole colorate e ordinate, alla penombra calda e umida del parcheggio. Fermò la sua Fiat Stilo di fianco alla colonnina e inserì la sua tessera di abbonata nella macchinetta. La sbarra si alzò e lei procedette a passo d'uomo all'interno.

Margherita arrivava tutte le mattine da Ventimiglia, in Italia, dove abitava. Lavorava all'Ufficio Titoli della ABC, Banque Internationale de Monaco, sulla piazza del Casinò, proprio davanti alla boutique di Chanel.

Era stata un'autentica fortuna trovare quel posto a Montecarlo. E soprattutto ottenerlo senza avere nessuna conoscenza o raccomandazione di sorta. Dopo la laurea in Economia e Commercio col massimo dei voti, aveva avuto diverse proposte di lavoro, come sempre succede agli studenti che si distinguono particolarmente. Fra le altre l'aveva sorpresa quella della ABC.

Aveva fatto un colloquio senza nutrire alcuna speranza ma, con suo grande stupore, era stata scelta e assunta. C'erano molti vantaggi, in quella situazione. Per prima cosa lo stipendio iniziale era sensibilmente più alto di quello che avrebbe potuto spuntare in Italia. E poi c'era il fatto che, in qualche modo, lavorando a Montecarlo, il discorso fiscale era tutta un'altra storia...

Margherita sorrise. Era una ragazza graziosa, con i capelli castani portati corti su un viso simpatico, oltre che piacevole a vedersi. Uno spruzzo di efelidi sul naso regolare dava al suo volto l'espressione sbarazzina della versione femminile di un elfo.

Una macchina stava facendo retromarcia per uscire dal suo posto e fu costretta a fermarsi. Approfittò di quel momento di stop per controllare il suo aspetto nello specchietto retrovisore. Quello che vide la soddisfece completamente.

Quel giorno in banca sarebbe venuto Michel Lecomte e ci teneva a essere in ordine.

Michel...

Al pensiero dello sguardo tenero di quell'uomo sentì un piacevole senso di calore alla bocca dello stomaco. Quello che gli inglesi definiscono «lo stomaco pieno di farfalle». Da un po' di tempo fra loro due era in corso un gioco estremamente piacevole, molto coinvolgente perché molto delicato. Adesso era giunto il momento di premere un po' sull'acceleratore.

La strada era libera. Imboccò la rampa e iniziò a scendere nelle profondità del parcheggio, che occupava parecchi piani sotto la piazza. Aveva il suo posto personale, al penultimo piano, in uno spazio riservato agli impiegati e ai funzionari della banca.

Guidava con prudenza ma con disinvoltura. Scese diversi livelli, sentendo a tratti i pneumatici cigolare sul pavimento lucido quando sterzava per imboccare la curva della rampa successiva. Arrivò finalmente al suo piano. Lo spazio a loro riservato era in fondo, subito dietro il muro di divisione.

Curvò leggermente a sinistra per superare il muro e fu sorpresa di vedere il suo posto occupato da una grossa limousine, una lucida Bentley nera con i vetri scuri.

Strano. Quel tipo di macchina si vedeva raramente nel parcheggio sotterraneo. Era un'auto da autista in completo scuro, fermo in piedi accanto alla portiera posteriore spalancata per far salire e scendere i passeggeri. Oppure da abbandonare con noncuranza davanti all'Hotel de Paris, lasciando il compito all'addetto dell'albergo di sistemarla convenientemente.

Probabilmente si trattava di un cliente della banca. Il modello dell'auto pareva escludere qualunque tipo di rimostranza, per cui decise di sistemarsi nel posto libero di fianco.

Forse perché distratta da questi pensieri, commise un piccolo errore di valutazione, e facendo manovra urtò il retro della limousine, nell'angolo sinistro. Sentì il rumore della fanaleria della sua auto che si spezzava, mentre la pesante berlina assorbiva l'urto con un leggero molleggio di sospensioni.

Margherita fece delicatamente retromarcia, come se questa attenzione potesse in qualche modo ovviare al piccolo disastro che aveva combinato. Quando la visuale fu libera, guardò ansiosa verso il posteriore della Bentley. C'era un bozzo sulla carrozzeria, non molto grande ma ben visibile, con il segno della plastica grigia del suo paraurti.

Batté seccata il palmo delle mani sul volante.

Adesso avrebbe dovuto occuparsi di tutte le fastidiose pratiche burocratiche legate all'incidente, senza contare l'eventuale imbarazzo di confessare a un cliente della banca di avergli arrecato un danno.

Scese dalla macchina e si avvicinò alla limousine, perplessa. Si fermò all'altezza del finestrino posteriore. Le sembrò che all'interno ci fosse qualcuno, una sagoma confusa dal filtro dei vetri fumé.

Avvicinò la testa al vetro, proteggendosi gli occhi con le mani come se dovesse difenderli da un riflesso. In effetti le pareva che ci fosse qualcuno, sul sedile posteriore.

Tuttavia le sembrò strano. Se così fosse stato, sicuramente la persona che c'era dentro sarebbe scesa dall'auto dopo l'urto.

Strizzò gli occhi. In quel momento la figura all'interno si inclinò e scivolò di lato, appoggiando la fronte al finestrino.

Margherita vide con raccapriccio il volto di un uomo tutto

rosso di sangue, gli occhi senza vita che la fissavano sbarrati, i denti completamente scoperti in un sorriso da teschio.

Fece un balzo all'indietro e quasi senza accorgersene incominciò a urlare.

18

Frank Ottobre e il commissario Hulot non avevano dormito per niente.

La notte era trascorsa davanti alla copertina muta di un disco, ascoltando e riascoltando un nastro che non aveva detto loro molto di più. Avevano montato e smontato tutte le ipotesi, chiesto l'aiuto di chiunque fosse anche solo un po' esperto di musica. Rochelle, un ispettore fanatico di hi-fi e fornito di una discoteca di prim'ordine, si era incastrato anche lui sulle dita agili di Carlos Santana che tormentavano il manico di una chitarra.

Avevano percorso Internet in lungo e in largo cercando in ogni sito disponibile sul Web una qualche indicazione che potesse servire a decrittare il messaggio lanciato loro dall'assassino.

Niente.

Si trovavano di fronte a una porta sbarrata e non riuscivano a trovare la chiave. Fu una notte di molti caffè e, per quanto zucchero ci mettessero, di amaro in bocca. Il tempo passava e col tempo le speranze diventavano di sabbia.

Fuori dalla finestra, oltre lo spazio dei tetti, il cielo si stava coprendo d'azzurro. Hulot si alzò dalla scrivania e andò a guardare dai vetri. In strada il traffico stava lentamente aumentando. Per la gente sarebbe stato un nuovo giorno di lavoro dopo una notte di sonno. Per loro, un altro giorno di attesa dopo una notte da incubo.

Frank stava seduto sulla poltrona con una gamba sopra il bracciolo e pareva intento a guardare il soffitto. Da alcuni minuti non apriva bocca. Hulot si pinzò con le dita la radice del naso, poi si girò con un sospiro di stanchezza e d'impotenza.

«Claude, fammi un favore.»

«Dica, commissario.»

«Lo so che non sei un cameriere. Però sei il più giovane e in qualche modo lo devi pagare. Riesci a vedere se è possibile avere un caffè che sia un po' migliore di quella schifezza delle macchinette?»

Morelli sorrise.

«Non vedevo l'ora che me lo chiedesse. Anch'io ho voglia di un caffè come si deve.»

Intanto che l'ispettore usciva dall'ufficio, Hulot si passò le mani nei capelli brizzolati, leggermente diradati sulla nuca, che dopo la notte insonne lasciavano intravedere il roseo della cute.

Quando arrivò la chiamata, seppero di aver fallito.

Mentre Hulot portava la cornetta all'orecchio, quel pezzo di plastica pareva pesare cento chili.

«Hulot», disse laconico.

Ascoltò quello che dall'altra parte gli stavano dicendo e impallidì.

«Dove?»

Altra pausa.

«Va bene, arriviamo subito.»

Nicolas riappese e nascose il viso tra le mani.

Durante la conversazione, Frank si era alzato in piedi. La stanchezza sembrava essergli passata all'istante. Di colpo pareva avere addosso la tensione del cane da punta. Guardava Hulot con la mascella contratta. Gli occhi leggermente arrossati erano due fessure.

«Abbiamo un cadavere, Frank, nel parcheggio sotterraneo davanti al casinò. Senza faccia, come quegli altri due.»

Hulot si alzò dalla scrivania e si avviò verso la porta seguito da Frank. Per poco non si scontrarono con Morelli che stava entrando con un vassoio e tre tazzine.

«Commissario, ecco i caf...»

«Morelli, posa quei caffè e fai venire una macchina. Ne hanno scoperto un altro. Dobbiamo volare.»

Uscendo dall'ufficio, Morelli si rivolse a un poliziotto che stava passando in corridoio.

«Dupasquier, subito una macchina sotto. Al volo.»

Scesero con un ascensore che pareva arrivare dal tetto dell'Himalaya.

Uscirono all'aperto e in cortile trovarono un'auto che li aspettava a motore acceso, le portiere aperte. Non erano ancora del tutto richiuse che la macchina già stava partendo.

«Piazza del Casinò. Accendi la sirena, Lacroix, e non risparmiare le gomme», disse Hulot all'autista, un ragazzo giovane dall'aria sveglia. L'agente non si fece pregare e partì in uno stridio di pneumatici.

Percorsero la salita di Sainte-Dévote e arrivarono nella piazza col fischio lacerante della sirena, fra teste che si giravano al passaggio. Di fronte all'ingresso del parcheggio una piccola folla di curiosi pareva la replica di quella del porto, pochi giorni prima. Davanti al casinò c'era la macchia di colore dei giardini pubblici, piena di aiuole fiorite e palme. Alla loro sinistra, nella grande aiuola della rotonda davanti all'Hotel de Paris, un bravo giardiniere aveva il compito di comporre con i fiori la data del giorno. Frank non poté impedirsi di pensare che, per una nuova vittima, oggi qualcuno l'aveva composta con il sangue.

La macchina della polizia si fece largo aiutata dagli agenti, sfiorando centinaia di occhi che guardavano ansiosi nel tentativo di scorgere il viso di chi stava all'interno. Imboccarono l'ingresso del parcheggio e scesero in un cigolio di gomme fino a raggiungere il livello dove altre due macchine con i lampeggianti accesi erano già in attesa. Le luci rotanti lanciavano scie luminose sui muri e sui soffitti.

Frank e il commissario scesero dall'auto come se i sedili scottassero. Hulot parlò con un agente, indicando le altre auto.

«Dica di spegnere quelle luci, altrimenti fra cinque minuti saremo tutti rincoglioniti.»

Si avvicinarono alla grossa Bentley scura parcheggiata col muso contro il muro. Appoggiato al finestrino posteriore, contro il vetro sporco di sangue, c'era il cadavere di un uomo.

Come lo vide, Hulot strinse i pugni fino a far diventare le nocche bianche.

«Merda! Merda! Merda! Merda! Merda! Merda!...» iniziò a ripetere all'infinito, come se quell'attacco di rabbia potesse in qualche modo cambiare lo spettacolo davanti ai loro occhi.

«È lui, maledizione.»

Frank sentì la stanchezza della notte in bianco scivolare nello sconforto. Mentre loro stavano muti in ufficio, in un silenzio da acquario, cercando disperatamente di decifrare il messaggio di un pazzo, il pazzo aveva colpito di nuovo.

Hulot si girò verso i poliziotti alle sue spalle.

«Chi l'ha trovato?»

Un agente in divisa si avvicinò.

«Sono stato io, commissario. O meglio, sono stato il primo ad arrivare. Ero qui per la rimozione di un'auto e ho sentito la ragazza gridare...»

«Quale ragazza?»

«Quella che ha trovato il corpo per prima. È seduta in macchina. È sotto shock e sta piangendo come un salice. Lavora alla ABC Banque, qui sopra. Parcheggiando la sua macchina ha urtato la Bentley, è scesa a controllare il danno ed è allora che l'ha visto...»

«Nessuno ha toccato niente?» chiese Frank.

«No, non ho fatto avvicinare nessuno. Aspettavamo voi.»

«Bene.»

Frank andò nell'auto con cui erano arrivati a prendere un paio di guanti di lattice e li indossò mentre tornava verso la limousine. Provò l'apertura della portiera anteriore, dalla parte del volante. La serratura scattò. La macchina era aperta.

Si introdusse nel vano e osservò il cadavere. L'uomo indossava una camicia bianca tutta inzuppata di sangue, al punto che del colore originale si vedeva ben poco. I calzoni erano neri, presumibilmente di un vestito da sera. Ovunque si vedevano nei tessuti i tagli prodotti da numerose pugnalate. Di fianco al cadavere, sullo schienale di pelle, la scritta, tracciata col sangue.

Io uccido…

Sporgendosi oltre il sedile di pelle imbottita afferrò il corpo per le spalle, sforzandosi di tirarlo su e appoggiarlo contro lo schienale, in modo che non scivolasse di nuovo. In quel momento sentì qualche cosa cadere con un rumore soffocato sul pavimento dell'auto.

Uscì a ritroso dalla macchina e andò ad aprire l'altra portiera, dalla parte del cadavere. Si accucciò a terra, le ginocchia piegate, gli avambracci appoggiati sulle cosce. Hulot, in piedi alle sue spalle, si chinò in avanti per vedere meglio, tenendo le braccia dietro la schiena. Non aveva indossato i guanti e non voleva correre il rischio di toccare niente.

Dalla sua posizione, Frank vide quello che aveva sentito cadere sulla moquette della macchina. Quasi infilata sotto il sedile di fronte c'era una cassetta VHS. Probabilmente stava appoggiata sul grembo del cadavere e il movimento l'aveva fatta cadere a terra. Prese una biro nel taschino della giacca e la infilò in uno dei due fori di avvolgimento. La sollevò e rimase a osservarla un istante, poi prese dalla tasca una busta di plastica trasparente, ci infilò dentro la cassetta e la sigillò.

Durante questa operazione si accorse che il morto era a piedi nudi. Vide i segni profondi sui polsi del cadavere. Frank allungò una mano e provò la flessibilità delle dita. Alzò i pantaloni per controllare se gli stessi segni fossero anche sulle caviglie.

«Questo poveraccio è stato immobilizzato con qualcosa di molto resistente, penso con del filo di ferro. A giudicare dalla coagulazione del sangue e dalla mobilità degli arti, non è morto da molto. E non è morto qui.»

«Dal colore delle mani direi che è morto dissanguato, a causa delle ferite.»

«Esatto. Per cui se fosse morto qui ci sarebbe molto più sangue sui sedili e sul pavimento dell'auto, oltre che sui vestiti. E poi mi sembra il posto meno adatto per fare il lavoro che l'assassino doveva fare. No, questo poveraccio è stato ammazzato da un'altra parte e poi messo nell'auto in un secondo tempo.»

«Ma perché prendersi tutto questo disturbo?»

Hulot arretrò per permettere a Frank di rialzarsi.

«Voglio dire, perché correre il rischio di trasportare un cadavere da un posto a un altro, di notte, in macchina, col timore di essere scoperto? Perché, secondo te?»

Frank si guardò in giro, perplesso.

«Non lo so. Ma è una delle cose che dobbiamo scoprire.»

Restarono in silenzio per qualche istante a osservare il cadavere appoggiato allo schienale con gli occhi sbarrati, nello spazio angusto della sua lucida bara di lusso.

«A giudicare da quello che resta dei vestiti e dalla macchina deve essere uno piuttosto ben messo a soldi.»

«Vediamo un po' a chi è intestata questa bagnarola.»

Girarono intorno alla Bentley e andarono ad aprire la portiera dalla parte del passeggero. Frank premette un pulsante sul vano del portaoggetti nel cruscotto di radica. Lo sportello scivolò verso l'esterno senza rumore. Prese un astuccio in pelle che pareva un portadocumenti. Dentro ci trovò il libretto di circolazione dell'auto.

«Eccolo. La macchina è intestata a una società, la Zen Electronics.»

«Cristo santo. Allen Yoshida...»

La voce del commissario fu un soffio allibito.

«Il proprietario della Sacrifiles.»

«Merda, Nicolas. Eccolo il significato della traccia.»

«Cosa intendi dire?»

«Il brano di Santana, quello che abbiamo sentito e risentito. Sta in un disco registrato dal vivo in Giappone. E Yoshida è mezzo americano e mezzo giapponese. E ti ricordi le canzoni di Santana? Ce n'è una che si intitola *Soul Sacrifice*, capisci? *Sacrifice!* E

Sacrifiles è un gioco di parole su *Sacrifice*. E se non sbaglio in "Lotus" c'è un'altra canzone che si intitola *Kyoto*. Non mi stupirei se Yoshida avesse avuto qualche cosa a che fare anche con quella città.»

Hulot indicò il cadavere nella macchina.

«Tu dici che è lui? Che questo è Allen Yoshida?»

«Ci scommetterei l'oro di Fort Knox. E mi viene in mente una cosa…»

Hulot guardava perplesso l'americano. Nella testa di Frank si stava facendo strada un'idea pazzesca.

«Nicolas, se Yoshida è stato ucciso da qualche altra parte e poi trasportato perché venisse scoperto nella piazza del Casinò di Montecarlo, c'è un motivo ben preciso.»

«Quale?»

«Quel figlio di puttana vuole che ce ne occupiamo noi!»

Hulot pensò che se quello che Frank diceva era vero, non c'era limite alla follia di quell'uomo, oltre che alla sua freddezza. Fu assalito da un presagio amaro per i giorni a venire, per quello che li aspettava, per l'assassino che avevano di fronte, per i morti che già avevano alle spalle.

Un rumore di pneumatici annunciò l'arrivo dell'ambulanza e della macchina del medico legale. Quasi subito sbucò dalla rampa anche il muso del furgone della scientifica.

Hulot si allontanò per accoglierli. Frank rimase solo accanto alla portiera aperta. Mentre rifletteva, il suo sguardo cadde sull'autoradio della macchina. Dal vano del mangianastri sporgeva qualcosa. Frank si allungò appoggiandosi al sedile. Lo tirò fuori.

Era una cassetta audio, di quelle che si trovano normalmente in commercio, completamente riavvolta. Frank la studiò per un attimo e poi la introdusse nello stereo. L'apparecchio si accese. Poi tutti quelli che erano intorno alla macchina sentirono distintamente galleggiare nell'aria immobile del parcheggio le note beffarde di *Samba Pa Ti*.

19

Quando rientrarono alla centrale, lo spazio davanti all'edificio era gremito di giornalisti.

«Che il diavolo se li porti, maledetti avvoltoi.»

«Era da prevedere, Nicolas. Al parcheggio l'abbiamo scampata, ma non si sfugge in eterno a questa gente. Pensa che, con tutte le grane che abbiamo, questa è ancora la minore.»

Hulot si rivolse all'autista, lo stesso che li aveva accompagnati all'andata.

«Vai dietro con la macchina. Adesso non ho proprio voglia di parlarci.»

L'auto passò oltre e si fermò alla porta carraia. Vedendo il commissario all'interno, la massa di cronisti si spostò con un flusso così simultaneo da sembrare frutto di un'attenta prova generale.

La sbarra non si era ancora alzata che già la macchina era circondata di persone e domande. Hulot fu costretto suo malgrado ad abbassare il finestrino dalla sua parte. Il vociare dei giornalisti aumentò d'intensità. Un tipo con i capelli rossi e la faccia piena di lentiggini infilò praticamente la testa nella macchina.

«Commissario, sapete di chi è il cadavere del parcheggio?»

Da dietro, una giornalista di "Nice Matin" che Hulot conosceva bene si intrufolò a forza, spostando bruscamente il collega.

«Pensate che l'assassino sia lo stesso che ha ucciso Jochen Welder e Arijane Parker? Siamo di fronte a un serial killer?»

«Che ci dice della telefonata di stanotte a Radio Monte Carlo?» gridò un altro, sporgendosi alle loro spalle.

Hulot alzò le mani per bloccare la raffica di domande.

«Signori, per favore. Siete tutti dei professionisti e sapete benissimo che in questo momento non vi posso dire niente. Ci sarà un comunicato del direttore più tardi. Per adesso è tutto. Scusate. Vai, Lacroix.»

Procedendo lentamente per non travolgere nessuno, la macchina superò l'ingresso carraio e la sbarra si abbassò alle loro spalle.

Scesero tutti dalla macchina. Hulot si passò le mani sul viso. Aveva gli occhi cerchiati per la notte insonne e per il nuovo orrore che aveva visto.

Porse a Morelli la cassetta VHS che aveva in tasca, quella trovata nell'auto della vittima. Quelli della scientifica gliel'avevano restituita subito, una volta constatato che non c'erano impronte.

«Claude, fanne fare una copia di sicurezza e faccela avere. E fai portare da me un monitor con un lettore. Poi chiama quelli di Nizza e parla con Clavert. Digli che non appena ha analizzato il nastro di questa notte ci dia subito notizie. Non è che mi aspetti molto da quella parte, ma non si sa mai. Noi siamo nel mio ufficio.»

Salirono i pochi gradini della scala esterna e si fermarono davanti alla porta a vetri. Frank la spinse ed entrò per primo. Dal momento in cui si erano visti in radio, la sera prima, lui e Hulot non erano praticamente rimasti un attimo da soli. Si fermarono davanti all'ascensore. Il commissario premette il pulsante e le porte si aprirono frusciando.

«A cosa pensi?»

Frank si strinse nelle spalle.

«Il problema non è quello che penso, il problema è che non so più cosa pensare. Quest'uomo è una storia a sé. In tutti i casi che ho seguito c'era sempre qualche cosa lasciata un po' al caso, c'era una parvenza di indizi che indicava come prima di tutto il serial killer *subisse* la sua condizione. Questo invece la gestisce con una lucidità impressionante.»

«Già. E intanto siamo arrivati a tre.»

«C'è soprattutto una cosa che mi chiedo, Nicolas.»

«Cosa?»

«A parte che non sappiamo il motivo per cui asporta la pelle della testa delle sue vittime, nel primo caso, quello di Jochen Welder e Arijane Parker, si trattava di un uomo e una donna. Ora abbiamo un solo cadavere, quello di un uomo. Qual è il nesso che li collega? O meglio, escludendo per il momento la donna, qual è il nesso che collega Jochen Welder, due volte campione del mondo di Formula Uno, ad Allen Yoshida, un imprenditore su scala mondiale nel ramo dell'informatica?»

Hulot si appoggiò alla parete di metallo dell'ascensore.

«I punti in comune più evidenti mi pare siano il fatto che tutti e due fossero piuttosto famosi e l'età, intorno ai trentacinque anni. E se vogliamo aggiungerlo, anche fisicamente piuttosto attraenti.»

«Questo mi sta bene. Allora che cosa c'entra Arijane Parker? Perché una donna?»

L'ascensore si fermò al piano. Le porte si aprirono. Hulot sporse una mano a bloccare la cellula fotoelettrica.

«Probabilmente all'assassino interessava Jochen Welder e lei si è trovata sulla sua strada. Così si è visto costretto ad ammazzarla.»

«Anche questo mi sta bene. Ma allora perché riservare anche a lei lo stesso trattamento?»

Percorsero il corridoio e si fermarono davanti all'ufficio di Hulot. Quelli che incontravano li guardavano come due reduci.

«Non lo so Frank. Non so cosa dire. Abbiamo tre morti e non c'è una traccia degna di questo nome. L'unica che avevamo non siamo riusciti a decifrarla in tempo, col risultato che adesso abbiamo un morto in più sulla coscienza. Ed era tutto sommato abbastanza semplice.»

«Una volta ho letto in un libro che tutti gli enigmi sono semplici, dopo che sai la risposta.»

Entrarono nell'ufficio. La luce del sole disegnava dei quadri di luce sul pavimento. Fuori era quasi estate. Dentro alla stanza pareva rimasto l'inverno.

Hulot andò alla scrivania, prese il telefono e compose il numero diretto di Froben, il commissario di Nizza. Frank tornò a sedersi sulla poltrona, in una posa che ripeteva quella di poche ore prima.

«Pronto, Claude? Sono Nicolas, ciao. Senti, ho un problema. Anzi, ho un problema in più, per essere esatti. Abbiamo trovato un altro cadavere in una macchina. Stessa meccanica degli altri due. La testa scuoiata completamente. Dai documenti la macchina risulta intestata alla Zen Electronics, la società di Allen Yoshida, sai, il…»

Il commissario si bloccò, come se fosse stato interrotto dal suo interlocutore.

«Cooosa? Aspetta, sono qui con Frank. Adesso ti metto in viva voce, così sente anche lui. Ripeti quello che hai detto.»

Premette un pulsante sul telefono e la voce di Froben uscì in diffusione, leggermente distorta dal microfono dell'apparecchio.

«Ho detto che sono a casa di Yoshida, a Beaulieu. Roba da miliardari, per intenderci. Megamiliardari. Servizio di vigilanza con uomini e telecamere dappertutto. Abbiamo ricevuto la chiamata stamattina intorno alle sette. Il personale di servizio non abita qui, vengono tutti verso le sei e mezza. Oggi, appena arrivati, hanno cominciato a riordinare dopo un party che il padrone di casa ha dato ieri sera. Quando sono scesi al piano di sotto hanno trovato aperta la porta di una stanza di cui ignoravano l'esistenza…»

«Cosa significa "di cui ignoravano l'esistenza"?»

«Nicolas, significa quello che ho detto. Una camera di cui ignoravano l'esistenza, una stanza segreta con l'apertura comandata da una serratura a tastiera nascosta nella base di una statua.»

«Scusa, vai avanti.»

«Sono entrati e hanno trovato una poltrona tutta coperta di sangue. C'era sangue anche sul pavimento e sui muri. Un lago, come ha detto letteralmente l'uomo della sicurezza che ci ha chiamati, e devo dire che non ha esagerato. Siamo qui da un po' e la scientifica sta ancora lavorando. Ho iniziato a interrogare qualcuno ma non ne sto cavando niente.»

«Lo ha ucciso lì, Claude. È arrivato, ha ammazzato Yoshida,

ha fatto il suo lavoro di merda, lo ha caricato sulla macchina e poi ha mollato macchina e cadavere al parcheggio del casinò.»

«Il capo della sicurezza, un ex poliziotto che si chiama Valmeere, mi ha detto che stanotte verso le quattro ha visto la macchina di Yoshida uscire.»

«E non hanno visto chi guidava?»

«No, dice che la macchina ha i vetri affumicati e all'interno non si vede niente. E poi era notte, col riflesso delle luci è peggio ancora.»

«E non gli è sembrato strano che Yoshida uscisse da solo a quell'ora di notte?»

«È la stessa domanda che gli ho fatto io. Valmeere mi ha risposto che Yoshida *era* un tipo strano. Ogni tanto lo faceva. Lui gli aveva fatto presente che non era sicuro andare in giro da solo, ma non c'è stato verso di farglielo capire. E vuoi sapere *quanto* era strano Mister Yoshida?»

«Dimmi.»

«Nella stanza abbiamo trovato una collezione di cassette *snuff* da far rabbrividire. Ci sono delle cose che non immagini nemmeno. A uno dei miei ragazzi che le ha visionate sono venuti dei conati di vomito. Vuoi che ti dica una cosa?»

Froben continuò senza aspettare una risposta.

«Se a Yoshida piaceva questo genere di pellicole, ha fatto semplicemente la fine che meritava!»

Si sentiva chiaramente il disgusto nelle parole di Froben. Quello era il destino di ogni poliziotto. Si pensava sempre di aver toccato il fondo e ogni volta succedeva qualcosa che sconvolgeva questa convinzione.

«Va bene, Claude. Fammi avere al più presto i risultati dei rilevamenti, foto, impronte se ce ne sono e tutto il resto. E fai in modo che possiamo fare un sopralluogo più tardi, se ci serve. Ti ringrazio.»

«Non c'è di che. Nicolas…»

«Sì?»

«L'altra volta l'ho solo pensato. Ora te lo dico apertamente. Ci credi che non vorrei essere al tuo posto?»

«Ti credo, amico mio. Eccome se ti credo…»

Hulot riappese la cornetta come se fosse di una fragilità estrema.

Frank era appoggiato allo schienale della poltrona e guardava fuori dalla finestra un lembo di cielo azzurro come se non lo vedesse. La sua voce parve arrivare attraverso mille chilometri di distanza e mille anni di tempo.

«Sai, Nicolas, a volte, quando penso alle cose che succedono nel mondo, cose come questa, come il World Trade Center, le guerre e tutto il resto, mi viene da pensare ai dinosauri.»

Il commissario lo guardò senza parlare. Non riusciva a capire dove volesse andare a parare.

«Da un sacco di tempo tutti si affannano a cercare di capire il motivo della loro estinzione. Si chiedono perché questi animali che dominavano il mondo di colpo siano scomparsi. Forse fra tutte le spiegazioni la più valida è anche la più semplice. Forse sono morti perché sono impazziti tutti quanti. Proprio come noi. Ecco cosa siamo, nient'altro che dei piccoli dinosauri. E la nostra pazzia prima o poi sarà la causa della nostra fine.»

20

Morelli spinse la cassetta nel lettore e quasi immediatamente sul video comparvero le barre colorate d'inizio nastro. Hulot andò ad abbassare le tapparelle per eliminare il riflesso della finestra nel monitor. Frank stava seduto sulla sua solita poltrona, girata a favore dell'apparecchio sistemato sulla parete di fronte alla scrivania.

Di fianco a lui c'era Luc Roncaille, direttore della Sûreté Publique del Principato di Monaco, capitato a sorpresa nell'ufficio di Hulot mentre Morelli e un agente stavano montando il televisore e il lettore su un tavolino con le rotelle.

Era un uomo alto, abbronzato, con le tempie brizzolate, un'edizione aggiornata di Stewart Granger. Frank l'aveva guardato istintivamente con sospetto. Quell'uomo aveva più l'aspetto del politico che del tecnico. Una bella faccia rappresentativa e una carriera ormai fatta più di pubbliche relazioni che di pratica sul campo. Un ottimo manifesto da esibire nelle occasioni ufficiali. Quando Hulot li aveva presentati, lui e Frank si erano studiati un attimo, facendo le reciproche valutazioni. Guardando gli occhi di Roncaille, l'americano era giunto alla conclusione che quell'uomo non era uno stupido. Forse un opportunista, ma sicuramente non uno stupido. Frank ebbe la netta sensazione che se avesse dovuto gettare a mare qualcuno per non finirci lui, l'avrebbe fatto senza problemi. E in ogni caso, in mare non ci sarebbe finito da solo. Si era precipitato dopo la notizia del ritrovamento del cadavere di Yoshida. Per il momento non aveva portato grane, ma sicuramente era venuto per avere informazioni sufficienti da pararsi il culo davanti ai suoi superiori. Il Principato di Monaco era sì un fazzoletto di terra, ma non era un Paese da operetta. C'erano regole ferree da rispettare e un'organizzazione statale di prim'ordine, tale da far invidia a molte altre nazioni.

Lo confermava il fatto che la sua polizia veniva considerata fra le migliori del mondo.

Finalmente sul video apparvero delle immagini. Per prima cosa videro l'uomo legato alla poltrona, la bocca tappata dal nastro adesivo, gli occhi spalancati dalla paura a guardare qualcosa alla sua sinistra. Tutti riconobbero immediatamente in quel viso stravolto quello di Allen Yoshida. La sua foto era apparsa più volte sulle copertine dei periodici di mezzo mondo. Poi entrò in campo una figura in nero. Hulot rimase senza fiato. Guardando l'uomo e il suo abbigliamento, per un istante Frank pensò a un difetto della cassetta o della ripresa, a causa dei rigonfiamenti che aveva ai gomiti e alle ginocchia. Poi si rese conto che facevano parte del camuffamento e di colpo capì la vera entità della persona che avevano di fronte.

«Grandissimo figlio di puttana!» sibilò fra i denti.

I presenti si girarono istintivamente a guardarlo. Frank fece un cenno, come a chiedere scusa di aver disturbato la visione. Tutti tornarono a concentrarsi sulle immagini. Con gli occhi sbarrati dal raccapriccio videro la figura in nero colpire ripetutamente con un pugnale l'uomo immobilizzato sulla poltrona, scientificamente, in modo che nessuna delle pugnalate fosse di per sé letale. Videro i suoi movimenti resi innaturali dagli abiti aprire ferite che non si sarebbero cicatrizzate mai più, videro il sangue allargarsi al rallentatore sul tessuto bianco della camicia di Yoshida, come fiori che avessero bisogno di nutrirsi della sua vita per poter sbocciare.

Videro la morte in persona che danzava intorno a un uomo gustando il suo dolore e il suo terrore in attesa di portarlo via con sé per l'eternità.

Dopo un tempo che parve durare secoli, la figura in nero si immobilizzò. Il viso di Yoshida era madido di sudore. L'uomo tese un braccio e glielo deterse con la manica della palandrana che indossava. Sulla fronte del prigioniero rimase uno sbuffo rossa-stro, una virgola di vita in quel rituale di morte.

C'era sangue dappertutto. Sul marmo del pavimento, sui ve-stiti, sui muri. L'uomo in nero andò verso l'apparecchiatura si-stemata lungo il muro alla sua destra. Allungò una mano verso una delle macchine. Di colpo si bloccò e inclinò la testa di lato, come colto da un pensiero improvviso. Poi si girò a favore del-la telecamera che aveva alle spalle e fece un inchino, indicando con un gesto morbido del braccio destro l'uomo morente sulla poltrona.

Si voltò di nuovo, premette un tasto, e sul video cadde la ne-ve dell'inverno e dell'inferno.

Nella stanza, il silenzio aveva per ognuno di loro una voce differente.

Frank fu riportato di colpo indietro nel tempo, in una casa in riva al mare, a delle immagini che non avevano mai smesso di gi-rare come un video senza fine davanti ai suoi occhi. Il ricordo fu di nuovo dolore, il dolore divenne odio, e Frank lo divise equa-mente fra sé e quell'assassino.

Hulot andò a sollevare le tapparelle e la luce del sole tornò co-me una benedizione nella stanza.

«Gesù benedetto, ma cosa diavolo sta capitando in questo posto?»

La voce uscì come una preghiera dalla bocca di Roncaille.

Frank si alzò dalla poltrona. Hulot vide la luce nel suo sguar-do. Per un attimo ebbe la sensazione che, se la figura in nero nel video si fosse tolta gli occhiali con le lenti a specchio, anche nei suoi occhi avrebbero potuto vedere la stessa luce.

Acqua all'acqua, fuoco al fuoco, follia alla follia. E morte alla morte.

Hulot rabbrividì come se il condizionatore avesse portato di colpo un soffio di vento dal Polo Nord. E forse la voce di Frank veniva dallo stesso posto.

«Signori, in questa cassetta c'è Belzebù in persona. Quest'uomo forse è pazzo da legare, ma è di una lucidità e di un'astuzia sovrumane.»

Indicò con la mano il video ancora acceso, sul quale permaneva l'effetto neve.

«Avete visto com'è vestito. Avete visto i gomiti e le ginocchia. Non so se fosse sua intenzione registrare la cassetta quando è andato a casa di Yoshida. Probabilmente no, perché non poteva sapere della stanza segreta e della perversione particolare del padrone di casa. Forse è stata un'improvvisazione del momento. Forse lo ha sorpreso mentre stava aprendo il suo *sancta sanctorum*. Lo ha divertito l'idea che noi potessimo vederlo mentre uccideva quel poveraccio. No, forse il termine più giusto è *ammirarlo*. E questo per ciò che riguarda la sua pazzia. Morelli, puoi far tornare indietro il nastro?»

L'ispettore puntò il telecomando e la cassetta con uno scatto e un fruscio iniziò a riavvolgersi. Dopo pochi secondi Frank lo bloccò con un gesto della mano.

«Va bene così, grazie. Puoi fermare l'immagine in un punto in cui si veda bene il nostro uomo?»

Morelli premette un pulsante e l'immagine sullo schermo si fermò sulla figura in nero col pugnale sollevato. Lo stop bloccò a mezz'aria una goccia di sangue che stava cadendo dalla lama. Il capo della polizia strinse gli occhi pieni di ribrezzo. Sicuramente quel tipo di spettacolo non faceva parte della sua pratica abituale.

«Ecco qui.»

Frank si avvicinò allo schermo e indicò il braccio alzato dell'assassino all'altezza del gomito.

«L'uomo sapeva che nella casa ci sarebbero state delle telecamere. In ogni caso era al corrente del fatto che telecamere di controllo sono posizionate un po' dappertutto nel Principato. Sapeva che, portando la macchina al Parking des Boulingrins, correva il rischio di essere ripreso e registrato. E soprattutto sapeva che un parametro di identificazione è rappresentato delle misurazioni antropometriche che possono essere effettuate attraverso l'analisi di una ripresa video. Ci sono dei valori che sono tipici dell'individuo. La grandezza delle orecchie, la distanza dai polsi ai gomiti, la distanza dalle caviglie alle ginocchia. Si possono ricavare con delle apparecchiature che sono parte della dotazione scientifica delle polizie di tutto il mondo. Perciò si è messo queste specie di protesi alle gambe e alle braccia. Così non abbiamo la possibilità di rilevare nulla. Niente viso e niente corpo. Solo la statura, ma quello è un elemento che può appartenere a milioni di persone. Ecco perché dico che è lucido e astuto, oltre che pazzo.»

«Ma proprio qui doveva capitare questo maniaco?»

Roncaille forse sentiva cigolii sinistri provenire dalla sua poltrona di capo della polizia. Guardò Frank cercando di recuperare una parvenza di freddezza.

«Cosa avete intenzione di fare, adesso?»

Frank guardò Hulot. Il commissario capì che gli stava lasciando la parola a uso e consumo della considerazione di Roncaille.

«Stiamo indagando su diversi fronti. Abbiamo poche tracce, ma qualche cosa abbiamo. Stiamo aspettando da Lione i risultati di analisi approfondite sui nastri delle telefonate. Cluny, lo psicologo, sta preparando un rapporto sul soggetto, in base sempre agli stessi nastri. Ci sono i risultati dei rilievi sulla barca, sulla macchina di Yoshida e a casa sua. Non è che da lì ci aspettiamo granché, ma può sempre scapparci qualcosa. I protocolli delle autopsie non hanno detto molto di più di quello che era stato rilevato a un primo esame. Il solo vero legame che abbiamo con l'assassino sono le telefonate che ha fatto a Radio Monte Carlo prima di colpire. Stiamo tenendo sotto controllo l'emittente ventiquattr'ore su ventiquattro. Purtroppo, come abbiamo visto, quell'uomo è di un'astuzia e una preparazione pari solo alla sua ferocia. Per il momento possiamo solo sperare che commetta un errore. Abbiamo predisposto un reparto, di cui si occupa l'ispettore Morelli, che riceve le telefonate e controlla tutte le segnalazioni sospette...»

Morelli si sentì chiamato in causa.

«Ne sono arrivate moltissime, e dopo questo nuovo omicidio penso che ne arriveranno ancora di più. A volte sono cose deliranti, del genere extraterrestri e angeli vendicatori, ma per il resto cerchiamo di non tralasciare niente. Va da sé che per controllare tutto ci vuole tempo e personale e non sempre li abbiamo.»

«Uhmm. Per questo vedrò cosa posso fare. Posso sempre chiedere in appoggio uomini della polizia francese. È inutile che vi dica che il Principato di questa faccenda ne avrebbe fatto volentieri a meno. Abbiamo sempre avuto un'immagine di sicurezza, di un'isola felice in mezzo ai casini che succedono dappertutto nel mondo. Adesso che questo pazzo ci ha messo davanti un numero impressionante di morti ammazzati, dobbiamo uscirne dando prova di un'efficienza adeguata a quell'immagine. In poche parole, dobbiamo prenderlo. E al più presto. Prima che ammazzi altra gente.»

Roncaille si alzò lisciandosi le pieghe sui calzoni di lino.

«Bene, vi lascio lavorare. Vi confesso che le informazioni che voi avete appena dato a me, fra poco le dovrò riferire io al procuratore generale. Ed è un compito del quale farei volentieri a meno. Hulot, ci tenga informati a qualsiasi ora del giorno o della notte. In bocca al lupo, signori.»

Si avviò verso la porta, la aprì e uscì dall'ufficio, richiudendola delicatamente alle sue spalle. Il senso delle parole, ma soprattutto il tono della sua voce, lasciavano pochi equivoci su quel «dobbiamo prenderlo». Il senso preciso era «dovete prenderlo», e la minaccia di ritorsioni spiacevoli in caso di insuccesso non era neanche tanto velata.

21

Frank, Hulot e Morelli rimasero nella stanza ad assaporare il gusto amaro della sconfitta. Avevano avuto una traccia e non l'avevano capita. Avevano avuto la possibilità di fermare un assassino e ora avevano soltanto un altro cadavere con la testa scuoiata steso sul tavolo di un obitorio. Roncaille per il momento era solo venuto in avanscoperta, era arrivato per fare un giro di ricognizione in attesa della battaglia vera e propria. Voleva avvertirli che da lì in poi si sarebbero scatenate delle forze che potevano richiedere la caduta di molte teste. E che nel caso la sua non sarebbe caduta da sola. Punto e basta.

Bussarono alla porta.

«Avanti.»

Dall'uscio socchiuso fece capolino il viso marcato di Claude Froben.

«Commissario Froben a rapporto.»

«Ah, ciao Claude, vieni dentro.»

Froben entrò e si accorse immediatamente dell'aria di disfatta che tirava nella stanza.

«Salve a tutti. Ho incrociato Roncaille, qui fuori. Brutto momento, eh?»

«Che peggio non si potrebbe.»

«Tieni, Nicolas, ti ho portato un regalo. Sviluppate a tempo di record esclusivamente per te. Per il resto, mi spiace, ma dovrai aspettare ancora un po'.»

Appoggiò sulla scrivania la busta marrone che teneva in mano. Frank si alzò dalla poltrona e andò ad aprirla. Dentro c'erano delle foto in bianco e nero. Le sfogliò e vide una versione statica di quello che aveva già visto nel video, una stanza vuota che era l'immagine metafisica di un delitto. La stanza dove una figura in nero aveva macellato un uomo con l'animo più nero ancora. Adesso non c'erano più né l'uno né l'altro.

Scorse velocemente le foto e le porse a Hulot. Il commissario le appoggiò sulla scrivania senza nemmeno guardarle.

«Trovato qualcosa?» chiese senza eccessiva speranza a Froben.

«Ti puoi immaginare con che cura i miei ragazzi possano aver setacciato quella stanza e la casa in generale. C'è un mucchio di impronte, ma come sai avere molte impronte a volte è come non averne nessuna. Se mi fai avere quelle del cadavere possiamo confrontarle per un'identificazione definitiva. Abbiamo trovato dei capelli sulla poltrona, e anche se ci sono serie probabilità che siano quelli di Yoshida…»

«I capelli *sono* quelli di Yoshida. E il morto è lui al cento per cento», lo interruppe Hulot.

«Come fai a esserne così sicuro?»

«Prima che continuiamo mi sembra giusto che tu veda una cosa.»

«Che cosa?»

Hulot si appoggiò allo schienale e si girò verso Morelli.

«Siediti e tieniti forte. Morelli, fai partire il nastro, per favore.»

L'ispettore puntò il telecomando e di nuovo lo schermo fu pieno della macabra danza dell'uomo che uccide intorno all'uomo che deve morire. Il suo pugnale sembrava un ago che cuciva la morte sui vestiti di Yoshida, un costume rosso di sangue per il carnevale dell'inferno. Froben aveva gli occhi sbarrati. Quando il film si chiuse sull'inchino asimmetrico pieno di compiacimento dell'uomo in nero, impiegò alcuni istanti per ritrovare le parole.

«Cristo santo, ma qui non siamo più sulla terra… Quasi quasi mi viene da farmi il segno della croce. Cosa può esserci nella testa di quell'uomo?»

«Tutto il talento che la pazzia può mettere a disposizione della malvagità: sangue freddo, intelligenza e astuzia. E nemmeno il minimo accenno di pietà.»

Nelle parole di Frank c'era la sua condanna, ed era la stessa dell'assassino che aveva di fronte. Nessuno dei due si poteva fermare. Quello avrebbe continuato a uccidere finché lui non lo avesse inchiodato a un muro. E per riuscirci doveva abbandonare la sua mente di uomo razionale per indossare anche lui un costume nero.

«Froben, cosa ci dici delle cassette trovate da Yoshida?»

Frank passò di colpo da un argomento all'altro usando lo stesso tono di voce.

Per un istante il commissario sembrò contento che il discorso avesse preso un'altra direzione. C'era una luce negli occhi di quell'americano che lo intimoriva ogni volta. E la sua voce a tratti aveva il suono di chi bisbiglia formule magiche per evocare fantasmi. Froben indicò il monitor con una smorfia.

«Roba tipo questa, da ghiacciare il sangue nelle vene. Abbiamo avviato un'indagine e adesso stiamo a vedere dove ci porta. Ci sono delle cose là dentro che mi hanno fatto pensare che il defunto signor Yoshida non fosse in vita un elemento molto migliore di quello che lo ha ammazzato. Cose da azzerare completamente la fiducia negli esseri umani. Confermo che secondo me quel sadico bastardo ha avuto la fine che si meritava.»

Hulot, seduto alla scrivania, diede finalmente voce al suo pensiero.

«C'è una cosa che mi sto chiedendo. Secondo voi, perché l'assassino ha sentito il bisogno di farci questa cassetta?»

Frank fece due passi nella stanza in direzione della finestra. Si appoggiò al davanzale di marmo. Guardò fuori dai vetri una strada che in quel momento non vedeva.

«Non l'ha fatta per noi.»

«Cosa vuol dire "non l'ha fatta per noi"?»

«C'è un punto, verso la fine della ripresa, in cui, prima di spegnere l'apparecchio, si è bloccato. *In quel momento* ha pensato a noi. Allora si è girato e ci ha fatto l'inchino. No, la cassetta non l'ha fatta per noi…»

«E per chi l'ha fatta, allora?»

Froben si girò ma vide solo le spalle e la nuca dell'americano.

«L'ha fatta per Yoshida.»

«Per Yoshida?»

Frank ritornò lentamente al centro della stanza.

«Certo. Avete visto che lo ha colpito in modo che nessuna delle ferite risultasse mortale. Yoshida è morto dissanguato, lentamente. Come vedete, il male a volte ha una sua bizzarra forma di omeopatia. Chi lo ha ucciso gli ha fatto rivedere su questa cassetta la sua stessa morte.»

Quinto carnevale

L'uomo è rientrato.

Ha bloccato con cura dietro di sé la porta ermetica nel suo posto dalle pareti di metallo. Silenzioso e solo, come sempre. Adesso è di nuovo chiuso fuori dal mondo, esattamente come il mondo è chiuso fuori.

Sorride mentre appoggia delicatamente sul tavolo di legno contro la parete uno zaino di tela scura. Questa volta è sicuro di non aver commesso errori. Si siede e accende la luce sul tavolo col gesto solenne di un rituale. Fa scattare le fibbie a pressione dello zaino e lo apre con gli stessi movimenti da cerimonia. Ne estrae una scatola nera di cartone cerato. La appoggia sul piano e rimane un attimo a osservarla, come davanti a un regalo, quando si rimanda volutamente il gusto di scoprire che cosa c'è dentro.

La notte non è trascorsa invano. Il tempo si è docilmente piegato alle sue necessità. Un altro uomo inutile si è piegato al suo bisogno e gli ha fornito quello che gli serviva. La musica è libera, adesso, e nella sua testa risuona la marcia trionfale della vittoria.

Apre la scatola e ci infila con attenzione le mani. La luce della lampada da tavolo illumina la faccia di Allen Yoshida mentre viene estratta delicatamente dall'involucro di cartone. Alcune gocce di sangue cadono e si aggiungono ad altre gocce sul fondo della scatola. Il sorriso dell'uomo si allarga. Questa volta è stato molto attento. Ha usato come supporto per il suo trofeo la testa di un manichino in plastica leggera, del tipo che usano i parrucchieri per appuntare i posticci.

Guarda attento la maschera funebre e il suo sorriso acquista una nuova ragion d'essere. Pensa che nulla è cambiato. Dal vuoto di uno stupido manichino umano alla plastica inerte di un altro pupazzo.

Passa delicatamente le mani sull'epidermide tesa, accarezza i capelli a cui la morte ha tolto la luce, controlla che non ci siano danni sulla cute o sulla pelle. Nessun taglio, nessuna escoriazione. Il giro delle occhiaie è netto. Le labbra, il punto più difficile, sono piene e carnose. Solo alcune macchie di sangue offuscano la bellezza di quel volto.

Ottimo lavoro. Si rilassa un istante contro lo schienale e incrocia le mani dietro la nuca. Inarca la schiena per tirare i muscoli del collo.

L'uomo è stanco. La notte è stata proficua ma estremamente faticosa. La tensione si sta allentando a poco a poco e arriva a esigere il suo prezzo.

L'uomo sbadiglia ma non è ancora tempo di riposare. Deve prima finire il suo lavoro. Si alza e va ad aprire un mobile. Prende una scatola di Kleenex e un flacone di liquido per disinfettare e torna a sedersi al tavolo. Inizia delicatamente a ripulire la maschera dalle macchie di sangue.

Adesso la musica nella sua testa ha il suono pacato di certi motivi new-age, ondeggia nel contrappunto delicato di cori ariosi. C'è uno strumento etnico, forse un flauto di Pan, che accarezza la sua mente con lo stesso movimento delicato con cui lui accarezza quello che era stato il volto di un uomo.

Ora ha finito. Sul tavolo, di fianco alla maschera, alcuni fazzolettini macchiati di un colore rosato. L'uomo ammira con gli occhi socchiusi il suo capolavoro.

Da quando è entrato non ha praticamente fatto rumore, ma la voce arriva lo stesso piena di apprensione.

Sei tu, Vibo?

L'uomo solleva la testa e guarda verso la porta che si apre di fianco alla scrivania a cui lui sta seduto.

«Sì, sono io, Paso.»

Come mai hai tardato tanto? Mi sono sentito solo, qui al buio.

L'uomo ha uno scatto di nervosismo, che però non traspare nella sua voce. Gira il viso verso l'apertura in penombra della porta alla sua sinistra.

«Non sono stato a divertirmi, Paso. Quello che sono andato a fare l'ho fatto per te…»

C'è un leggero tono di rimprovero, che provoca una risposta improvvisamente remissiva.

Lo so, Vibo, lo so. Mi dispiace. Scusami. È solo che il tempo non passa mai quando tu sei via.

L'uomo sente dentro uno sbuffo di tenerezza. La sua piccola collera si placa. È di colpo il leone che ricorda i giochi infantili della cucciolata. È il lupo che difende e protegge i più deboli del suo branco.

«Tutto bene, Paso. Adesso dormirò qui, con te. E in più ti ho portato un regalo.»

Voce sorpresa. Voce impaziente.

Che cosa, Vibo?

Sul volto dell'uomo torna il sorriso. Rimette il volto nella scatola e chiude il coperchio. Spegne la lampada davanti a sé. Questa volta tutto sarebbe stato perfetto. Sempre sorridendo, prende la scatola e va verso la porta oltre la quale ci sono il buio e la voce.

Accende con il gomito la luce da un interruttore sulla sinistra.

«Una cosa che ti piacerà, vedrai…»

L'uomo entra nella stanza. È un locale spoglio, dalle pareti di metallo verniciato di grigio, color del piombo. Sulla destra un letto in ferro molto spartano con a fianco un tavolino da notte in legno altrettanto semplice. Sul piano del mobile un'abat-jour e nient'altro. La coperta è tirata, senza una piega. Il cuscino e il tratto di lenzuolo ripiegato sulla coperta sono perfettamente puliti.

Parallela al letto, a circa un metro di distanza, c'è una teca di cristallo lunga un paio di metri, sospesa da terra su due cavalletti di legno simili a quelli che reggono il tavolo nell'altra stanza. Il fondo della teca è collegato tramite un foro a un tubo di gomma con guarnizione ermetica che finisce in una piccola macchina appoggiata a terra, fra le gambe del cavalletto più vicino alla porta. Dalla macchina parte un cavo elettrico che finisce in una presa di corrente.

Steso nella teca c'è un corpo mummificato. È il cadavere di un uomo alto più o meno un metro e ottanta, completamente nudo. Le membra rinsecchite rivelano quella che doveva essere una corporatura molto simile a quella dell'uomo, anche se adesso la pelle incartapecorita si è ritirata mettendo in evidenza le costole, ha tirato fuori le articolazioni delle ginocchia e dei gomiti che sporgono come negli arti di certi animali.

L'uomo si avvicina e appoggia la mano al cristallo. Il calore disegna un leggero alone sul vetro perfettamente pulito.

Il suo sorriso si è fatto più ampio. Solleva la scatola e la tiene sospesa sopra il cadavere, all'altezza del volto incartapecorito.

Dai, Vibo, dimmi che cos'è.

L'uomo guarda il corpo con affetto. Percorre con lo sguardo il volto scarnificato da cui qualcuno, con abilità chirurgica, ha asportato completamente la pelle del viso e la cute della testa. L'uomo sorride misterioso al sorriso del cadavere, cerca con gli occhi i suoi occhi spenti, spia con ansia la fissità della sua espressione come se percepisse un mutamento nei muscoli rinsecchiti che hanno il colore della cera grigia.

«Vedrai, vedrai. Vuoi un po' di musica?»

Sì. No. No, dopo, prima fammi vedere che cos'hai lì dentro. Fammi vedere cosa mi hai portato.

L'uomo fa un passo indietro, come se giocasse con un bambino che bisogna tenere a freno per difenderlo dalla sua stessa impazienza.

«No, il momento è importante, Paso. Ci vuole un po' di musica. Aspettami, torno subito.»

No, dai Vibo, dopo, adesso fammi…

«Ci metto un secondo, aspetta.»

L'uomo appoggia la scatola su una sedia pieghevole in legno aperta di fianco al contenitore trasparente.

Sparisce oltre la porta. Il cadavere rimane solo, immobile nella sua piccola eternità, a fissare il soffitto. Dopo poco, dall'altra stanza, si sentono muoversi nell'aria le note dolenti dell'*Instrumental Solo* di Jimi Hendrix a Woodstock. L'inno americano, tradotto dalla chitarra distorta, ha perso il suo aspetto trionfale. Non ci sono gli eroi e le loro bandiere. C'è solo il rimpianto di chi è partito per una qualunque stupida guerra e il pianto di chi, per quella stessa stupida guerra, non l'ha più visto tornare.

La luce nell'altra stanza si spegne e l'uomo ricompare nel vano scuro della porta.

«Ti piace questa, Paso?»

Certo, lo sai che mi è sempre piaciuta. Ma adesso, dai, fammi vedere cosa mi hai portato…

L'uomo si avvicina alla scatola posata sulla sedia. Il sorriso non si è mai spento sul suo viso. Solleva il coperchio con gesto solenne e lo appoggia a terra, di fianco alla sedia. Prende la scatola e la mette sulla teca, all'altezza del petto del corpo steso all'interno.

«Vedrai, ti piacerà. Sono sicuro che ti starà benissimo.»

Estrae dalla scatola, con gesti preziosi, il volto di Allen Yoshida avvolto intorno al manichino come una maschera di plastica. I capelli hanno un movimento come se fossero ancora vivi, come se fossero sfiorati da un vento che lì, sottoterra, non sarebbe mai arrivato.

«Ecco, Paso. Guarda.»

Oh, Vibo, è proprio bellissima. È per me?

«Certo che è per te. Adesso te la metto subito.»

L'uomo, la maschera nella mano sinistra, con la destra va a premere un pulsante posto sulla sommità della teca. Si sente il leggero sibilo dell'aria che riempie la bara trasparente. Adesso all'uomo è possibile sollevarne il coperchio, che si apre ruotando su cerniere poste sul lato destro del cofano.

Tenendo la maschera con due mani, la appoggia con attenzione sul viso del cadavere, muovendola delicatamente per far combaciare le aperture degli occhi con gli occhi vitrei del morto, il naso al naso, la bocca alla bocca. Infila con precauzione infinita una mano dietro la nuca del cadavere, per sollevarla e far aderire la maschera anche alla parte posteriore, avvicinando i lembi in modo che non facciano pieghe.

La voce è impaziente e timorosa insieme.

Come mi sta, Vibo? Mi fai vedere?

L'uomo si allontana di un passo e guarda incerto il risultato del suo lavoro.

«Aspetta. Aspetta solo un attimo. Manca una cosa…»

L'uomo si avvicina al tavolino da notte, apre il cassetto e ne estrae un pettine e uno specchio da toeletta. Ritorna al capezzale del morto con l'ansia di un pittore che torna a un quadro incompiuto, a cui manca solo un'ultima definitiva pennellata di colore per essere un capolavoro.

Con il pettine ravviva i capelli della maschera, ormai opachi, senza lucentezza, quasi a volerci dare un tocco della vita che non hanno più. L'uomo è padre e madre, in questo momento. È la dedizione senza tempo e senza confini. Nei suoi gesti ci sono una tenerezza e un affetto infiniti, come se avesse dentro di sé vita e calore sufficienti per tutti e due, come se il sangue delle sue vene e l'aria dei suoi polmoni venissero equamente divisi fra lui e il corpo steso senza memoria nella bara di cristallo.

Solleva lo specchio davanti al viso del morto con un'espressione di trionfo.

«Ecco fatto!»

Un attimo di stupefatto silenzio. La chitarra sfilacciata di Jimi Hendrix intona il campo di battaglia percorso dal *Silenzio fuori ordinanza*. Ci sono le ferite di tutte le guerre e la ricerca del senso di tutti quei morti per valori senza valore.

Una lacrima di commozione cade dal viso dell'uomo sul viso del cadavere coperto dalla maschera. Pare una lacrima di gioia del morto.

Vibo, sono bello anch'io, adesso. Ho una faccia come tutti gli altri.

«Sì, Paso, sei veramente bellissimo, più di tutti gli altri.»

Non so come ringraziarti, Vibo. Non so cosa avrei fatto senza di te. Prima...

C'è commozione, nella voce. Ci sono gratitudine e rimpianto. C'è lo stesso affetto e la stessa dedizione che sono negli occhi dell'uomo.

Prima mi hai liberato dal mio male e adesso mi hai regalato... mi hai regalato questo, un viso nuovo, un viso bellissimo. Come potrò mai sdebitarmi con te?

«Non devi neanche dirlo, capito? Non devi dirlo mai. Io l'ho fatto per te, per noi, perché gli altri sono in debito e ci devono restituire tutto quello che ci hanno rubato. Farò di tutto per ripagarti di quello che ti hanno fatto, te lo prometto...»

Quasi a sottolineare tutta la minaccia contenuta in quella promessa, la musica diventa di colpo l'energia trascinante di *Purple Haze*, la mano di Hendrix che tormenta le corde di metallo nella sua corsa rumorosa verso la libertà e l'annientamento.

L'uomo richiude il coperchio che si appoggia senza rumore alla guida di gomma. Si avvicina al compressore posto a terra e preme il pulsante. Con un ronzio la macchina si mette in moto e inizia a estrarre l'aria dall'interno della bara. Per effetto del vuoto la maschera aderisce ancora meglio al viso del morto, provocando una leggera piega su un lato che dà al cadavere l'espressione di un sorriso soddisfatto.

L'uomo si dirige verso il letto togliendosi la maglia nera che indossa. La getta su uno sgabello appoggiato alla struttura di ferro in fondo al letto. Continua a spogliarsi fino a rimanere nudo. Infila il suo corpo atletico fra le lenzuola, appoggia il capo al cuscino e rimane steso sulla schiena a fissare il soffitto, nella stessa posizione del corpo steso nella sua bara lucente.

La luce si spegne. Arriva dall'altra stanza solo il chiarore smorzato dei led rossi e verdi delle apparecchiature elettroniche, furtivi come occhi di gatto in un cimitero.

La musica è finita.

Nel silenzio di tomba, l'uomo vivo scivola in un sonno senza sogni come quello dei morti.

22

Frank e Hulot arrivarono alla piazza centrale di Eze Village lasciando alla sinistra la boutique di Fragonard, la fabbrica di profumi. Frank ricordò con una stretta al cuore che Harriet ci aveva fatto incetta di essenze nel loro precedente viaggio in Europa. Rivide il suo corpo esile e pieno sotto il tessuto compiacente del leggero abito estivo, mentre tendeva l'interno del polso a ricevere lo spruzzo di acqua di colonia per il test. La rivide strofinare la parte con la mano e attendere che il liquido fosse evaporato, prima di sentire quasi con sorpresa l'aroma combinato della pelle con il profumo.

Uno di quei profumi l'aveva addosso il giorno che…

«Sei qui o ti devo venire a prendere nel posto dove stai?»

La voce di Nicolas spense di colpo le immagini che Frank aveva davanti agli occhi. Si accorse di essersi estraniato completamente.

«No, sono qui. Solo un po' stanco, ma ci sono.»

In effetti, quello più stanco era Nicolas. Aveva gli occhi cerchiati e arrossati di chi ha passato una notte insonne e ha un bisogno disperato di una doccia tiepida e un letto fresco, nell'ordine. Frank era salito a Parc Saint-Roman e aveva dormito qualche ora nel pomeriggio, ma lui era rimasto in ufficio per espletare tutta la parte burocratica che un'indagine di polizia comporta. Lasciandolo alla centrale, Frank aveva pensato che il giorno in cui i poliziotti non fossero stati più costretti a perdere metà del loro tempo per compilare scartoffie si sarebbero salvate contemporaneamente le foreste dell'Amazzonia e le persone per bene dal crimine.

Adesso stavano salendo per la cena verso la casa dove abitavano Nicolas e sua moglie Céline. Si lasciarono alle spalle il parcheggio, i ristoranti e i negozi di souvenir svoltando a sinistra, su per la strada che conduceva verso la sommità del paese. Poco sotto la chiesa che domina Eze c'era la casa di Nicolas Hulot, una villetta dall'intonaco chiaro e i tetti scuri. Era costruita in bilico sulla vallata, al punto che Frank si era chiesto più volte quali accorgimenti avesse adottato l'architetto che l'aveva progettata per impedirle di seguire la forza di gravità e staccarsi rotolando verso il basso.

Parcheggiarono la Peugeot nel posto macchina riservato e Frank si accodò a Nicolas mentre apriva la porta. Entrarono in casa. Frank rimase in piedi nel corridoio guardandosi intorno. Nicolas chiuse l'uscio alle loro spalle.

«Céline, siamo arrivati.»

La testa bruna della signora Hulot fece capolino dalla porta della cucina in fondo al corridoio.

«Ciao, amore. Ciao, Frank, vedo che sei sempre il bell'uomo che ricordavo. Come stai?»

«A pezzi. L'unica cosa che può rimettermi insieme è la tua cucina. A giudicare dal profumo mi pare che ci siano ottime possibilità di guarigione.»

La signora Hulot fece un sorriso che illuminò il suo viso abbronzato. Uscì dalla cucina asciugandosi le mani con uno strofinaccio.

«È quasi pronto. Nic, offri a Frank qualcosa da bere mentre aspettate. Sono un po' in ritardo. Purtroppo oggi ho perso un sacco di tempo a mettere in ordine la camera di Stéphane. Gliel'ho detto mille volte di cercare d'essere un po' più ordinato, ma non c'è verso. Quando esce di casa la sua stanza è sempre un disastro.»

La donna rientrò in cucina con uno svolazzo di gonna. Frank e Nicolas si guardarono. Negli occhi del commissario passò l'ombra di una pena che non sarebbe finita mai.

Stéphane, il figlio ventenne di Céline e Nicolas Hulot, era morto per le conseguenze di un incidente d'auto qualche anno prima, dopo essere stato a lungo in coma. Da quel momento in poi, la mente di Céline si era rifiutata di accettare la morte del figlio. Era rimasta la donna di sempre, dolce, intelligente e arguta, senza nulla perdere della sua personalità. Semplicemente si comportava come se Stéphane fosse giornalmente in giro per casa, invece di essere una foto e un nome sulla lapide di un cimitero. I medici che l'avevano vista, dopo alcune sedute si erano stretti nelle spalle, consigliando a Hulot di assecondare l'innocua mania della moglie, considerandola in definitiva una provvidenziale via di salvezza da danni psichici peggiori.

Frank conosceva il problema di Céline Hulot e ci si era adeguato fin da quando era stato la prima volta in Europa, tempo prima. La stessa cosa aveva fatto Harriet, quando erano stati in vacanza in Costa Azzurra.

Dopo la morte di Harriet, l'amicizia fra lui e Nicolas si era fatta ancora più salda. Ognuno conosceva la pena dell'altro e solo in virtù di questo legame Frank aveva accettato il suo invito a tornare nel Principato di Monaco.

Hulot si tolse la giacca e l'appese a un attaccapanni Thonet in faggio curvato a vapore, contro la parete a sinistra. Tutta la casa era arredata con mobili di modernariato, frutto di un'accurata ricerca, che riportavano piacevolmente all'epoca in cui la casa era stata costruita.

Precedette Frank nel salone di casa, che si apriva attraverso due portefinestre su un ampio terrazzo da cui si dominava la costa.

Fuori, il tavolo per la cena era apparecchiato con cura, con un mazzo di fiori gialli e viola in un vaso al centro della tovaglia immacolata. C'era aria di casa, di cose semplici ma scelte con cura, con amore per la vita tranquilla, senza ostentazioni. C'era il legame indissolubile fra Nicolas e sua moglie, il dolore per quello che non era più, il rimpianto per tutto quello che avrebbe potuto esserci e non c'era stato.

Frank lo poteva sentire chiaramente nell'aria. Era uno stato d'animo che conosceva a perfezione, quel senso di perdita che la vita porta inevitabilmente con sé nei posti che tocca con la mano dura del dolore. Eppure, stranamente, invece di esserne spaventato, qui Frank trovava un po' di pace, negli occhi vivi di Céline Hulot, che aveva avuto il coraggio di sopravvivere al figlio morto rifugiandosi nel porto tranquillo della sua innocente follia.

Frank la invidiava ed era sicuro che anche il marito provava lo stesso sentimento. Per lei i giorni non erano numeri che una mano cancellava quotidianamente da un elenco, per lei il tempo non era l'attesa interminabile di qualcuno che non sarebbe mai più arrivato. Céline aveva il sorriso felice di chi sta in una casa vuota e sa che le persone che ama rientreranno entro poche ore.

«Che vuoi bere, Frank?» chiese Hulot.

«Il profumo nell'aria racconta storie di cibo francese. Che ne dici di un aperitivo francese? Io azzarderei addirittura un Pastis.»

«Andata.»

Nicolas si diresse verso un mobile bar e iniziò a trafficare con bicchieri e bottiglie. Frank uscì sul terrazzo e rimase in piedi a guardare il panorama. Da lì si dominava un lungo tratto della costa, le insenature e le rientranze e i promontori che finivano in mare come dita protese a indicare l'orizzonte. Il rosso di quel tramonto era per tutti la promessa di un altro giorno d'azzurro che a loro era negata.

Forse quella storia l'aveva definitivamente segnato, ma a Frank venne in mente il titolo di un album di Neil Young, «Rust Never Sleeps».

La ruggine non dorme mai.

Davanti ai suoi occhi c'erano tutti i colori del paradiso. Acqua azzurra, montagne verdi immerse nel mare, l'oro rosso del cielo in quel tramonto così dolce da spaccare il cuore.

Ma a calpestare il suolo c'erano loro, gli uomini di questa terra, uguali a uomini di cento altri posti, in guerra su ogni cosa e d'accordo su una sola: il tentativo disperato di distruggere tutto quanto.

Noi siamo la ruggine che non dorme mai.

Sentì Nicolas arrivare alle sue spalle. Se lo trovò a lato, con due bicchieri in mano, pieni di liquido opaco e lattiginoso. Il ghiaccio tintinnò contro il vetro mentre Nicolas gli porgeva l'aperitivo.

«Tieni, sentiti francese per un sorso o due, poi torna a essere americano, che per ora mi servi così.»

Frank portò il bicchiere alle labbra, sentendo il gusto e il profumo pungente dell'anice in bocca e nelle narici. Bevvero con calma, in silenzio, uno di fianco all'altro, soli e definiti davanti a qualcosa che pareva non avere fine. Era passata una giornata dalla scoperta del cadavere di Yoshida e non era successo niente. Un giorno speso inutilmente alla caccia di un indizio, una traccia. Un'attività frenetica che pareva una corsa a perdifiato su una strada che si perdeva a vista d'occhio all'orizzonte. Tregua. Ecco quello che desideravano. Un solo breve istante di tregua. Eppure anche in quel momento, nel momento in cui erano loro due e nessun altro, c'era una presenza e non riuscivano a trovare il modo di esorcizzarla.

«Che facciamo, Frank?»

L'americano prese tempo e bevve un altro sorso.

«Non lo so, Nicolas. Non lo so proprio. Non abbiamo quasi niente in mano. Notizie da Lione?»

«L'analisi del primo nastro è stata completata ma ha dato sostanzialmente gli stessi risultati che ci aveva dato Clavert, a Nizza. Per cui nutro le stesse speranze per il secondo. Cluny, lo psicologo, ha detto che domani mi farà avere un rapporto. Ho mandato anche una copia del video che abbiamo trovato in macchina per vedere se salta fuori qualche indicazione dalle misurazioni, ma se è come hai detto tu, anche da lì ricaveremo ben poco...»

«Novità da Froben?»

«Nessuna. In casa di Yoshida non hanno trovato niente. Tutte le impronte nella stanza dove è stato ucciso sono le sue. Le impronte di piedi sul pavimento indicano la stessa misura di scarpe delle impronte trovate sulla barca di Jochen Welder, per cui abbiamo la magra consolazione di sapere che l'assassino calza il 43.

I capelli sulla poltrona sono quelli del morto, il sangue è del suo gruppo, zero Rh negativo.»

«Sulla Bentley i tuoi hanno scoperto qualcosa?»

«Anche lì, stesso discorso. Impronte di Yoshida a bizzeffe e sul volante altre impronte che stiamo confrontando con quelle delle guardie del corpo che guidavano la macchina di volta in volta. Ho ordinato una perizia calligrafica della scritta sul sedile, ma non so se hai notato che era molto simile alla prima. Uguale, direi.»

«Già.»

«L'unica cosa che abbiamo è la speranza che continuino le telefonate a Jean-Loup Verdier e che quel maniaco commetta finalmente un errore che ci permetta di beccarlo.»

«Pensi che sia il caso di mettere quel ragazzo sotto protezione?»

«A scanso di equivoci l'ho già fatto. Mi ha telefonato e mi ha detto che casa sua è circondata perennemente da giornalisti. L'ho pregato di non parlarci e ne ho approfittato per mettere una macchina con due agenti a piantonarla. Ufficialmente per accompagnarlo avanti e indietro dalla radio senza farlo cadere nelle loro grinfie. In realtà mi sento più sicuro così, anche se ho preferito non dirgli niente per non spaventarlo. Per il resto possiamo solo continuare a tenere la radio sotto controllo, come stiamo facendo.»

«Bene. Sulle vittime?»

«Stiamo indagando, con la polizia tedesca e con i tuoi colleghi dell'FBI. Stiamo scavando nella loro vita ma per adesso non è saltato fuori niente. Tre persone famose, due americani e un europeo, persone dalla vita intensa ma che non hanno nessun punto in comune fra di loro a parte quelli che ci siamo già detti. Non c'è assolutamente nulla che le accomuni, tranne di essere state tutte e tre uccise in un modo barbaro dallo stesso assassino.»

Frank finì il suo Pastis e appoggiò il bicchiere alla ringhiera in ferro battuto del terrazzo. Sembrava perplesso.

«Che c'è, Frank?»

«Nicolas, non ti succede mai di avere qualcosa in mente ma non sai cosa? Come quando vuoi ricordare, che ne so, il nome di un attore che conosci benissimo ma che in quel momento, per quanti sforzi tu faccia, non ti viene?»

«Certo, mi è già successo un sacco di volte, in passato. Poi alla mia età diventa all'ordine del giorno.»

«C'è qualcosa che ho visto o qualche cosa che ho sentito, Nicolas. Qualche cosa che *dovrei* ricordare ma che non mi viene in mente. E ci sto diventando matto perché sento che è un dettaglio importante…»

«Spero che ti venga in mente il più in fretta possibile, di qualsiasi cosa si tratti.»

Frank si girò, voltando le spalle a quella splendida vista, come se lo distraesse dalle sue riflessioni. Appoggiò la schiena contro la ringhiera e strinse le braccia al petto. Sul suo viso c'era tutta la stanchezza di una notte insonne e la febbre dell'energia nervosa che lo teneva in piedi.

«Vediamo un po', Nicolas. Abbiamo un assassino a cui piace la musica. Un intenditore che, prima di ogni omicidio, telefona a un dee-jay che conduce una trasmissione di successo su Radio Monte Carlo per avvertire delle sue intenzioni. Lascia un indizio musicale che non viene recepito come tale e subito dopo uccide due persone, un uomo e una donna. Ce le fa trovare in uno stato agghiacciante e in un modo che ha il sapore della derisione. Come firma dei delitti, la scritta *"Io uccido…"* segnata col sangue. Non lascia tracce di sorta. È un uomo freddo, scaltro, preparato e spietato. Cluny parla di un'intelligenza superiore alla media. Io azzarderei *molto* superiore alla media. È così sicuro di sé che nella seconda telefonata ci fornisce un altro indizio, sempre legato alla musica, che noi non riusciamo a decifrare. E uccide di nuovo. In un modo ancora più spietato della volta precedente, in un contesto che ha il sapore di un atto di giustizia ma con un senso della beffa ancora più pronunciato. La cassetta audio in macchina, il video con la ripresa dell'uccisione, l'inchino, la stessa scritta della volta precedente. Nessuno dei cadaveri presenta segni di violenza sessuale, per cui non è un necrofilo. Però a tutte e tre le vittime asporta completamente la pelle della testa. Perché? Perché riserva loro questo trattamento?»

«Non lo so, Frank. Spero che nel rapporto di Cluny ci sia una traccia in questa direzione. Io mi sono rotto la testa ma non riesco neppure a formulare un'ipotesi plausibile.»

«Questo dobbiamo scoprire a tutti i costi, Nicolas. Se riusciamo a sapere il motivo per cui lo fa, sono quasi certo che contemporaneamente sapremo anche chi è e dove trovarlo!»

La voce di Céline arrivò sui quei discorsi pieni di ombre, più dell'oscurità che nel frattempo era scesa su di loro.

«Adesso basta pensare al lavoro.»

La donna appoggiò al centro del tavolo un piatto da portata pieno di cibo fumante.

«Ecco qui, *bouillabaisse*. Piatto unico ma in quantità industriale. Frank, se non ne prendi almeno due volte la riterrò un'offesa personale. Nicolas, ti vuoi occupare del vino, per favore?»

Frank scoprì di essere affamato. Davanti alla zuppa di pesce della signora Hulot, i panini che avevano mangiato quasi senza sentirne il gusto in ufficio sembravano un ricordo lontano. Si sedette al tavolo e aprì il tovagliolo sulle ginocchia.

«Dicono che il cibo è la vera cultura dei popoli. Se è così, direi che la tua *bouillabaisse* sta declamando poesie immortali.»

Céline rise, illuminando con la luce del suo sorriso il bel volto scuro di donna mediterranea. Le sottili rughe intorno ai suoi occhi, invece di sminuirlo, accrescevano il suo fascino.

«Sei un bieco adulatore, Frank Ottobre. Però è piacevole sentirselo dire.»

Hulot osservava Frank da sopra il colore dei fiori a centrotavola. Sapeva quello che aveva dentro e, nonostante tutto, per affetto verso Céline e verso di lui, riusciva a essere delicato e gentile con naturalezza, come poche altre persone al mondo. Ignorava quello che Frank stesse cercando, ma gli augurò di trovarlo in fretta, qualunque cosa fosse, per avere un po' di pace.

«Sei un ragazzo d'oro, Frank», disse Céline indicandolo col

bicchiere come per brindare a lui. «E tua moglie è una donna fortunata. Mi dispiace che non sia venuta con te questa volta. Ma ci rifaremo la prossima. La porterò in giro per negozi a dare un duro colpo alla tua pensione.»

Frank non batté ciglio e mantenne lo stesso sorriso sulle labbra. Solo un'ombra passò velocissima nei suoi occhi, ma si sciolse subito nel calore di quella tavola. Alzò il bicchiere e rispose al brindisi di Céline.

«Certo. So che non parli sul serio. Sei la moglie di un poliziotto e certamente sai che dopo il terzo paio di scarpe esistono gli estremi per la circonvenzione d'incapace.»

Céline rise di nuovo e il momento passò. A una a una, si erano accese le luci della costa e nella notte segnavano il confine tra la terra e il mare. Rimasero lì, a mangiare dell'ottimo cibo e a bere del buon vino, su un terrazzo sospeso nell'oscurità, dove una luce ambrata segnava il confine tra loro e il buio.

Erano due uomini, due sentinelle a guardia di un mondo in guerra, dove la gente si uccideva e moriva, traghettati per un'ora da una donna in pace verso un mondo gentile in cui nessuno poteva morire.

23

Frank si fermò nella piazzetta centrale di Eze, accanto all'insegna che prometteva l'arrivo di un taxi. Nello spazio riservato alle auto pubbliche non c'era nessuna vettura. Si guardò in giro. Nonostante fosse quasi mezzanotte, c'era molto movimento. L'estate stava arrivando e i turisti cominciavano ad affollare la costa, in caccia di ogni angolo suggestivo da riportare a casa accuratamente riposto in un rullino fotografico.

Vide una grossa berlina scura attraversare lentamente la piazza e dirigersi verso di lui. La macchina si fermò alla sua altezza. La portiera dalla parte del guidatore si aprì e ne scese un uomo. Era alto almeno una spanna più di Frank ed era di corporatura robusta ma agile nei movimenti. Aveva un viso squadrato e i capelli castano chiari erano a spazzola, con un taglio di tipo militare. L'uomo girò intorno al muso dell'auto e si fermò davanti a lui. Senza averne alcun motivo apparente, Frank ebbe l'impressione che sotto la giacca di buon taglio portasse una pistola. Non sapeva chi fosse, ma pensò immediatamente che quello era un tipo pericoloso.

L'uomo lo guardò con occhi nocciola privi di espressione. Frank ritenne che potesse avere più o meno la sua età, qualche anno in più, forse.

«Buonasera, Mister Ottobre», disse in inglese.

Frank non mostrò nessuna sorpresa. Un lampo di considerazione passò negli occhi dell'uomo, che però tornarono subito neutri.

«Buonasera. Vedo che conosce già il mio nome.»

«Mi chiamo Ryan Mosse e sono americano come lei.»

A Frank parve di riconoscere un accento del Texas.

«Molto piacere.»

L'affermazione conteneva una domanda implicita. Mosse indicò con la mano l'automobile.

«Se vuole essere così gentile da accettare un passaggio verso Montecarlo, in macchina c'è una persona che avrebbe piacere di parlare con lei.»

Senza attendere risposta, andò ad aprire la portiera posteriore dalla sua parte. Frank vide che all'interno dell'auto c'era una seconda persona, seduta sul sedile dalla parte opposta. Vedeva le gambe dell'uomo che indossava un paio di calzoni scuri, ma non riusciva a scorgerlo in viso.

Frank guardò Mosse dritto negli occhi. Anche lui poteva essere un tipo pericoloso ed era giusto che l'altro lo capisse.

«C'è un motivo particolare per cui dovrei accettare il suo invito?»

«Il primo è che si eviterebbe una camminata di parecchi chilometri fino a casa sua, visto che un taxi è piuttosto difficile da trovare a quest'ora. Il secondo è che la persona che avrebbe piacere di parlare con lei è un generale dell'esercito degli Stati Uniti. Il terzo è che potrebbe trovare un aiuto per risolvere un problema che credo le stia molto a cuore in questo momento…»

Senza tradire la minima emozione, Frank fece un passo verso la portiera spalancata ed entrò nella macchina. L'uomo che stava seduto all'interno era più anziano, ma pareva stampato con la stessa matrice. Il fisico era solo un po' più appesantito, a causa dell'età, ma trasmetteva la stessa sensazione di forza dell'altro. I capelli completamente bianchi ma ancora folti avevano lo stesso taglio militare. Nella luce incerta dell'auto, Frank si vide osservato da un paio di occhi azzurri che spiccavano stranamente giovanili nel viso abbronzato e pieno di rughe. Gli ricordarono quelli di Homer Woods, il suo capo. Pensò che se l'uomo gli avesse detto di essere suo fratello non si sarebbe stupito per niente. Indossava una camicia chiara aperta sul collo, con le maniche rimboccate. Sul sedile anteriore, Frank notò una giacca dello stesso colore dei calzoni.

Fuori, Mosse chiuse la portiera.

«Buonasera, Mister Ottobre. Posso chiamarla Frank?»

«Per adesso penso che Mister Ottobre possa andare bene, *Monsieur*…?» Frank disse la parola volutamente in francese.

Il viso dell'uomo si aprì in un sorriso.

«Vedo che le informazioni che mi hanno dato su di lei corrispondono al vero. Puoi andare, Ryan.»

Mosse nel frattempo era tornato alla guida della macchina. L'auto si avviò dolcemente e il vecchio tornò a rivolgersi a Frank.

«Scusi il modo incivile con cui l'abbiamo fermata. Mi chiamo Nathan Parker e sono un generale dell'esercito degli Stati Uniti.»

Frank strinse la mano che gli veniva tesa. La presa dell'uomo era decisa, nonostante l'età. Frank immaginò che si tenesse in esercizio quotidianamente, per avere quel fisico e quella forza. Rimase in silenzio, in attesa.

«E sono il padre di Arijane Parker.»

Gli occhi del generale cercarono in quelli di Frank un istante di sorpresa e non ce lo trovarono. Ne parve soddisfatto. Si appoggiò al sedile e accavallò le gambe nello spazio ristretto della macchina.

«Lei indovinerà certamente che cosa ci faccio qui.»

Distolse un attimo lo sguardo, come per osservare qualcosa fuori dal finestrino. Qualunque cosa fosse, forse la vedeva solo lui.

«Sono venuto a chiudere il corpo di mia figlia in una bara e a riportarla in America. Il corpo di una donna che qualcuno ha scannato come un animale da macello.»

Nathan Parker si girò verso di lui. Nella luce sfuggente dei fari delle auto che incrociavano, Frank riuscì a vedere lo scintillio nei suoi occhi. Si chiese se ci fosse più rabbia o più dolore.

«Non so se lei ha mai perso una persona cara, Mister Ottobre…»

Frank di colpo odiò quell'uomo. Certamente nelle informazioni che aveva avuto sul suo conto era compresa anche la vicenda di sua moglie. Capì che non la condivideva come un momento di dolore comune, ma semplicemente come merce di scambio. Parker proseguì come se nulla fosse nel suo discorso.

«Io non sono venuto qui a piangere mia figlia. Io sono un soldato, Mister Ottobre. Un soldato non piange. Un soldato si vendica.»

La voce del generale era calma, ma ne traspariva una furia letale.

«Nessun maniaco figlio di puttana può fare quello che ha fatto e sperare di farla franca.»

«Ci sono uomini che stanno lavorando e indagando per lo stesso motivo», disse Frank tranquillamente.

Nathan Parker si girò di scatto verso di lui.

«Frank, a parte lei, questa è gente che non saprebbe dove infilare una supposta neppure se gli si facesse un disegno. E poi lei sa benissimo come vanno le cose in Europa. Io non voglio che questo assassino venga preso e chiuso in un istituto con una perizia di infermità mentale e poi rimesso in libertà dopo un paio d'anni, magari con tante scuse.»

Fece un attimo di pausa e tornò a guardare dal finestrino. L'auto era giunta al fondo della strada che scendeva da Eze Village e stava girando a sinistra per imboccare la *basse corniche* verso Montecarlo.

«Ecco cosa le propongo. Organizzeremo una squadra di uomini in gamba e proseguiremo le indagini per conto nostro. Posso avere tutte le collaborazioni che voglio. FBI, Interpol, perfino la CIA, se serve. Posso far arrivare un gruppo di uomini preparati e addestrati come e meglio di qualunque poliziotto. Ragazzi svegli che non fanno domande, obbediscono e basta. Lei può comandare questo gruppo…»

Indicò con la testa l'uomo che stava guidando l'auto.

«Il capitano Mosse collaborerà con lei. Proseguirete le indagini finché non lo avrete preso. E quando lo avrete preso lo consegnerete a me.»

Nel frattempo la macchina era entrata in città. Si erano lasciati alla sinistra il Jardin Exotique, dopo aver imboccato Boulevard

Charles III. Passando per Rue Princesse Caroline si ritrovarono davanti al porto.

Il vecchio soldato guardò fuori dal vetro il posto dove era stato scoperto il corpo devastato di sua figlia. I suoi occhi si strinsero, come se facesse fatica a vedere fin là. Frank pensò che non c'entrava nulla la vista, ma che era un gesto istintivo determinato dalla rabbia violenta che sentiva agitarsi in quell'uomo. Parker proseguì senza voltarsi. Forse non riusciva a staccare gli occhi dal porto, dove le barche illuminate stavano tranquille alla fonda in attesa di un altro giorno di mare.

«Lì è dove hanno trovato Arijane. Era bella come il sole e aveva un cervello di prim'ordine. Era una ragazza in gamba. Una ribelle, diversa da sua sorella, ma era una ragazza in gamba. Non andavamo molto d'accordo, ma ci rispettavamo, perché eravamo uguali. E me l'hanno uccisa come un animale.»

La voce del soldato tremò leggermente. Frank rimase in silenzio lasciando il padre di Arijane Parker libero di seguire i suoi pensieri.

La macchina costeggiò il porto e si diresse verso l'imboccatura del tunnel. Nathan Parker si appoggiò allo schienale. Le luci gialle della galleria dipinsero sui loro visi colori innaturali.

Quando tornarono all'aria aperta e alla notte, nella zona di Larvotto, mentre la macchina imboccava Rue du Portier, finalmente il vecchio ruppe il silenzio.

«Allora, cosa mi dice Frank? Sono un amico personale di Johnson Fitzpatrick, il direttore dell'FBI. E se serve posso arrivare ancora più in alto. Le garantisco che se accetta la mia proposta non avrà da pentirsene. La sua carriera potrebbe avere un'accelerazione notevole. Se è il denaro che le interessa, non c'è problema. Posso offrirgliene da non aver più problemi per il resto dei suoi giorni. Pensi che è un atto dovuto, è giustizia, non soltanto vendetta.»

Frank mantenne il silenzio che aveva osservato durante tutto il discorso del generale Parker. Anche lui si prese la pausa di uno sguardo fuori dal finestrino. La macchina stava imboccando Boulevard des Moulins. Di lì a poco avrebbe girato a destra per la breve salita che portava a Parc Saint-Roman. Fra le altre cose che sapevano di lui, c'era sicuramente anche il posto dove abitava.

«Vede generale, non sempre tutto è facile come sembra. Lei si comporta come se tutti gli uomini avessero un prezzo. A essere franco, anch'io la penso come lei. C'è un prezzo per tutto. Semplicemente, lei non è riuscito a capire il mio.»

La collera fredda del generale brillava più delle luci dell'ingresso del palazzo.

«È inutile che si atteggi con me a eroe senza macchia e senza paura, Mister Ottobre…»

Quel «Mister Ottobre», sibilato con voce sorda, suonò minaccioso nello spazio ristretto dell'abitacolo.

«Io lo so benissimo chi è lei. Siamo fatti della stessa pasta, noi due.»

La macchina si fermò senza un sussulto davanti all'ingresso a vetri di Parc Saint-Roman. Frank aprì la portiera e scese dalla macchina. Rimase in piedi fuori dall'auto, appoggiato allo sportello. Piegò la testa in modo che l'altro, dall'interno, lo potesse vedere.

«Forse, generale Parker. Ma non completamente. Visto che pare sapere tutto di me, sicuramente saprà anche della morte di mia moglie. Sì, lo so perfettamente cosa vuole dire perdere una persona cara. So cosa vuole dire vivere con i fantasmi. Forse è vero che noi due siamo fatti della stessa pasta. C'è solo una differenza fra lei e me. Io quando ho perso mia moglie ho pianto. Probabilmente non sono un soldato.»

Frank chiuse delicatamente la portiera dell'auto e si allontanò di un passo. Il vecchio abbassò gli occhi un istante in cerca di una risposta e quando li rialzò Frank Ottobre non c'era più.

24

Appena sveglio, senza neanche alzarsi dal letto, Frank compose il numero diretto dell'ufficio di Cooper, a Washington. Nonostante l'ora sulla costa, sperava di trovarlo lì. Rispose al secondo squillo.

«Cooper Danton.»

«Ciao, Cooper, sono Frank.»

Se ci fu stupore da parte sua, Cooper non lo diede a intendere.

«Ciao, brutto ceffo. Come stai?»

«Nella merda.»

Cooper non disse nulla. Il tono di voce di Frank non era quello solito. Nonostante la sua affermazione, c'era una vitalità nuova rispetto a quella della loro precedente telefonata. Attese in silenzio.

«Mi hanno aggregato a un'indagine su un serial killer, qui a Monaco. Una cosa da pazzi.»

«Sì, sui giornali ho letto qualche cosa sulla faccenda. Ne ha parlato anche la CNN. Però Homer non mi ha detto niente sul fatto che c'eri di mezzo tu. È una cosa brutta come dici?»

«Di più, Cooper. Stiamo dando la caccia alle ombre. Questo maniaco sembra essere fatto d'aria. Nessuna traccia. Nessun indizio. E perdipiù ci prende per il culo. Stiamo facendo una figura del cazzo. E abbiamo già tre morti.»

«Vedo che certe cose succedono anche nella vecchia Europa, non solo in America.»

«Già, a quanto pare non abbiamo l'esclusiva… Lì come va?»

«Stiamo seguendo ancora la pista dei Larkin. Jeff è morto e nessuno ne sentirà la mancanza. Osmond è al fresco e non scuce verbo. Però abbiamo delle tracce che sembrano promettere bene. Una strada verso il Sud-est asiatico, una nuova via della droga. Staremo a vedere che succede.»

«Cooper, ho bisogno di un favore.»

«Tutto quello che vuoi.»

«Mi servono informazioni su un certo generale Parker e sul capitano Ryan Mosse, esercito degli Stati Uniti.»

«Parker hai detto? Nathan Parker?»

«Sì, proprio lui.»

«Uhmm, roba grossa, Frank. E quando dico grossa, forse sbaglio per difetto. Quell'uomo è una leggenda vivente. Eroe del Vietnam, la vera mente strategica della guerra del Golfo e dell'intervento in Kosovo. Cose di questo genere. Fa parte dello Stato maggiore dell'esercito, molto vicino alla Casa Bianca. E ti garantisco che quando parla lui lo stanno tutti ad ascoltare, presidente compreso. Che c'entri tu con Nathan Parker?»

«Una delle vittime era sua figlia. E lui è arrivato col coltello in mezzo ai denti perché non si fida della polizia di qui. Temo stia organizzando una *posse* per una sua guerra personale.»

«Come hai detto che si chiama l'altro?»

«Mosse, capitano Ryan Mosse.»

«Questo non lo conosco. In ogni caso mi informo e vedo cosa riesco a trovare. Come faccio a farti avere il dossier?»

«Ho un indirizzo di posta elettronica privato, qui a Monaco. Ti mando subito un'e-mail per fartelo avere. Meglio che non mi mandi niente alla centrale di polizia, è una faccenda che preferisco tenere fuori dalle indagini ufficiali. Abbiamo già troppe complicazioni. Questo è un aspetto che voglio gestire per conto mio.»

«Va bene. Mi metto subito al lavoro.»

«Ti ringrazio, Cooper.»

«Figurati. Per te questo e altro. Frank...»

«Sì?»

«Sono contento per te.»

Frank sapeva benissimo che cosa intendeva il suo amico. Non volle togliergli quell'illusione.

«Lo so, Cooper. Ciao.»

«In bocca al lupo, Frank.»

Chiuse la comunicazione e gettò il cordless sul letto. Si alzò e nudo com'era andò nella stanza da bagno. Evitò di guardare se stesso riflesso nello specchio. Aprì la cabina della doccia e fece scorrere l'acqua. Entrò e si accucciò sul pavimento, sentendo la sferza dell'acqua fredda sul capo e sulle spalle. Rabbrividì e attese il sollievo del getto che a poco a poco diventava tiepido. Si sollevò e iniziò a insaponarsi. Mentre l'acqua trascinava via la schiuma, cercò di aprire la sua mente. Cercò di smettere di essere se stesso e diventare l'altro, quello senza forma e senza volto che stava in agguato da qualche parte.

Un'idea cominciò a farsi strada.

Se era vero quello che sospettava, la povera Arijane Parker era stata veramente una delle ragazze più sfortunate della terra. Si sentì invadere dall'amarezza. Una morte inutile, salvo che nella mente contorta dell'assassino.

Spinse la leva del miscelatore e il getto d'acqua si arrestò. Rimase un istante a gocciolare, guardando l'acqua che usciva con un piccolo gorgo dal foro di scarico.

Io uccido...

Tre punti di sospensione, tre morti. E non era finita. E da qualche parte nella sua testa c'era qualcosa che cercava disperatamente di venire alla luce, un particolare chiuso in una camera buia che batteva con forza contro una porta sbarrata per farsi sentire.

Uscì dalla cabina e prese l'accappatoio dall'attaccapanni alla sua destra. Ripassò mentalmente le sue conclusioni. Non era una certezza ma un'ipotesi senz'altro molto plausibile. E restringeva il campo delle indagini sulle vittime. Non sapevano ancora perché, non sapevano come e quando, ma perlomeno potevano ipotizzare *chi*.

Era così. Era senz'altro così.

Uscì dal bagno e attraversò la camera da letto in penombra. Si trovò nel salotto illuminato da una portafinestra che dava su un terrazzo e si diresse verso la camera che era lo studio del suo ospite, dove c'era un computer. Si sedette alla scrivania, tirò via la fodera di protezione e accese la macchina. Rimase un istante a osservare la tastiera francese, poi si collegò a Internet. Fortunatamente Ferrand, il suo padrone di casa, era uno che non aveva niente da nascondere, perlomeno in quel computer, e aveva lasciato le password in memoria. Mandò un'e-mail a Cooper con l'indirizzo di posta elettronica a cui fargli avere le informazioni che gli servivano. Spense l'apparecchio e andò a vestirsi, sempre rimuginando dentro di sé i suoi pensieri, osservandoli da nuove prospettive per vedere se da qualche parte facessero acqua. Il telefono suonò proprio mentre passava di fianco al tavolino su cui era appoggiato.

Prese in mano la cornetta e attivò la comunicazione.

«Pronto?»

«Frank, sono Nicolas.»

«Proprio tu. Stavo per telefonarti. Ho un'idea in testa, niente di che, ma può essere un punto di partenza.»

«Cosa?»

«Credo di aver capito l'obiettivo del nostro uomo.»

«Vale a dire?»

«Sono gli uomini che gli interessano. Jochen Welder e Allen Yoshida. Erano quelle le sue vere vittime.»

«E Arijane Parker che c'entra, allora?»

«Quella poveretta è servita solo come cavia. Era la prima volta che lo faceva. Quel maniaco voleva avere una persona su cui fare pratica prima di dedicarsi al lavoro vero e proprio, e cioè la testa di Jochen Welder.»

Il silenzio dall'altra parte stava a significare che Hulot ci stava pensando. Dopo poco fece risentire la sua voce.

«Se è così, escludendo le donne, il cerchio delle possibili vittime si restringe parecchio…»

«Sì, Nicolas, uomini intorno ai trenta, trentacinque anni, famosi e di bell'aspetto. Non è un granché ma mi sembra un bel passo avanti. Non ci sono migliaia di persone in questa condizione.»

«È un'ipotesi che mi pare valga la pena di prendere in considerazione.»

«Anche perché al momento non ne abbiamo un'altra migliore. Posso sapere il motivo della tua chiamata?»

«Frank, siamo nel guano più totale. Hai letto i giornali?»

«No.»

«Non c'è un quotidiano in tutta Europa che non dedichi a questa faccenda la prima pagina. Stanno arrivando troupe televisive da tutte le parti. Roncaille e Durand sono scesi ufficialmente sul sentiero di guerra. Deve aver avuto alle spalle pressioni spaventose, a partire dal consigliere per l'Interno più su fino al principe in persona.

«Immagino. Allen Yoshida non era uno leggero.»

«Esatto. Da quella parte poi si è scatenato addirittura l'inferno. Roncaille mi ha detto che è intervenuto il console degli Stati Uniti a Marsiglia, come portavoce del vostro governo. Se non produciamo qualcosa temo che la mia testa sia in serio pericolo. E abbiamo un problema…»

«Quale?»

«Jean-Loup Verdier. Gli sono saltati i nervi. Sotto casa sua c'è una marea di giornalisti che praticamente bivacca lì. La stessa cosa sotto la radio. Bikjalo ci va a nozze. Il programma sta avendo un'audience da Formula Uno. Jean-Loup, invece, credo si sia impaurito e vuole sospendere la trasmissione.»

«Cristo, non può farlo. È l'unico punto di contatto che abbiamo con l'assassino.»

«Io lo so e tu lo sai. Ma vallo a spiegare a lui. Ho provato a mettermi nei suoi panni e non posso dargli tutti i torti.»

«Non possiamo permetterci di perderlo. Se quel pazzo si trova senza un interlocutore può decidere di sospendere le telefonate. Non smetterà di uccidere, ma noi non avremo più il minimo indizio. E se decide di trovarsene un altro. magari in un'altra radio o chissà dove, ci vorrà del tempo prima che riusciamo a rimettere in piedi un controllo. E questo significa altri morti.»

«Ci dobbiamo parlare, Frank. E vorrei lo facessi tu.»

«Perché?»

«Secondo me tu hai su di lui un maggiore ascendente di quello che potrei avere io. È una sensazione, ma la parola FBI desta una maggiore impressione di Sûreté Publique.»

«Va bene, mi vesto e arrivo.»

«Ti mando una macchina. Ci vediamo a casa di Jean-Loup.»

«Okay.»

Mentre diceva le ultime parole, Frank stava già andando verso la camera da letto. Scelse una camicia e un paio di pantaloni a caso, si infilò calze e scarpe e indossò una giacca sfoderata di tela leggera. Mise a casaccio nelle tasche quello che la sera prima aveva appoggiato sulla cassettiera, e intanto pensò a come impostare la questione con Jean-Loup Verdier. Se la stava facendo sotto e questo era comprensibile. Dovevano trovare il modo per convincere quel ragazzo. Si accorse che pensava a Jean-Loup definendolo dentro di sé «quel ragazzo», e aveva, a occhio e croce, solo pochi anni meno di lui.

Frank si sentiva molto più vecchio. Certamente a fare il poliziotto si invecchiava più in fretta. Forse qualcuno nasce già vecchio e deve solo scoprirlo venendo a contatto con qualcun altro che segue regolarmente il filo del tempo. Se era così c'era la probabilità che per Jean-Loup Verdier quel filo si fosse di colpo spezzato.

Uscì nel corridoio e chiamò l'ascensore. Mentre aspettava la cabina chiuse a chiave la porta di casa. Le porte si aprirono senza rumore alle sue spalle, lanciando un fascio di luce più viva nel chiarore morbido del corridoio.

Entrò e premette il tasto del pianterreno. Lo avrebbero preso, di questo ne era certo. Prima o poi avrebbe commesso un errore e lo avrebbero beccato. Il problema era quante vittime con la testa orrendamente mutilata ci sarebbero state fra ora e quel momento.

L'ascensore si fermò con un leggero sobbalzo e le porte si aprirono sull'elegante ingresso in marmo di Parc Saint-Roman. Frank uscì e vide fuori dalla porta in cristallo, sulla sinistra, una macchina della polizia che lo aspettava. Probabilmente erano già in zona perché avevano fatto molto in fretta. Il portiere lo vide e gli fece un cenno dalla guardiola a vetri. Frank si avvicinò.

«Buongiorno, *Monsieur Octobre*», disse il portiere pronunciando il suo nome in francese.

«Buongiorno.»

L'uomo gli porse una busta bianca, anonima, senza francobollo, che portava semplicemente il suo nome scritto a penna.

«Hanno lasciato questo per lei, ieri sera dopo che è rientrato.»

«Grazie Pascal.»

«Non c'è di che. Dovere, *M'sieur*.»

Frank prese la busta e la aprì. Dentro c'era un foglio piegato in tre. Lo tirò fuori e lesse il messaggio scritto con una calligrafia nervosa ma nitida.

Solo gli uomini piccoli non cambiano idea. Non faccia cambiare idea a me sulla sua effettiva statura. Mi serve il suo aiuto e a lei serve il mio. Le lascio il mio indirizzo sulla costa e i numeri di telefono a cui mi può contattare.

Nathan Parker

In fondo alla pagina c'erano un indirizzo e due numeri di telefono. Mentre saliva sull'auto della polizia, Frank non poté impedirsi di pensare che da quel momento di pazzi sanguinari ce n'erano in giro almeno due.

25

La macchina della polizia si lasciò Montecarlo alle spalle e prese la strada in salita che portava verso Beausoleil e l'A8, l'autostrada che collega Monaco a Nizza e, dall'altra parte, all'Italia. Seduto sul sedile posteriore, Frank aprì il finestrino e lasciò che l'aria entrasse liberamente nell'abitacolo. Rilesse il messaggio del generale e lo infilò nella tasca della giacca. Tornò a guardare fuori dal finestrino. Quello che c'era fuori sfilava davanti ai suoi occhi come una serie indistinta di macchie di colore.

Parker era una complicazione che non ci voleva. Anche se le sue intenzioni riguardavano una sfera strettamente privata, quell'uomo rappresentava il potere, quello con la P maiuscola. Le sue dichiarazioni non erano millantamenti e basta. Tutt'altro. Poteva veramente avere a disposizione i mezzi a cui aveva accennato.

E questo stava a significare che, oltre alle forze di polizia, ci sarebbero stati in giro altri uomini molto più ruvidi nel loro modo di investigare. Costretti all'anonimato, senz'altro, ma non costretti in pastoie di carattere legale e forse per questo molto più efficaci.

Il fatto che si muovessero in un ambito ristretto e delicato come il Principato di Monaco non sarebbe stato un deterrente sufficiente a fermare la sete di vendetta di Nathan Parker. Era abbastanza anziano e abbastanza determinato da fregarsene delle conseguenze sulla sua carriera. E, se le cose stavano come aveva detto Cooper, potente a sufficienza da coprire gli uomini che lo avessero seguito per la sua strada. Inoltre, nel caso avesse catturato l'assassino, la stampa avrebbe montato un romanzo tale da trasformarlo nel padre straziato in cerca di giustizia, quello che era riuscito là dove tutti gli altri avevano fallito. Sarebbe diventato un eroe e di conseguenza intoccabile. Gli Stati Uniti, in quel momento, avevano un disperato bisogno di eroi. L'opinione pubblica americana e il governo avrebbero fatto quadrato intorno a lui. Le autorità del Principato avrebbero masticato di traverso per un po', ma poi sarebbero state costrette a digerire il boccone. *Game over*.

E poi c'era Jean-Loup. Altra patata bollente.

Doveva trovare il modo per farlo recedere da una decisione su cui non poteva dargli torto. Un conto è la popolarità che deriva dal condurre alla radio una trasmissione di successo, un conto è balzare agli onori della cronaca per essere il maggiore punto di riferimento di un assassino. C'erano gli estremi per far saltare il sistema nervoso a chiunque. Jean-Loup era pur sempre e solo un uomo di spettacolo. Aveva un cervello e lo sapeva usare. Non era, o perlomeno non gliene aveva dato l'impressione, un bamboccio patinato come altra gente dello *show-business* che aveva conosciuto. Però aveva tutto il diritto di sentirsi spaventato.

Brutta faccenda. E il tempo a loro disposizione si assottigliava velocemente, scandito minuto per minuto da un cronometro che le alte autorità del Principato tenevano in mano e controllavano di continuo.

La macchina rallentò in prossimità di una casa sulla destra della strada. Era una costruzione a mezzacosta di cui si intravedeva il tetto, coperto da una fila di cipressi dalla parte della strada, in una posizione tale da dominare tutta Montecarlo. Doveva avere una vista eccezionale. Non c'erano dubbi che fosse quella la casa del dee-jay. Sulla strada erano parcheggiate diverse macchine e c'erano anche un paio di furgoni che portavano la sigla di emittenti televisive. Una piccola folla di corrispondenti e cronisti stava mettendo la casa in stato d'assedio. Poco oltre c'era anche una macchina della polizia. Vedendoli arrivare, ci fu nei giornalisti un accenno di eccitazione. Il poliziotto sul sedile del passeggero prese il microfono della radio dal suo alloggiamento.

«Sono Ducross. Stiamo arrivando.»

Il cancello a doghe di ferro poco dopo la curva iniziò ad aprir-si. Mentre la macchina rallentava per entrare, i giornalisti si avvici-narono per vedere chi c'era dentro. Due poliziotti uscirono dall'auto in sosta per impedire loro di seguire l'automobile all'interno.

Scesero per una rampa pavimentata con piastrelle autobloc-canti rosse e si trovarono nella piazzola davanti alla saracinesca del garage. Nicolas Hulot era già arrivato e lo stava aspettando in pie-di nel cortile. Lo salutò attraverso il finestrino aperto.

«Ciao, Frank. Hai visto che casino qui fuori?»

«Ciao, Nicolas. Ho visto, ho visto. Normale, direi. Mi sarei stupito del contrario.»

Frank scese dalla macchina e valutò la costruzione.

«Jean-Loup Verdier ne deve guadagnare di soldi per potersi permettere una villa come questa.»

Hulot fece un sorriso.

«C'è una storia su questa casa. Non hai letto i giornali?»

«No, questo è un piacere che lascio volentieri a te.»

«L'hanno scritto praticamente tutti. Jean-Loup l'ha avuta in eredità.»

«Complimenti ai parenti.»

«Non l'ha avuta da un parente. Sembra una favola ma l'ha avuta da un'anziana vedova piuttosto ricca alla quale ha salvato il cane.»

«Il cane?»

«Già. Sulla piazza del Casinò, diversi anni fa. Il cane della si-gnora in questione era scappato e stava attraversando la strada. Jean-Loup si è lanciato a prenderlo che praticamente era già sotto le ruote di una macchina. Per poco non ci resta pure lui. La don-na lo ha abbracciato e baciato piangendo di gratitudine ed è fini-ta lì. Qualche anno dopo Jean-Loup si è visto convocare da un no-taio e si è trovato padrone di questa casa.»

«Però. Credevo che certe cose succedessero solo nei film di Walt Disney. A occhio e croce direi che si tratta di un regalo da un paio di milioni di dollari.»

«Con i prezzi delle case da queste parti, fai pure tre.»

«Buon per lui. Okay. Andiamo a fare il nostro dovere?»

Hulot indicò col capo un punto alle sue spalle.

«È di qua, vieni.»

Attraversarono il cortile e superarono una macchia di bougainville rosse che facevano da siepe sul lato destro della casa. Oltre i cespugli c'era una spianata sulla quale era stata costruita una piscina, non molto grande ma sufficiente per non essere confusa con una vasca da bagno.

Jean-Loup e Bikjalo stavano seduti a un tavolo sotto una pergola coperta di vite americana. Sul piano i residui della colazione. La presenza del direttore era un segnale preciso della crisi di Jean-Loup. Tanta sollecitudine da parte di quell'uomo significava che sentiva in pericolo la sua gallina dalle uova d'oro.

«Ciao, Jean-Loup. Buongiorno, direttore.»

Bikjalo si alzò in piedi con un'espressione di sollievo dipinta sul viso. Erano arrivati i rinforzi. Jean-Loup, invece, sembrava piuttosto imbarazzato dal loro arrivo e faceva fatica a guardarli.

«Signori, buongiorno. Stavo dicendo a Jean-Loup…»

Frank lo interruppe piuttosto bruscamente. Non voleva entrare subito in argomento, in modo che Jean-Loup non si sentisse aggredito. Era in un momento delicato e preferiva si sentisse a suo agio prima di affrontare la questione.

«È forse caffè quello che vedo sul tavolo?»

«Be', sì…»

«È riservato a quelli della casa o ce n'è un po' anche per i forestieri?»

Mentre Hulot e Frank si sedevano al tavolo, Jean-Loup si alzò e andò a prendere due tazzine dal piano di cottura alle sue spalle. Mentre il dee-jay versava il caffè dal contenitore termico, Frank lo osservò attentamente. Aveva dipinta sul viso una notte passata a rigirarsi fra le lenzuola. Era sotto pressione, e questo Frank lo capiva. Però non doveva, non poteva mollare, e questo avrebbe dovuto capirlo Jean-Loup.

Hulot portò alle labbra la tazzina.

«Uhmm, buono. Dovremmo averlo alla centrale, un caffè così.»

Jean-Loup sorrise senza voglia. Il suo sguardo vagava in giro ed evitava di posarsi su di loro, specialmente su Frank. Bikjalo tornò a sedersi, sulla sedia più lontana dal tavolo. Con quel gesto sembrò voler prendere le distanze e lasciare a loro il bandolo della matassa. C'era tensione e si sentiva nell'aria.

Frank decise che era arrivato il momento di prendere il toro per le corna.

«Allora, qual è il problema, Jean-Loup?»

Finalmente il dee-jay trovò la forza di guardarlo negli occhi. Frank fu sorpreso di non trovarci la paura, come si sarebbe aspettato. C'era stanchezza e c'era preoccupazione. Forse il timore di non riuscire a sostenere un ruolo troppo grande per lui. Ma non paura. Jean-Loup distolse lo sguardo e si apprestò a fare un discorso che probabilmente si era già fatto da solo molte volte.

«Il problema è molto semplice. Non ce la faccio.»

Frank rimase in silenzio e attese che Jean-Loup continuasse per conto suo. Non voleva dargli l'impressione di subire un interrogatorio.

«Io non ero preparato a tutto questo. Ogni volta che sento quella voce al telefono perdo dieci anni di vita. E il pensiero che dopo aver parlato con me quell'uomo va... va...»

Proseguì come se gli costasse una fatica incredibile. Forse a nessun uomo piace mettere sul tavolo le sue debolezze, e in questo Jean-Loup era un uomo come tutti gli altri.

«...Quell'uomo va a fare quello che fa, ecco, questo mi disintegra. E mi chiedo: perché io? Perché proprio a me deve fare quelle telefonate? Da quando è iniziata questa storia non ho più una vita. Sono rinchiuso in casa mia come un delinquente, non riesco ad affacciarmi a una finestra senza sentire dei giornalisti che urlano il mio nome, non riesco a mettere il naso fuori senza essere circondato da gente che mi fa delle domande. Io non ce la faccio più.»

Bikjalo si sentì chiamato in causa.

«Ma Jean-Loup, è una situazione che si presenta una volta sola nella vita. In questo momento hai una popolarità incredibile. Sei uno dei personaggi più conosciuti d'Europa. Non c'è televisione che non ti vuole, non c'è giornale che non parli di te. Addirittura alla radio sono arrivate delle proposte da produttori cinematografici per realizzare un film da tutta questa st…»

Uno sguardo bruciante di Hulot fu uno stop improvviso alle parole del direttore. Frank pensò che quell'uomo era un coglione della razza peggiore. Un coglione avido. Lo avrebbe preso volentieri a cazzotti.

Jean-Loup si alzò dalla sedia con un gesto imperioso.

«Io voglio essere apprezzato perché parlo alla gente, non perché parlo con un assassino. E poi i giornalisti li conosco. Quando avranno esaurito gli argomenti cominceranno a chiedersi le stesse cose che mi chiedo io. Perché lui? Se non riusciranno a trovare una risposta, ne inventeranno una. E mi distruggeranno.»

Frank conosceva i media a sufficienza per poter condividere questa preoccupazione. E aveva stima a sufficienza per Jean-Loup da non somministrargli una serie di menzogne.

«Jean-Loup, le cose stanno esattamente come dici. Ti reputo una persona troppo intelligente per pensare di convincerti diversamente. Capisco benissimo che tu non ti senta preparato a tutto questo e d'altronde chi lo sarebbe? Io ho passato metà della mia vita a dare la caccia a dei criminali eppure credo che nel tuo caso avrei le stesse preoccupazioni e lo stesso tipo di reazione. Ma non puoi mollare, non adesso.»

Frank prevenne quella che poteva essere una possibile obiezione.

«So che la colpa di tutto questo è anche nostra. Se noi fossimo stati più abili probabilmente tutto sarebbe già finito. Ma purtroppo non è così. Quell'uomo è ancora libero e finché rimane libero la sua volontà sarà una sola: continuare a uccidere. E noi lo dobbiamo fermare.»

«Io non lo so se ci riesco di nuovo a stare seduto davanti a un microfono a far finta di niente e attendere di risentire quella voce.»

Frank chinò la testa. Quando la rialzò Hulot vide una luce diversa nel suo sguardo.

«Nella vita ci sono cose che ti cerchi e altre che ti vengono a cercare. Non le hai scelte e nemmeno le vorresti, ma arrivano e dopo non sei più uguale. A quel punto le soluzioni sono due: o scappi cercando di lasciartele alle spalle o ti fermi e le affronti. Qualsiasi soluzione tu scelga ti cambia, e tu hai solo la possibilità di scegliere se in bene o in male. Ci sono tre morti, uccisi in un modo agghiacciante. Ce ne saranno degli altri se non ci aiuti. Se decidi di aiutarci può darsi che la cosa ti faccia a pezzi, ma dopo avrai tutto il tempo e la forza per rimetterli insieme. Se scappi sarai in frantumi nello stesso modo ma il rimorso farà di te un uomo a pezzi per tutto il tempo che ti resta. E saranno pezzi ogni giorno più piccoli…»

Jean-Loup si sedette lentamente sulla sedia. Persino il cielo e il mare davanti a loro sembravano fatti di silenzio.

«Va bene. Farò quello che mi chiedete.»

«Continuerai la trasmissione?»

«Sì.»

Hulot si rilassò sulla sedia. Bikjalo non riuscì a reprimere un gesto quasi impercettibile di soddisfazione. Quel monosillabo, pronunciato a mezza voce, a Frank sembrò il primo *tic* di un orologio che si rimetteva in moto.

26

Frank accompagnò Hulot alla macchina. Jean-Loup e Bikjalo erano rimasti seduti al tavolo della piscina. Quando li avevano lasciati, il direttore di Radio Monte Carlo, ancora affannato per il pericolo corso, teneva un braccio intorno alle spalle di Jean-Loup, tentando di fargli sentire la sua presenza e sussurrandogli consigli, come il secondo di un pugile suonato durante un incontro di disfatta. Doveva convincerlo a resistere ancora un paio di riprese, se voleva incassare la borsa.

La prima impressione che Frank aveva avuto di quell'uomo, in fondo, si era rivelata esatta. Nella pratica del suo lavoro, col tempo, aveva acquisito una sensibilità quasi animale nel riconoscere la gente. Ancora non l'aveva persa. A quanto pareva, non bastava semplicemente decidere di smettere di essere un cane per cessare di esserlo.

Chi nasce quadro non muore tondo…

E questo valeva sia per lui sia per Bikjalo o chiunque altro.

Hulot aprì la portiera della Peugeot ma rimase in piedi all'esterno a guardare il fantastico panorama sotto di loro. Sembrava non avesse nessuna voglia di tornare all'inchiesta. Si girò verso Frank. L'americano vide nei suoi occhi il bisogno di un riposo sereno, senza sogni. Senza figure in nero, senza voci che bisbigliassero all'orecchio *«Io uccido…»* provocando un risveglio popolato di fantasmi ancora peggiori di quelli del sonno.

«Sei stato grande con quel ragazzo… con lui e con me.»

«Cosa vuol dire "con lui e con me"?»

«Lo so che mi sono parecchio appoggiato a te, nel corso delle indagini. Non credere che non me ne renda conto. Ho chiesto il tuo aiuto e mi sono anche raccontato la palla che era per aiutare *te*, quando era una cosa che serviva soprattutto *a me*.»

In un lasso di tempo brevissimo pareva che i ruoli fra di loro si fossero ribaltati, con quei piccoli o grandi colpi di scena che la vita presenta continuamente, in modo comunque beffardo.

«Non è così, Nicolas. Almeno, non è *esattamente* così. Forse questo pazzo che inseguiamo è contagioso e sta rendendo pazzi anche noi. Ma se è la strada giusta per prenderlo, possiamo solo percorrerla finché tutto non sarà finito.»

Hulot si sedette in macchina e accese il motore.

«C'è solo un rischio, in quello che hai detto…»

«Quale?»

«Che una volta accettata, la follia, non si riesca più a liberarsene. L'hai detto tu non molto tempo fa, ricordi Frank? Siamo piccoli dinosauri, nient'altro che piccoli dinosauri…»

Chiuse la portiera, mise la marcia e avviò la macchina. Il cancello automatico si aprì, comandato dall'agente fuori in strada. Frank rimase a guardare l'auto che saliva la rampa, vide accendersi gli stop dei freni quando si immise sulla strada, la vide scomparire. Per tutto il tempo della conversazione con Nicolas, gli agenti che lo avevano accompagnato lì erano rimasti in disparte, a confabulare tra di loro, in piedi di fianco all'auto. Frank andò a prendere posto sul sedile posteriore. I ragazzi entrarono anche loro e l'agente seduto sul sedile del passeggero lo guardò in silenzio, con aria interrogativa.

«Torniamo a Parc Saint-Roman. Senza fretta», disse Frank dopo un attimo d'incertezza. Aveva bisogno di starsene un po' da solo a raccogliere le idee. Il pensiero del generale Parker e delle sue intenzioni non era stato cancellato, solo temporaneamente archiviato. Aveva bisogno di saperne un po' di più su di lui e su Ryan Mosse, prima di prendere una decisione e capire che linea di condotta adottare. Sperò che Cooper avesse già raccolto le informazioni che gli servivano, anche se era passato poco tempo.

La macchina si mosse. Salita, cancello, strada. Sinistra. Altro vento fra i cespugli dei giornalisti in attesa. Frank li guardò attentamente mentre si riscuotevano dalla loro attesa come cani al passaggio di un altro cane. C'era anche quello con i capelli rossi che si era infilato con la testa nella macchina davanti al commissariato. Mentre Frank passava davanti a loro, il reporter, in piedi accanto a una Mazda convertibile, ricambiò il suo sguardo, pensieroso.

Frank si disse che di lì a poco sarebbe iniziata la caccia anche nei suoi confronti, non appena la stampa avesse saputo chi era e cosa faceva lì. Il fatto che si venisse a conoscere il suo ruolo nella faccenda era fuori discussione. Fino a quel momento era stato graziato perché c'erano bocconi più succulenti da addentare, ma prima o poi qualcuno si sarebbe mosso anche nella sua direzione. Sicuramente ognuno di loro aveva un aggancio all'interno delle forze di polizia, quella che negli articoli viene definita «una fonte sicura».

I giornalisti sfilarono davanti al finestrino della macchina ed erano le avanguardie di un mondo che prima di tutto voleva sapere la verità. E il più bravo non era quello che riusciva a saperla, ma a venderla la sua come la più attendibile.

Ad andatura moderata, come richiesto, la macchina imboccò in senso opposto la strada che avevano percorso per salire fino alla casa di Jean-Loup. Mentre scendevano, Frank vide per la prima volta la donna e il bambino.

Uscirono quasi correndo da una via non asfaltata che si apriva poche centinaia di metri dopo la postazione dei giornalisti, sulla sinistra. Frank li notò perché lei teneva il bambino per mano e aveva l'aria spaventata. Si fermò all'imboccatura della strada guardandosi intorno, come chi si trova in un posto che non conosce e non sa dove andare. Mentre la macchina li superava, Frank ebbe la netta percezione di una persona in fuga. La donna aveva da poco passato la trentina e indossava un paio di comodi pantaloni sportivi a quadri, nelle varie tonalità del blu, e una camicetta morbida, blu scuro, di un tessuto cangiante, portata fuori dai pantaloni. Quel colore faceva risaltare i magnifici capelli biondi che scendevano fin quasi sulle spalle. Il tessuto e i capelli sembravano in sintonia fra di loro e parevano fare a gara nella ricerca di riflessi strani sotto il sole di maggio. Era alta e flessuosa e i suoi movimenti erano armoniosi, nonostante la fretta.

Il bambino doveva avere all'incirca una decina d'anni e sembrava piuttosto alto per la sua età. Era vestito con un paio di jeans molto ampi e una T-shirt di cotone colorata. Guardava incerto la donna che lo teneva per mano con due luminosi occhi azzurri un po' smarriti.

Girò la testa e appoggiò la fronte al vetro del finestrino, per continuare a tenerli d'occhio. Vide il capitano Ryan Mosse, dell'esercito degli Stati Uniti, arrivare di corsa e bloccare la donna e il ragazzo mettendosi davanti a loro. Li prese per le braccia e li obbligò a seguirlo per la strada da cui tutti e tre erano arrivati. Frank si voltò e mise una mano sulla spalla dell'autista.

«Ferma.»

«Prego?»

«Ferma qui un istante, per favore.»

L'autista frenò e la macchina accostò dolcemente sulla destra. I due agenti si guardarono. Quello seduto al posto del passeggero si strinse nelle spalle. Americani…

Frank scese e attraversò la strada. Imboccò la stradina che portava a una casa leggermente discosta dalle altre e di cui si vedeva il cancello, poco più avanti. Vide la schiena di tre persone. Un uomo robusto che sospingeva fermamente una donna e un ragazzo.

«Questo fa parte delle sue *indagini*, capitano Mosse?»

Sentendo la voce, l'uomo si bloccò, costringendo la donna e il ragazzo a un brusco stop. Resse il contraccolpo senza sforzo apparente. Girò la testa e vide Frank, senza mostrarsi sorpreso.

«Ah, eccolo qui, il nostro agente speciale dell'FBI. Che c'è, boy-scout, stai cercando di compiere la buona azione quotidiana? Se te ne vai sulla piazza del Casinò e hai un po' di pazienza, magari una vecchietta da aiutare ad attraversare la strada la trovi…»

Frank avanzò verso il trio. La donna lo guardava con un misto di speranza e curiosità, con uno sguardo azzurro come quello del ragazzo. Fu colpito dalla bellezza di quegli occhi e fu stupito che la bellezza di quegli occhi lo colpisse.

Il bambino si divincolò.

«Mi fai male, Ryan.»

«Vai in casa, Stuart. E non ti muovere da lì.»

Mosse mollò la presa. Stuart si girò verso la donna, che fece un cenno di assenso con la testa.

«Vai pure, Stuart.»

Il bambino fece due passi all'indietro continuando a guardarli, poi si girò e corse verso il cancello tinto di verde.

«Anche tu, Helena. Vai in casa e restaci.»

Mosse strinse il braccio della donna con forza. Frank vide i muscoli tendersi sotto la camicia. Obbligò la donna, che continuava a fissare Frank, a girarsi verso di lui.

«Guardami. Hai capito che cosa ho detto, Helena?»

La donna soffocò un gemito di dolore. Fece un leggero cenno di assenso col capo. Quando la lasciò, Helena lanciò un ultimo sguardo disperato verso Frank, poi si girò e seguì il ragazzo per la stessa strada. Il cancello verde si aprì e si richiuse dietro di loro.

Come il cancello di una prigione, pensò istintivamente Frank.

I due uomini erano uno di fronte all'altro, adesso. Da come Mosse lo guardava, Frank capiva benissimo qual era la sua scuola di pensiero, che doveva essere in realtà quella di Parker. Chi non era con loro era contro di loro. Chi non li seguiva non li amava e accettava le conseguenze del caso.

Un breve refolo di vento arrivò a scompigliare le siepi incolte ai lati della strada. Si calmò subito e le fronde ritornarono immobili, come a sottolineare la tensione fra di loro.

«Con le donne e i ragazzi te la cavi bene. Però come referenza mi pare un po' poco per uno che è arrivato qui con delle mire molto più ambiziose... sbaglio, capitano Mosse?»

Frank sorrise. Ne ebbe in cambio lo stesso sorriso. Ed era un sorriso di scherno.

«Mi pare che anche tu te la cavi bene con le donne, vero Frank? Oh scusa, dimenticavo che Frank è eccessivamente confidenziale per te... Com'è che vuoi essere chiamato? Ah sì, *Mister* Ottobre...»

Parve riflettere su quello che aveva appena detto. Si mosse un poco di lato. Il movimento, in realtà, aveva lo scopo di piazzarsi bene sulle gambe, come chi si aspetta un attacco da un momento all'altro.

«Già, *Mister* Ottobre. Per te invece le donne sono un'ottima scusa per imboscarti, mi pare. Niente da fare con Mister Ottobre, non ci si può aspettare nulla da lui. Chiuso per lutto. Forse che tua mogl...»

Frank si mosse suo malgrado, così veloce che l'altro, pur aspettandoselo, non lo vide arrivare. Il pugno lo colpì al volto e lo fece stramazzare per terra. Mosse si ritrovò steso al suolo, un rivolo di sangue che gli usciva dal lato della bocca. A parte quello, pareva non aver risentito del colpo che Frank gli aveva sferrato. Sorrise di nuovo e nei suoi occhi c'era una luce di trionfo.

«Mi spiace solo che adesso avrai pochissimo tempo per capire l'errore che hai fatto.»

Con un colpo di reni fu in piedi e quasi contemporaneamente gli tirò un calcio, un velocissimo *maegeri* con la gamba sinistra. Frank deviò il colpo, parandolo con l'avambraccio. Si trovò leggermente sbilanciato di lato. Si rese conto subito dell'errore che aveva commesso. Mosse era un combattente formidabile. Il calcio era stato tirato proprio con l'intento di provocare quella parata. Il soldato si lasciò scivolare a terra e con la gamba destra spazzò le gambe di Frank. Mentre cadeva sulla ghiaia, riuscì a girarsi di lato, in modo da attutire il colpo con la spalla. Frank pensò che un tempo non si sarebbe fatto sorprendere così. Un tempo non avrebbe...

Mosse in un lampo fu dietro di lui. Gli immobilizzò le gambe con le sue e lo bloccò con una presa al collo col braccio destro.

Nella mano sinistra gli era spuntato come per incanto un coltello militare, che adesso era puntato alla gola di Frank. I due rimasero immobili, tesi, come una scultura caduta a terra. Sembravano scolpiti nel marmo. Il capitano aveva gli occhi lucidi, eccitati dal combattimento. Frank capì che quello gli *piaceva*, che lottare era la sua ragione di vita. Era una di quelle persone per le quali un *nemico* vale un tesoro.

«Allora, Mister Ottobre, che ne pensi adesso? Eppure dicono che sei bravo… Il tuo istinto di boy-scout non ti ha detto che è meglio non mettersi contro quelli più grandi di te? Che ne è del tuo fiuto, Mister Ottobre?»

La mano che teneva il coltello si mosse e Frank sentì la punta penetrargli in una narice. Temette che Mosse volesse tagliargliela. Gli venne in mente Jack Nicholson in *Chinatown*. Si chiese se anche Mosse avesse visto il film. La totale incongruenza di questo pensiero lo fece sorridere. Il che sembrò irritare il suo avversario ancora di più. Sentì la lama tendere la cartilagine della narice sinistra.

«Basta così, Ryan.»

Il comando secco arrivò dalle loro spalle e la tensione della lama si allentò di colpo. Frank riconobbe la voce del generale Parker. Senza voltarsi, dopo un'ultima impercettibile stretta del braccio sul suo collo, Mosse mollò la presa. Quella stretta voleva dire che la cosa fra di loro non era finita, ma solo rimandata.

Un soldato non piange. Un soldato non dimentica. Un soldato si vendica.

Il capitano si alzò togliendosi la polvere dai leggeri pantaloni estivi. Frank rimase un istante a guardare i due che lo sovrastavano, uno di fianco all'altro, così simili fisicamente proprio perché, in realtà, erano la stessa cosa. A Frank venne in mente la nonna italiana, e i suoi onnipresenti proverbi.

Chi si assomiglia si piglia.

Non era un caso che il generale e il capitano andassero in giro insieme, che avessero lo stesso proposito e probabilmente gli stessi metodi per arrivarci. Quello che era successo lì non significava nulla, vincitore o vinto che fosse. Una spacconata e niente più, una serie di escrementi che Mosse aveva disposto intorno a sé per delimitare il suo territorio. Frank era preoccupato per quello che doveva ancora succedere.

«Dovrebbe utilizzare un comando diverso per il suo dobermann, generale. Dicono che *"platz"* sia quello che funziona meglio.»

Mosse si irrigidì ma Parker lo bloccò con un gesto del braccio. Tese l'altra mano a Frank. Senza degnarla di uno sguardo, Frank si alzò da solo, spazzolandosi a sua volta i vestiti. Si ritrovò in piedi, leggermente ansimante, davanti ai due uomini. Agli occhi azzurri e freddi di Parker e allo sguardo del capitano Mosse, che adesso aveva perso ogni lucentezza e rifletteva di nuovo il limbo in cui viveva la sua mente.

Un gabbiano passò veleggiando sopra di loro. Volò verso il mare, nel cielo azzurro, lanciando dall'alto, come uno sberleffo, il suo verso caratteristico.

Parker si rivolse a Mosse.

«Ryan, per favore, vuoi andare in casa a controllare che Helena non faccia qualche altra sciocchezza? Ti ringrazio.»

Mosse lanciò un ultimo sguardo a Frank. Per un attimo i suoi occhi lampeggiarono.

Un soldato non dimentica.

La luce si spense quasi immediatamente. Si girò e si diresse verso la casa. Frank pensò che avrebbe camminato nello stesso identico modo anche se la strada fosse stata lastricata di corpi umani. Probabilmente se Ryan Mosse avesse trovato la scritta *«Io uccido…»* tracciata col sangue, con lo stesso sangue ci avrebbe scritto sotto *«Anch'io…»*

Quello era un uomo senza pietà e avrebbe fatto bene a non dimenticarlo.

«Deve scusare il capitano Mosse, Mister Ottobre.»

Nella voce del generale non c'era traccia d'ironia, ma Frank non si fece illusioni. Al momento opportuno, in altre circostanze, sapeva benissimo che tutto sarebbe andato in modo diverso. L'ordine di Parker non sarebbe arrivato e Ryan non si sarebbe fermato.

«Lui, come dire... a volte si preoccupa eccessivamente per le sorti della nostra famiglia. Qualche volta eccede un po', lo ammetto, ma è una persona fidata e sinceramente attaccata a tutti noi.»

Frank non aveva dubbi, a quel proposito. L'unico che aveva era legato al limite degli eccessi del capitano, i cui confini erano tracciati dal generale. E secondo Frank sarebbero stati confini sempre più vasti.

«La donna che ha visto poco fa è mia figlia, Helena. La sorella maggiore di Arijane. Il ragazzo che era con lei è Stuart, mio nipote. Suo figlio. Lei...»

Il tono della voce di Parker si addolcì. Arrivò una vena di tristezza.

«Be', a dirlo chiaro, lei soffre di una grave forma di esaurimento nervoso. Molto grave. La morte di Arijane le ha dato il colpo di grazia. Abbiamo cercato di tenergliela nascosta, ma non è stato possibile.»

La testa del generale si chinò verso terra. Frank faceva fatica, nonostante tutto, a vederlo nel ruolo del vecchio padre affranto. Non gli era sfuggito che, poco prima, aveva definito il ragazzo innanzitutto come suo nipote, poi come figlio di Helena. Probabilmente il senso della gerarchia e della disciplina faceva parte, oltre che della sua vita pubblica, anche della sua vita privata. Con un po' di cinismo, Frank arrivò a considerare la presenza a Montecarlo della figlia e del nipote come una bella copertura per le reali intenzioni di Parker.

«Arijane era diversa, era più forte. Era una donna con un carattere d'acciaio. Era mia figlia. Helena ha preso dalla madre, ha un carattere fragile. Molto fragile. A volte fa delle cose di cui non si rende conto, come oggi. Una volta ci è sfuggita e ha vagato per due giorni prima che riuscissimo a ritrovarla, in uno stato pietoso. E questa volta mi sa che sarebbe successa la stessa cosa. Va tenuta costantemente sotto controllo, per evitare che possa essere un pericolo per sé e per gli altri.»

«Mi dispiace per sua figlia, generale. Per Helena e soprattutto per Arijane, anche se questo non cambia assolutamente il mio giudizio su di lei e sulle sue intenzioni. Forse al suo posto mi comporterei nello stesso modo, non lo so. Sono aggregato a questa indagine e farò di tutto per prendere questo assassino, su questo ci può contare. Ma nella stessa maniera farò di tutto per impedirle di andare avanti per la sua strada, quale essa sia.»

Parker non ebbe la reazione rabbiosa della sera prima. Forse, il rifiuto di Frank a collaborare era già stato archiviato con la dicitura «Tatticamente irrilevante».

«Ne prendo atto. Lei è un uomo di carattere, ma non si sorprenderà se lo sono anch'io. Quindi le consiglio di fare molta attenzione ad attraversarla, quella strada, mentre ci sto passando io, *Mister* Ottobre.»

Questa volta l'ironia sul suo nome fece brevemente capolino e Frank se ne accorse. Sorrise. *Talis Ryan, talis Parker.*

«Terrò in considerazione il suo consiglio, generale, ma spero che non me ne vorrà se mentre lo faccio continuo le indagini a modo mio. La ringrazio comunque, *Mister* Parker...»

L'ironia con l'ironia, come il verso di un gabbiano che scende dal cielo azzurro a mo' di sberleffo, come un assassino conteso fra la giustizia e la vendetta.

Frank girò le spalle e percorse lentamente i pochi metri che lo separavano dalla strada principale. Sentiva pungere dietro di sé la fissità dello sguardo del generale. Alla sua destra si intravedeva, oltre la siepe e la vegetazione dei giardini, il tetto della casa di Jean-Loup. Mentre attraversava la strada per raggiungere l'auto in attesa, Frank si chiese se il fatto che Parker avesse preso in affitto una casa a poche centinaia di metri da quella del dee-jay fosse una fortunata coincidenza o una scelta mirata.

27

Dal balcone del suo appartamento, a Parc Saint-Roman, Frank vide la macchina che lo aveva accompagnato a casa svoltare a destra in fondo a Rue des Giroflées e imboccare Boulevard d'Italie. Probabilmente i ragazzi si erano fermati sotto a ricevere disposizioni dalla centrale prima di andarsene, perché aveva avuto tutto il tempo di salire, entrare nell'appartamento, aprire la portafinestra e uscire sul terrazzo. Provò a immaginare i loro commenti, sull'intera faccenda e su di lui, in particolare. Si era reso conto da tempo dell'atteggiamento generale per quanto riguardava la sua parte nell'*affaire*, come dicevano da quelle parti. Tolti Nicolas e Morelli, c'era un accenno di comprensibile sciovinismo nei suoi confronti. Non ostruzionismo, sicuramente no, perché in fondo perseguivano un obiettivo comune, ma una certa diffidenza senz'altro. L'amicizia con Hulot e le sue qualifiche erano un lasciapassare sufficiente per garantirgli la collaborazione di tutti, ma non automaticamente la simpatia.

Solo porte socchiuse per il cugino d'America.

Tanto peggio, non era lì per uno show, ma per prendere un assassino. Era un lavoro che si poteva svolgere benissimo senza il fastidio di continue pacche sulle spalle.

Guardò l'orologio. Erano le due e mezza del pomeriggio. Si accorse di essere affamato. Rientrò in casa e andò nella piccola cucina. Aveva pregato Amélie, la donna delle pulizie avuta in consegna da André Ferrand insieme all'appartamento, di fare un minimo di spesa. Con quello che aveva a disposizione nel frigo si costruì alla bell'e meglio un panino. Aprì una Heineken e tornò sul terrazzo. Si sedette su una delle due chaise-longue che il proprietario dell'appartamento aveva sistemato sul balcone. Appoggiò il suo pasto sul vetro del tavolino in rattan. Si tolse la camicia e rimase a torso nudo, sotto il sole. Per una volta ignorò le sue cicatrici, ovunque fossero. Adesso le cose erano cambiate. Aveva altro a cui pensare.

Alzò gli occhi verso il cielo senza nuvole. I gabbiani giravano in alto, adesso, a osservare gli uomini e a cacciare i pesci. Erano gli unici punti bianchi in quell'azzurro addirittura sfacciato. La giornata era fantastica. Da quando era iniziata tutta quella storia, sembrava che il tempo avesse deciso di non curarsi delle miserie umane e proseguire verso l'estate per conto proprio. Non una sola nube era venuta, neppure per un istante, a coprire il sole. Pareva che qualcuno, da qualche parte, avesse deciso di lasciare agli esseri umani, e solo a loro, la gestione della luce e del buio. Signori e padroni delle proprie eclissi.

Lasciò correre lo sguardo lungo la costa.

Montecarlo, sotto il sole, era un piccolo ed elegante alveare con troppe api regine. Molti si comportavano come tali, pur senza esserlo. Facciate, solo facciate. Persone che dietro avevano pali a sorreggere un'elegante fragilità, come certe costruzioni posticce nelle scenografie dei film. Dietro la porta soltanto la linea lontana dell'orizzonte. E quell'uomo con una lunga palandrana scura, che con un inchino di scherno stava aprendo a una a una tutte quelle porte e con una mano guantata di nero stava indicando loro il vuoto che c'era dietro.

Terminò il panino e bevve direttamente dalla bottiglietta il lungo sorso di birra che si era tenuto per la fine.

Tornò a guardare l'orologio. Le tre del pomeriggio. Sicuramente a quell'ora, se non era in giro con qualche grana per le mani, avrebbe trovato Cooper nel suo ufficio, in quella grande costruzione in pietra che era la sede dell'FBI nella 9ª Strada, a Washington. Prese il cordless e compose il numero.

Rispose al terzo squillo, essenziale come suo solito.

«Cooper Danton.»

«Ciao, Coop, sono ancora Frank.»

«Ciao, vecchio mio. Ti stai abbronzando al sole della Costa Azzurra?»

«Me lo sto scordando, il sole della Costa Azzurra. Il nostro amico ci fa vivere di notte, Cooper. Sono bianco come una rapa.»

«Già. Novità sulla tua indagine?»

«Buio completo. Quelle poche lampadine che avevamo stanno scoppiando a una a una. E come se non bastasse quel bastardo, è arrivato anche questo generale Parker con il suo tirapiedi a complicare le cose. Lo so che ti sto dando il tormento, ma sei già riuscito a sapere qualcosa su di loro?»

«Be', un sacco di cose, se non ti spaventano le faccende grosse. Ti stavo mandando un'e-mail con un allegato all'indirizzo che mi hai dato. Mi hai preceduto di qualche secondo.»

«Mandamela lo stesso ma anticipami qualcosa a voce, nel frattempo.»

«Okay. Vado per sommi capi. Generale Parker, Nathan James, nato a Montpellier, Vermont, nel '37. Famiglia non ricchissima ma messa molto, molto bene. A diciassette anni se n'è andato di casa e ha falsificato i documenti per poter entrare nell'esercito. Primo del suo corso all'Accademia. Brillante ufficiale dalla carriera rapidissima. Coinvolto nella faccenda di Cuba del '61. Decorato in Vietnam. Brillanti operazioni in Nicaragua e a Panama. Ovunque ci fosse da mostrare i muscoli, menare le mani e usare il cervello, lui c'era. È entrato prestissimo a far parte dello Stato maggiore dell'esercito. Mente strategica occulta di *Desert Storm* e della guerra del Kosovo. Sono cambiati un paio di presidenti, ma lui è ancora al suo posto. Il che significa che quando parla non dice delle stronzate. E anche adesso, in questa storia dell'Afghanistan, sicuramente il suo parere conta qualcosa. Ha soldi, appoggi, potere e credibilità. Uno che può pisciare nel letto e dire che ha sudato. È uno tosto. Molto tosto, Frank.»

Cooper fece una pausa per riprendere fiato e dargli il tempo di assimilare i dati.

«E su quell'altro che mi dici?».

«Chi, il capitano Ryan Mosse?»

Frank riprovò di colpo la sensazione della lama del coltello di Mosse che gli tendeva la narice. Si grattò il naso per eliminare il prurito che la suggestione gli aveva procurato.

«Esatto. Sei riuscito a sapere qualcosa?»

«Eccome. Capitano Mosse, Ryan Wilbur, nato il 2 marzo 1963 ad Austin, Texas. Su di lui c'è molto meno. E molto di più nello stesso tempo.»

«Che significa?»

«Da un certo punto in poi, Mosse è diventato l'ombra di Parker. Dove c'è uno c'è l'altro. Mosse darebbe la vita per il generale.»

«C'è un motivo particolare o è solo per il fascino di Parker?»

«La fedeltà di Mosse è legata ai motivi per cui Parker è stato decorato in Vietnam. Fra le altre cose, ha attraversato le linee dei Charlies con un soldato ferito sulle spalle, salvandogli la pelle.»

«E adesso mi dirai anche un nome.»

«Già, quel soldato era il sergente Willy Mosse, il padre di Ryan.»

«Perfetto.»

«Da allora i due sono diventati amici. O meglio, Mosse padre è diventato una specie di suddito di Nathan Parker. Questi, dal canto suo, si è occupato del figlio del sergente, lo ha aiutato a entrare all'Accademia militare, lo ha raccomandato, lo ha coperto in certi casi.»

«Vale a dire?»

«Per fartela breve, Frank, questo Mosse è una specie di psicopatico, con una spiccata tendenza alla violenza gratuita e a mettersi nei guai. All'Accademia ha quasi accoppato di botte un suo compagno di corso, successivamente ha accoltellato un soldato per una faccenda di donne durante un party in onore dell'esercito in Arizona. Nella guerra del Golfo un sergente è stato messo sotto processo per averlo minacciato con un M-16, per fermarlo durante uno dei suoi raptus nei confronti di un gruppo di prigionieri inermi.»

«Un bel ciclamino...»

«Un bel mazzo di ciclamini, vuoi dire. E con i fiori tutti sporchi di merda. E ogni volta le cose sono state messe a tacere. Prova un po' a indovinare per merito di chi?»

«Il generale Nathan Parker, presumo.»

«Indovinato. Ecco perché ti dico di stare attento, Frank. Quei due, messi insieme, sono Satana e il suo forcone. Mosse è il braccio armato di Parker. E non credo che si farebbe eccessivi scrupoli nell'usarlo.»

«Non lo credo nemmeno io, Coop. Ti ringrazio di tutto. Aspetto l'e-mail. Ciao.»

«Sta già nel tuo computer. Ciao, amico mio, abbi cura di te.»

Frank chiuse la comunicazione e rimase in piedi in mezzo alla stanza, la testa leggermente piegata di lato. Le informazioni di Cooper avevano solo aggiunto nomi, date e fatti al suo pensiero, a proposito di quei due. Brutta gente da avere di fronte alla luce del sole. Tremenda da avere alle spalle, nell'ombra.

Il citofono nell'ingresso suonò. Si alzò, spense la radio e andò a rispondere.

«Sì?»

La voce del portiere era leggermente imbarazzata. Gli parlava in inglese.

«Mister Ottobre, c'è una persona che sta salendo, per lei. Non sono riuscito a dirglielo prima, ma... lei comprenderà, io...»

«Fa niente, Pascal. Va tutto bene, stia tranquillo.»

Si chiese chi poteva essere la persona che stava salendo, per gettare il portiere in confusione a quel modo. Proprio in quel momento qualcuno bussò. Si chiese perché non avesse usato il campanello.

Si fece di lato e aprì la porta.

Si trovò davanti un uomo di mezza età, alto quanto lui, indiscutibilmente americano. Aveva una vaga somiglianza con Robert Redford, ma con i capelli un po' più scuri. Era abbronzato al punto giusto ed elegante senza ostentazione. Indossava un completo blu con la camicia aperta, senza la cravatta. L'orologio era un Rolex ma aveva il cinturino di cuoio, niente a che vedere con quei blocchi d'oro massiccio così facili da ammirare a Monaco. L'uomo gli rivolse un sorriso di dimensioni umane. Da persona e non da personaggio. Niente pubbliche relazioni a tutti i costi.

A Frank fu istintivamente simpatico.

«Frank Ottobre?»

«Sì.»

L'uomo tese la mano destra.

«Piacere di conoscerla, Mister Ottobre. Mi chiamo Dwight Durham, e sono il console degli Stati Uniti a Marsiglia.»

Frank rimase un attimo sorpreso, poi strinse la mano che gli veniva offerta. Be', quella sì che era una visita inattesa. Probabilmente la sua faccia esprimeva il suo pensiero, perché al diplomatico apparve una luce divertita nello sguardo. E il suo sorriso si inclinò da una parte, disegnandogli una ruga d'espressione sulla guancia.

«Se pensa che sia una colpa, me ne posso andare. Se invece pensa di poter superare questa mia qualifica e invitarmi a entrare, avrei piacere di parlare con lei.»

Frank si riscosse. Sì, quell'uomo gli era decisamente simpatico. Indicò il suo torace nudo. Stranamente non provava vergogna nel mostrare le sue cicatrici a un estraneo. Durham, in ogni caso, non diede segno di averle notate.

«Mi scusi, sono stato un po' sorpreso, ma adesso è tutto passato. Come può vedere, per motivi di patriottismo ricevo sempre i diplomatici del mio Paese vestito come John Rambo. Si accomodi, Mister Durham.»

Il console fece un passo in avanti. Si rivolse a una persona in piedi nel corridoio alle sue spalle, un uomo alto e robusto che portava una pistola sotto la giacca e una sigla scritta in faccia. Poteva essere FBI, CIA o DEA o quant'altro ma non era sicuramente quella dell'Esercito della Salvezza.

«Mi può aspettare qui, per gentilezza, Malcom?»

«Non c'è problema, signore.»

«La ringrazio.»

Durham chiuse la porta. Fece pochi passi e si fermò al centro del salotto guardandosi intorno.

«Mica male, qui. Una vista stupenda.»

«Già. Certamente lei saprà che sono ospite in questo appartamento, e immagino saprà anche i motivi per cui ci sono.»

La dichiarazione di Frank serviva in realtà per evitare una inutile perdita di tempo. Di sicuro, prima di venire lì, Durham aveva avuto tutte le informazioni del caso. Frank vedeva la mano di una segretaria che deponeva su una scrivania la cartella con sopra il suo nome e dentro il suo curriculum.

Frank Ottobre, l'uomo quadro, l'uomo tondo.

Ormai quel fascicolo doveva aver passato tante di quelle mani che Frank non ci faceva più caso. Voleva solo far sapere a Durham che non c'era motivo d'imbarazzo e di inutili acrobazie lessicali, fra di loro.

Il console capì e parve apprezzarlo. Era difficile che Frank, in quel momento della sua vita, ispirasse simpatia. Durham ebbe il pudore di non fingerla, sapendo che la considerazione e il rispetto potevano essere un'alternativa sufficiente.

«Si accomodi, Mister Durham.»

«Dwight, mi chiami pure Dwight.»

«Vada per Dwight, allora. E tu chiamami Frank. Vuoi qualche cosa da bere? Non spingerti troppo oltre, però. La mia dispensa non è al suo meglio, in questo momento», disse uscendo sul terrazzo a recuperare la camicia.

«A una Perrier ci arrivi?»

Niente alcolici. Bene. Mentre gli passava davanti diretto in cucina, Durham si sedette sul divano. Frank notò che i calzini erano della stessa identica tinta dei calzoni. Un uomo *ton-sur-ton*. Accurato ma non fanatico.

«Credo di si. Servizio *Wild West*?»

Durham sorrise.

«Naturalmente. Il servizio *Wild West* andrà benissimo.»

Tornò con una bottiglietta di Perrier e un bicchiere e glieli porse senza fronzoli. Mentre Dwight versava l'acqua frizzante, Frank andò a sedersi sull'altro divano, messo perpendicolare rispetto a quello dove stava il suo ospite.

«Ti chiederai cosa ci faccio qui, vero Frank?»

«No, te lo stai già chiedendo tu. Penso che tu sia venuto apposta per dirmelo.»

Durham guardò le bolle del suo bicchiere d'acqua come se fosse champagne.

«Abbiamo un problema, Frank.»

«Abbiamo?»

«Sì, abbiamo. Tu e io. Io sono testa e tu sei croce. O viceversa. Ma siamo la stessa moneta, in questo momento. E siamo nella stessa tasca.»

Bevve un sorso d'acqua. Appoggiò il bicchiere sul tavolino in cristallo curvato davanti a lui.

«Prima di tutto vorrei precisarti che la mia visita ha di ufficiale soltanto la percentuale che tu vorrai attribuirle. Io la ritengo assolutamente ufficiosa, due chiacchiere tra esseri civili. Ti confesso che venendo qui mi ero aspettato un'altra persona. Non arrivavo a Rambo, ma Elliot Ness era contemplato. Sono contento di essermi sbagliato.»

Tornò a prendere il bicchiere, come se si sentisse più sicuro tenendolo in mano.

«Vuoi che ti illustri la situazione, Frank?»

«Non sarebbe male. In questo momento un ripasso generale non può che essermi utile.»

«Be', ti posso dire che l'omicidio di Allen Yoshida non ha fatto altro che accelerare qualche cosa che la morte di Arijane Parker aveva già messo in moto. Sei al corrente della presenza del generale Parker nel Principato, vero?»

Frank fece un cenno col capo. Dwight proseguì, sollevato e nello stesso tempo preoccupato del fatto di trovarlo già al corrente.

«È stato un bene che circostanze fortuite ti abbiano piazzato dove stai adesso. Questo mi ha tolto dall'imbarazzo di esigere la presenza di un nostro rappresentante nelle indagini, visto che già c'era. Gli Stati Uniti, in questo momento, hanno un problema di immagine. Per essere un Paese che ha deciso di assumere la leadership della civiltà moderna, la sola, la vera, l'unica superpotenza mondiale, abbiamo avuto una batosta piuttosto forte con l'11 settembre. Colpiti proprio dove eravamo più forti, dove ci sentivamo invulnerabili, vale a dire a casa nostra…»

Guardava fuori dalla finestra, parzialmente riflesso nel vetro della portafinestra, che le prime ombre della sera trasformavano in uno specchio.

«E in questa situazione arriva questo pasticcio… Due americani uccisi in quel modo, proprio qui, nel Principato di Monaco, uno degli Stati più sicuri del mondo. Buffo, vero? Non sembra che la storia si ripeta? Con la sola complicazione che adesso c'è un padre affranto che ha deciso di muoversi per conto suo, un generale dell'esercito degli Stati Uniti che intende utilizzare a fini personali gli stessi sistemi terroristici che da un'altra parte stiamo combattendo. Capirai che ci sono gli estremi per creare un altro grosso imbarazzo a livello internazionale…»

Frank guardò Durham, impassibile.

«Quindi?»

«Quindi devi prenderlo, questo assassino, Frank. Devi prenderlo *tu*. Prima di Parker, prima della polizia di qui, se riesci. Nonostante la polizia di qui, se necessario. Da Washington vogliono che quest'indagine sia un fiore all'occhiello dell'America. Che tu lo voglia o no, tanto per non fare nomi, devi andare oltre Elliot Ness, toglierti di nuovo la camicia e ridiventare Rambo.»

Frank pensò che in condizioni diverse lui e Durham avrebbero potuto essere grandi amici. Il poco tempo trascorso insieme aveva fatto aumentare con un'accelerazione costante la simpatia che provava per quell'uomo.

«Lo sai che lo farò, Dwight. Lo farò, ma per nessuno dei motivi che mi hai appena detto. Siamo testa o croce, forse è così, ma è solo un caso che siamo sulla stessa moneta e nella stessa tasca. Prenderò questo assassino e voi potete dare a questo fatto il significato che volete. Vi chiedo solo una cosa.»

«Quale?»

«Non fate in modo che il vostro significato diventi per forza anche il mio.»

Dwight Durham, console degli Stati Uniti, non disse niente. Forse non aveva capito o forse aveva capito benissimo, ma gli andava bene così. Si alzò dal divano abbassando con le mani i calzoni sulle scarpe. La conversazione era finita.

«Bene, Frank. Credo ci siamo detti tutto.»

Frank si alzò a sua volta. I due si strinsero la mano nel controluce di quel pomeriggio di fine estate. Fuori, il sole stava calando. Il cielo si avviava con calma verso il blu. Di lì a poche ore sarebbe scesa la notte, la notte delle voci e degli assassini nell'ombra. E ognuno avrebbe cercato a tentoni, nel buio, il proprio nascondiglio.

«Non disturbarti ad accompagnarmi, conosco la strada. Ciao, Frank, in bocca al lupo.»

«Questo lupo ha troppe bocche, Dwight. Farà fatica a crepare.»

Durham si avviò verso l'ingresso e aprì la porta. Si intravide la figura di Malcom, in piedi nel corridoio, mentre la richiudeva.

Frank era di nuovo solo. Decise che un'altra birra poteva essere giustificata. Andò in cucina a prendersela e tornò sul divano, quello che aveva occupato il suo ospite.

Siamo la stessa moneta... Testa o croce, Dwight?

Si rilassò e cercò di dimenticare Durham e il loro incontro.

La diplomazia, le guerre e le pastoie legali. Bevve un sorso di birra.

Provò a fare una cosa che non faceva da parecchio tempo. Lui la chiamava «L'apertura». Quando le indagini arrivavano a un punto morto, si sedeva da solo e cercava di liberare la mente, di lasciare che ogni suo pensiero fosse libero di collegarsi a tutti gli altri, come un puzzle mentale da ricomporre in modo quasi automatico. Senza una volontà precisa ma facendosi guidare dalla casualità dell'inconscio. Una sorta di pensiero laterale per immagini, che a volte aveva dato ottimi frutti. Chiuse gli occhi.

Arijane Parker e Jochen Welder.
La barca, incastrata sul molo, gli alberi leggermente inclinati verso destra.
Loro due stesi sul letto, la testa scarnificata, i denti scoperti in un ghigno senza rabbia.
La voce alla radio.
La scritta, rossa come il sangue.
Io uccido…
Jean-Loup Verdier. I suoi occhi smarriti.
Il viso di Harriet.

No, non adesso, non ora!

Di nuovo la voce alla radio.
La musica. La copertina del disco di Santana.
Allen Yoshida.
La sua testa appoggiata al vetro del finestrino.
Il sedile chiaro, di nuovo la scritta rossa.
La mano, il coltello, il sangue.
Le immagini del film.
L'uomo in nero e Allen Yoshida.
Le foto della stanza, senza di loro.
Il film. Le foto. Il film. Le foto. Il f…

All'improvviso, con uno scatto quasi involontario, Frank Ottobre si ritrovò in piedi davanti al divano. Era un particolare così piccolo che la sua mente lo aveva registrato e archiviato come un *file* secondario. Doveva tornare immediatamente in centrale a controllare se era vero quello che aveva ricordato. Forse era una semplice illusione, ma non poté fare a meno di aggrapparsi a quella piccolissima speranza. In quel momento avrebbe voluto avere mille dita, per poterle tenere incrociate tutte insieme.

28

Quando Frank arrivò all'ingresso della centrale di polizia, in Rue Notari, era pomeriggio inoltrato. Aveva fatto a piedi il percorso da Parc Saint-Roman fino a lì, scivolando fra i passeggeri del tramonto che affollavano le strade quasi senza vederli. Si sentiva agitato. Sempre, quando dava la caccia a un criminale, provava quel senso di ansia, di frenesia, come una voce interna che lo pressava e lo incitava a correre. Adesso che le indagini stavano a un punto morto e tutte le loro congetture non avevano portato a nulla, era arrivata quella piccola illuminazione. C'era qualcosa che brillava sotto il pelo dell'acqua e Frank non vedeva l'ora di tuffarsi e andare a scoprire se era veramente una luce o un miraggio provocato dal riflesso.

Nell'ingresso, l'agente di piantone, quando lo vide arrivare, lo lasciò passare senza fare storie. Frank si chiese se quando parlavano di lui lo chiamassero per nome o lo definissero semplicemente «l'Americano».

Salì a piedi le scale fin nell'ufficio di Nicolas Hulot.

Percorse il corridoio e arrivò davanti alla porta. Batté un paio di volte le nocche sul legno e aprì il battente. L'ufficio era deserto.

Rimase un attimo perplesso, in piedi nel corridoio. Si decise a entrare. Aveva addosso un'autentica frenesia di controllare se quello che aveva pensato corrispondeva al vero. Non ci sarebbero stati problemi con Nicolas se lo faceva in sua assenza.

Sulla scrivania di legno c'era il dossier con tutti i rapporti e gli incartamenti relativi al caso. Lo aprì e andò a cercare la busta con le foto della casa di Allen Yoshida portate da Froben dopo il sopralluogo. Le studiò attentamente. Si sedette alla scrivania, prese il telefono e compose il numero del commissario di Nizza.

«Froben?»

«Sì, chi è?»

«Ciao, Claude, sono Frank.»

«Ciao, americano. Come va?»

«Posso avere la domanda di riserva?»

«Ho letto i giornali. Va davvero così male?»

«Già. E pensa che quando va male tiriamo un sospiro di sollievo, perché non va peggio.»

«Complimenti. In tutto questo casino, cosa posso fare per te?»

«Rispondere a un paio di domande.»

«Spara.»

«A casa di Yoshida, sai se qualcuno ha toccato niente, che ne so, se è stato spostato inavvertitamente qualcosa prima che arrivaste voi a fare i rilievi e le foto?»

«Non credo. La domestica che ha scoperto la stanza del delitto non è nemmeno entrata. C'è mancato poco che svenisse alla vista di tutto quel sangue. Ha avvertito subito quelli della sicurezza. Come ricorderai, Valmeere, il capo dei vigilantes, è un ex poliziotto e conosce le procedure. Noi, ovviamente, non abbiamo toccato niente. Le foto che vi ho dato sono esattamente quelle della casa come l'abbiamo trovata.»

«Bene, Claude. Scusami, ma volevo essere matematicamente certo di questo fatto.»

«Hai una traccia?»

«Non so. Spero. Devo verificare un dettaglio ma non voglio illudermi prima del tempo. Un'altra cosa…»

Il silenzio all'altro capo del telefono stava a significare che Froben era in attesa.

«Ti ricordi se nella discoteca di Yoshida ci fossero degli Lp in vinile?»

«Su questo posso risponderti con certezza. No. Te lo dico perché uno dei miei, che è un appassionato, ha notato che nell'impianto stereo c'era il giradischi ma sugli scaffali c'erano solo cd. Ha anche fatto un commento su questo...»

«Grande Froben. Non mi aspettavo niente di meno, da te.»

«Okay. Se avete bisogno di qualche cosa, sono qui.»

«Ti ringrazio, Claude. Sei un amico.»

Riappese e rimase un istante soprappensiero. Adesso era il momento di verificare se quel figlio di puttana avesse commesso un piccolo errore, il primo, da quando era iniziata la vicenda. O se lo aveva commesso lui, prendendo lucciole per lanterne.

Aprì il cassetto della scrivania sotto il piano del tavolo. Dentro c'era la copia della cassetta VHS che avevano trovato nella Bentley di Yoshida. Sapeva che Nicolas la teneva lì, insieme ai nastri delle registrazioni in radio. La prese e andò a infilarla nel lettore video collegato al televisore. Accese gli apparecchi e premette il tasto play sul telecomando del lettore.

Sul video apparvero le barre di colore e poi iniziò la sequenza. Se fosse vissuto cento anni e avesse visto quelle immagini una volta al giorno, non sarebbe mai riuscito a farlo senza provare un brivido. Rivide la figura in nero agitarsi con il pugnale in mano. Sentì un nodo alla gola e una morsa ferrea che gli stringeva lo stomaco. E un senso di rabbia che non si sarebbe placato finché non lo avessero preso.

Ecco, ci siamo quasi...

Era tentato di premere l'avanti veloce, ma aveva paura che il particolare gli sfuggisse. Finalmente la proiezione arrivò al punto che lui aspettava. Ebbe un piccolo grido interiore di esultanza.

Sì, sì, sì...

Bloccò l'immagine premendo il tasto di pausa. La cosa era così piccola che avrebbe fatto fatica a parlarne con qualcuno, per timore che potesse rivelarsi l'ennesima delusione. Ma adesso era lì davanti ai suoi occhi e valeva la pena di capire se si poteva cavarne qualche cosa. Certo, era un particolare al momento così insignificante da non essere preso in considerazione più di tanto, ma era la sola cosa che avevano in mano.

Guardò attentamente la scena fissata sullo schermo del televisore. L'assassino era fermo con il pugnale alzato su Allen Yoshida. La sua vittima lo guardava con occhi sbarrati, le mani e le gambe immobilizzate dal filo di ferro, la bocca chiusa dal nastro adesivo, una smorfia di dolore e terrore sul viso. Frank pensò che quell'uomo sarebbe morto di nuovo ogni volta che qualcuno avesse guardato il nastro. E visto l'uomo che era, si sarebbe ogni volta meritata quella morte.

In quel momento la porta dell'ufficio si aprì ed entrò Morelli. Si bloccò sulla soglia, senza parole nel trovarlo lì.

Frank notò che non era sorpreso, era *imbarazzato*.

Si sentì in qualche modo colpevole del disagio dell'ispettore.

«Ciao, Claude, scusa se mi sono intromesso ma non c'era nessuno e dovevo assolutamente controllare una cosa con una certa urgenza…»

«No, nessun problema. Se cercavi il commissario Hulot, è in riunione, nella sala grande, al piano di sotto. Ci sono anche i boss.»

Frank sentì una leggera puzza di bruciato. Se era in corso una riunione per fare il punto sulle indagini e coordinare gli interventi, gli pareva strano di non essere stato avvertito. Aveva tenuto sempre un comportamento non invasivo, in modo da non mettere in imbarazzo Nicolas. Era rimasto un passo indietro rispetto a lui e aveva preso l'iniziativa solo quando gli era stata lasciata. Questo per non prevaricare sul commissario agli occhi di nessuno. Dei suoi superiori, ma soprattutto dei suoi sottoposti, che in realtà era la cosa più importante.

Sullo stato d'animo di Nicolas, era tutto un altro paio di maniche. Lo aveva abbastanza colpito il suo sfogo del mattino, a casa di Jean-Loup, ma lo capiva perfettamente, sia sul piano umano sia sotto il profilo professionale.

Loro sì che erano due facce della stessa medaglia. Chi era testa e chi era croce non aveva nessuna importanza. Fra di loro non c'erano problemi.

Mise in relazione la riunione quasi furtiva con la visita che aveva appena ricevuto da Dwight Durham. Probabilmente le autorità del Principato vedevano quella faccenda nello stesso modo, con un'ottica semplicemente rovesciata. La sua presenza lì, dopo l'intervento della diplomazia americana, non era più un fatto di rapporti personali, quasi un *gentlemen's agreement*, ma una presenza ufficiale.

Frank scrollò le spalle. Non aveva voglia di trovarsi immischiato in un groviglio di relazioni diplomatiche. Non gliene fregava nulla. Tutto quello che desiderava era prendere quell'assassino, sbatterlo in galera e gettare via la chiave. A chi andava il merito lo decidesse chi era incaricato di prendere tali decisioni.

Morelli si era ripreso dal momento di *impasse* fra di loro.

«Sto scendendo di sotto. Vieni anche tu?»

«Pensi sia il caso?»

«So che ti hanno chiamato un paio di volte, ma il telefono era occupato.»

La cosa era plausibile. Era stato parecchio al telefono con Cooper e quando era arrivato Durham aveva spento il cellulare, che d'altronde usava pochissimo. Era rimasto quasi sempre infilato in un cassetto, nell'appartamento di Parc Saint-Roman.

Frank si alzò dalla scrivania, raccolse le foto che aveva appena esaminato e andò a estrarre la cassetta dal lettore. Le prese con sé.

«C'è modo di vedere la cassetta, giù di sotto?»

«Sì, c'è tutto il necessario.»

Uscirono dall'ufficio, percorsero in silenzio il corridoio e infilarono le scale. Il viso di Frank era una maschera di pietra. Scesero a piedi al piano di sotto e fecero a ritroso il percorso che avevano appena fatto di sopra. Arrivati davanti alla penultima porta sulla destra, Morelli bussò leggermente.

«Avanti», si sentì dire dall'interno.

L'ispettore spinse la porta ed entrò.

Nella grande stanza dipinta con smalto lucido in due sfumature di grigio, c'erano un bel po' di persone sedute intorno a un lungo tavolo rettangolare. Nicolas Hulot, il dottor Cluny, il direttore della Sûreté, Roncaille e un altro paio di personaggi che Frank non aveva mai visto.

Al suo apparire ci fu un attimo di silenzio generale.

La puzza di bruciato che Frank aveva sentito smise di essere leggera. C'era la classica pausa di sospensione di chi viene sorpreso con le mani nella marmellata. Frank pensò che quella era casa loro e avevano tutto il diritto di fare le riunioni che volevano, con lui o senza di lui. Però l'atteggiamento generale confermava la sua sensazione. Nicolas guardava in giro senza trovare il coraggio di fissarlo negli occhi e aveva un'aria piuttosto imbarazzata, come Morelli poco prima. Frank ipotizzò che il suo atteggiamento fosse dovuto anche a un altro motivo. In sua assenza, gli dovevano aver fatto un bel cazziatone per i risultati negativi delle indagini fino a quel punto.

Roncaille si riscosse per primo. Si alzò in piedi e fece alcuni passi verso di lui.

«Oh, Frank, buonasera, si accomodi. Stavamo giusto facendo il punto della situazione in attesa del suo arrivo. Credo che lei non conosca il dottor Alain Durand, il procuratore generale, che si occupa personalmente del caso…»

Indicò un tipo basso con i capelli biondicci e radi, gli occhi piccoli e infossati dietro a occhiali senza montatura, seduto a capotavola. Indossava un elegante completo grigio che non riusciva a dargli il tono che probabilmente lui credeva di avere. Fece un leggero cenno col capo.

«E l'ispettore Gottet, della Computer Crime Unit…»

Questa volta fu l'uomo seduto alla sinistra di Durand a fare un cenno con la testa. Era un ragazzo giovane, con i capelli scuri, abbronzato, che probabilmente frequentava le palestre nei momenti liberi, le spiagge in estate e i centri d'abbronzatura in inverno. Sembrava uno yuppie, più che un poliziotto.

Roncaille si rivolse alle persone che aveva appena presentato.

«Lui è Frank Ottobre, agente speciale dell'FBI, aggregato alla polizia del Principato per le indagini sul caso "Nessuno".»

Frank andò a sedersi alla destra di Cluny, sul lato sinistro del tavolo, quasi di fronte a Nicolas. Cercò il suo sguardo ma non lo trovò. Continuava a osservare un punto sotto il piano, come se avesse perso qualcosa.

Roncaille riprese il suo posto.

«Bene, adesso che ci siamo tutti, possiamo andare avanti. Frank, stavamo per ascoltare la relazione del dottor Cluny, che ha esaminato i nastri delle telefonate del soggetto.»

Fu la volta di Frank di annuire in silenzio. Cluny avvicinò la sedia al tavolo e aprì la cartellina di appunti che aveva davanti. Si schiarì la voce, come se stesse iniziando una lezione all'università.

«Dopo un esame meno superficiale di quanto io possa aver fatto durante le telefonate, sono giunto grossomodo alle stesse considerazioni. Si tratta di un soggetto estremamente complesso, una tipologia di fronte alla quale posso dire di non essermi mai trovato. Ci sono delle particolarità nel suo *modus operandi* che lo fanno rientrare a pieno diritto nella casistica del serial killer. Ad esempio la territorialità, che lo induce ad agire solo ed esclusivamente nell'ambito del Principato. Il fatto che prediliga l'uso di un'arma bianca, che gli dà modo di avere il contatto diretto con la vittima. Se vogliamo, la pratica di scuoiare le vittime può essere vista nello stesso tempo come un rituale feticistico e un *overkilling* in senso stretto. Attraverso lo scempio del cadavere, l'assassino dimostra la sua completa supremazia sulla persona che ha deciso di colpire. Anche il periodo di calma fra gli omicidi fa parte del quadro generale. Per cui, fino a questo punto tutto sembrerebbe normale…»

«Però?…» disse Durand con una voce bassa che suonava assolutamente sovradimensionata rispetto al suo aspetto fisico.

Cluny fece una pausa a effetto. Si tolse gli occhiali e si pinzò la radice del naso, come Frank gli aveva già visto fare. Sembrava avere una particolare abilità nel tenere desta l'attenzione sulle sue parole. Si rimise gli occhiali e assentì col capo in direzione di Durand.

«Esatto, qui cominciano i "però"... Il soggetto ha una grande proprietà lessicale e una capacità di astrazione assolutamente al di fuori della norma. Fornisce delle immagini a volte addirittura poetiche, per quanto amare. Anche questa definizione che dà di se stesso, "uno e nessuno", fa parte a ragione di queste considerazioni. A parte l'intelligenza acuta, deve essere un uomo dalla cultura molto elevata. Studi superiori, umanistici direi, forse a livello universitario, contrariamente alla figura media del serial killer che è rappresentata in massima parte da esponenti di ceto medio basso, con scarsa cultura o pratica scolastica. Sono, nella stragrande maggioranza dei casi, persone con un quoziente d'intelligenza abbastanza basso. C'è una cosa in particolare che mi lascia perplesso...»

Ancora una pausa. Frank osservò lo psicopatologo ripetere la pantomima degli occhiali e della strizzata di naso. Durand ne approfittò per pulire i suoi.

Applausi a scena aperta, Cluny. Molto bene, siamo tutti qui per te, ma vai avanti, per favore. E deciditi a mettere le lenti a contatto, prima o poi.

«Il fatto che si manifesti nel corso della conversazione quasi una coercizione verso il delitto, l'omicidio. Se alle spalle, come substrato, ci sono delle vicende di vita comuni a un disturbo della personalità di quel genere, vale a dire famiglia oppressiva, genitore o genitori dominanti, sevizie subite o umiliazioni patite e simili, tutto ciò è abbastanza normale. Ma c'è un atteggiamento che di solito si verifica in caso di sdoppiamento della personalità, come se nel soggetto fossero presenti due persone allo stesso tempo. E qui torniamo all'"uno e nessuno" di cui sopra...»

Frank pensava che tutte quelle considerazioni erano stronzate e basta.

Un bell'esercizio di stile e nient'altro. In quel caso specifico, tracciare il profilo dell'assassino poteva essere utile ma non determinante. Quello non era solo un uomo che agiva, era anche un uomo che *pensava*, e pensava parecchio prima di agire. In maniera eccezionale, perdipiù. Per prenderlo dovevano riuscire ad andare *oltre* la sua lucidità di pensiero.

Non lo disse, per timore che una semplice constatazione fosse scambiata per ammirazione.

Durand intervenne e, da quello che disse, Frank fu costretto ad ammettere che non era uno sprovveduto. Sapeva come condurre una riunione di quel tipo.

«Signori, siamo fra di noi e nessuno ci sente. Questa non è una gara a chi è più bravo. Vi pregherei di mettere sul tavolo senza remore di sorta ogni perplessità, anche quella che sembra la più banale. Non si sa mai da dove può venire fuori un'idea. Comincerò io. Cosa ci può dire del rapporto dell'assassino con la musica?»

Cluny si strinse nelle spalle.

«Questo è un altro aspetto controverso. "Uno e nessuno", ancora. Da una parte c'è una passione evidente, in quanto pare conoscerla molto bene e amarla molto. La musica deve essere per quell'uomo un rifugio primario, una specie di nascondiglio mentale. Dall'altra l'uso di quel mezzo per fornire un'indicazione, un indizio sulla sua prossima vittima, ci coinvolge in un gioco di distruzione della musica, un'arma con cui ci sfida. Si sente superiore a noi, per quanto ciò che lo spinge a fare tutto questo si basi su un senso d'inferiorità e di frustrazione. Vedete? Di nuovo "uno e nessuno"…»

Hulot alzò una mano.

«Dica, commissario.»

«Il fatto che prelevi dalle sue vittime un particolare anatomico, secondo lei, a parte la motivazione psicologica, che finalità pratica può avere? Cioè, mi spiego meglio. *Che ne fa, delle teste di quei poveretti? A cosa gli servono?*»

Nella stanza cadde il silenzio. Quella domanda ognuno di loro se l'era già posta più volte. Adesso era stata formulata ad alta voce e quella pausa significava che nessuno aveva trovato un accenno di risposta.

«Be', su questo, come ciascuno di noi, posso solo fare delle ipotesi, e tutte sarebbero ugualmente valide al momento…»

«Potrebbe essere uno afflitto da un aspetto fisico orribile, uno che per questo si vendica sulle vittime?» chiese Morelli.

«Certo, è possibile. Però tenga presente che un aspetto fisico ributtante o addirittura mostruoso è di per sé abbastanza appariscente. Un'apparenza fisica negativa è quella che più colpisce la fantasia della gente, secondo l'equazione "brutto uguale cattivo". Se ci fosse in circolazione una specie di Frankenstein sicuramente qualcuno ce lo avrebbe già segnalato. Uno così non passa inosservato.»

«Però mi sembra una strada da non scartare a priori», intervenne Durand con la sua voce bassa.

«Certo che no. Nessuna lo è, purtroppo.»

«Grazie, dottor Cluny.»

Roncaille chiuse per il momento quella parte dell'analisi e si rivolse all'ispettore Gottet, che fino a quel momento aveva ascoltato in silenzio.

«A lei, ispettore.»

Gottet iniziò a parlare delle sue competenze con gli occhi che gli brillavano, animato del sacro fuoco dell'efficienza.

«Abbiamo valutato tutte le possibili cause della mancata intercettazione delle chiamate telefoniche del "Sosco".»

Gottet guardò verso di lui. A Frank venne di nuovo da sorridere e si trattenne a fatica. Gottet era veramente un fanatico. La definizione di «Sosco» era una contrazione del termine «Soggetto sconosciuto» che veniva usata di solito durante le indagini in America, ma che lì non apparteneva alla consuetudine.

«Siamo appena venuti in possesso di un nuovo sistema di monitoraggio delle chiamate di telefonia mobile, il DCS 1000, quello che viene chiamato "Carnivore". Se la telefonata arriva da quella via, non c'è problema…»

Frank ne aveva sentito parlare a Washington, quando era ancora allo stato sperimentale. Non era al corrente che fosse già operativo. D'altronde, c'erano molte cose di cui non era al corrente, in quel momento. Gottet riprese la sua esposizione.

«Per quel che riguarda la telefonia fissa, possiamo entrare direttamente nel computer della radio, quello che gestisce il centralino, e avere ogni accesso sotto controllo con una ricerca del segnale, sia che arrivi dalle centraline della società dei telefoni sia che, attraverso quella o altre vie, arrivi dal Web...»

Fece una pausa a effetto ma senza ottenere i risultati magnetici di Cluny.

«Come sapete, via Internet è possibile, con i programmi appropriati e una certa abilità, servirsi della telefonia senza essere intercettati. A meno che dall'altra parte ci sia qualcuno altrettanto bravo, se non di più. Per questo abbiamo ottenuto la collaborazione di un hacker che ha saltato il fosso. Ora è un consulente free-lance per la difesa dagli hacker. Saltuariamente collabora con la polizia, in cambio del fatto che abbiamo chiuso un occhio su alcune sue marachelle precedenti. C'è il massimo della tecnologia disponibile sul mercato, applicata a questa ricerca. Stavolta non ci dovrebbe scappare...»

L'intervento di Gottet fu sensibilmente più breve di quello di Cluny, anche perché c'erano molte meno cose da dire, in quel senso. Il mistero della mancata intercettazione era una macchia sulla camicia fresca di bucato del reparto. Tutti si sarebbero rimboccati le maniche fino alle ascelle pur di lavarla.

Durand fece correre lo sguardo in giro.

«C'è qualcos'altro che possiamo dire?»

Hulot sembrava essersi ripreso dall'imbarazzo di prima ed era di nuovo in possesso del suo sangue freddo.

«Stiamo proseguendo le indagini sulla vita privata delle vittime, anche se non ci aspettiamo molto, in questa direzione. Comunque andiamo avanti. Nel frattempo, continueremo la nostra sorveglianza su Radio Monte Carlo. Se il soggetto richiamerà ancora e ci darà un altro indizio, siamo pronti a intervenire. Abbiamo predisposto una squadra speciale di poliziotti in borghese, fra cui alcuni agenti della polizia femminile, per il controllo del luogo. Contemporaneamente è a nostra disposizione l'unità d'intervento con tiratori scelti ed equipaggiamento per la visione notturna. Abbiamo contattato esperti musicali che sono a disposizione per aiutarci a decifrare il messaggio, se ci sarà. Una volta decifrato, contiamo di mettere sotto sorveglianza quella che riterremo la probabile vittima. Speriamo che quell'assassino commetta un errore, visto che fino a oggi, purtroppo, ci ha dimostrato di essere infallibile.»

Durand li guardò dal fondo del tavolo. Frank riuscì finalmente a vedere che i suoi occhi erano nocciola. Si rivolse a tutti e nessuno in particolare, con la sua voce baritonale.

«Signori, è inutile che vi ricordi quanto sia importante che *noi* non commettiamo più errori. Questa non è soltanto un'indagine di polizia, sta diventando molto di più. Dobbiamo prendere questo tipo al più presto, prima che i media ci facciano a pezzi.»

E quelli del Consiglio di Stato, se non il principe in persona, pensò Frank.

«Fatemi sapere qualsiasi cosa immediatamente, non importa l'ora. Signori, arrivederci, conto su di voi.»

Durand si alzò e tutti lo imitarono. Il procuratore generale si avviò verso la porta, subito seguito da Roncaille, che probabilmente voleva approfittare della sua presenza per uno stage di pubbliche relazioni.

Morelli attese che i due si fossero allontanati a sufficienza, poi uscì a sua volta, dopo aver rivolto a Hulot uno sguardo che esprimeva piena solidarietà.

Il dottor Cluny era rimasto in piedi accanto al tavolo e stava raccogliendo la cartellina con i suoi appunti.

«Se avete bisogno della mia presenza in radio, contateci.»

«Ci farebbe molto comodo, dottore», disse Hulot.

«Allora ci vediamo più tardi.»

Anche Cluny lasciò la stanza e Frank e Nicolas rimasero soli.

Il commissario indicò con un gesto il tavolo dove erano stati seduti fino a poco prima.

«Lo sai che io non c'entro in tutto questo, vero?»

«Certo che lo so. Ognuno ha le sue grane.»

Frank pensava a Parker. Si sentiva in colpa per non aver ancora parlato con Nicolas del generale e di Ryan Mosse.

«Se vieni su nel mio ufficio, ho una cosa per te.»

«Cosa?»

«Una pistola. Una Glock 20. Credo che sia un'arma che conosci piuttosto bene.»

Una pistola. Frank pensava che non ne avrebbe mai più avuto bisogno.

«Non credo che mi serva.»

«Anch'io preferirei non servisse, ma a questo punto ritengo necessario che tutti siamo pronti a ogni evenienza.»

Frank rimase un attimo in silenzio. Si passò la mano su una guancia dove la barba stava già creando un'ombra scura. Hulot si accorse della sua perplessità.

«Che c'è Frank?»

«Nicolas, io forse ho trovato una cosa…»

«Vale a dire?»

Frank andò a prendere dal tavolo la busta e la cassetta che aveva appoggiato quando era arrivato.

«Ho portato giù questa roba ma all'ultimo momento ho deciso di non dire nulla davanti agli altri perché è un particolare così insignificante che va verificato prima di metterlo fra le voci attive del bilancio. Ti ho detto che c'era qualcosa che mi sfuggiva, rammenti? Qualcosa che *avrei dovuto* ricordare ma che non riuscivo a mettere a fuoco. Ho finalmente capito che cos'era. Una discrepanza tra il filmato e le foto della casa di Allen Yoshida, quelle che ci ha portato Froben.»

«Cioè?»

Frank tirò fuori una foto dalla busta e la porse a Hulot.

«Guarda sul mobile. Quello dello stereo, dietro alla poltrona. Cosa c'è sopra?»

«Niente.»

«Esatto. E adesso guarda qui…»

Frank prese la cassetta VHS e andò al televisore, un Philips Combi con videoregistratore incorporato che stava sulla parete di fronte al tavolo.

Ci infilò la cassetta, che era ancora al punto in cui l'aveva bloccata. Tornò a fermare l'immagine. Indicò con la mano un punto sullo schermo dietro le due figure in primo piano.

«Ecco, vedi, qui, sullo stesso mobile, c'è appoggiata la copertina di un disco. Si tratta di un Lp in vinile. In casa di Yoshida non ce n'erano, me lo ha confermato lo stesso Froben. *Neanche uno*. Nelle foto non c'è traccia di questa copertina. Ciò significa che l'assassino non ha resistito alla sua mania per la musica e si è portato da casa una colonna sonora per il nuovo delitto. L'immagine è un po' sfocata per la qualità della copia fatta in fretta e furia, ma sono certo che, agendo sull'originale, con i macchinari adatti si può arrivare a capire di che Lp si tratta. Il fatto che non l'abbia abbandonato sul luogo del delitto vuol dire che questo disco ha un significato particolare. Per lui o in senso assoluto. Non dimentichiamo che quel maledetto è dotato di un senso dell'umorismo piuttosto spiccato, per quanto funereo. Credo che difficilmente si sarebbe sottratto alla possibilità di un'ulteriore beffa, se avesse potuto. Ripeto, può anche non essere un passo avanti, ma è la prima cosa che sappiamo dell'assassino *suo malgrado*. Per quanto piccolo, è il primo errore che commette...»

Ci fu un lungo attimo di silenzio. Frank ne uscì per primo.

«C'è modo di far analizzare il VHS senza troppa pubblicità?» chiese a Hulot.

«Qui nel Principato, senz'altro no. Fammi pensare... C'è Guillaume, il figlio dei Mercier, una coppia di amici. Ha una piccola società di produzione. Realizza videoclip e cose del genere. È all'inizio ma so che è molto bravo. Posso provare con lui.»

«C'è da fidarsi?»

«È un ragazzo in gamba. Era il miglior amico di Stéphane. Se glielo chiedo io terrà la bocca chiusa.»

«Bene. Penso valga la pena di controllare il filmato, ma è una cosa che va fatta con molta discrezione.»

«Lo penso anch'io. Per il resto, lo hai detto tu stesso. Per quanto piccola, è l'unica cosa che abbiamo...»

Si guardarono, e quello sguardo significava molte cose. Loro erano *veramente* le due facce di una stessa moneta e stavano nella stessa tasca. La vita non era stata tenera, con nessuno dei due. Avevano avuto il coraggio di rimettersi in gioco, ognuno a suo modo. Fino a ora si erano sentiti completamente in balìa degli eventi che stavano sconvolgendo un'altra volta le loro esistenze. Adesso, grazie a un particolare scoperto quasi per caso, in quella stanza grigia, sospesa per aria come un aquilone in balìa del vento, volteggiava una piccola speranza colorata.

29

Laurent Bedon spense il rasoio elettrico e si guardò nello specchio.

Nonostante avesse dormito fino a tardi, le ore di sonno non avevano cancellato le tracce degli eccessi della notte precedente. Era rientrato all'alba, ubriaco duro, ed era crollato sul letto già addormentato a metà strada fra la posizione eretta e il cuscino. Adesso, malgrado la lunga doccia e la rasatura, aveva le borse sotto gli occhi e il colorito pallido di chi non vive alla luce del sole da un sacco di tempo. Il tubo al neon del bagno, con la sua luce spietata, non faceva altro che sottolineare il suo aspetto malsano.

Cristo, sembro un morto.

Prese il flacone del dopobarba e se ne concesse un'abbondante passata sul viso. Sbagliò la distribuzione e il bruciore del liquido alcolico gli arroventò le labbra. Si pettinò i capelli ispidi e si spruzzò del deodorante sotto le ascelle. Con ciò si ritenne pronto ad affrontare un'altra serata.

In camera da letto i vestiti erano sparsi in un disordine che definiva endemico. Una volta c'era una donna che veniva per le pulizie e che gli faceva trovare la casa in un assetto precario che lui provvedeva subito a demolire. Adesso le sue finanze non gli permettevano più di sostenere la spesa di una collaboratrice domestica. Era già tanto se non l'avevano cacciato di casa, visto che era in ritardo di quattro mesi con l'affitto.

Negli ultimi tempi gli era girata proprio male. Anche la sera prima, al Casinò di Mentone, aveva lasciato una bella fetta di denaro. Che non era suo, fra le altre cose. Aveva chiesto un nuovo anticipo a Bikjalo, che aveva rognato un bel po' e finalmente si era deciso a scucire i cordoni della borsa firmando a malincuore un assegno. Aveva spinto lo *cheque* verso di lui sottolineando che quello lo poteva considerare l'ultimo.

Con quella cifra avrebbe potuto mettere una pezza ad alcune situazioni critiche nel quadro dissestato della sua situazione economica. C'era l'affitto, il banalissimo affitto, il prezzo di due camere fetenti in quel palazzo di Nizza dove non c'erano scarafaggi perché avevano schifo ad andarci. Cose da non credere. Il padrone di casa che gli faceva la posta come in un film americano di serie B. O in una comica di Laurel e Hardy.

Il Crédit Agricole gli aveva pignorato la macchina, visto che, dopo la terza, non aveva più pagato nemmeno una delle rate del leasing. Fanculo anche a loro. Fanculo a Monsieur Plombier, quella faccia da stronzo del direttore che lo aveva trattato da pezzente quando era andato a protestare. E perdipiù gli aveva chiesto indietro la carta di credito e il libretto di assegni.

Ma non erano quelle le preoccupazioni principali. Magari. Doveva una stangata di euro a quel delinquente di Maurice, un debito che aveva contratto quando ancora i soldi si chiamavano franchi. Aveva tamponato con qualche versamento estemporaneo, ma la pazienza di quel pezzo di merda non sarebbe durata in eterno. Tutti sapevano la fine che faceva chi non onorava i debiti con quello strozzino. Giravano voci per niente rassicuranti in proposito. Erano solo voci di popolo, ma in quel caso specifico Laurent aveva il sospetto si potessero considerare voci di Dio.

Si sedette sul letto e si passò le mani nei capelli. Si guardò intorno. Quello che vedeva gli fece disgusto. Ancora non riusciva a credere che stava vivendo in quella topaia all'Ariane.

Maurice si era preso in cambio di parte del debito il suo bell'appartamento all'Acropolis, ma gli interessi su quello residuo viaggiavano a una velocità tale che fra poco, in mancanza di meglio, si sarebbe preso anche le sue palle, per il semplice gusto di sentirlo cantare con voce da soprano.

Si vestì alla meglio, recuperando un paio di calzoni e una camicia non fra quelle pulite, ma fra quelle meno sporche. Recuperò i calzini del giorno prima da sotto il letto. Non aveva la più pallida idea di come fossero finiti lì. Non ricordava nemmeno di essersi spogliato, la sera precedente. L'armadio della camera da letto gli rimandò, via specchio da stanza ammobiliata, un'immagine vestita che non era molto meglio di quella del bagno.

Quarant'anni. Ed era in quello stato. Se non si fosse dato una mossa, in breve sarebbe finito come un *clochard*. Non avrebbe avuto nemmeno i soldi per comperarsi le lamette da barba. Sempre che prima non intervenisse Maurice a risolvere per lui la faccenda…

Eppure la sera precedente se la sentiva addosso, la fortuna. Pierrot gli aveva dato dei numeri e di solito i numeri di Pierrot erano fortunati. Già un paio di volte era uscito dal casinò con un sorriso da un orecchio all'altro, grazie a «Rain Boy». Se li era scoppiati ogni volta senza accorgersene, come tutti i soldi guadagnati senza fatica.

Aveva cambiato l'assegno di Bikjalo da un tipo che conosceva e che stava nei paraggi del casinò, in attesa proprio di quelli come lui, uomini con una luce febbrile dentro occhi abituati a seguire il rimbalzo di una pallina sulla ruota. Ci aveva rimesso una bella fetta di provvigione, come la chiamava quel gaglioffo, ma era entrato nella sala comune con le migliori intenzioni, senza sapere che stava provvedendo a lastricare un altro metro quadro della strada dell'inferno.

Un disastro. Nemmeno un colpo vincente, un cavallo, una sestina. Niente. Il croupier ramazzava meccanicamente le sue giocate, a una a una, con la faccia professionale di tutti i croupier. Solo il tempo di un giro di roulette, il lancio di una pallina, e le mani abili di quel fetente mandavano i gettoni colorati a raggiungere quelli del colpo prima. Nel suo caso specifico, in fumo.

I croupier in realtà detestano i perdenti. E lui ce l'aveva scritto in faccia di essere un perdente. Nemmeno una *fiche* di mancia *pour les employés* che di solito accompagna l'*en plein*.

Fumo per fumo, se avesse bruciato i soldi nel camino ne avrebbe avuto miglior beneficio. Solo che *adesso* non aveva più un camino. Davanti a quello che aveva ci si stava scaldando Maurice o chissà chi, accidenti a lui.

Si alzò dal letto e andò ad accendere il computer, che aveva sistemato in modo piuttosto precario su una specie di scrivania in camera da letto. Un pc velocissimo, assemblato da lui stesso, con un processore Pentium IV da 1600 megahertz, un giga di RAM e due hard-disk da 30 giga l'uno. Almeno quello era rimasto. Senza il computer si sarebbe sentito perso. C'erano suoi appunti, le sue scalette della trasmissione, le cose che scriveva quando gli prendeva la malinconia. Vale a dire praticamente sempre, in quel periodo. C'era la navigazione sul Web, un'evasione virtuale dalla galera reale in cui stava vivendo.

Quando la macchina fu accesa, si accorse che c'era della posta elettronica in casella. Andò ad aprirla. Conteneva una comunicazione molto laconica da un mittente sconosciuto, in un bel carattere Book.

Bisogno di soldi? È arrivato lo zio d'America...

Si chiese chi potesse essere l'imbecille che si permetteva quello scherzo. Qualcuno dei suoi amici che conosceva la sua situazione, di sicuro.

Sì, ma chi? Jean-Loup? Bikjalo? Qualcuno della radio?

E poi che cosa stava a significare «lo zio d'America»? Per un attimo pensò all'americano, l'agente dell'FBI, quel tipo che stava indagando sugli omicidi. Uno con degli occhi che davano i brividi peggio della voce in trasmissione. Forse era un modo per metterlo sotto pressione. Non gli sembrava però il genere d'uomo che ricorresse a quei mezzucci. Era più uno che ti appiccicava al muro e ti ci premeva finché non avevi sputato anche i calzini

Gli ritornò alla mente tutta quella faccenda. La voce in radio era un'autentica manna dal cielo per Jean-Loup. Stava diventando più popolare dei Beatles. Lui la viveva in malo modo, ma alla fine, quando avessero catturato l'assassino, ne sarebbe uscito in maniera trionfale. Stava spiccando il volo, il ragazzo, mentre lui sarebbe rimasto a terra con il naso all'insù, a guardarlo volare. Come uno stronzo. E dire che ce lo aveva portato lui in radio, quando lo aveva conosciuto per caso davanti al Café de Paris, sulla piazza del Casinò, qualche anno prima. Era stato testimone dell'episodio che aveva fruttato a quel rotto in culo la sua bella casa a Beausoleil. Lo avevano saputo solo un paio di anni dopo, che aver salvato quel botolo alla vecchietta era stato in realtà come acquistare il biglietto vincente della lotteria.

Sempre lo stesso il suo destino. Essere spettatore della fortuna degli altri. Essere lì a vedere qualcuno investito da un raggio di luce che se avesse deviato di un metro la sua traiettoria avrebbe potuto colpire lui.

Dopo il salvataggio del cane aveva attaccato discorso con quel ragazzo dai capelli scuri e dagli occhi verdi che si guardava intorno un po' imbarazzato per essersi trovato improvvisamente al centro dell'attenzione. Da cosa era nata cosa. Laurent era rimasto colpito da quello che trasmetteva Jean-Loup, una sensazione di calma e di partecipazione nello stesso tempo. Era qualcosa a cui non era riuscito a dare un nome preciso, ma era abbastanza forte da non lasciare indifferente un interlocutore. Specialmente uno come lui.

Bikjalo, che non era uno stupido, lo aveva capito immediatamente, quando gli aveva presentato Jean-Loup come possibile conduttore di *Voices*, il programma che Laurent aveva in mente da tempo. Aveva visto accendersi l'interesse nei suoi occhi di vecchio marpione. Jean-Loup aveva l'indubbio vantaggio di essere papabile e di costare poco, essendo completamente a digiuno del mondo della radio. Un esordiente assoluto. Due piccioni con una fava. Un nuovo programma di successo e un nuovo personaggio a costo zero o quasi. Dopo due settimane di prove registrate, in cui Jean-Loup aveva confermato giorno dopo giorno le ipotesi su di lui e sul suo talento, *Voices* era finalmente andata in onda. Era partita bene ed era andata sempre meglio. Il ragazzo piaceva alla gente. Piaceva il suo modo di parlare e di comunicare, fantasioso, per immagini, con metafore ardite che però arrivavano a tutti.

Anche agli assassini... pensò amaro Laurent.

Il programma si era trasformato, quasi senza volerlo, dall'episodio fortuito del salvataggio di due ragazzi sperduti in mare nella trasmissione con connotati a sfondo sociale che aveva adesso. Vanto e fiore all'occhiello della radio e del Principato. E miele per quelle mosche ronzanti che erano gli sponsor.

E il dee-jay era diventato la star di una trasmissione che lui aveva ideato, una trasmissione nella quale aveva sempre meno voce in capitolo e dalla quale era emarginato sempre di più, giorno dopo giorno.

«In culo a tutti. Cambierà, *deve* cambiare», mormorò fra sé e sé.

Diede il via alla stampa dei suoi appunti sulla trasmissione di quella sera e la HP 990Cxi iniziò a depositare i fogli freschi d'inchiostro sul ripiano.

Avrebbero cambiato idea nei suoi confronti. Tutti, uno per uno. Specialmente Barbara.

Ripensò ai suoi capelli ramati sparsi sul cuscino. Al profumo della sua pelle. Aveva avuto una storia, con lei. Un'intensa storia nella quale era sprofondato fisicamente e mentalmente, prima di mandare tutto a catafascio. Lei ci aveva anche provato a stargli accanto, ma era il tentativo disperato di chi si trova a vivere di fianco a un tossico. Dopo un bel po' di tira e molla, gli aveva girato definitivamente le spalle quando aveva capito che non sarebbe mai riuscita a spuntarla con le altre quattro donne nella sua vita, che si chiamavano picche, quadri, cuori e fiori.

Si alzò dalla sedia sbilenca su cui stava seduto e radunò i fogli che aveva appena stampato in una cartellina. Prese la giacca dalla poltrona che serviva da attaccapanni e si avviò verso la porta.

Uscì sul pianerottolo, che era un festival di squallore, esattamente come l'interno dell'appartamento in cui viveva. Si tirò il battente alle spalle con un sospiro. L'ascensore era fuori servizio. Una nuova perla alla collana dell'amministratore.

Scese le scale a piedi nella luce giallastra della scarsa illuminazione, sfiorando con una mano la tappezzeria beige del vano scala, che aveva avuto, come lui, tempi migliori.

Arrivò nell'androne e andò ad aprire la porta a vetri dell'ingresso, con struttura in metallo rigorosamente arrugginito. Con la vernice slabbrata sul mastice secco. Ben diversa dai portoni degli eleganti palazzi di Montecarlo o della bella villa di Jean-Loup. Fuori il quartiere era immerso nella penombra della sera, quella luce di un blu intenso che solo i tramonti d'estate potevano lasciare dietro di sé come ricordo del sole. Riusciva persino a dare una parvenza di umanità a quel posto desolato. L'Ariane non era la Promenade des Anglais o l'Acropolis. In quel quartiere non arrivava il profumo del mare, e se ci arrivava era coperto dall'odore penetrante dei bidoni della spazzatura.

Doveva percorrere almeno tre isolati per prendere l'autobus che l'avrebbe portato nel Principato. Tanto meglio. Una camminata gli avrebbe fatto bene alla salute e gli avrebbe schiarito le idee, alla faccia di Plombier e della sua banca di merda.

Vadim uscì dall'ombra dell'angolo del palazzo. Fu così veloce che non lo vide arrivare. Prima di capire che cosa stesse succedendo, si sentì quasi sollevare da terra e un attimo dopo era attaccato al muro, con un braccio che gli premeva la gola e il fiato dell'uomo, che sapeva d'aglio e di piorrea, a soffiargli sul viso.

«Allora, Laurent, com'è che quando sei in grana non ti ricordi degli amici?»

«Ma cosa stai dicendo, lo sai che io…»

Una spinta del braccio che puntava sul collo interruppe le sue proteste e gli fece mancare il fiato.

«Non dire minchiate, bel tipo. Ieri sera a Mentone ti sei polverizzato un bel po' di balle, senza pensare che in realtà erano di Maurice i soldi che stavi giocando.»

Vadim Rohmer era l'anima dannata di Maurice, il suo braccio

violento, l'esattore. Non sarebbe certamente stato in grado, lui, grasso e flaccido com'era, di prendere qualcuno e torcergli un braccio dietro la schiena fino a farlo lacrimare. Oppure di spingerlo contro un muro e fargli sentire l'intonaco ruvido raschiare la cute così forte da lasciare l'emicrania, dopo.

Lui no, ma Vadim sì, brutto bastardo. E bastardo anche il tipo che gli aveva cambiato l'assegno, la sera prima, in quel bar davanti al casinò. Era stato lui di sicuro a fare la soffiata, che l'inferno lo inghiottisse. Laurent sperò che Vadim gli avesse applicato un trattamento altrettanto poco civile, come quello che stava riservando a lui in quel momento.

«Io…»

«Io un cazzo, brutto pezzente. Ci sono delle cose che non hai capito, di Maurice e di me. Di quanto sia breve la sua pazienza e di conseguenza la mia. Mi sembra sia il caso di rinfrescarti un po' la memoria.»

Il pugno allo stomaco lo lasciò senza fiato. Sentì un conato di vomito salire su, portando una boccata d'acido nella bocca secca. Gli si piegarono le gambe. Vadim lo resse senza fatica, tenendolo in piedi per il colletto della camicia con una stretta ferrea.

Vide il pugno destro di quel delinquente alzarsi. Capì che il bersaglio era il suo viso e che sarebbe stato così potente che il muro alle sue spalle gliene avrebbe dato un altro. Chiuse gli occhi e si irrigidì, in attesa del colpo.

Il pugno non arrivò.

Riaprì gli occhi mentre sentiva la stretta al collo allentarsi.

Un uomo alto e robusto, con i capelli castani tagliati corti, era arrivato alle spalle di Vadim e gli aveva afferrato fra pollice e indice l'attaccatura dei capelli, all'altezza della basetta, e stava tirando violentemente verso l'alto.

Per la sorpresa e per il dolore, Vadim aveva mollato la presa su di lui.

«Ma che cazz…»

La stretta dell'uomo lasciò i capelli di Vadim, che fece un passo indietro per fronteggiare il nuovo arrivato. Lo squadrò dalla testa ai piedi. La camicia sembrava tutta bella imbottita di fisico e non c'era sul suo viso il minimo accenno di timore. L'aspetto di quel tipo era molto meno rassicurante della figura inerme e malaticcia di Laurent. Specialmente gli occhi, che adesso lo stavano guardando completamente privi di espressione, come se non si fosse fermato con propositi violenti ma semplicemente per chiedere un'informazione.

«Molto bene, vedo che sono arrivati i rinforzi», disse Vadim con voce non così sicura come avrebbe voluto.

Il pugno che aveva destinato a Laurent provò a tirarlo all'uomo in piedi davanti a lui. La reazione fu un lampo. Invece di indietreggiare, l'avversario evitò il pugno con un semplice spostamento della testa, fece un piccolo passo in avanti e si incuneò con la spalla sotto quella di Vadim. Dopo averla circondata con le braccia, premette verso il basso con tutto il peso del suo corpo.

Laurent udì distintamente il rumore dell'osso che si spezzava, con un *crac* così secco da accapponare la pelle. Vadim cacciò un urlo e si piegò in avanti, reggendosi il braccio ferito. L'uomo indietreggiò e girò agilmente su se stesso, una specie di piroetta per caricare il colpo. Il suo piede si abbatté sul viso dell'altro, facendo schizzare dalla bocca uno spruzzo di sangue. Vadim cadde a terra senza un gemito. Rimase immobile.

Laurent si chiese se fosse morto. No, il suo sconosciuto salvatore sembrava troppo abile per uccidere fortuitamente. Era sicuramente il tipo che, se uccideva qualcuno, lo faceva perché aveva *voluto* farlo.

Un attacco di tosse lo assalì. Si chinò reggendosi lo stomaco, mentre un filo di saliva biliosa gli colava dalle labbra.

L'uomo arrivato in suo soccorso lo aiutò ad alzarsi reggendogli il gomito.

«A quanto pare sono arrivato giusto in tempo, vero signor Bedon?» disse, in un pessimo francese con un forte accento straniero.

Laurent lo guardò stupito, senza capire. Era sicuro di non averlo mai visto prima in vita sua. Eppure quel tipo lo aveva appena salvato dai cazzotti di Vadim e conosceva il suo nome. Chi diavolo era?

«Lei parla inglese?»

Laurent fece cenno di sì con la testa. L'uomo mostrò un piccolo sollievo. Proseguì in inglese, con un accento che sapeva più d'America che d'Inghilterra.

«Ah, bene. Come avrà capito, non ho molta dimestichezza con la sua lingua. Lei si starà chiedendo chi sono e perché l'ho aiutata a risolvere questa…»

Indicò con un gesto il corpo di Vadim steso a terra.

«Questa… la chiamerei… situazione imbarazzante, se per lei va bene.»

Di nuovo Laurent annuì, in silenzio.

«Signor Bedon, lei non legge le sue e-mail oppure ha poca fiducia nello zio d'America…»

Lo stupore di Laurent gli si leggeva in viso come la pelle scura sulla faccia di un africano. Ora aveva una spiegazione sull'e-mail trovata nel computer. Ne avrebbe avute sicuramente delle altre. Di certo quell'uomo non aveva steso Vadim e salvato il suo culo per poi andarsene dopo aver lasciato una Z sul muro, come Zorro.

«Mi chiamo Ryan Mosse e sono americano. Avrei una proposta da farle. Molto, molto vantaggiosa per lei dal punto di vista economico.»

Laurent lo guardò un istante senza parlare. Gli era piaciuto il modo in cui era stato sottolineato il «molto vantaggiosa dal punto di vista economico». Lo stomaco smise di colpo di fargli male. Si alzò respirando profondamente dal naso. Sentì che il suo viso piano piano riacquistava colore.

L'uomo intanto si guardava in giro. Se provava disgusto per lo squallore del quartiere in cui Laurent viveva, non lo diede a vedere. Osservò attentamente il palazzo.

«La casa è quella che è, ma non penso sia venuto per comperarla.»

«No, però se ci mettiamo d'accordo, forse dopo se la potrà comprare lei, ammesso che le interessi.»

Mentre si riassettava i vestiti, il cervello di Laurent viaggiava a trecento chilometri l'ora.

Dunque, riassumendo: non aveva la più pallida idea di chi fosse e che cosa volesse da lui quel... come aveva detto di chiamarsi? Ah sì, Ryan Mosse. Non lo sapeva, ma adesso lui glielo avrebbe detto. E avrebbe detto anche una cifra.

Molto cospicua, pareva.

Laurent guardò ancora Vadim steso a terra, immobile. Il porco aveva il naso e un labbro spaccato e una piccola pozza di sangue si stava formando davanti alla sua bocca sull'asfalto del marciapiedi. In quel momento preciso della sua vita, chiunque gli salvasse le palle da uno come Vadim e parlasse di soldi, molti soldi, si presentava con un ottimo biglietto da visita.

Sesto carnevale

Nel suo posto lontano dal mondo, l'uomo ascolta la musica.

Nell'aria ci sono le note del Minuetto dalla *Sinfonia n. 5* di Franz Schubert. Chiuso nella sua scatola di metallo, l'uomo ascolta partecipe le volute degli archi e si figura l'ondeggiare del braccio dei musicisti, la concentrazione dei professori d'orchestra mentre interpretano la sinfonia. Ora la sua immaginazione li scavalca come nel movimento di una skycam cinematografica che si muove nello spazio e nel tempo. Di colpo non è più nel suo posto segreto, ma in un grande salone dalle pareti e dalle volte affrescate, illuminato dall'alto dalla luce di centinaia di candele sospese in enormi lampadari. Volge lo sguardo alla sua destra, in una soggettiva molto nitida, così vera da sembrare reale. La sua mano stringe quella di una donna che si muove di fianco a lui, con lui, al ritmo sinuoso della danza, fatta di un incedere elegante, di pause e di inchini tanto provati e riprovati da essere fluidi come vino che si adagi in un bicchiere. La donna non è capace di resistere alla fissità del suo sguardo che promette la creazione del mondo e la sua distruzione. Ogni tanto gira i suoi occhi velati dalle lunghe ciglia verso gli spettatori, quasi a cercare una conferma all'incredula consapevolezza di essere lei la prescelta. Ci sono ammirazione e invidia negli occhi di tutti quelli che, in piedi ai lati del salone, li guardano danzare.

Lui sa che quella notte sarà sua.

Nel chiarore incerto della stanza, alla luce danzante di una candela, confusa fra le trine e i merletti dell'enorme letto a baldacchino, la vedrà emergere dal viluppo delle sete che la rivestono come lo sfoglio di una rosa in boccio.

Sono i diritti del re.

Ma tutto questo ora non conta. Ora danzano e sono bellissimi. E lo saranno ancora di più, quando…

Ci sei, Vibo?

La voce arriva gentile come sempre, ansiosa come solo quella voce sa essere. Il suo sogno, l'immagine che si è creato davanti agli occhi chiusi, si perde, si sfalda, come quando al cinema si brucia la pellicola.

È il ritorno, la presenza dell'altro, l'incombenza, la responsabilità. Era solo un attimo di pausa, svanito come una spruzzata di neve primaverile. Non c'è spazio per i sogni, non c'è mai stato, non ci sarà mai. Un tempo avevano potuto sognare, quando vivevano nella grande casa tra le colline, quando riuscivano a sgattaiolare lontano dalle cure ossessive di quell'uomo che li voleva già uomini, mentre desideravano solo essere dei ragazzi. Mentre desideravano correre e non marciare. Ma, anche lì, c'era una voce capace di rompere qualunque incanto la loro immaginazione fosse riuscita a creare.

«Sì, sono qui, Paso.»

Che fai? Non ti sentivo più.

«Stavo solo riflettendo…»

L'uomo lascia che la musica prosegua. Che sia l'ultima appendice dei suoi poveri miraggi. Non ci sarà mai quella danza con una donna bellissima, per lui, per loro. Si alza e va nell'altra stanza, dove un corpo senza vita giace nella sua bara di cristallo.

Preme l'interruttore della luce. Un riflesso si accende sullo spigolo della teca trasparente. Si spegne quando avanza e cambia la prospettiva. Se ne accende un altro, ma sono solo e sempre la stessa cosa. Poveri, piccoli miraggi. Sa già quello che troverà. Un'altra illusione infranta, un altro specchio magico in frantumi, ai suoi piedi.

Si avvicina al corpo nudo steso all'interno, fa scivolare lo sguardo sulle membra rinsecchite che hanno il colore della pergamena vecchia, lentamente, dai piedi alla testa coperta da quella che fino a poco tempo prima era la faccia di un altro uomo.

Gli si stringe il cuore.

Niente è per sempre. La maschera sta già presentando i primi segni di deterioramento. I capelli sono stopposi e opachi. La pelle è tutta macchiata e si sta raggrinzendo. Fra poco, nonostante le sue cure, sarà uguale alla pelle del volto che nasconde. Guarda quel corpo con tenerezza infinita, con gli occhi delicati dell'affetto che nulla può cancellare.

Si rabbuia e contrae le mascelle con la rabbia della ribellione.

Non è vero che il destino è ineluttabile. Non è vero che si può essere solo spettatori dell'avvicendarsi del tempo e degli avvenimenti. Lui può cambiare, lui *deve* cambiare quell'ingiustizia eterna, lui può mettere riparo alle cose sbagliate che il fato distribuisce a piene mani in quel groviglio di serpi che è la vita degli uomini. A caso, senza guardare, senza curarsi se quello che succede spezza un'esistenza o la costringe per sempre nell'oscurità.

L'oscurità significa buio. Buio significa notte. E la notte significa che la caccia deve continuare.

L'uomo sorride. Poveri stupidi cani. Latrati e denti scoperti per nascondere la loro paura. Occhi nictalopi tesi a frugare l'oscurità, il buio, la notte, per scoprire da dove arriverà la preda che si è trasformata in cacciatore.

Lui è uno e nessuno. Lui è il re.

Il re non ha domande, solo risposte. Il re non ha curiosità, solo certezze.

La curiosità la lascia agli altri, a tutti quelli che se lo chiedono, a tutti quelli che in qualche modo ce l'hanno negli occhi, nei gesti a scatti, nell'affanno, nell'ansia di vita che a volte è così densa che si può respirare. La vita ha un odore così complesso, eppure è così facile da riconoscere.

L'odore della vita è sui tram d'estate, pieni di gente con troppe ascelle e troppe mani. È nell'odore di cibo e di piscio di gatto, che in certi vicoli prende alla gola. È nell'odore acuto della ruggine e del salmastro che divorano il metallo, nell'odore di disinfettante e nel sentore ruvido della polvere da sparo.

Anche e soprattutto lì, nel presagio della dissolvenza, ci sono le due eterne domande, «quando?» e «dove?».

Quando sarà quell'ultimo soffio di fiato, trattenuto con un ringhio animale, coi denti stretti inchiodati a non lasciarlo uscire, perché non ce ne sarà un altro dopo, mai più. Quando, a che ora del giorno o della notte, fissato su un orologio ormai scarico, ci sarà quell'ultimo secondo e non un altro, lasciando il resto del tempo al mondo che prosegue per altri giri e altre corse. Dove, in quale letto, sedile di macchina, ascensore, spiaggia, poltrona, in quale stanza d'albergo il cuore darà quel dolore appuntito, l'attesa interminabile curiosa e inutile di un altro battito, dopo quell'intervallo che diventa sempre più lungo, ancora più lungo, infinito. A volte tutto è così rapido che quell'ultimo guizzo è la calma finalmente, ma non la risposta, perché in quel lampo accecante non c'è tempo di capirla, a volte nemmeno di sentirla.

L'uomo sa quello che deve fare. L'ha già fatto e lo farà ancora, finché sarà necessario.

Ci sono tante maschere là fuori, portate in giro da persone che non meritano né quella né altre apparenze.

Che c'è Vibo? Perché mi guardi così? C'è qualcosa che non va?

L'uomo è rassicurante, la sua bocca sorride, i suoi occhi scintillano, la sua voce protegge.

«No, Paso, assolutamente niente. Sto guardando che sei bellissimo. E presto lo sarai ancora di più.»

Oh no, davvero? Non dirmi che...

L'uomo ammanta di una tenera segretezza le sue intenzioni.

«Stop. Vietato parlarne. Segreto dei segreti, ricordi?»

Ah, è un segreto dei segreti? Allora si può parlarne solo sotto la luna piena...

L'uomo sorride al ricordo dei loro giochi di bambini. Nei pochi momenti in cui non c'era quell'uomo a sporcare la loro fantasia con l'unico gioco che era loro concesso di fare.

«Già, Paso. E la luna piena verrà presto. Molto presto...»

L'uomo si gira e si dirige verso la porta. Nell'altra stanza la musica è finita. Ora c'è un silenzio che pare la naturale continuazione di quella musica.

Dove vai, Vibo?

«Arrivo subito, Paso.»

Si gira a guardare con un sorriso il corpo steso nella bara di cristallo.

«Prima devo fare una telefonata...»

30

Erano tutti nella sede di Radio Monte Carlo, in attesa, come ogni sera. L'evoluzione di quella storia aveva portato un fermento tale da far triplicare il numero delle persone che abitualmente erano in giro per l'edificio a quell'ora.

Adesso si era aggiunto anche l'ispettore Gottet con un paio di uomini che avevano installato una postazione di computer molto più potenti e sofisticati di quelli della radio e li avevano collegati in rete. Con lui era arrivato un ragazzo giovane, sui venticinque anni, un tipo dall'aria sveglia, i capelli castani tagliati corti con delle mèche bionde e un piercing sulla narice destra. Si era messo a trafficare con una serie di floppy e di cd-rom muovendo le dita velocissimo sulla tastiera, al punto che Frank, in piedi dietro alla sedia su cui stava seduto, faceva fatica a stare dietro alle mani.

Il ragazzo si chiamava Alain Toulouse ma era conosciuto fra gli hacker con lo pseudonimo di «Pico». Quando Frank gli era stato presentato, sentendo la sua qualifica aveva fatto un sorrisetto furbo, mentre gli occhi gli brillavano di malizia.

«FBI, eh?» aveva detto. «Sono entrato, una volta. Be', più di una volta, direi. Prima era facile, adesso anche loro sono diventati molto più cazzuti. Che tu sappia, hanno preso degli hacker come consulenti?»

Frank non aveva saputo rispondere alla domanda, ma d'altronde la risposta non interessava già più al ragazzo. Si era girato ed era andato a sedersi alla sua postazione.

Adesso digitava come un fulmine, mentre forniva spiegazioni su quello che stava facendo.

«Prima di tutto imposterò un *firewall* di protezione del sistema. Se qualcuno cercherà di entrare me ne accorgerò. Di solito si cerca di impedire l'accesso agli attacchi esterni e basta. In questo caso è diverso, si tratta di scoprire l'attacco senza farglielo capire. Ho inserito un programma che ho creato io, che ci consentirà di agganciare il segnale e di seguire a ritroso il percorso che ha fatto. Potrebbe essere anche un "Cavallo di Troia"…»

«Cosa significa "Cavallo di Troia"?» chiese Frank.

«È un modo di dire per indicare una comunicazione mascherata, che viaggia coperta da un'altra, come certi virus. A questo proposito sto inserendo anche una difesa da quella parte, non vorrei mai che il segnale che intercettiamo, quando lo intercettiamo…»

Fece una pausa per scartare una caramella e infilarsela in bocca. Frank aveva notato che Pico non aveva la minima incertezza sul fatto che lo avrebbe intercettato. Doveva avere molta fiducia in se stesso, il ragazzo. D'altronde faceva parte della filosofia dei pirati telematici, quel tipo di atteggiamento. Presunzione e ironia, che li portavano a compiere imprese non propriamente criminali, ma semplicemente tese a dimostrare alle loro vittime la capacità di eludere qualsiasi sorveglianza, qualsiasi muro fosse predisposto per tenerli lontani. Nelle loro intenzioni, impersonavano una specie di moderno Robin Hood con mouse e tastiera al posto di arco e frecce.

Pico riprese la sua esposizione masticando vigorosamente la caramella mou che gli si appiccicava ai denti e al palato.

«Non vorrei, dicevo, che avessero inserito un virus in grado di liberarsi quando il segnale viene intercettato. Se così fosse, perderemmo il segnale e anche la possibilità di seguirlo, insieme al nostro computer, ovviamente. Un virus come si deve può fondere letteralmente l'hard disk. Se quel tipo è capace di fare una cosa del genere, vuol dire che è maledettamente in gamba e il virus che può sparare fuori non sarà un mazzo di fiori…»

Bikjalo, che fino a quel momento era rimasto in silenzio seduto a una scrivania messa alle spalle della postazione, intervenne e fece una domanda.

«Pensi che ci siano dei tuoi colleghi che, in corso d'opera, potrebbero fare degli scherzi?»

Frank gli lanciò un'occhiataccia della quale il direttore non si accorse. Pico girò la sedia per guardarlo in faccia, incredulo di quell'abissale ignoranza sul mondo telematico.

«Siamo hacker, non delinquenti. Nessuno farebbe una cosa del genere. Io sono qui perché chi mena la danza non si limita a entrare dove non dovrebbe e lasciare una faccina che fa una pernacchia come firma. Questo è uno che uccide, questo è un assassino. Nessun hacker degno di questo nome farebbe mai una cosa simile.»

Frank gli mise una mano sulla spalla, in un gesto di fiducia che conteneva anche delle scuse per le parole di Bikjalo.

«Va bene, continua tu. Mi pare che in questo campo non ci sia nessuno che possa insegnarti qualcosa.»

Si rivolse a Bikjalo, che si era alzato ed era venuto a mettersi di fianco a loro.

«Qui non abbiamo più nulla da fare. Andiamo a vedere se Jean-Loup è arrivato?»

Avrebbe molto volentieri chiesto a quell'uomo di levarsi dalle scatole e lasciarli lavorare senza la sua presenza assidua ad alitargli sul collo. Ne avevano già abbastanza, di fiati sul collo, senza aggiungercene uno in più. Non poteva chiederglielo per sani motivi di diplomazia. L'atmosfera di collaborazione in radio era perfetta e non voleva guastarla in nessun modo. C'erano già troppe tensioni in giro, di vario genere.

«Certo.»

Il direttore lanciò un ultimo sguardo perplesso ai computer e a Pico, che si era già dimenticato di loro ed era tornato ad agitare le dita sulla tastiera, eccitato all'idea di questa nuova sfida. Lasciarono la postazione dei computer e arrivarono alla scrivania di Raquel mentre dalla porta entravano Jean-Loup e Laurent.

Frank osservò il dee-jay. Jean-Loup pareva piuttosto rinfrancato rispetto al mattino, ma portava come un segno indelebile un'ombra negli occhi. Frank conosceva quelle ombre. Ci sarebbe voluta molta luce e molto sole, quando questa faccenda fosse finita, per mandarle via.

«Ciao, ragazzi. Siete pronti?»

Rispose Laurent per tutti e due.

«Sì, la scaletta è pronta. La cosa difficile è pensare che la trasmissione deve andare avanti comunque, che a parte *quelle* telefonate ci sono sempre e in ogni caso le chiamate normali. Qui come va?»

La porta dell'ingresso si aprì di nuovo e la figura di Hulot rimase un istante inquadrata nel vano come in una foto sfocata. Frank pensò che da quando era arrivato a Montecarlo pareva invecchiato di dieci anni.

«Ah, eccovi qui. Buonasera a tutti. Frank, ti posso parlare un momento?»

Jean-Loup, Laurent e Bikjalo si scostarono leggermente in modo da lasciare Frank e il commissario liberi di parlare fra di loro.

«Che c'è?»

I due si spostarono verso la parete opposta, di fianco ai due pannelli di vetro che coprivano il quadro delle connessioni telefoniche, i collegamenti col satellite e i macchinari per la connessione ISDN in caso di black-out del ripetitore.

«Tutto a posto. L'unità d'intervento è in allarme. Ci sono dodici uomini in stand-by al comando di polizia. In un lampo possono essere dovunque. Le strade sono piene di agenti in borghese. Tutta gente dall'aria innocente. Uomini col cane, coppie con la carrozzina e roba così. La città è interamente coperta. In caso di necessità possiamo farli spostare da un punto all'altro in men che non si dica. Questo nel caso la vittima sia qui, a Montecarlo, voglio dire. Se invece il signor Nessuno ha deciso di andarsela a prendere chissà dove, la sua vittima, tutte le forze di polizia della costa sono allertate, al gran completo. Adesso possiamo solo cercare di essere più svegli del nostro amico. Per il resto, siamo nelle mani del Signore.»

Frank indicò due persone che stavano entrando in quel momento, accompagnate da Morelli.

«E nelle mani di Pierrot, che il Signore ha trattato così male…»

Pierrot e sua madre arrivarono alla loro altezza e si fermarono. La donna stringeva la mano del figlio come un'ancora di salvezza. Sembrava che, più che offrire sicurezza, la cercasse nella figura innocente del figlio, che viveva quella storia come un momento di personale partecipazione a qualche cosa che di solito gli era precluso.

Era lui, solo lui, Pierrot, il ragazzo sveglio, quello che *sapeva* la musica che c'era nella *stanza*. Gli era piaciuto quello che era successo l'altra volta, quando tutti quei grandi lo osservavano con aria ansiosa, in attesa che lui dicesse se c'era o se non c'era e che partisse per andare a prendere il disco. Gli piaceva essere lì tutte le sere, in radio, con Jean-Loup, a guardarlo oltre la vetrata, ad aspettare l'uomo che parlava con i diavoli, invece di stare a casa e sentire solo la voce che usciva dallo stereo.

Gli piaceva quel gioco, anche se aveva capito che non era tanto un gioco.

A volte se lo sognava di notte. Per la prima volta ringraziava di non avere, nella piccola casa dove abitavano, una stanza tutta sua, ma di dormire nel grande letto con la madre. Si svegliavano e avevano paura tutti e due e non riuscivano a prendere sonno se non quando dalle tapparelle filtrava la luce rosa dell'alba.

Pierrot si sciolse dalla mano della madre e corse da Jean-Loup, il suo idolo, il suo migliore amico. Il dee-jay gli scompigliò i capelli.

«Salve, bel tipo, come va?»

«Bene, Jean-Loup. Sai che domani forse vado sulla macchina della polizia?»

«Forte. Sei un poliziotto anche tu, allora.»

«Certo, un poliziotto *onorato*…»

Sentendo il nuovo *calembour* involontario di Pierrot, Jean-

Loup sorrise e lo attirò istintivamente a sé. Gli schiacciò la faccia contro il suo petto, mentre esagerava il movimento che gli scarduffava i capelli.

«Eccolo qui il poliziotto *onorato*, impegnato in un duro corpo a corpo col suo acerrimo nemico, il terribile "Dottor Solletico"...»

Iniziò a fare il solletico a Pierrot, che rideva a crepapelle. Si allontanarono verso la sala di regia, seguiti da Laurent e Bikjalo.

Frank, Hulot e la madre osservarono quella scena in silenzio. La donna aveva un sorriso incantato nel vedere l'amicizia che legava Jean-Loup a suo figlio. Tirò fuori un fazzoletto dalla borsa e si soffiò il naso. Frank notò che era fresco di bucato, e stirato per bene. Anche i vestiti della donna erano in ordine perfetto, per quanto modesti.

«Signora, non la ringrazieremo mai abbastanza per la pazienza che dimostra con noi.»

«Io? Io pazienza con voi? Ma sono io che vi devo ringraziare per tutto quello che state facendo per mio figlio. Non sembra nemmeno più lui. Se non fosse per questa brutta storia sarei così contenta...»

Hulot la tranquillizzò con una voce che trasmetteva calma. Frank sapeva che la calma, in quel momento, era una cosa che non gli apparteneva.

«Stia tranquilla, signora. Finirà tutto molto presto e sarà anche per merito di Pierrot. Faremo in modo che la cosa abbia il risalto che merita. Suo figlio diventerà un piccolo eroe.»

La donna si allontanò per il corridoio, le spalle leggermente curve, il suo timido passo lento. Frank e Hulot restarono soli.

In quel momento la sigla di *Voices* si sparse per il corridoio e la trasmissione iniziò. Tuttavia, la puntata non aveva nervo quella sera, e sia Jean-Loup sia gli altri lo sentivano. C'era una tensione quasi elettrica nell'aria ma non si trasmetteva al programma. Le telefonate arrivavano, ma erano normali chiamate di routine filtrate in precedenza da Raquel, coadiuvata da uomini della polizia. A tutti veniva richiesto di non parlare dei delitti. Se, nonostante questo, qualcuno in trasmissione ne faceva cenno, Jean-Loup deviava abilmente l'argomento su altri meno ostici da trattare. Sapevano tutti che c'erano ogni sera milioni di ascoltatori sintonizzati sulle frequenze di Radio Monte Carlo. La trasmissione, oltre che in Italia e in Francia, adesso veniva diffusa in molti altri Paesi d'Europa attraverso dei network che avevano acquisito i diritti. L'ascoltavano, la traducevano e la commentavano, tutti in attesa che succedesse qualcosa. Per la radio era un affare colossale. Il trionfo della saggezza latina.

Mors tua, vita mea.

Frank pensò che fatti come quelli che stavano vivendo erano un po' la morte di tutti. Nessuno ne usciva veramente vincitore.

Rimase di stucco scoprendo il senso di quello che aveva appena pensato.

Nessuno ne esce veramente vincitore.

Ricordò l'astuzia di Ulisse. Il significato intrinseco della definizione che l'assassino dava di se stesso, l'ironia, il senso beffardo della sfida. Ancora di più si convinse che avevano di fronte un uomo fuori della norma e che dovevano prenderlo al più presto. Alla prima occasione che si fosse presentata.

Toccò istintivamente col braccio la pistola che teneva nella fondina appesa al fianco, sotto la giacca. La morte di quell'uomo, in senso reale o figurato che fosse, per qualcuno rappresentava *veramente* la vita.

La luce rossa della linea telefonica si accese. Laurent passò la chiamata in linea a Jean-Loup.

«Pronto?»

Ci fu una pausa, poi una voce contraffatta uscì dalle casse.

«Pronto, Jean-Loup. Il mio nome è uno e nessuno...»

Tutti i presenti rimasero come pietrificati. Jean-Loup, dietro il vetro della cabina di trasmissione, sbiancò in viso, come se tutto il suo sangue fosse sparito di colpo. Barbara, seduta al mixer, si allontanò di scatto dall'apparecchio come se di colpo fosse diventato un pericolo mortale.

«Chi sei?» chiese smarrito.

«*Non importa chi sono. L'importante è che stanotte colpirò di nuovo, succede quel che succede…*»

Frank si alzò come se avesse scoperto di essere seduto su una sedia elettrica.

Cluny, che stava seduto alla sua sinistra, si alzò a sua volta e lo prese per un braccio.

«Non è lui, Frank», gli bisbigliò.

«Cosa intende per "non è lui"?»

«È sbagliato. Questo ha detto: "Il mio nome è uno e nessuno". L'altro dice di sé: "Io *sono* uno e nessuno".»

«Fa differenza?»

«In questo caso fa molta differenza. E poi la persona al telefono è ignorante. Questo è lo scherzo di qualche stronzo.»

Quasi a conferma delle parole dello psicopatologo, una risata che pretendeva di essere satanica provenne dalle casse e la comunicazione si interruppe.

Morelli entrò di corsa nella sala regia.

«Lo abbiamo!»

Frank e Cluny lo seguirono nel corridoio. Hulot, che in quel momento era nell'ufficio del direttore, stava arrivando di corsa anche lui, seguito a un passo di distanza da Bikjalo.

«C'è?»

«Sì, commissario. La telefonata arriva da un posto alla periferia di Mentone.»

Frank raffreddò i loro entusiasmi. Si accorse che erano anche i suoi, purtroppo.

«Il dottor Cluny dice che potrebbe non essere lui, che potrebbe trattarsi di una simulazione.»

Lo psicopatologo si sentì chiamato in causa. L'uso del condizionale lasciava aperta una porta che Cluny si affrettò a chiudere.

«Magari la voce è contraffatta nello stesso modo, ma il linguaggio non è quello della persona che ha fatto le telefonate precedenti. Vi dico che non è lui.»

«Maledetto, chiunque sia. Hai già avvertito il commissariato di Mentone?» chiese il commissario a Morelli.

«Subito, appena abbiamo localizzato la chiamata. Sono scattati come dei fulmini.»

«Certo, figurati se si lasciano sfuggire l'opportunità di prenderlo loro…»

Il commissario evitava di guardare Cluny, quasi che non averlo nella sua visuale escludesse l'eventualità che lo psicopatologo aveva ipotizzato.

Passò un quarto d'ora che pareva interminabile. Sentivano al fondo del corridoio le casse diffondere la musica e la voce di Jean-Loup, che proseguiva malgrado tutto la trasmissione. Stavano arrivando sicuramente decine di telefonate e il centralino doveva essere intasato. Il radiomicrofono che Morelli aveva appeso alla cintura ronzò. L'ispettore si tese come una corda di violino all'arrivo della chiamata.

«Ispettore Morelli.»

Rimase in ascolto. La delusione si dipinse sul suo viso come una nube che a poco a poco nasconde il sole. Prima ancora che gli passasse l'auricolare, Hulot seppe che c'era in giro un nulla di fatto.

«Commissario Hulot.»

«Ciao, Nicolas, sono Roberts, di Mentone.»

«Ciao, dimmi.»

«Sono sul posto. Niente, falso allarme. Si tratta di un coglione fumato come una ciminiera che voleva fare colpo sulla sua ragazza. Pensa che ha addirittura fatto la telefonata da casa sua, questo scemo. Quando l'abbiamo beccato se la sono quasi fatta addosso dalla paura, lui e la ragazza…»

«*Morissero* dalla paura, quei due imbecilli. Puoi arrestarli?»

«Certo. Oltre all'intralcio alle indagini, questo stronzo ha in casa un bel pezzo di formaggio.»

Con quel termine Roberts voleva dire che aveva dell'hascisc.

«Bene. Prendeteli e accendetegli il culo. E fate in modo che la stampa ne sia messa al corrente. Dobbiamo dare un esempio, altrimenti fra un po' saremo pieni di telefonate come questa. Ti ringrazio, Roberts.»

«Figurati. Mi dispiace, Nicolas.»

«Onestamente anche a me. Ciao.»

Il commissario chiuse la comunicazione. Li guardò con occhi nei quali la speranza si era spenta di colpo.

«Aveva ragione lei, dottore. Un falso allarme.»

Cluny parve imbarazzato, quasi che ad aver azzeccato quella previsione si fosse macchiato di una colpa.

«Be', io...»

«Ottimo lavoro, dottore», intervenne Frank. «Ottimo lavoro veramente. Non è colpa di nessuno quello che è successo.»

Tornarono lentamente verso la cabina di regia, al fondo del corridoio. Gottet arrivò verso di loro.

«Allora?»

«Allora niente. Una pista fasulla.»

«Mi sembrava strano che fosse così semplice. Però in un caso come questo come si fa a pensare...»

«Va tutto bene, Gottet. Quello che ho appena detto al dottor Cluny vale anche per lei. Ottimo lavoro.»

Entrarono in regia dove tutti erano in attesa di notizie. Videro la delusione dipinta sui loro visi ed ebbero una risposta prima ancora di fare la domanda. Barbara si rilassò sulla sedia e si appoggiò al mixer. Laurent si passò una mano fra i capelli, in silenzio.

In quel momento il segnale rosso sulla parete prese a lampeggiare. Il dee-jay aveva un aspetto provato. Bevve un sorso d'acqua dal bicchiere che aveva sul tavolo e si avvicinò al microfono.

«Pronto?»

Dapprima ci fu solo silenzio. Quel silenzio che tutti avevano imparato a riconoscere. Poi la scia soffocata, l'eco innaturale.

Infine arrivò la voce. Tutti girarono lentamente la testa verso le casse, come se quella voce avesse loro irrigidito i muscoli del collo.

«Ciao, Jean-Loup. Ho come l'impressione che mi steste aspettando...»

Cluny si chinò verso Frank.

«Sentito? Congiuntivo perfetto. Proprietà di linguaggio. *Questo* è lui.»

Jean-Loup stavolta non ebbe esitazioni. Le sue mani stringevano il tavolo al punto che le nocche erano bianche, ma non c'era traccia di tutto ciò nella sua voce.

«Sì, ti stavamo aspettando. Lo sai che ti stavamo aspettando.»

«Eccomi allora. I cani saranno sfiancati ormai, a forza di correre dietro alle ombre. Ma la caccia deve continuare. La mia e la loro.»

«Perché dici *deve*, che senso ha tutto questo?»

«La luna è di tutti e ognuno di noi ha il diritto di ululare.»

«Ululare alla luna significa dolore. Ma si può anche cantare alla luna. Si può essere felici nel buio, a volte, se si vede una luce. Santo cielo, si può anche essere felici nel mondo, credimi.»

«Povero Jean-Loup, anche tu pensi che la luna sia vera, mentre è solo un'illusione... Sai che c'è nel buio di quel cielo, amico mio?»

«No. Ma penso che adesso me lo dirai.»

L'uomo al telefono non rilevò l'ironia amara di quella frase. O forse la rilevò, ma se ne sentiva superiore.

«Né Dio né luna, Jean-Loup. La parola giusta è "niente". Non c'è assolutamente niente. E io sono talmente abituato a viverci dentro che ormai non ci faccio più caso. Dappertutto intorno, ovunque io giri lo sguardo, è il niente.»

«Tu sei pazzo», scappò detto a Jean-Loup, suo malgrado.

«Anch'io me lo sono chiesto più volte. Ci sono molte probabilità che sia così, anche se ho letto da qualche parte che non è da pazzi dubitare di esserlo. Non so che cosa significhi desiderare di esserlo, che è quello che a volte succede a me.»

«Anche le pazzie possono finire, si può guarire. Cosa possiamo fare per aiutarti?»

L'uomo ignorò la domanda, come se non ci fosse una soluzione.

«Chiedimi cosa posso fare io per aiutare voi, piuttosto. Ecco, questo è l'osso nuovo. Per i cani, che si inseguano la coda nel tenta-

tivo disperato di morderla. È un loop. *Un bel* loop *che gira, gira, gira... Come nella musica. Dove c'è un* loop *che gira gira gira...»*

La voce sfumò con un effetto di *fade-out*. Dalle casse, come la volta precedente, all'improvviso uscì la musica. Niente chitarre, questa volta, niente musica rock dal sapore di revival, ma un brano dance estremamente attuale. Il trionfo dell'elettronica e dei campionamenti. La musica finì, improvvisa come era arrivata. Il silenzio che ne seguì rese ancora più importante la domanda di Jean-Loup.

«Cosa significa? Cosa vuole dire?»

«Io ho fatto la domanda, la risposta è vostra. La vita è fatta di questo, amico mio. Domande e risposte. Nient'altro che domande e risposte. Ogni uomo si trascina dietro le sue domande, a partire da quelle che ha scritte dentro fin dalla nascita.»

«Quali domande?»

«Io non sono il destino, io sono uno e nessuno ma sono facile da capire. Quando chi mi vede realizza chi sono, in una frazione di secondo scioglie dai suoi occhi quella domanda: sapere quando e dove. Io sono la risposta. Io per lui significo adesso. *Io per lui significo* qui.»

Ci fu una pausa. Poi la voce sibilò una nuova condanna.

«È per questo che io uccido...»

Un *clic* metallico tagliò la comunicazione, lasciando nell'aria un'eco che pareva quella del meccanismo di una ghigliottina. Nella sua mente, Frank vide una testa mozzata cadere.

No, non questa volta, Cristo santo!

L'ispettore Gottet era già in comunicazione con i suoi, girato di spalle.

«L'avete agganciato?»

La risposta che riferì fu come la formula di un sortilegio che fece sparire la poca aria che avevano nei polmoni.

«Niente. Non c'è verso. Nessun segnale a cui attaccarsi. Pico dice che chi manovra le chiamate deve essere un autentico fenomeno. Non è riuscito a vedere niente. Se arriva dal Web, il segnale è mascherato in un modo che le nostre apparecchiature non riescono a visualizzare. Quel sacco di merda ci ha fregati un'altra volta.»

«Guai a noi. Qualcuno qui ha riconosciuto il brano?»

Chi tace acconsente. Il silenzio generale aveva però un significato negativo, in quel caso specifico.

«Merda. Barbara, una cassetta con la musica, al più presto. Dov'è Pierrot?»

Barbara si era già attivata e stava procedendo alla duplicazione.

«Nella sala riunioni», disse Morelli.

C'era in giro un'ansia febbrile. Tutti sapevano che dovevano fare presto, presto, presto. Forse in quello stesso momento l'autore della telefonata stava uscendo e si stava mettendo in caccia. Qualcun altro, da qualche parte, stava vivendo senza saperlo gli ultimi minuti della sua vita. Uscirono alla ricerca di «Rain Boy», l'unico fra di loro che potesse riconoscere la musica al primo ascolto.

Nella sala riunioni, Pierrot era seduto su una sedia vicino alla madre, con la testa bassa. Quando arrivarono li guardò con gli occhi pieni di lacrime, poi tornò ad abbassare il capo.

Frank, come la volta precedente, si accovacciò di fianco alla sedia. Pierrot sollevò un poco il viso, come se avesse pudore a farsi vedere con gli occhi lucidi.

«Che c'è Pierrot? Qualcosa che non va?»

Il ragazzo fece cenno di sì col capo.

«Ti sei spaventato? Non c'è da aver paura, siamo tutti qui, con te.»

Pierrot tirò su col naso.

«Non ho paura, sono un poliziotto anch'io, adesso…»

«Allora che cosa c'è?»

«Non so la musica», rispose accorato.

Nella sua voce c'era dolore autentico. Fece scorrere lo sguardo in giro, come se avesse fallito la grande occasione della sua vita. Le lacrime scesero a rigargli il viso.

Frank si sentì perduto. Nonostante la sua sensazione, si sforzò di sorridere a Pierrot.

«Stai tranquillo. Non c'è motivo di preoccuparsi. Adesso te la facciamo riascoltare e vedrai che la riconosci. È difficile, ma ce la puoi fare. No, sono sicuro che ce la farai.»

Barbara entrò quasi di corsa nella stanza. In mano teneva un DAT. Lo infilò nel lettore e lo fece partire.

«Ascolta attentamente, Pierrot.»

Le percussioni elettroniche del brano si riversarono nella stanza. Il battito in quattro della musica dance, simile al battito del cuore umano. Centotrentasette battute al minuto. Un cuore accelerato dalla paura, un cuore che da qualche parte si poteva fermare da un momento all'altro.

Pierrot ascoltò in silenzio, la testa sempre bassa. Quando la musica finì, la rialzò e un timido sorriso fece capolino sulla sua bocca.

«C'è», disse piano.

«L'hai riconosciuta? C'è nella stanza? Vai a prenderla allora, per favore.»

Pierrot annuì e si alzò dalla sedia. Partì con la sua andatura caracollante. Hulot fece un cenno a Morelli, che uscì ad accompagnarlo.

Dopo un'attesa che parve interminabile, tornarono, e Pierrot stringeva un cd fra le mani.

«Qui c'è. È una *compilazione…*»

Infilarono il disco nel lettore e sfogliarono le tracce finché non la trovarono.

Il brano era esattamente quello che l'assassino aveva fatto sentire loro poco prima. Pierrot venne festeggiato come un eroe. La madre andò ad abbracciarlo come se gli avessero appena consegnato il Premio Nobel. C'era una luce di orgoglio nei suoi occhi che strinse il cuore di Nicolas Hulot fino a farglielo dolere.

Frank lesse il titolo sulla copertina della compilation.

«*Nuclear Sun*, di Roland Brant. Chi è questo Roland Brant?»

Nessuno lo conosceva. Si trasferirono di corsa, tutti insieme, davanti a un computer. Dopo una rapida ricerca in Internet, il nome saltò fuori da un sito italiano. Roland Brant era lo pseudonimo di un dee-jay italiano, un certo Rolando Bragante. Scoprirono che *Nuclear Sun* era un brano che aveva avuto un certo successo nelle discoteche qualche anno prima.

Nel frattempo Laurent e Jean-Loup avevano chiuso la trasmissione e si erano uniti a loro. Erano sconvolti. Tutti e due sembravano passati attraverso un temporale e che un po' di quel temporale fosse rimasto dentro di loro.

Il regista li illuminò sul versante della musica dance, un ambiente a se stante nel quadro del mercato discografico.

«Succede a volte che i dee-jay assumano uno pseudonimo. A volte è una parola di fantasia, ma nella maggior parte dei casi è un nome inglese. Ce ne sono tre o quattro anche in Francia. Di solito sono dei musicisti che si sono specializzati nel settore della musica da discoteca.»

«Che significa "è un *loop*"?» chiese Hulot.

«È un modo di dire che si usa nella musica campionata, quando si adopera il computer. Un *loop* serve come base, è l'essenza del pezzo. Si prende un pezzo di ritmica e si fa girare su se stessa, in modo che sia sempre perfettamente uguale.»

«Già, esattamente come ha detto quel bastardo. Un cane che si insegue la coda.»

Frank tagliò corto su quelle riflessioni e li riportò all'urgenza del momento. C'era qualcos'altro di molto più importante che dovevano capire.

«Okay, abbiamo un lavoro da fare. Forza, non vi viene in mente niente? Pensate a qualcuno famoso, intorno ai trenta, trentacinque anni, che possa avere in comune qualcosa con gli elementi che abbiamo. Qui, a Montecarlo.»

Frank pareva invasato. Si aggirava fra di loro continuando a ripetere quelle parole. La sua voce pareva inseguire un'idea come il latrato della muta di cani che insegue una volpe.

«Un uomo giovane, attraente, famoso. Qualcuno che bazzica qui, nei paraggi. Ci abita o c'è in questo momento. Cd, compilation, *Nuclear Sun*, discoteca, musica dance, un dee-jay italiano con nome inglese, uno pseudonimo. Pensate ai quotidiani, ai giornali rosa, al jet-set…»

La voce di Frank era come il frustino di un fantino che incitasse la sua cavalcatura in una corsa sfrenata. La mente di ognuno di loro galoppava nello stesso identico modo.

«Forza! Jean-Loup?»

Il dee-jay scosse la testa. Jean-Loup pareva molto provato ed era chiaro che da quella parte non ci si poteva aspettare nulla.

«Laurent?»

«Mi dispiace, non mi viene in mente niente.»

Barbara ebbe uno scatto e rialzò di colpo la testa, muovendo come un'onda i capelli ramati. Frank vide il suo volto illuminarsi.

Si avvicinò a lei.

«Dica, Barbara.»

«Non so… forse…»

Frank calò come un falco sulla sua espressione dubbiosa.

«Barbara, non ci sono forse. Dica un nome, se le è venuto in mente, giusto o sbagliato che sia.»

La ragazza fece girare un attimo lo sguardo sui presenti, come a chiedere scusa se stava dicendo una stupidaggine.

«Ecco, io penso che potrebbe essere Roby Stricker.»

31

René Coletti aveva una tremenda voglia di pisciare.

Fece un profondo respiro col naso. La vescica piena gli stava provocando delle fitte terribili alla pancia. Gli sembrava di essere in uno di quei film di fantascienza, in cui le tubature dell'astronave iniziano a perdere vapore e appare un segnale rosso di pericolo, mentre una voce metallica continua a ripetere: «Attenzione, fra tre minuti questa nave si distruggerà, attenzione…»

Era normale che quel bisogno fisiologico arrivasse nel momento meno opportuno, secondo la logica distruttiva della casualità, che appena può rompere i coglioni agli esseri umani lo fa.

Fu tentato di scendere dalla macchina e andare a farla in un posto qualunque, nella penombra, incurante della poca gente in giro sul molo o dall'altra parte della strada. Guardò con ingordigia il muro alla sua destra.

Si accese una sigaretta come diversivo e soffiò il fumo rapace della Gitanes senza filtro fuori dal finestrino aperto. Nel posacenere della macchina ce n'erano già a sufficienza per testimoniare che la sua attesa durava da parecchio tempo. Allungò la mano per spegnere lo stereo dell'auto sintonizzato su Radio Monte Carlo, tanto quello che gli interessava era già finito.

Aveva parcheggiato la sua Mazda MX-5 sul porto, vicino alle Piscine, col muso puntato verso l'edificio in cui stava la sede della radio, che in quel momento doveva essere zeppa di poliziotti in fermento come fagioli in una pignatta. Aveva seguito la trasmissione e ascoltato a quattro orecchie la telefonata dell'assassino, seduto in macchina, in attesa. Nella redazione del suo giornale,

«France Soir», molti colleghi avevano fatto la stessa cosa e adesso stavano sicuramente galoppando per il Web o chissà dove a caccia di informazioni. Un sacco di cervelli, in quel momento, funzionava a pieno regime per poter decifrare il nuovo messaggio lanciato attraverso l'etere da «Nessuno», come l'avevano battezzato loro della carta stampata. Quella definizione era entrata nell'uso comune e ora tutti lo chiamavano così. Potere dei media. Chissà come lo chiamavano, fra di loro, i poliziotti prima che quel nome gli fosse imposto dalla fantasia di un giornalista.

Agli investigatori la logica, a loro l'immaginazione. Ma non era detto che chi aveva l'una fosse necessariamente sprovvisto dell'altra.

Il suo era un caso lampante, in tal senso. O almeno si augurava che lo fosse.

Il cellulare posato sul sedile di fianco a lui si mise a squillare. La suoneria era un brano pop di Ricky Martin a cui sua nipote in pratica lo aveva obbligato, scaricandolo da Internet. Odiava quella musichetta, ma non aveva mai imparato a sufficienza l'uso del telefonino per poterla cambiare.

Fantasia e logica, ma orrore della tecnica.

Prese il cellulare e attivò la comunicazione.

Le sue tubature dovevano reggere ancora un po'.

«Pronto?»

«Coletti, sono Barthélemy.»

«Dimmi.»

«Abbiamo un'indicazione. Una botta di culo pazzesca. Giorgio Cassani, il nostro corrispondente da Milano, è amico della persona che ha scritto il pezzo. Quello che Nessuno ha fatto sentire in radio. Ci hanno telefonato due minuti fa dall'Italia. Ci danno ancora qualche minuto di vantaggio, prima di avvertire la polizia.»

Bel colpo. Speriamo solo che nessuno ci lasci la pelle. E speriamo che io non mi pisci addosso.

«Allora?»

«Si intitola *Nuclear Sun*. L'autore è un italiano, un dee-jay che si chiama Rolando Bragante, alias Roland Brant. Hai capito?»

«Certo che ho capito, non sono mica scemo. Mandami un SMS con i dati, in ogni caso. Non si sa mai.»

«Dove sei?»

«Sotto la radio. Tutto sotto controllo. Finora non è successo niente.»

«Stai in campana. Se i *flics* se ne accorgono sono cazzi.»

«Lo so come sono fatti.»

«Buona», lo salutò laconico Barthélemy.

«Anche a voi. Fammi sapere se ci sono novità.»

Spense il telefono. Un dee-jay italiano con uno pseudonimo inglese. Un brano di musica da discoteca intitolato *Nuclear Sun*.

Che cazzo voleva dire?

Provò una fitta al ventre. Si decise. Gettò la cicca fuori dal finestrino, aprì la portiera e scese dalla macchina. Girò dall'altra parte, scese un paio di gradini e andò a nascondersi nella semioscurità di quel tratto, riparato dalla sagoma dell'auto. Approfittò di una rientranza del muro, di fianco alla saracinesca chiusa di un negozio. Si slacciò i pantaloni e si liberò, con un sospiro di sollievo. Gli parve di volare. Guardò ai suoi piedi il rivolo giallastro di orina scendere come un torrentello sul terreno in leggera discesa.

Lasciarsi andare, in un caso come quello, era un piacere quasi sessuale, iconografico, era una soddisfazione della parte fisica e ludica dell'essere umano. Come quando era bambino e faceva con suo fratello la pipì sulla neve, disegnand…

Un momento. Gli arrivò un flash. La neve. Che c'entrava la neve? Vide una foto su un rotocalco, una figura maschile in tenuta da sci fotografata alla partenza di uno ski-lift con una bella ragazza di fianco. C'era neve, molta neve. Gli arrivò un'intuizione così precisa che lo lasciò senza fiato.

Cazzo. Roby Stricker, ecco chi era. E se era lui, era fatta.

Le sue evoluzioni fisiologiche non accennavano a placarsi. L'eccitazione gli provocò uno scatto di nervosismo. Interruppe il flusso, con il rischio di sporcarsi le mani. Aveva trattato faccende in cui il rischio di sporcarsi le mani era praticamente una certezza.

Non sarebbe stata certo questa la più disgustosa. Però Roby Stricker dove lo trovava, adesso?

Diede un energico scrollone alla sua attrezzatura sessuale e la infilò nelle mutande. Tornò di corsa in macchina, incurante del fatto che non si era allacciato i pantaloni.

C'è un assassino in giro in questa città, René, si disse. *A chi vuoi che freghi qualcosa se hai i calzoni abbottonati o no?*

Si sedette e prese il cellulare. Richiamò Barthélemy in redazione.

«Sono ancora Coletti. Trovatemi un indirizzo.»

«Sputa.»

«Roby Stricker. Il cognome si scrive S-t-r-i-c-k-e-r, con la *ci* e la *kappa*. Roby dovrebbe stare per Roberto. Abita qui a Montecarlo. Se è la sera della fortuna sfacciata, dovrebbe essere sulla guida del telefono. Altrimenti procuratelo in qualche modo, ma fai presto.»

Il giornale non era certo la polizia, ma anche loro avevano i loro canali.

«Aspetta in linea un momento.»

Passarono alcuni istanti che a Coletti sembrarono interminabili, addirittura più di quelli passati con la vescica piena. Finalmente Barthélemy tornò all'apparecchio.

«Bingo, vecchio mio. Sta in un condominio che si chiama Les Caravelles, Boulevard Albert Premier.»

Coletti trattenne il fiato. Non riusciva a credere alla sua fortuna. Era esattamente a un centinaio di metri dal punto in cui era parcheggiato.

«Ottimo, so dov'è. Ci sentiamo.»

«René, te lo ripeto, stai in campana. Non solo per i *flics*. Nessuno è un tipo pericoloso. Ne ha già fatti fuori tre.»

«Toccati le palle, menagramo. Ci tengo alla pelle, io. Ma se questa storia finisce come dico io, facciamo un botto sensazionale…»

Chiuse la comunicazione.

Per un attimo risentì la voce in radio.

Io uccido…

Suo malgrado rabbrividì. Tuttavia l'esaltazione, l'adrenalina, erano già in circolo ed erano in grado di annullare qualsiasi norma prudenziale. Come uomo Coletti aveva molti limiti, ma come giornalista conosceva il suo mestiere, e per farlo come si deve era disposto a correre qualsiasi rischio. Sapeva riconoscere una cosa grossa quando ci si trovava in mezzo. Una notizia da inseguire, da aprire come un'ostrica e far vedere a tutto il mondo se dentro c'è la perla o no. E questa volta la perla c'era, grande come un uovo di struzzo.

Ognuno ha le sue droghe e la sua era quella.

Guardò le vetrate illuminate di Radio Monte Carlo. C'erano diverse macchine della polizia parcheggiate sulla spianata davanti all'ingresso. La luce blu di un lampeggiante si accese e una vettura si mise in movimento. Coletti si rilassò. Era senz'altro la macchina di scorta che tutte le sere accompagnava a casa Jean-Loup Verdier. Li aveva seguiti un sacco di volte e sapeva che cosa avrebbero fatto. Sarebbero saliti fino alla casa del dee-jay, si sarebbero infilati dentro al cancello e buonanotte ai suonatori. I poliziotti sarebbero rimasti di guardia, rendendo vano ogni tentativo di contatto.

Avrebbe pagato metà della fortuna di Bill Gates per poter fare un'intervista a quell'uomo, ma non c'era verso, per il momento. Era blindato, in entrata e in uscita. Aveva piantonato quella casa a sufficienza da sapere che era impossibile.

Troppe cose erano sembrate impossibili, ultimamente.

Aveva cercato in tutti i modi di essere lui l'inviato del giornale in Afghanistan per la guerra. Se la sentiva nelle ossa, quella storia. Sapeva che avrebbe potuto raccontarla meglio di chiunque altro, come già aveva fatto nell'ex Jugoslavia. Gli avevano preferito Rodin, forse perché lo ritenevano più giovane e più affamato, più disposto a rischiare. Magari c'era dietro qualche rimescolo politico, qualche raccomandazione arrivata chissà da dove e di cui lui non era al corrente. Sta di fatto che l'aveva preso nel culo.

Coletti aprì il cruscotto portaoggetti e tirò fuori la sua fotocamera digitale, una Nikon 990 Coolpix. La posò sul sedile del passeggero e la controllò attentamente, come un soldato controlla la sua arma prima di una battaglia. Le batterie erano cariche e aveva quattro schede da 128 mega. Poteva fotografare la terza guerra mondiale, se ce ne fosse stato bisogno. Scese dalla Mazda senza curarsi di chiuderla. Nascose la macchina fotografica sotto la giacca, in modo che non si notasse. Lasciò l'auto e le Piscine alle sue spalle e si avviò nella direzione opposta. Poche decine di metri dopo si trovò davanti alla scala che saliva alla *promenade*. Mentre arrivava al piano della strada, una macchina borghese ma con il lampeggiante della polizia sul tetto uscì dalla Rascasse e passò a velocità sostenuta davanti a lui.

Ebbe modo di vedere che all'interno c'erano due persone. Immaginò chi potessero essere. Sicuramente il commissario Hulot e l'ispettore Morelli. O forse quel tipo bruno con la faccia scura che aveva visto uscire quella mattina dalla casa di Jean-Loup Verdier e che lo aveva guardato passando con la macchina davanti a lui. Quando i loro occhi si erano incrociati, ne aveva avuto un'impressione strana.

Quello era un uomo con il diavolo dentro. Lui i diavoli li conosceva bene, e altrettanto bene sapeva riconoscere quelli che se li portavano addosso. Forse valeva la pena di saperne di più, sul suo conto...

Coletti aveva da tempo scartato la strategia del pedinamento alle auto della polizia. I poliziotti non erano stupidi. L'avrebbero sgamato subito. Lo avrebbero fermato e addio al suo scoop. Non doveva assolutamente commettere errori.

C'era già stata la bufala della prima telefonata, falsa come i debiti, quella sera. Con tutta probabilità i *flics* dovevano essere piuttosto incarogniti. Non avrebbe voluto essere al posto di chi l'aveva fatta, se lo avevano beccato. Non gli sembrava il caso di infilarsi a testa bassa in una situazione analoga.

Se la prossima vittima di quel maniaco era davvero Roby Stricker, lo avrebbero usato come esca, e l'unico posto in cui questo poteva avvenire era casa sua. In quel momento doveva solo trovare un posto giusto in cui piazzarsi, un posto in cui vedere senza essere visto. Se le sue deduzioni erano giuste e se avessero preso Nessuno, sarebbe stato l'unico testimone oculare e l'unico reporter in possesso delle foto della cattura.

Se ci fosse riuscito, quella storia valeva il suo peso in plutonio.

In giro non c'era praticamente nessuno. Sicuramente, in quella città, tutti avevano seguito la trasmissione alla radio e sentito la nuova telefonata di Nessuno. Sapendo che c'era un assassino in giro, non erano tanti quelli che se la sentivano di uscire a cuor leggero per una passeggiata.

Coletti si avviò verso l'ingresso illuminato di Les Caravelles. Quando arrivò davanti alla porta a vetri del condominio tirò un sospiro di sollievo. La serratura era normale e non a codice numerico. Coletti si frugò in tasca, come un normale inquilino che sta cercando le chiavi.

Tirò fuori un giocherello che gli aveva regalato un suo informatore, un tipo sveglio che aveva aiutato a cavarsi dai guai, una volta. Uno che amava i soldi, senza distinzione di sorta, sia quelli che gli dava lui per le sue soffiate, sia quelli che si procurava entrando in appartamenti lasciati incustoditi.

Infilò l'arnese nella serratura e la porta si aprì. Coletti entrò nell'androne di quel palazzo di lusso. Si diede uno sguardo in giro. Specchi, poltrone di cuoio, tappeti persiani sul pavimento di marmo. A quell'ora era incustodito, ma nelle ore diurne era sicuramente piantonato da un portiere inflessibile.

Sentì il cuore che accelerava i battiti.

Non era paura.

Era adrenalina pura. Era il paradiso sulla terra. Era il suo lavoro.

Alla sua destra, sul lato più corto del salone rettangolare, c'erano due porte in legno. Una portava una targhetta in ottone su cui c'era scritto «Concierge». L'altra, all'angolo opposto, probabilmente portava al seminterrato. Non sapeva a che piano abitasse Roby Stricker e svegliare il portiere a quell'ora per chiederglielo non sembrava la tattica migliore. Però poteva prendere l'ascensore di servizio, portarsi all'ultimo piano e da lì scendere per le scale fino a individuare il piano giusto. Poi si sarebbe trovato un punto d'osservazione ottimale, anche a costo di appendersi fuori da una finestra, cosa che aveva già fatto in passato.

Le Reebok che aveva ai piedi non fecero alcun rumore mentre raggiungeva la porta del seminterrato. Spinse il battente e sperò che non fosse chiuso. Aveva il suo attrezzo, è vero, ma ogni secondo risparmiato era un secondo guadagnato. Tirò un sospiro di sollievo. La porta era solo accostata. Dentro era buio pesto. Al riflesso delle luci dell'androne, si vedevano le scale che scendevano a confondersi con l'oscurità. Sparse a intervalli regolari, brillavano come occhi di gatto le piccole luci rosse degli interruttori.

Non poteva assolutamente accendere la luce. Scese i primi due gradini accompagnando la porta che si chiudeva. Ringraziò mentalmente l'efficienza di chi teneva così ben oliati i cardini. Si girò su se stesso e si mosse a tastoni, cercando il muro con la mano. Iniziò a scendere lentamente i gradini, facendo attenzione a non inciampare. Il suo cuore batteva così forte che non si sarebbe stupito se si fosse sentito in tutto il palazzo. Tendendo il piede, si rese conto di essere arrivato al fondo della scala. Mise una mano davanti a sé e, sempre tastando il muro dall'intonaco ruvido, prese ad avanzare lentamente. Si frugò nelle tasche della giacca. Si accorse che, nell'eccitazione, aveva dimenticato in macchina, insieme alle sigarette, anche l'accendino Bic da due lire, che però adesso poteva essere molto utile. Ebbe la conferma che la fretta è sempre una cattiva consigliera. Continuò ad avanzare a tentoni. Aveva appena fatto alcuni passi in quel buio assoluto, quando sentì una morsa di ferro serrargli la gola e il suo corpo venne sbattuto violentemente contro il muro.

Settimo carnevale

Nel grande appartamento silenzioso c'è un uomo seduto al buio, su una poltrona.

Ha chiesto di restare da solo, lui che ha sempre avuto orrore della solitudine, delle stanze vuote, della penombra. Gli altri se ne sono andati dopo avergli chiesto un'ultima volta, prima di uscire, con una nota di apprensione nella voce, se era proprio sicuro di voler restare lì, senza nessuno a prendersi cura di lui.

Ha risposto di sì, rassicurante. Conosce così bene quella grande casa che si può muovere liberamente senza avere nulla da temere.

La loro voce si è sciolta nei rumori di passi che si allontanano, di una porta che si chiude, di un ascensore che sta scendendo. A poco a poco quei rumori sono diventati silenzio.

Così ora è solo, e pensa.

Nella calma di quella notte di fine maggio pensa al vigore degli anni passati. Pensa alla sua breve estate, che sta precipitando nell'autunno degli anni a venire, da percorrere non camminando sulle punte, ma con le piante dei piedi saldamente attaccate al suolo, approfittando di ogni solido appiglio per non cadere.

Dalla finestra aperta entra il profumo del mare. Allunga una mano e accende la lampada che sta su un tavolino di fianco a lui. Quasi nulla cambia per i suoi occhi, che sono ormai divenuti un teatro per le ombre. Torna a premere il pulsante. La luce si spegne, al soffio del suo sospiro senza speranza, come una candela. L'uomo seduto sulla poltrona pensa ancora a quello che lo aspetta. Si dovrà abituare all'odore delle cose, al loro peso, alla loro voce, quando saranno tutte annegate nello stesso identico colore.

L'uomo seduto sulla poltrona è praticamente cieco.

C'è stato un tempo in cui non era così. C'è stato un tempo in cui viveva della luce e della sua assenza e della sua essenza. Un tempo in cui i suoi occhi definivano un punto che era «là» e con un balzo ci poteva portare il suo corpo, mentre la musica pareva fatta della luce stessa, una luce che nemmeno gli applausi potevano sporcare.

È stata così breve, la sua danza.

Dal nascere della sua prima passione alla trepidante scoperta del talento al fulgore stupefatto del mondo alla sua conferma, è stato un attimo. Certo, ci sono stati momenti così pieni di piacere da bastare per una vita intera, momenti che altri non avrebbero vissuto mai, nemmeno in un secolo di vita.

Ma il tempo, il tempo truffatore che tratta gli uomini come giocattoli e tratta gli anni come minuti, era volato intorno a lui e gli aveva tolto di colpo con una mano quello che gli aveva elargito a profusione con l'altra.

Intere folle in estatica ammirazione della sua grazia, dell'incedere elegante del suo passo, delle parole silenziose di ogni suo gesto, quando pareva che tutta la sua figura fosse stata generata dalla musica medesima, tanto era parte dell'armonia entro cui si muoveva.

Portava ancora, negli occhi quasi spenti, i ricordi. Erano una luce così forte da poter quasi rimpiazzare quella che stava perdendo. Erano la Scala di Milano, il Bolscioi di Mosca, il Théâtre Princesse Grace di Montecarlo, il Metropolitan di New York, il Royal Theatre di Londra. Un numero infinito di sipari aperti nel silenzio e chiusi sugli applausi per ogni suo successo. Sipari che non si sarebbero aperti mai più.

Addio, idolo della danza.

L'uomo si passa una mano tra i capelli lucidi e folti.

Le sue mani sono i suoi occhi, ora.

Il tessuto ruvido della poltrona, il tessuto morbido dei pantaloni sulle gambe muscolose, la seta della camicia sul torace, seguendo la linea definita dei pettorali. Il senso liscio della guancia rasata da un altro, fino a incontrare il rivolo incolore della lacrima che ora la sta rigando. L'uomo ha chiesto, e ottenuto, di restare solo, lui che ha sempre avuto orrore della solitudine, delle stanze vuote, della penombra.

E di colpo sente che quella solitudine si è spezzata, che non c'è più solo lui nell'appartamento.

Non è un rumore, non è un respiro o un passo. È una presenza che avverte, con un senso che non sa di possedere, come un primitivo istinto da pipistrello. Una mano ha preso, un'altra mano ha dato.

Può sentire molte più cose, adesso.

La presenza diventa un passo leggero, agile, quasi senza rumore. Un respiro calmo e regolare. Qualcuno sta attraversando l'appartamento e si avvicina. Quel passo così silenzioso adesso si è fermato alle sue spalle. Controlla l'istinto di girarsi a guardare, tanto sarebbe inutile.

Sente il profumo, quello di una pelle con un buon odore mescolata a una buona acqua di colonia. Riconosce l'essenza, ma non la persona.

«Eau d'Hadrien», di Annick Goutal. Un profumo che sa di agrumi, di sole, di vento. Lo ha regalato a Boris, tempo fa, comprandolo a Parigi, nel negozio vicino a Place Vendôme, proprio il giorno dopo una trionfale performance all'Opera. Quando ancora...

Il passo riprende. Il nuovo arrivato supera la sua poltrona, che sta di spalle alla porta. Intravede l'ombra del suo corpo mentre si viene a mettere di fronte.

L'uomo seduto sulla poltrona non è sorpreso. Non ha paura. È solo curioso.

«Chi sei?»

C'è un attimo di silenzio, poi l'uomo in piedi risponde all'uomo seduto con una voce profonda e armoniosa.

«Conta qualcosa?»

«Sì, conta molto per me.»

«Il mio nome forse non ti direbbe niente. Non è importante che tu sappia chi sono. Voglio essere sicuro che tu sappia *cosa* sono e perché sono qui.»

«Questo lo immagino. Ho sentito di te. Ti aspettavo, credo. Forse dentro di me speravo addirittura che tu venissi.»

L'uomo seduto si passa una mano nei capelli. Vorrebbe passarla anche nei capelli dell'altro, sul suo viso, sul suo corpo, perché le mani sono i suoi occhi, ora.

La stessa voce profonda, così ricca di armoniche, gli risponde dal buio.

«Sono qui, adesso.»

«Immagino che non ci sia nulla che io possa dire o fare.»

«No, non c'è nulla.»

«Allora è finita. Credo sia meglio così, in un certo senso. Io non ne avrei mai avuto il coraggio.»

«Vuoi della musica?»

«Sì, penso di sì. No, ne sono certo. La voglio.»

Sente una serie di piccoli soffici rumori, il ronzio del lettore cd che si apre e si richiude, reso più evidente dal buio e dal silenzio. L'uomo sta armeggiando con l'impianto stereo della stanza. Non ha acceso la luce. Deve avere gli occhi di un gatto, se gli bastano il fioco chiarore che arriva dall'esterno e i led dell'impianto acceso per orientarsi.

Dopo un istante, le note di una cornetta si allargano fluttuando nella stanza. L'uomo seduto non conosce il brano ma la voce di quello strumento stranamente gli ricorda sin dalle prime battute la melodia malinconica composta da Nino Rota per la colonna sonora de *La strada,* il film di Fellini. Ha danzato quella musica alla Scala di Milano, all'inizio della sua carriera, in un balletto tratto dal film, con una prima ballerina di cui non ricorda il nome, solo la grazia innaturale del suo corpo.

L'uomo seduto sulla poltrona si rivolge all'oscurità da cui viene la musica, che è la stessa nella stanza e nei suoi occhi.

«Chi è?»

«Si chiama Robert Fulton. Un grandissimo musicista…»

«Lo sento. Che cosa rappresenta per te?»

«Un mio vecchio ricordo. D'ora in poi sarà anche tuo.»

Un lungo silenzio immobile. L'uomo sulla poltrona ha per un attimo la sensazione che l'altro se ne sia andato. Ma quando gli parla la sua voce arriva subito dal buio accanto a lui.

«Posso chiederti un favore?»

«Sì, se posso.»

«Mi permetti di toccarti?»

Un leggero fruscio di stoffa. L'uomo in piedi si è chinato in avanti. L'uomo seduto sente il calore del suo alito, un alito che sa di uomo. Forse un uomo che in altri tempi e in un'altra occasione avrebbe cercato di conoscere meglio…

Allunga le mani, le posa su quel viso, lo percorre con i polpastrelli fino a incontrare i capelli. Segue la linea del naso, esplora con le dita gli zigomi e la fronte. Le mani sono i suoi occhi, ora, e vedono per lui.

L'uomo seduto non ha paura. Era curioso, adesso è solo sorpreso.

«Così, sei tu», mormora.

«Sì», risponde l'altro semplicemente, rialzandosi.

«Perché lo fai?»

«Perché devo.»

L'uomo seduto si accontenta di questa risposta. Anche lui in passato ha fatto quello che sentiva di dover fare. Ha solo un'ultima domanda da rivolgere all'altro. In fondo, è solo un uomo. Un uomo non impaurito dalla fine di tutto, ma solo dal dolore.

«Soffrirò?»

L'uomo seduto non ha modo di vedere l'uomo in piedi estrarre una pistola col silenziatore da una borsa di tela che porta a tracolla. Non vede la canna rivolta verso di lui. Non vede sul metallo brunito il riflesso minaccioso della poca luce che arriva di taglio dalla finestra.

«No, non soffrirai.»

Non vede la nocca sbiancarsi mentre il dito preme il grilletto. La risposta dell'uomo in piedi si mescola col sibilo soffocato della pallottola che, nel buio, gli spezza il cuore.

32

«Non ho nessuna intenzione di vivere in galera finché questa storia non sia finita. E soprattutto non mi va di essere usato come esca!»

Roby Stricker posò il bicchiere di Glenmorangie che stava bevendo, si alzò dal divano e andò a guardare fuori dalla finestra del suo appartamento. Malva Reinhart, giovane attrice americana seduta sul divano addossato alla parete di fronte, faceva scorrere i fantastici occhi viola, giustificazione e forza di tanti primi piani, da lui a Frank. Era silenziosa e smarrita. Sembrava uscita di colpo dal personaggio che recitava in pubblico, fatto di sguardi che duravano qualche secondo in più e di scollature che coprivano qualche centimetro in meno. Aveva perso l'aspetto di aggressiva sufficienza che portava come un trofeo quando Frank e Hulot li avevano trovati all'uscita del Jimmy'z, la più esclusiva discoteca di Montecarlo.

Erano in piedi sul piazzale asfaltato accanto allo Sporting d'Eté, appena oltre la porta a vetri del locale, un po' defilati sulla sinistra rispetto alla luce azzurra dell'insegna. Stavano parlando con un uomo. Frank e Hulot erano scesi dalla macchina e si erano diretti verso di loro. La persona con cui lui e Malva stavano parlando in quel momento si era allontanata lasciandoli soli nella luce dei fari.

«Roby Stricker?» aveva chiesto Nicolas.

Lui li aveva guardati senza capire.

«Sì», aveva risposto con voce non del tutto sicura.

«Sono il commissario Hulot della Sûreté Publique e questo è Frank Ottobre, dell'FBI. Avremmo bisogno di parlarvi. Potete venire con noi, per favore?»

Non era sembrato a suo agio sentendo le loro qualifiche. Più tardi Frank aveva capito il perché, quando aveva fatto finta di non vedere il giovanotto sbarazzarsi in modo piuttosto maldestro di una bustina di cocaina. Stricker aveva indicato con la mano la giovane donna accanto a lui, che li guardava interdetta. Avevano parlato in francese e non aveva capito una sola parola.

«Tutti e due o solo io?… Cioè, volevo dire, lei è Malva Reinhart e…»

«Non sei in arresto, se è questo che ti interessa», era intervenuto Frank, in italiano.

«Penso che ti convenga venire con noi, nel tuo stesso interesse. Abbiamo ragione di credere che tu sia in pericolo di vita. Forse anche lei.»

Subito dopo, in macchina, lo avevano messo al corrente di tutto. Stricker era diventato pallido come un morto e Frank ebbe il sospetto che, se fosse stato in piedi, gli avrebbero ceduto le gambe. Frank aveva poi tradotto il tutto in inglese alla Reinhart ed era stato il suo turno di perdere parole e colore. Una giovane, sensuale attrice dei giorni nostri trasportata di colpo nel mondo del muto e del bianco e nero.

Avevano raggiunto l'appartamento di Stricker, a La Condamine, nella zona della centrale. Non avevano potuto fare a meno di rimanere allibiti dall'audacia di quel pazzo omicida. Se il suo obiettivo era *veramente* Stricker, c'era un sinistro e beffardo senso di sfida in quella scelta. Quell'uomo intendeva colpire qualcuno che abitava a un centinaio di metri in linea d'aria dalla sede della polizia.

Frank era rimasto con lui e la ragazza, mentre Nicolas, dopo aver ispezionato l'appartamento, era andato a dare disposizioni a Morelli e ai suoi uomini che si stavano appostando. Intorno al palazzo si era creata una rete di sicurezza impossibile da valicare.

Prima di andarsene Hulot aveva chiamato Frank nell'ingresso, gli aveva consegnato un walkie-talkie e gli aveva chiesto se aveva con sé la pistola. Senza parlare, aveva aperto la giacca per mostrargli la Glock appesa alla cintura. Sfiorando la consistenza fredda dell'arma, era leggermente rabbrividito.

Frank fece un passo verso il centro della stanza e rispose pazientemente alle rimostranze di Stricker.

«Prima di tutto stiamo cercando di garantire la tua incolumità. Anche se non si vede, qui intorno c'è schierata praticamente tutta la polizia del Principato. In secondo luogo non vogliamo usarti come esca, semplicemente ci serve la tua collaborazione per vedere se riusciamo a prendere la persona a cui stiamo dando la caccia. Ti garantisco che non corri alcun rischio. Tu abiti a Montecarlo e sai cosa sta succedendo da un po' di tempo a questa parte, vero?»

Roby si girò verso di lui mantenendo la sua posizione, di spalle davanti alla finestra.

«Non penserai che ho paura, vero? Semplicemente non mi va questa situazione. Mi sembra tutto così... così esagerato, ecco.»

«Mi fa piacere che tu non abbia paura, ma questo non significa sottovalutare la persona che abbiamo di fronte. Per cui allontanati da quella finestra.»

Stricker provò a restare impassibile ma tornò, con quella che a lui doveva sembrare la freddezza di un consumato avventuriero, a sedersi sul divano. In realtà si vedeva a occhio nudo che se la stava facendo sotto.

Frank lo conosceva da circa un'ora e, se avesse seguito il suo istinto, se ne sarebbe andato e lo avrebbe lasciato tranquillamente al suo destino. Stricker era talmente uguale allo stereotipo del figlio di papà che, in altre circostanze, Frank avrebbe pensato di essere vittima di una candid-camera.

Roberto Stricker, «Roby» per le cronache rosa, era italiano, di Bolzano per l'esattezza, ma con un nome tedesco che poteva essere anche spacciato per un nome inglese, volendo. Aveva da poco passato la trentina ed era quello che di solito si definisce un bel ragazzo. Alto, atletico, bei capelli, bel viso, bello stronzo. Era figlio di un miliardario, proprietario, fra le molteplici attività, anche di una catena di discoteche in Italia, Francia e Spagna chiamate

No Nukes, che avevano come logo il sole che ride. Da qui il richiamo di Barbara a *Nuclear Sun*, il brano di musica dance che l'assassino aveva loro fatto ascoltare durante l'ultima trasmissione. Di Roland Brant, pseudonimo inglese dell'italianissimo dee-jay Rolando Bragante. Roby Stricker viveva a Montecarlo facendo quello che la sua indole e i soldi del padre gli permettevano di fare: assolutamente nulla. I giornali scandalistici erano pieni delle sue gesta amorose e delle sue vacanze, mentre sciava a Saint Moritz con la top-model del momento o mentre giocava a tennis a Marbella con Bjorn Borg. Per quanto riguardava il lavoro, probabilmente il padre lo foraggiava per tenerlo fuori dagli affari di famiglia, mettendo in bilancio i soldi che il figlio gli costava alla voce «Male minore».

Stricker riprese in mano il bicchiere, ma tornò a posarlo quando vide che il ghiaccio si era sciolto ormai del tutto.

«Come avete intenzione di muovervi?»

«In realtà non c'è molto da fare, in casi come questi. Si tratta solo di prendere le misure giuste e di aspettare.»

«Ma come mai questo pazzo furioso ce l'ha con me? Pensate che sia uno che conosco?»

Se ha deciso di ucciderti, non mi stupirei se ti conoscesse. E anche bene, brutta testa di cazzo!

In omaggio a Stricker, Frank pensò queste cose in italiano. Si sedette su una poltrona.

«Questo non te lo so dire. Onestamente, a parte quello che sai anche tu, non abbiamo alcuna informazione su questo *assassino*, eccetto i criteri sulla scelta delle vittime e quello che fa loro dopo averle uccise...»

Seguendo il suo pensiero, Frank aveva di nuovo parlato in italiano, sottolineando leggermente la crudezza della parola «assassino» a unico beneficio di Roby Stricker. Non riteneva opportuno spaventare ancora di più la ragazza seduta sul divano, che si stava praticamente scarnificando un dito dalla paura. Anche se...

Chi si somiglia si piglia.

Se quei due stavano insieme un motivo c'era. Come Nicolas e Céline Hulot. Come Nathan Parker e Ryan Mosse. Come Bikjalo con Jean-Loup Verdier.

Per amore. Per odio. Per interesse.

Nel caso di Roby Stricker e Malva Reinhart forse si trattava di una banale, viscerale attrazione fra scatole vuote.

Il walkie-talkie che Frank portava appeso al fianco ronzò. Strano. Come norma prudenziale, avevano deciso di osservare il più rigoroso silenzio radio. Nessuna precauzione pareva eccessiva, vista la persona che avevano di fronte. Un tipo capace di trafficare così bene con la telefonia e le comunicazioni poteva benissimo essere in grado di inserirsi su qualunque frequenza radio della polizia. Si alzò dalla poltrona e andò nell'ingresso dell'appartamento prima di staccare l'apparecchio dal sostegno della cintura e portarlo alla bocca. Non voleva che i due sentissero i loro discorsi. Premette il tasto di risposta.

«Frank Ottobre.»

«Frank, sono Nicolas. Forse l'abbiamo preso.»

Frank si sentì come se avessero sparato una cannonata vicino alle sue orecchie.

«Dove?»

«Qui sotto, nel locale delle caldaie. Un mio uomo ha sorpreso un tipo sospetto che si stava intrufolando giù per le scale che portano al seminterrato e lo ha bloccato. Sono ancora lì. Ci sto andando.»

«Arrivo subito.»

Tornò nell'altra stanza come un fulmine.

«State qui e non muovetevi. Non aprite a nessuno tranne che a me.»

Li lasciò da soli con il loro stupore e con la loro paura. Aprì e richiuse con un solo movimento la porta d'ingresso. L'ascensore non era al piano. Non aveva tempo di aspettare che la cabina arrivasse. Infilò le scale e prese a scendere i gradini a due a due.

Arrivò nell'androne proprio mentre Hulot stava entrando con Morelli dalla porta a vetri che dava sulla strada. Un agente in divisa stava in piedi davanti alla porta che scendeva nel seminterrato. Lo raggiunsero.

Scesero di sotto, alla luce fioca di una serie di lampadine incassate nel muro e protette da una grata. Frank pensò che i palazzi di Montecarlo avevano tutti le stesse caratteristiche. Estremamente curati nelle facciate, ma altrettanto squallidi nei dettagli nascosti. Faceva caldo lì sotto, e c'era odore di spazzatura.

L'agente fece loro strada. Subito dietro l'angolo trovarono un agente in piedi accanto a un uomo che stava seduto a terra, appoggiato al muro, leggermente di sbieco, con le mani dietro la schiena. L'agente aveva sulla fronte un paio di occhiali agli infrarossi per la visione notturna.

«Tutto bene, Thierry?»

«Ecco, commissario, io…»

«Oh no, Cristo!»

Il grido di Frank interruppe le parole del poliziotto.

L'uomo seduto a terra era il giornalista con i capelli rossi, quello che aveva visto davanti alla sede della polizia quando era stato scoperto il cadavere di Yoshida. Lo stesso che aveva rivisto quel mattino davanti alla casa di Jean-Loup Verdier.

«Questo è un giornalista, porca miseria!»

Il reporter approfittò dell'occasione per far sentire la sua voce.

«Certo che sono un giornalista. Mi chiamo René Coletti, sono di "France Soir". È quello che sto ripetendo a questa testa di legno da dieci minuti. Se mi avesse lasciato prendere la tessera dalla tasca, ci saremmo evitati tutto questo casino.»

Hulot era su tutte le furie. Si accucciò davanti a Coletti. Frank temette che volesse picchiarlo. Se lo avesse fatto, lo avrebbe capito e difeso davanti al tribunale degli uomini e di Dio.

«Se tu fossi rimasto al tuo posto non ti sarebbe successo, brutto stronzo. Se ti interessa saperlo, sei nei guai.»

«Ah sì? E con che accusa?»

«Intralcio a un'indagine di polizia, per il momento. Poi con calma troveremo qualche altra cosa. Non basta che ci facciamo il culo, dobbiamo anche avere voi giornalisti fra i piedi a farcelo fare il doppio.»

Hulot si rialzò. Fece un cenno ai due agenti.

«Tiratelo su e portatelo via.»

I due poliziotti aiutarono Coletti ad alzarsi. Brontolando fra sé minacce di ritorsioni giornalistiche, il reporter si mise faticosamente in piedi. Aveva il segno di un'abrasione sulla fronte, dove probabilmente aveva sfregato contro il muro. Dalla macchina fotografica che aveva a tracolla cadde l'obiettivo.

Frank prese Hulot per un braccio.

«Nicolas, io torno su.»

«Vai, ci penso io a questo idiota.»

Frank tornò indietro per la stessa strada. Sentiva la delusione macinargli lo stomaco come una pietra da mulino. Capiva la rabbia di Hulot. Tutto il loro lavoro, l'attesa in radio, lo sforzo per decifrare il messaggio, la distribuzione degli uomini, l'appostamento, erano stati vanificati da quell'imbecille di giornalista con la sua macchina fotografica. A causa sua, avevano rivelato la loro presenza. Se veramente l'assassino aveva intenzione di colpire Roby Stricker, ormai doveva aver cambiato idea. C'era di buono che avevano evitato un altro morto, ma avevano perso contemporaneamente ogni possibilità di beccarlo.

Quando la porta dell'ascensore scivolò di lato, al quinto piano, Frank uscì e bussò alla porta dell'appartamento di Stricker.

«Chi è?»

«Sono io, Frank.»

La porta si aprì e Frank entrò in casa. Roby Stricker avrebbe dovuto lavorare a lungo di spiaggia e di lampada per far sparire il pallore del suo viso. Malva Reinhart non era messa meglio. Stava seduta sul divano e i suoi occhi sembravano ancora più grandi e più viola nel colore cereo del suo viso.

«Cos'è successo?»

«Niente. Niente di cui preoccuparsi.»

«Avete arrestato qualcuno?»

«Sì, ma non era la persona che stavamo cercando.»

In quel momento il walkie fece risentire il suo ronzio. Frank lo prese dalla cintura. Dopo la corsa che aveva fatto giù per le scale, si stupì di trovarcelo ancora.

«Sì.»

Gli arrivò la voce di Hulot. Era una voce che non gli piaceva per niente.

«Frank, sono Nicolas. Ho una brutta notizia da darti.»

«Quanto brutta?»

«Molto, molto brutta. Nessuno ci ha fregati, Frank. Fregati su tutta la linea. Non era Roby Stricker l'obiettivo.»

Frank sentì che stava arrivando un pessimo momento, per tutti loro.

«Hanno appena scoperto il cadavere di Gregor Yatzimin, il ballerino. Stessa condizione degli altri tre.»

«Merda!»

«Fra un minuto sono davanti al portone.»

«Arrivo subito.»

Frank strinse il walkie e per un istante ebbe la tentazione di sbatterlo contro il muro. Sentiva la rabbia come un blocco di granito nello stomaco. Stricker lo raggiunse nell'ingresso. Era parecchio nervoso, al punto di non accorgersi di quanto fosse sconvolto Frank.

«Che succede?»

«Devo andare via.»

Il ragazzo lo guardò smarrito.

«Di nuovo. E noi?»

«Voi non correte più alcun pericolo. Non eri tu l'obiettivo.»

«Cosa? Non ero io l'obiettivo?»

Il sollievo tagliò i fili di Stricker e lo costrinse ad appoggiarsi al muro.

«No. C'è appena stata un'altra vittima.»

La certezza dello scampato pericolo aiutò Striker a passare dall'emozione all'indignazione.

«Vuoi dirmi che ci avete fatto prendere un infarto solo per venirci a dire adesso che vi siete sbagliati? Che mentre eravate qui a fare i fenomeni quello se ne stava tranquillamente in giro ad ammazzarne un altro? Bella figura di merda. Quando lo saprà mio padre farà un casin…»

Frank ascoltò l'inizio di quello sfogo in silenzio. Le parole di Stricker purtroppo avevano dentro una base innegabile di verità. Sì, erano stati presi in giro un'altra volta. Come dei fessi. Però erano stati presi in giro da qualcuno che correva dei rischi, che usciva di casa e combatteva la sua battaglia, per quanto nefanda fosse. Non sopportava che lo facesse quell'inetto, dopo che avevano cercato in tutti i modi di salvare la sua discutibile esistenza. Il ghiaccio che Frank aveva dentro divenne di colpo vapore ed esplose con tutta la sua forza. Afferrò l'uomo per i testicoli e strinse violentemente.

«Senti un po', fighetta…»

Stricker impallidì mortalmente e si addossò al muro, tenendo la testa di lato come per evitare lo sguardo fiammeggiante di Frank.

«Se non chiudi quella bocca, ti faccio vedere i tuoi denti senza guardarli nello specchio!»

Diede una violenta strizzata alle palle di Stricker, che sottolineò il gesto con una smorfia di dolore. Frank continuò, con lo stesso tono sibilante.

«Se fosse dipeso da me, ti avrei lasciato volentieri nelle mani di quel macellaio, brutto coglione. Visto che il destino ti ha riservato un occhio di riguardo, non sfidare la fortuna e non andarti a cercare delle grane.»

Mollò la presa. Il viso di Stricker iniziò un lento ritorno verso una colorazione normale. Frank vide che aveva gli occhi lucidi.

«Adesso me ne vado. Come hai sentito, ho cose più importanti da fare. Liberati di quella mignotta che c'è di là e resta qui ad aspettarmi. Dobbiamo ancora fare quattro chiacchiere, da soli, tu e io. Mi devi chiarire un paio di particolari sulle tue frequentazioni, qui a Montecarlo…»

Frank si allontanò da Stricker, che iniziò lentamente a scivolare contro il muro fino a trovarsi seduto sul pavimento. Si prese la testa fra le mani e iniziò a piangere.

«E se intanto vuoi telefonare al paparino, sei libero di farlo.»

Si girò e aprì la porta, lasciando il ragazzo seduto in terra a singhiozzare. Uscì sul pianerottolo e, mentre attendeva l'ascensore, si rammaricò di non aver avuto il tempo di chiedere una spiegazione a Stricker su un particolare. Aveva aspettato di rimanere solo con lui per farlo, ma poi erano arrivate le chiamate di Nicolas.

Sarebbe tornato dopo, con calma. Voleva alcuni chiarimenti sulla persona che stava parlando con lui e con Malva Reinhart quando li avevano trovati davanti al Jimmy'z e che si era allontanata vedendoli arrivare. Frank voleva sapere di che cosa stava parlando Roby Stricker con il capitano dell'esercito degli Stati Uniti Ryan Mosse.

33

Il viaggio fino alla casa di Gregor Yatzimin fu breve e lungo nello stesso tempo.

Frank, seduto sul sedile del passeggero, ascoltava quello che Nicolas Hulot gli stava dicendo con lo sguardo fisso davanti a sé. Il viso era una maschera di rabbia silenziosa.

«Sai chi è Gregor Yatzimin, penso…»

Il silenzio di Frank valeva il suo assenso.

«Abita… abitava qui a Montecarlo e dirigeva la Compagnia dei Balletti. Ultimamente ha avuto dei problemi con la vista.»

Frank sbottò di colpo, interrompendolo come se non avesse sentito quello che Hulot stava dicendo.

«Nel momento stesso in cui ho sentito il suo nome, ho capito quanto siamo stati stupidi. Dovevamo immaginarlo che quel figlio di puttana sarebbe andato giù pesante. Il primo indizio, *Un uomo, una donna*, è stato relativamente facile proprio perché era il primo. Quel bastardo ci doveva fornire una chiave di lettura. *Samba Pa Ti* era sensibilmente più complicato. È ovvio che il terzo sarebbe stato ancora più difficile. E ce lo ha anche annunciato.»

Hulot non riusciva a seguire il ragionamento dell'americano.

«In che senso, ce lo ha annunciato?»

«Il *loop*, Nicolas. Il loop *che gira, gira, gira*. Il cane che si morde la coda. Lo ha fatto apposta.»

«Apposta a fare che?»

«Ci ha fornito un indizio che poteva essere frainteso, con una duplice interpretazione. Ci ha messo nella condizione di correre dietro al nostro stesso culo. *Sapeva* che saremmo arrivati a Roby

Stricker dal nome inglese del dee-jay, dalle discoteche No Nukes. Mentre noi eravamo impegnati con tutte le forze di polizia a proteggere quella specie di uomo, abbiamo lasciato lui completamente libero di colpire la sua vera vittima…»

Hulot finì per lui il discorso.

«Gregor Yatzimin, il ballerino russo che stava diventando cieco per le radiazioni che ha assorbito a Chernobyl, dopo l'incidente della centrale nucleare nel 1986. "Dance" non era riferito alla musica da discoteca, ma alla danza. E *Nuclear Sun* era il nocciolo radioattivo di Chernobyl.»

«Già. Che coglioni siamo stati. Avremmo dovuto capirlo che non poteva essere così semplice. E adesso abbiamo un altro morto sulla coscienza.»

Frank batté un pugno sul cruscotto della macchina.

«Brutto bastardo figlio di puttana!»

Hulot capiva benissimo lo stato d'animo di Frank. Era anche il suo. Anche lui avrebbe voluto urlare e picchiare i pugni contro il muro. O sul viso di quell'assassino, all'infinito, fino a trasformarlo nella stessa maschera di sangue delle sue vittime. Sia lui sia Frank erano due poliziotti con una certa esperienza e sicuramente non erano stupidi. Ora avevano la sensazione che il loro avversario li tenesse continuamente sotto controllo e avesse l'abilità di muoverli a suo piacimento come pedine su una scacchiera.

Purtroppo ogni poliziotto di coscienza, come ogni medico, non pensa mai a tutte le vite che è riuscito a salvare. Ha solo in mente quelle che ha perduto. Non c'entrano gli elogi e le accuse della stampa o dei superiori o della società. È un discorso personale, un discorso che ognuno, quando si guarda nello specchio al mattino, riprende allo stesso punto in cui lo ha interrotto la sera prima.

La macchina si fermò davanti a un elegante palazzo in Avenue Princesse Grace, poco dopo il Jardin Japonais. La scena era la solita, quella che avevano visto fin troppo in quegli ultimi tempi e che non avrebbero voluto vedere anche quella sera. I mezzi della scientifica e del medico legale erano già parcheggiati davanti alla casa. Il portone era piantonato da un paio di agenti in divisa. Un paio di giornalisti erano già arrivati. Di lì a poco sarebbero arrivati tutti gli altri. Hulot e Frank scesero dall'auto e si avviarono verso Morelli che li stava aspettando davanti all'ingresso. La sua faccia era il tassello mancante al puzzle della furibonda frustrazione generale.

«Com'è, Morelli?» chiese Hulot mentre entravano insieme nel palazzo.

Morelli indicò con la mano le porte dell'ascensore.

«Al solito. La testa scuoiata, la scritta *"Io uccido…"* tracciata col sangue. Stesse modalità di quegli altri, più o meno.»

«Cosa vuol dire, più o meno?»

«Che questa volta la vittima non è stata accoltellata. L'assassino l'ha freddata con un colpo di pistola prima di…»

«Un colpo di pistola?» lo interruppe Frank, incredulo. «Un colpo di pistola nel pieno della notte fa un bel botto. Qualcuno avrà sentito qualcosa.»

«Niente. Nessuno ha sentito niente.»

L'ascensore arrivò al piano, silenzioso come solo gli ascensori di lusso sanno essere. Le porte si aprirono senza alcun rumore. Entrarono.

«Ultimo piano», disse Morelli a Hulot, che stava col dito sospeso davanti al quadro dei comandi.

«Chi ha scoperto il corpo?»

«Il segretario di Yatzimin. Segretario e confidente. Penso fosse anche il suo amante. Era uscito con un gruppo di amici della vittima, dei ballerini di Londra. Yatzimin non se la sentiva di uscire e ha insistito perché loro andassero anche senza di lui.»

Arrivarono al piano e le porte dell'ascensore scivolarono sulle guide ben oliate. La porta dell'appartamento di Gregor Yatzimin era spalancata, tutte le luci accese. C'era il fermento tipico della scena di un delitto. Quelli della scientifica erano al lavoro mentre gli uomini di Hulot ispezionavano meticolosamente tutta la casa.

«Di qui.»

Morelli fece strada. Attraversarono l'appartamento lussuosamente arredato, dal sapore vagamente glamour. Arrivarono sulla porta di quella che si preannunciava come una camera da letto proprio mentre ne stava uscendo il medico legale. Hulot vide con sollievo che non era Lassalle, ma Coudin. La sua presenza stava a significare che ai piani superiori erano preoccupati, molto preoccupati, se avevano scomodato addirittura il numero uno. C'era sicuramente un inferno di telefonate, dietro la trincea.

«Buongiorno, commissario Hulot.»

Nicolas si ricordò l'ora.

«È vero, ha ragione lei, dottore. Buongiorno. Però ho il sospetto che non lo sarà, almeno per me. Che mi dice?»

«Niente di sensazionale. Per quanto riguarda le prime rilevazìoni, intendo. Sulla tipologia dell'omicidio è tutta un'altra cosa. Se vuole dare un'occhiata, intanto…»

Seguirono Frank, che era già entrato nella stanza. Rimasero tutti ancora e di nuovo agghiacciati dallo spettacolo che si presentava davanti ai loro occhi. L'avevano già visto, con diverse modalità e in altre circostanze, ma a una cosa come quella era difficile abituarsi.

Gregor Yatzimin stava steso sul letto, le mani incrociate sul petto, nella posizione in cui di solito si compongono i morti. Se non fosse stato per la testa orrendamente mutilata, si poteva pensare a una salma che qualche impresario di pompe funebri avesse adagiato sul letto in attesa della sepoltura. Sul muro, beffarda come sempre, la scritta tracciata con il furore e col sangue.

Io uccido…

Erano tutti in silenzio, davanti alla morte. Davanti a *quella* morte. Un nuovo omicidio senza motivo, senza spiegazione, salvo che nel cervello malato di chi lo aveva compiuto. La rabbia adesso era una lama rovente, affilata non meno di quella dell'assassino, che si rigirava dentro a piaghe dolorose.

La voce dell'ispettore Morelli li riscosse dalla specie di trance in cui erano caduti, come soggiogati dal fascino ipnotico del male puro.

«C'è qualcosa di diverso…»

«Cosa intendi dire?»

«Be', è una sensazione, ma non c'è il delirio degli altri omicidi. Non c'è sangue dappertutto, non c'è furia. La posizione del cadavere, persino. Sembra quasi che ci fosse del… del rispetto per la vittima, ecco.»

«Vuoi dire che quella bestia è capace di provare pietà?»

«Non lo so. Probabilmente ho detto una stupidaggine, ma è quello che ho provato entrando qui.»

Frank appoggiò una mano sulla spalla di Morelli.

«Hai ragione, la scena è diversa dagli altri delitti. Non credo tu abbia detto una stupidaggine. E se anche lo fosse, non sarebbe che una piccola integrazione a tutte quelle che già abbiamo detto e fatto questa notte.»

Lanciarono un'ultima occhiata al corpo di Gregor Yatzimin, l'etereo danzatore, il *cygnus olor*, come lo aveva soprannominato la critica di tutto il mondo. Anche in quella posizione funebre, orrendamente sfigurato, trasmetteva una sensazione di grazia, come se il suo talento fosse tale e tanto da rimanere inalterato persino dopo la morte.

Coudin uscì dalla stanza e i tre lo seguirono.

«Allora?» chiese Hulot, pur nutrendo poche speranze.

Il medico legale si strinse nelle spalle.

«Niente di che. A parte l'accanimento sul viso, che ritengo sia stato condotto con uno strumento da taglio adeguato, un bisturi penso, non c'è molto da rilevare. L'esame delle ferite al volto va condotto in una sede più appropriata, anche se posso dire, a prima vista, che il lavoro è stato fatto con molta perizia.»

«Già, il nostro amico ha una certa pratica, adesso.»

«La morte è stata causata da un colpo di arma da fuoco, esploso a distanza ravvicinata. Anche qui, per il momento posso solo ipotizzare un grosso calibro, tipo una calibro 9. Colpo al cuore, morte pressoché istantanea. Dalla temperatura del corpo, direi che è avvenuta circa un paio d'ore fa.»

«Proprio mentre noi stavamo perdendo tempo con quel coglione di Stricker», sibilò Frank a mezza voce.

Hulot lo guardò a conferma che aveva esattamente espresso il pensiero di tutti.

«Io qui ho finito», tagliò corto Coudin. «Per quel che mi riguarda potete anche rimuovere il corpo. Vi farò avere al più presto il referto dell'autopsia.»

Hulot non aveva alcun dubbio, a quel proposito. Probabilmente avevano messo un bel po' di pepe al culo pure a Coudin. E non era niente in confronto a quello che aspettava lui.

«Va bene, dottore. Grazie. Buona giornata.»

Il medico legale guardò il commissario per scoprire tracce d'ironia. Ci scoprì solo lo sguardo opaco di un uomo sconfitto.

«Anche a lei, commissario. Buona fortuna.»

Sapevano tutti e due quanto ne avesse bisogno.

Il medico si allontanò mentre arrivavano gli addetti alla rimozione del corpo. Hulot fece un cenno del capo e i due entrarono nella stanza spiegando il sacco per il trasporto dei cadaveri.

«Facciamo due chiacchiere con questo segretario, Morelli.»

«Intanto io do un'occhiata in giro», disse Frank, assorto.

Hulot seguì Morelli in fondo al corridoio, alla destra della camera da letto. L'appartamento era diviso molto organicamente in zona notte e zona giorno. Attraversarono delle stanze dai muri coperti di locandine celebrative dello sciagurato padrone di casa. Il segretario di Gregor Yatzimin stava seduto in cucina, in compagnia di un agente.

Dagli occhi arrossati, si vedeva chiaramente che aveva pianto. Era poco più di un ragazzo, dalla tipologia fragile, con pelle diafana e capelli color della sabbia. Sul tavolo davanti a lui c'erano una scatola di Kleenex e un bicchiere con del liquido ambrato. Hulot pensò che fosse cognac.

Quando li vide entrare si alzò in piedi.

«Sono il commissario Nicolas Hulot. Stia pure comodo, signor...?»

«Boris Devchenko. Sono il segretario di Gregor. Io...»

Parlava francese con un forte accento slavo. Le lacrime gli salirono di nuovo agli occhi mentre tornava a sedersi. Chinò la testa e afferrò alla cieca un fazzolettino.

«Scusatemi, ma quello che è successo è così orrendo...»

Hulot prese una sedia e si mise davanti a lui.

«Non c'è niente di cui scusarsi, signor Devchenko. Si calmi, per quanto è possibile. Avrei bisogno di rivolgerle delle domande.»

Devchenko sollevò di scatto il viso rigato di lacrime.

«Non sono stato io, signor commissario. Io ero fuori con degli amici, mi hanno visto tutti. Io volevo bene a Gregor, non sarei mai stato capace di fare una cosa... una cosa del genere.»

Hulot provò una tenerezza infinita per quel ragazzo. Aveva ragione Morelli. Quasi sicuramente i due erano amanti. Questo non cambiava nulla nella sua considerazione. L'amore è l'amore, in qualunque modo si manifesti. Lui stesso aveva avuto modo di constatare come coppie omosessuali avessero vissuto delle storie con una delicatezza di sentimenti difficilmente riscontrabile in altre più convenzionali.

Gli sorrise.

«Stia tranquillo, Boris, nessuno la sta accusando di niente. Volevo solo alcuni chiarimenti per capire cos'è successo in questa casa questa notte, ecco tutto.»

Boris Devchenko parve calmarsi un poco, sapendo che nessuno gli muoveva delle accuse.

«Ieri pomeriggio sono arrivati degli amici da Londra. Doveva esserci anche Roger Darling, il coreografo, ma all'ultimo momento è stato trattenuto in Inghilterra. Billy Elliot adulto lo doveva fare Gregor all'inizio, ma poi la sua vista era precipitata drasticamente...»

Hulot ricordò di aver visto il film al cinema estivo, insieme a Céline.

«Sono andato a prenderli all'aeroporto, a Nizza. Siamo venuti qui e abbiamo cenato a casa. Ho cucinato io. Poi abbiamo proposto a Gregor di uscire ma lui non se la sentiva. Era molto cambiato dopo che i suoi occhi si erano così aggravati…»

Guardò il commissario che fece un cenno del capo, a conferma che conosceva la storia di Gregor Yatzimin. L'essere stato esposto alle radiazioni di Chernobyl gli aveva causato una degenerazione irreversibile del nervo ottico che lo aveva portato alla cecità assoluta. La sua carriera ne era stata stroncata quando era apparso evidente che non sarebbe mai più riuscito a muoversi senza aiuto sulle tavole di un palcoscenico.

«Noi siamo usciti e lui è rimasto solo. Forse se fossi rimasto a casa adesso sarebbe ancora vivo.»

«Non si colpevolizzi troppo. Non c'è niente che lei avrebbe potuto fare, in un caso come questo.»

Hulot non ritenne opportuno sottolineare che, se fosse rimasto in casa, molto probabilmente avrebbero avuto due cadaveri invece di uno.

«Non ha notato niente di inconsueto in questi giorni? Qualche persona incontrata per caso una volta di troppo, una telefonata strana, qualche particolare insolito, qualsiasi cosa…»

Devchenko era troppo disperato per conto suo per accorgersi della nota di disperazione nella voce di Hulot.

«No, niente. D'altronde mi occupavo di Gregor a tempo pieno e mi assorbiva completamente. La cura di un uomo quasi cieco è estremamente impegnativa.»

«Avete servitù?»

«Nessuno fisso. C'è una donna che viene tutti i giorni a fare le pulizie ma se ne va a metà del pomeriggio.»

Hulot guardò Morelli.

«Prendete il nome di questa persona, anche se sono sicuro che non ci caveremo niente. Signor Devchenko…»

Il tono di voce del commissario si ammorbidì mentre si rivolgeva di nuovo al ragazzo.

«Le chiederemo di passare al commissariato per firmare la deposizione e la sua disponibilità per aiutarci a risolvere questa faccenda. Se potesse non lasciare la città, le saremmo veramente grati.»

«Certo, commissario. Qualunque cosa purché chi ha ucciso Gregor in questo modo paghi per quello che ha fatto.»

Da come disse queste parole, Hulot non ebbe dubbi sul fatto che, se fosse stato in casa, Boris Devchenko avrebbe rischiato la sua vita pur di cercare di salvare quella di Gregor Yatzimin. E ce l'avrebbe rimessa.

Hulot si alzò e lasciò Morelli a parlare con Devchenko. Tornò nel salone, dove la scientifica stava terminando i rilevamenti. Due agenti vennero verso di lui.

«Commissario…»

«Dite, ragazzi.»

«Siamo stati a interrogare i vicini del piano di sotto. Nessuno ha visto e sentito niente.»

«Eppure lo sparo c'è stato.»

«La coppia che abita proprio qui sotto è composta da due persone anziane. Prendono dei sedativi per dormire. Mi hanno detto che non sentono nemmeno i fuochi artificiali quando fanno il Campionato del Mondo, figuriamoci uno sparo. Nell'appartamento di fronte al loro abita una signora sola, anche lei piuttosto anziana. In questo momento è via e in casa ci vive il nipote di Parigi, un ragazzo sui ventidue, ventitré anni. È stato in giro tutta la notte per discoteche. Rientrava proprio mentre stavamo suonando alla porta. Ovviamente non ha visto o sentito nulla.»

«L'appartamento qui di fianco?»

«È sfitto. Abbiamo svegliato il portiere e ci siamo fatti consegnare le chiavi. È probabile che l'assassino sia passato di lì, scavalcando il balcone che comunica con quello di questo appartamento. Non ci sono segni di scasso, però. Non siamo entrati per non contaminare la scena. Ci andrà la scientifica non appena avranno finito qui.»

«Bene», disse Hulot.

Frank tornò dal suo giro di ispezione. Hulot capì che lo aveva fatto per restare da solo un istante a far sbollire la rabbia. E a riflettere. Probabilmente immaginava che non avrebbero trovato alcuna traccia dell'assassino in giro per la casa. Quella che aveva appena fatto era un'analisi legata all'istinto inconscio, ciò che a volte il luogo di un delitto trasmette oltre la semplice e normale percezione sensoriale.

In quel momento anche Morelli uscì dalla cucina.

«A quanto pare, la tua sensazione era esatta, Morelli.»

Lo guardarono in silenzio, in attesa del seguito.

«Non c'è una traccia di sangue in tutta la casa, a parte quelle poche macchie sul copriletto. Non una sola traccia. E dire che un lavoro come quello, come abbiamo già avuto modo di notare nostro malgrado, di sangue ne produce parecchio.»

Frank era tornato quello di sempre. Pareva che la disfatta di quella notte non avesse lasciato traccia, anche se Nicolas sapeva benissimo che non era così. Nessuno può dimenticare tanto in fretta di aver avuto la possibilità salvare una vita umana e non essere riuscito a farlo.

«Il nostro uomo ha pulito perfettamente la casa quando ha finito di fare quello che doveva fare. Sono certo che analizzando l'appartamento con il Luminol le tracce di sangue salteranno fuori.»

«Perché, secondo te? Perché non ha voluto lasciare tracce di sangue?»

«Non ne ho la più pallida idea. Forse le cose stanno come ha detto Morelli.»

«Mi chiedo se mai un animale come quello possa aver provato una forma di pietà nei confronti di Gregor Yatzimin. Se possa essere questo, il motivo.»

«Questo non cambia niente, Nicolas. È possibile, anche se non ha alcuna importanza. Dicono che anche Hitler amasse in modo tenerissimo il suo cane, eppure...»

Restarono in silenzio, spostandosi verso l'ingresso dell'appartamento. Attraverso la porta aperta, videro sull'ampio pianerottolo gli assistenti del medico legale che avevano chiuso il corpo di Yatzimin nel sacco di tela cerata verde scuro e stavano entrando nell'ascensore, per non fare a piedi sei piani sorreggendo il cadavere.

Fuori albeggiava. Sarebbe stato un nuovo giorno, fratello di sangue di tutti quelli che avevano passato da quando era iniziata quella storia. Sotto la casa di Gregor Yatzimin avrebbero trovato una marea di giornalisti. Sarebbero usciti fra una selva di domande come cannonate e una contraerea di «no comment». I media si sarebbero ulteriormente scatenati. I superiori di Hulot sarebbero addirittura esplosi. Roncaille avrebbe perso un po' della sua abbronzatura e il viso diafano di Durand avrebbe assunto una bella colorazione color ramarro. Mentre scendevano a piedi le scale, Frank Ottobre pensava che chiunque si fosse scagliato contro di loro avrebbe avuto maledettamente ragione.

34

Frank parcheggiò la Peugeot di Nicolas Hulot sotto la casa di Roby Stricker, in divieto di sosta. Estrasse dal cruscotto il contrassegno di «Macchina della polizia in servizio» e lo espose sul lunotto sotto il parabrezza. Scese dall'auto mentre un agente si stava già avvicinando per fargliela spostare. Vide il contrassegno, prima ancora di riconoscere lui. Sollevò la mano destra, come a confermare che tutto andava bene.

Frank lo salutò in silenzio, con un cenno del capo.

Attraversò la strada e si diresse verso Les Caravelles.

Aveva lasciato il commissario e Morelli a fronteggiare l'assalto di giornalisti che erano arrivati come mosche sul miele alla notizia di un nuovo omicidio. Le transenne che gli agenti avevano posto davanti all'ingresso sembravano far fatica a contenere la loro agitazione. Vedendo Hulot e l'ispettore dietro i vetri della porta d'ingresso, avevano cominciato a premere, trattenuti a stento da due agenti. Sembrava la ripetizione della scena del porto, alla scoperta dei corpi di Jochen Welder e Arijane Parker, quando tutta quella brutta storia era iniziata.

A Frank avevano richiamato alla mente le locuste. Si spostavano in massa e macinavano tutto quello che trovavano sul loro cammino. Eppure facevano solo il loro lavoro. Ognuno poteva mettere davanti a sé quella giustificazione. Anche l'assassino, quello che li stava portando in giro come stupide pecore, stava facendo il suo lavoro, che fosse maledetto per l'eternità.

Aveva lanciato uno sguardo oltre le vetrate, poi si era fermato al centro dell'androne.

«Claude, c'è un'uscita secondaria?»

«Certo, c'è l'ingresso per i fornitori.»

«Come ci arrivo?»

Morelli aveva indicato un punto alle sue spalle.

«Dietro le scale c'è l'ascensore di servizio. Premi "S" e ti trovi nel cortile, di fianco alla discesa che porta ai garage. Prendi a destra, sali la rampa e sei in strada.»

Hulot lo guardava senza capire. Frank non aveva ritenuto opportuno dargli eccessive spiegazioni. Non per il momento, almeno.

«Ho un paio di cose da sbrigare, Nicolas, e vorrei farle senza avere alle calcagna la stampa di mezza Europa. Mi puoi prestare la macchina?»

«Certo. Tienila pure, tanto io per un po' non ne avrò bisogno.»

Gli aveva teso le chiavi, senza aggiungere altro. Il commissario era così stanco che gli era mancata la forza per accendere una qualunque curiosità. Avevano tutti e tre la barba lunga e l'aria da scampati al terremoto, resa ancora più desolata dalla consapevolezza che anche quell'ultima battaglia era stata persa.

Frank li aveva lasciati per seguire il percorso indicato da Morelli. Attraverso un seminterrato che sapeva di muffa e di gasolio, era sbucato in strada. Aveva raggiunto la macchina, parcheggiata dall'altra parte di Avenue Princesse Grace, esattamente alle spalle del gruppo di giornalisti che stava intontendo di domande il povero Nicolas Hulot.

Fortunatamente nessuno si era accorto di lui.

Spinse la porta a vetri e fu nell'ingresso del palazzo. Il portiere non era in guardiola. Guardò l'orologio. Le sette in punto. Represse a stento uno sbadiglio. La stanchezza di quella lunga notte in bianco cominciava a farsi sentire. Prima la trasmissione, poi la caccia a Roby Stricker, poi l'appostamento nei paraggi di casa sua, l'illusione, la delusione, il nuovo omicidio, il cadavere sconvolto di Gregor Yatzimin.

Fuori dalla porta a vetri, il cielo e il mare tingevano d'azzurro anche l'inizio di quel nuovo giorno. Sarebbe stato bello dimenticare tutto e lasciarsi andare sul letto nel comodo appartamento di Parc Saint-Roman e chiudere gli occhi e le tapparelle e scordare il sangue e le scritte sui muri.

Io uccido…

Ricordò il nuovo graffito nella camera da letto di Yatzimin. Se non lo avessero fermato loro, quel bastardo non si sarebbe fermato mai. A un certo punto non sarebbe bastato il muro per contenere le scritte e il cimitero per contenere tutti quei morti.

Non era ancora tempo di dormire, se mai ci fosse riuscito. Doveva ancora chiarire quella faccenda in sospeso con Stricker. Voleva sapere come e perché Ryan Mosse si era messo in contatto con lui, anche se poteva immaginarselo. Doveva capire quanto l'indagine del generale fosse avanti o indietro rispetto alla loro e cosa poteva aspettarsi da quella direzione.

Si guardò in giro. In quel momento il portiere uscì da quella che doveva essere la porta del suo *pied-à-terre* nel palazzo, abbottonandosi la giacca. Arrivò davanti a lui inghiottendo frettolosamente un boccone che stava masticando. Sorpreso in flagrante reato di *petit-déjeuner*. Entrò nella guardiola e lo guardò, oltre il riparo del vetro.

Era un tipo con i baffi, scuro di capelli, sulla quarantina, dall'aria non troppo sveglia ma con quel po' di sufficienza di chi lavora in un posto abitato da persone ricche.

«Desidera?»

«Roby Stricker.»

«Le mie disposizioni dicono che a quest'ora dorme.»

Frank tirò fuori il distintivo. Tirandolo fuori dalla giacca, fece in modo che il portiere vedesse la Glock appesa alla cintura dei pantaloni.

«Questo dice che lei adesso lo sveglia.»

Il portiere cambiò atteggiamento di colpo. Il gruppo di saliva che mandò giù pareva essere più grosso del boccone di cibo inghiottito in precedenza, ma lo seguì molto più veloce. Sollevò la cornetta del citofono e compose un numero con un unico movimento nervoso. Lo lasciò suonare a lungo prima di emettere il verdetto.

«Non risponde.»

Strano. Dopo quella serie di squilli, Roby Stricker, se anche dormiva, avrebbe dovuto svegliarsi. Frank non lo riteneva così volitivo da prendere il largo. Pensava di averlo spaventato abbastanza da farlo desistere da qualsiasi colpo di testa. Nel caso, sarebbe stata una complicazione, non un disastro. Avrebbero ritrovato quella testa di cazzo in un lampo, se ce ne fosse stato bisogno. Anche se si fosse nascosto dietro i principi del foro che il padre era in grado di comprargli.

«Provi ancora.»

Il portiere scosse le spalle.

«Sta ancora suonando, ma non risponde nessuno.»

Frank ebbe di colpo un terribile presentimento. Tese una mano verso il portiere.

«Mi dia il passe-partout, per favore.»

«Ma io non sono autorizzato a…»

«Ho detto di darmi il passe-partout, *per favore*. Se non dovesse bastare posso chiederglielo in modo molto meno cortese», lo interruppe bruscamente Frank. Il suo tono di voce era di quelli che non ammettevano repliche. E il suo sguardo anche. Il portiere buttò giù un nuovo groppo di saliva.

«E dopo vada in strada e dica all'agente che c'è qui fuori di salire immediatamente all'appartamento di Roby Stricker.»

Il poveretto aprì velocemente un cassetto e gli consegnò una chiave attaccata a un portachiavi della BMW. Accennò ad alzarsi dalla sedia.

«Vada!» lo incitò Frank.

Si diresse alla porta dell'ascensore e chiamò la cabina.

Perché gli ascensori non sono mai presenti quando ne hai bisogno? E perché sono sempre all'ultimo piano quando hai fretta? Maledetto sia Murphy e la sua legge…

La porta scivolò finalmente di lato e Frank entrò nell'ascensore. Premette col dito della fretta il pulsante del piano di Stricker.

Nell'eternità di quella salita, sperò di essersi sbagliato. Sperò che quello che gli era balenato come un lampo di sospetto nella testa non diventasse una beffarda realtà.

Quando arrivò al quinto piano, l'ascensore si aprì con lo stesso soffio molle. Frank vide che la porta dell'appartamento del playboy era socchiusa. Ci arrivò con quello che a lui parve un solo passo. Tirò fuori la Glock, spinse con la canna il battente per non toccare il pomolo della maniglia ed entrò.

L'ingresso era l'unica cosa in ordine. Il salotto dove prima stavano lui, Stricker e la ragazza, era nel caos più completo. La tenda della portafinestra era in parte strappata dal suo sostegno e penzolava a mezz'asta come una bandiera di resa. C'era un bicchiere a terra e la bottiglia di whisky che Stricker stava bevendo era a pezzi sulla moquette grigio perla.

Il contenuto si era sparso sul pavimento, lasciando una larga macchia scura. Un quadro era caduto, rivelando una piccola cassaforte sul muro. Il vetro si era staccato, stranamente senza rompersi, e giaceva a terra accanto alla cornice sbilenca. Un cuscino del divano era scivolato dal suo posto e stava in piedi accanto a un bracciolo. Nella stanza non c'era nessuno.

Frank superò il salotto e piegò a destra, nel breve corridoio che portava verso la camera da letto. Sulla sinistra, la porta aperta della stanza da bagno, deserta. Almeno questa sembrava in ordine. Arrivò sulla soglia della camera da letto e si sentì mancare il fiato.

«Merda, merda, mille volte merda», disse, con la voglia di continuare l'opera di demolizione che era stata compiuta in quella casa.

Frank avanzò di un passo, facendo bene attenzione a dove metteva i piedi. Al centro della stanza, prono sul pavimento di marmo, c'era il corpo di Roby Stricker, in un lago di sangue. Tutta la stanza ne sembrava piena. Indossava la stessa camicia di quando lo aveva lasciato, solo che adesso era tutta inzuppata di rosso e incollata al corpo. Sulla schiena c'erano i segni di diverse coltellate. Il suo viso presentava delle ecchimosi e un profondo taglio sulla guancia sinistra. Il sangue era colato a imbrattare la bocca. Il braccio sinistro era rotto, piegato in un angolo innaturale.

Frank si chinò a terra e gli toccò la gola. Nessun battito. Roby Stricker era morto. Frank si rialzò in piedi mentre lacrime di rabbia gli offuscavano la vista.

Un altro. Nella stessa notte. Un altro fottuto omicidio poche ore dopo quell'altro. Maledisse silenziosamente il mondo, il giorno, la notte e il suo destino di acchiappafantasmi. Maledisse Nicolas che lo aveva tirato in quella storia, se stesso che gli aveva permesso di farlo. Maledisse tutto quello che gli veniva in mente.

Staccò dal supporto della cintura il walkie talkie, sperando di essere nel raggio della ricezione. Premette il pulsante di chiamata.

«Frank Ottobre per Nicolas Hulot.»

Una scarica, un fruscio, e infine la voce del commissario.

«Sono Nicolas. Dimmi, Frank.»

«Adesso sono io che devo darti una notizia che ti sconvolgerà, Nic. Una brutta, brutta notizia.»

«Cosa cazzo è successo ancora?»

«Roby Stricker è morto. Nel suo appartamento. Assassinato.»

Hulot si lasciò andare a una serie di imprecazioni da far impallidire la luce del sole. Frank capiva esattamente che cosa stava provando. Quando la rabbia fu sbollita, dopo una scarica di trasmissione, il commissario chiese il chiarimento che più gli stava a cuore.

«Nessuno?»

«No, ammazzato e basta. La faccia è ancora al suo posto e non ci sono scritte sui muri.»

«Com'è la scena?»

«Ti dico quello che posso desumere a un primo colpo d'occhio. La morte non deve essere stata istantanea. È stato aggredito e accoltellato. Ci sono segni di lotta dappertutto e una marea di sangue sul pavimento. Il suo assassino lo ha creduto morto e se n'è andato che era ancora vivo. Ti sembrerà strano, ma quel povero bastardo di Roby Stricker ha fatto, morendo, molto di più di quanto sia riuscito a combinare nella sua vita...»

«Vale a dire?»

«Prima di morire ha scritto sul pavimento il nome del suo assassino.»

«Lo conosciamo?»

Frank abbassò leggermente il tono di voce, come se volesse far digerire meglio a Hulot quello che stava per dire.

«Lo conosco io. Se fossi in te, chiamerei Durand e gli farei spiccare un mandato di cattura per Ryan Mosse, capitano dell'esercito degli Stati Uniti.»

35

La porta si aprì e Morelli entrò nella piccola stanza, spoglia e senza finestre.

Arrivò fino al tavolo in formica grigia a cui stavano seduti Frank e Nicolas Hulot. Mise sul piano davanti a loro un pacco di foto in bianco e nero, ancora umide di stampa. Frank le prese, le sfogliò, ne scelse una e l'appoggiò al piano, girata a favore dell'uomo di fronte a lui. Protendendosi in avanti, la spinse fino all'altro lato del tavolo.

«Ecco qui. Vediamo un po' se questo le dice qualcosa, capitano Mosse.»

Ryan Mosse, che sedeva ammanettato su una sedia, abbassò appena lo sguardo sulla fotografia, come se la cosa non lo riguardasse. Tornò a rivolgere a Frank i suoi occhi nocciola senza espressione.

«E allora?»

Il tono della sua voce fece venire i brividi a Morelli, che intanto si era appoggiato alla porta, di fianco al grande specchio francese che teneva tutta la parete. Dall'altra parte dello specchio c'erano Roncaille e Durand, arrivati alla centrale di gran carriera alla notizia dei due nuovi omicidi e dell'arresto.

Frank stava conducendo l'interrogatorio in inglese e i due parlavano piuttosto velocemente. Morelli, anche se ogni tanto perdeva qualche parola, conosceva la lingua abbastanza bene da capire che l'uomo che avevano arrestato non aveva dei nervi, aveva dei cavi d'acciaio.

Messo di fronte all'evidenza dimostrava una calma e una freddezza da far invidia a un iceberg. Di solito pure i delinquenti più incalliti, in una situazione come quella, calavano le brache e iniziavano a piagnucolare. Quello incuteva timore solo a guardarlo, anche con le manette ai polsi. Pensò a quel poveraccio di Roby Stricker, che se lo era trovato di fronte con un coltello in mano. Brutta faccenda, davvero una brutta faccenda. Infilata come un cuneo in una faccenda ancora peggiore.

Morelli non riusciva a dimenticare il povero corpo sfigurato di Gregor Yatzimin, composto sul suo letto dalla pietà tardiva del suo assassino.

Frank si appoggiò allo schienale della sedia.

«Be', quello steso a terra mi pare un cadavere. O no?»

«E allora?» ripeté Mosse.

«E allora non le pare strano che accanto a quel cadavere ci sia scritto il suo nome?»

«Ci vuole una bella fantasia a vedere il mio nome in quello sgorbio.»

Frank si appoggiò con i gomiti al piano di formica.

«Ci vuole la tua bella testa di cazzo per non vederlo, direi io, invece.»

Mosse sorrise. Era il sorriso del boia mentre tira la leva che apre la botola.

«Che c'è, *Mister* Ottobre, ti stanno saltando i nervi?»

Il sorriso con cui Frank rispose era quello dell'impiccato a cui si era spezzata la corda destinata a ucciderlo.

«No, *capitano* Mosse. A te sono saltati i nervi, questa notte. Ti ho visto parlare con Stricker davanti al Jimmy'z, quando siamo arrivati a prenderlo. Non so come tu sia arrivato fino a lui, ma anche questa è una cosa che intendo scoprire. Quando ci hai visto te la sei filata, ma non abbastanza velocemente. Se vuoi provo a dirti com'è andata in seguito. Hai tenuto sotto controllo la casa di Stricker. Quando siamo andati via hai atteso ancora un po'. Hai visto uscire la ragazza di Stricker. Sei salito di sopra. Avete discusso. Quel poveraccio deve aver avuto uno scatto di nervosismo, ce l'hai avuto anche tu, avete lottato e tu lo hai accoltellato. Lo hai creduto morto, te ne sei andato, e lui ha avuto il tempo di scrivere il tuo nome sul pavimento.»

«Sono tutte allucinazioni le tue, e lo sai, Mister Ottobre. Io non so che cosa ti hanno dato per curarti, ma secondo me te ne hanno dato troppo. Si vede che non mi conosci...»

Lo sguardo di Mosse si fece d'acciaio puro.

«Se decido di usare il coltello con un uomo, quando me ne vado sono *sicuro* che è morto.»

Frank fece un gesto con le mani.

«Probabilmente anche tu cominci a perdere qualche colpo, Mosse.»

«Okay. Penso che a questo punto io abbia diritto a non rispondere ad alcuna domanda se non in presenza di un avvocato. Si usa anche qui in Europa, no?»

«Certo. Se vuoi un avvocato, hai diritto ad averlo.»

«Bene. Allora andate a fare in cùlo tutti e due. Non dirò una parola di più.»

Mosse chiuse il sipario. Puntò gli occhi sul suo riflesso nello specchio e il suo sguardo si fece assente. Frank e Hulot si guardarono. Non ne avrebbero cavato altro. Frank raccolse le foto dal tavolo, quindi si alzarono dalle loro sedie e si avviarono verso la porta. Morelli la aprì per farli passare e li seguì all'esterno.

Nella stanza di fianco, Roncaille e Durand erano sui carboni accesi. Roncaille si rivolse a Morelli.

«Ci vuole scusare un istante, ispettore?»

«Certo. Vado a prendere un caffè.»

Morelli uscì e i quattro restarono soli. Oltre lo specchio si vedeva Mosse, seduto immobile al centro dell'altra stanza con l'atteggiamento del soldato caduto in mano al nemico.

Capitano Ryan Mosse dell'esercito degli Stati Uniti, numero di matricola...

Durand lo indicò con un cenno della testa.

«Un osso duro», propose come definizione dell'interrogatorio.

«Molto di più. Un osso duro che sa di avere tutti gli appoggi di questo mondo. Ma può avere l'appoggio anche della Santa Trinità in persona, queste lo inchiodano senza ombra di dubbio.»

Il procuratore capo prese una foto dalle mani di Frank e tornò a osservarla per l'ennesima volta.

Si vedeva il corpo di Stricker sdraiato sul pavimento di marmo della sua stanza da letto, il braccio destro piegato ad angolo retto, la mano appoggiata a terra. La morte lo aveva bloccato con il dito indice ancora proteso a tracciare la scritta che aveva inchiodato Ryan Mosse.

RIAN

«È un po' confusa.»

«Stricker stava morendo e aveva il braccio sinistro rotto…»

Indicò con il dito sulla foto il braccio piegato in modo innaturale. Frank ricordava l'abilità nel corpo a corpo di Mosse. L'aveva sperimentata di persona. Sapeva benissimo come procurare all'avversario quel tipo di lesioni.

«Abbiamo trovato in casa delle foto di Stricker mentre giocava a tennis. Si vede chiaramente che era mancino. Ha scritto con la mano destra, una mano che non usava mai in quel senso. È ovvio che non sia del tutto normale.»

Durand continuò a fissare la foto, perplesso.

Frank aspettava. Guardò Hulot, stanco morto, appoggiato in silenzio alla parete. Anche lui aspettava quello che sarebbe arrivato.

Durand si decise. Smise di girare intorno al cespuglio e affrontò l'argomento, come se lo studio della foto gli fosse servito per trovare il modo giusto per farlo.

«Questa storia rischia di diventare un *casus belli* non indifferente. Fra poco si metterà in moto una macchina diplomatica che farà un rumore da partenza di Gran Premio. Se tramutiamo il fermo del capitano Mosse in arresto, dobbiamo avere delle prove inoppugnabili, in modo da non fare figuracce. Questa storia di Nessuno ci ha già messo in ridicolo a sufficienza, direi.»

Durand intendeva sottolineare che l'arresto tempestivo del probabile assassino di Roby Stricker non aveva assolutamente cambiato la sua personale interpretazione dell'omicidio di Gregor Yatzimin. Un nuovo smacco per la polizia del Principato, che era in prima fila nelle indagini. La presenza di Frank rappresentava una semplice collaborazione fra organi investigativi. La responsabilità primaria rimaneva sempre a carico della Sûreté monegasca. Era con quella che se la stavano prendendo i titoli beffardi dei quotidiani e i commenti caustici dei media televisivi.

Frank si strinse nelle spalle.

«Per quanto concerne Mosse, la decisione ovviamente spetta a voi. Per quello che mi riguarda, se il mio parere conta qualcosa, ciò che abbiamo in mano è più che sufficiente a proseguire per la strada che abbiamo intrapreso. C'è la prova che Ryan Mosse conosceva Stricker. Io stesso li ho visti parlare davanti al Jimmy'z, stanotte. E c'è il suo nome sulla foto. Non vedo cosa possa servire d'altro...»

«E il generale Parker?»

Frank era presente quando erano saliti a Beausoleil, quella mattina, a prelevare il capitano. Arrivando nel cortile della casa presa in affitto dalla famiglia Parker, Frank aveva notato per prima cosa che, salvo poche trascurabili varianti, la costruzione era praticamente gemella di quella di Jean-Loup. Un'annotazione fatta al volo, subito sostituita da altre preoccupazioni. Si era immaginato una scenata del generale ma si era reso conto di aver sottovalutato quell'uomo. Parker era troppo in gamba per farlo. Si era presentato vestito di tutto punto, come se li stesse aspettando. Alla loro richiesta, aveva semplicemente annuito e chiamato Mosse. Davanti ai poliziotti che gli chiedevano di seguirlo al comando,

Mosse si era teso come una corda di violino e aveva rivolto uno sguardo interrogativo al vecchio.

Attendo ordini, signore.

Frank aveva avuto il sospetto che, se Parker glielo avesse chiesto, Mosse si sarebbe scatenato come una furia contro gli uomini venuti ad arrestarlo. Il generale aveva semplicemente scosso in modo impercettibile la testa e la tensione del corpo di Mosse si era allentata. Aveva allungato i polsi in avanti e aveva accettato in silenzio l'onta delle manette.

Parker aveva fatto in modo di trovarsi da solo con Frank, mentre lo portavano alla macchina.

«State facendo una stronzata e lei lo sa, Frank.»

«Temo che una stronzata l'abbia fatta stanotte il suo uomo, generale. E anche bella grossa.»

«Potrei testimoniare che il capitano Mosse non è mai uscito da questa casa, a partire da ieri sera.»

«Se lo fa e si viene a scoprire che non è vero, nemmeno il presidente in persona le leva di dosso un'accusa di complicità e favoreggiamento. Nessuno, in America, sarebbe disposto a correre il rischio di proteggerla. Vuole un consiglio?»

«Sentiamo.»

«Se io fossi in lei, me ne starei tranquillo, generale. Il capitano Mosse è nei guai e nemmeno lei può tirarlo fuori. Credo che il manuale di tattica militare preveda situazioni come queste. A volte è necessario ritirarsi e lasciare qualcuno al suo destino, per evitare perdite peggiori.»

«Nessuno può darmi lezioni di tattica militare. Tantomeno lei, Frank. Ho preso persone più dure di quanto lei sarà mai e le ho infilate come cartaccia dentro un tritadocumenti. Lei sarà solo uno in più, glielo garantisco.»

«Ognuno fa le sue scelte e corre i suoi rischi, generale. È la regola di ogni guerra, mi pare.»

Aveva voltato le spalle e se ne era andato. Uscendo aveva incrociato lo sguardo di Helena, ferma sulla porta del salone a destra dell'ingresso. Frank non aveva potuto fare a meno di pensare che era bellissima. Sembrava che la sveglia improvvisa non avesse avuto nessun effetto su di lei. Niente pareva togliere luminosità al suo viso e al suo sguardo. I capelli biondi sembravano appena arrivati dalla cura di un parrucchiere invece che dall'appoggio su di un cuscino.

Passandole davanti, i loro sguardi si erano incrociati. Frank aveva notato che i suoi occhi non erano azzurri, contrariamente a quello che aveva pensato quando l'aveva incontrata la prima volta. Erano grigi. E c'era dentro tutta la tristezza del mondo.

Scendendo verso il centro, Frank si era appoggiato allo schienale della macchina, puntando gli occhi verso il rivestimento in plastica del tettuccio. Aveva cercato di togliersi dalla mente due visi che in quel momento si sovrapponevano.

Harriet ed Helena. Helena e Harriet.

Gli stessi occhi. La stessa tristezza.

Frank aveva cercato di pensare ad altro. Mentre stavano entrando in centrale, in Rue Notari, si era soffermato sulla beffarda ironia delle parole del generale.

Nessuno può darmi lezioni di tattica militare…

Il generale non si era reso conto di quanta verità involontaria ci fosse in quello che aveva detto. In quel momento c'era in giro un assassino chiamato Nessuno che ne poteva dare a chiunque.

«Cosa farà il generale Parker, secondo lei?» ripeté il pubblico ministero.

Frank si rese conto che si era immerso nei suoi pensieri e aveva lasciato in sospeso la domanda di Durand alcuni istanti di troppo.

«Mi scusi, dottor Durand… Penso che Parker farà quanto è in suo potere per Mosse, ma non si sporgerà dal balcone al punto da cadere di sotto. Certamente il consolato verrà messo in mezzo, ma c'è un fatto innegabile. L'arresto di Mosse è stato operato da un agente dell'FBI, un americano. I panni sporchi ce li laviamo in famiglia. La faccia è salva. Non dimentichi che siamo il Paese che ha creato la figura costituzionale dell'*impeachment* e ha sempre avuto il coraggio di usarlo…»

Durand e Roncaille si guardarono. Il ragionamento di Frank non faceva una grinza. Almeno da quella parte parevano non esserci problemi.

Durand prese il discorso alla lontana.

«Certo, la sua presenza qui è la garanzia che ci sono buone intenzioni da parte di tutti, Frank. Purtroppo le buone intenzioni a volte non bastano. In questo momento noi, intendo come polizia del Principato, abbiamo soprattutto bisogno di risultati. Il caso di Roby Stricker, a quanto pare, è un fatto che non ha niente a che vedere con l'assassino a cui stiamo dando la caccia…»

Frank sentiva alle sue spalle la presenza di Nicolas Hulot. Tutti e due sapevano dove volesse andare a parare Durand. C'erano delle nuvole scure in cielo. C'era una scure levata per aria, sullo sfondo di quelle nubi.

«Però stanotte c'è stata un'altra vittima, la quarta. Non possiamo restare immobili mentre secchi di spazzatura ci stanno letteralmente piovendo addosso. Ripeto, la sua collaborazione è estremamente gradita, Frank…»

Gentilmente tollerata, Durand. Solo gentilmente tollerata. Perché non usi la parola giusta, anche se ti ho appena levato dal fuoco la castagna del generale Parker e del suo sgherro?

Durand proseguì per la sua strada, che lo portava a scaricare un carro di letame nel cortile di Hulot.

«Ma vi renderete conto che le autorità non possono assistere a una catena di omicidi come questa senza prendere dei provvedimenti, per quanto spiacevoli.»

Frank osservò Nicolas. Era appoggiato al muro, improvvisamente solo su quel campo di battaglia. Aveva l'espressione del condannato alla fucilazione che sta rifiutando la benda. Durand ebbe la decenza di guardarlo in viso, mentre parlava.

«Mi dispiace, commissario, so che lei è un elemento di

prim'ordine, ma a questo punto non posso fare altrimenti. Lei è sollevato dall'incarico.»

Hulot non ebbe nessuna reazione. Probabilmente era troppo stanco per averne una. Si limitò a un cenno col capo.

«Capisco, dottor Durand. Non ci sono problemi da parte mia.»

«Si può prendere un periodo di ferie. Penso che quest'indagine l'abbia provata non poco. Naturalmente, per la stampa…»

Hulot lo interruppe.

«Non c'è nessun problema, le ho detto. Non ha bisogno di indorare la pillola. Siamo tutti adulti e sappiamo le regole del gioco. Il dipartimento si può regolare come meglio ritiene opportuno, al riguardo.»

Se Durand fu colpito dalla risposta di Hulot, non lo diede a vedere. Si rivolse a Roncaille. Il direttore fino a quel momento aveva ascoltato in silenzio.

«Bene. Da oggi le indagini passano in mano sua, Roncaille. Mi tenga al corrente di ogni più piccolo sviluppo. A qualsiasi ora del giorno e della notte. Buona giornata, signori.»

Il procuratore generale Alain Durand portò la sua inutile eleganza fuori da quella stanza, lasciando dietro di sé un silenzio che era lieto di non condividere.

Roncaille passò una mano a riassettare capelli che non ne avevano alcun bisogno.

«Mi dispiace Hulot. Ne avrei fatto volentieri a meno.»

Frank pensò che le parole del capo della polizia erano meno di circostanza di quanto potesse sembrare. Quell'uomo era seriamente dispiaciuto, ma non per i motivi che voleva far credere. Adesso c'era lui nella gabbia con la frusta in mano, e doveva essere lui a dimostrare di saper domare i leoni.

«Fatevi una bella dormita, penso che ne abbiate bisogno tutti e due. Poi vorrei vederla nel mio ufficio appena possibile, Frank. Ci sono alcuni dettagli di cui vorrei discutere con lei.»

Con la stessa calma apparente di Durand, Roncaille fece un'identica fuga dalla stanza. Frank e Hulot rimasero da soli.

«Visto? Detesto me stesso quando mi sento pronunciare le parole "Te l'avevo detto". E il problema è che non posso dargli tutti i torti.»

«Nicolas, non credo che Roncaille o Durand, al nostro posto, avrebbero ottenuto risultati migliori. È la politica che si è mossa, non la logica. Io però ne sono ancora dentro.»

«Tu. Io che c'entro con questo?»

«Tu sei sempre un commissario, Nicolas. Sei stato sollevato da un incarico, non sospeso dalla polizia. Prenditi le ferie che ti hanno offerto. Avrai a disposizione una cosa che nessuno di quelli coinvolti in questa indagine ha...»

«Vale a dire?»

«Ventiquattro ore al giorno da poterci dedicare, senza doverne rendere conto a nessuno, senza dover sprecare tempo a scrivere nessun rapporto.»

«Quello che esce dalla porta rientra dalla finestra, eh?»

«Esatto. C'è qualcosa che dobbiamo ancora verificare e tu mi sembri la persona adatta, in questo momento. Io, da parte mia, non credo di essermi ancora accorto di quel dettaglio del disco nel filmato...»

«Frank, sei uno stronzo. Un grandissimo stronzo.»

«Ma sono amico tuo. E te lo devo.»

Hulot cambiò tono. Mosse la testa in giro, per alleviare la tensione del collo.

«Be', penso che andrò a dormire. Adesso posso farlo, non credi?»

«Se devo essere sincero, il fatto che Roncaille mi aspetti nel suo ufficio "appena possibile" non mi fa né caldo né freddo. Sono già steso nel mio letto, non mi vedi?»

Tuttavia, mentre uscivano da quella stanza, a entrambi quell'immagine aveva richiamato in mente la stessa cosa. Il corpo senza vita di Gregor Yatzimin, steso col viso deturpato sulle lenzuola bianche del suo letto. I suoi occhi che fissavano il soffitto della stanza, quegli occhi che erano già ciechi ancora prima di morire.

36

Frank si svegliò e guardò il rettangolo d'azzurro stampato sui vetri. Quando era rientrato all'appartamento di Parc Saint-Roman, era talmente stanco che non aveva avuto nemmeno la forza di fare una doccia. Era crollato sul letto dopo essersi spogliato alla rinfusa, senza neanche chiudere le tapparelle.

Non sono qui, a Montecarlo, pensò. *Sono ancora in quella casa in riva al mare, a cercare di rimettermi insieme. Harriet è fuori, sulla spiaggia, poco lontano, stesa su un asciugamano a prendere il sole, col vento nei capelli e un sorriso sulle labbra. Adesso mi alzerò e andrò da lei e non ci sarà nessuna figura vestita di nero. Non ci sarà nessuno fra di noi.*

«Nessuno…» disse a voce alta.

Gli tornarono alla memoria i due morti della sera prima. Si alzò dal letto con la malavoglia di Lazzaro dopo la resurrezione. Oltre i vetri si vedeva una striscia di mare, su cui raffiche di vento, al largo, disegnavano chiazze d'alcantara. Andò alla finestra e aprì il vetro scorrevole: un soffio d'aria tiepida venne a gonfiare la tenda leggera e a fugare residui d'incubi notturni dalla stanza. Guardò l'orologio. Era mezzogiorno passato da poco. Aveva dormito poche ore mentre gli sembrava di aver bisogno di dormire per sempre.

Andò in bagno, si fece una doccia, si rasò e si mise della biancheria pulita. Si preparò un caffè mentre rifletteva sugli sviluppi della faccenda. Adesso che Nicolas era fuori dai giochi, le cose si sarebbero notevolmente complicate. Non riteneva Roncaille in grado di gestire per intero la cosa, non dal punto di vista investi-

gativo, perlomeno. Era sicuramente un mago per le pubbliche relazioni e per i rapporti con la stampa, ma le indagini sul campo
non erano certo il suo pane. Forse lo erano state, ma adesso era
più un politico che un poliziotto. Tuttavia aveva degli ottimi col-
laboratori che potevano agire in vece sua. Non per niente la polizia del Principato era considerata una delle migliori del mondo *bla
bla bla*...

La sua presenza nel Principato, intanto, era diventata un'esigenza diplomatica da non trascurare, che aveva portato vantaggi e
svantaggi, come tutte le cose umane. Frank era certo che Roncaille avrebbe cercato di avere il massimo degli uni e il minimo degli
altri. Conosceva bene i metodi della polizia di Montecarlo. In quel
posto nessuno diceva mai nulla ma si sapeva tutto.

Tutto, eccetto il nome di un assassino...

Decise di fregarsene. Come aveva fatto fin dall'inizio, d'altronde.

Quella storia non era un'indagine collegata di due polizie.
Roncaille e Durand, anche se rappresentavano l'autorità, non
c'entravano nulla. Tantomeno l'America e il Principato. Era una
faccenda personale fra lui, Nicolas Hulot e un uomo vestito di nero che collezionava le facce delle sue vittime come maschere del
suo farneticante e sanguinario carnevale. Tutti e tre avevano
schiacciato il pulsante di pausa e fermato la loro vita, in attesa di
vedere come sarebbe andata a finire quella lotta a testa bassa fra
tre morti in un posto in cui tutti si dichiaravano vivi.

Fino a ora le cose erano andate come erano andate, ma adesso potevano cambiare.

Dovevano cambiare.

Andò a sedersi al computer e lo accese. C'era un'e-mail di
Cooper con degli allegati. Certamente erano le informazioni che
aveva raccolto su Nathan Parker e Ryan Mosse. Non che servissero più a molto, ora che Mosse era in prigione e Parker temporaneamente innocuo. *Temporaneamente*, precisò a se stesso. Non si
faceva illusioni sul conto del generale. Parker era uno di quegli uo-

mini che fino a quando non hanno i vermi non si possono considerare morti.

C'era una nota di Cooper nel messaggio di posta elettronica.

Appena hai finito di scorrazzare per i mari sul tuo nuovo cabinato e hai un attimo di tempo, chiamami. A qualunque ora. Ho bisogno di parlarti. Coop.

Si chiese cosa ci fosse di tanto urgente. Guardò l'orologio. Vista l'ora lo chiamò a casa. Non c'era pericolo di disturbare nessuno salvo lui, dato che Cooper viveva da solo in una specie di loft sulla riva del Potomac.

Dopo qualche squillo la voce del suo amico si infilò assonnata nella cornetta.

«Sì? Chi è?»

«Coop, sono Frank.»

«Ah, tu. Ciao, bel tipo, come va?»

«Si è appena sfasciata una superpetroliera carica di merda e adesso ce n'è una chiazza che si stende a perdita d'occhio.»

«Che è successo?»

«Altri due morti stanotte.»

«Cazzo!»

«Altroché. Uno lo ha fatto fuori il nostro soggetto col suo solito rituale. Ed è il quarto. Il mio amico commissario è stato silurato con l'eleganza e il savoir-faire di Nerone. L'altro invece lo ha messo nella lista dei necrologi quel bel tipo di Ryan Mosse. Adesso è in galera e il generale sta facendo fuoco e fiamme per tirarlo fuori.»

Ora Cooper era completamente sveglio.

«Cristo, Frank, che razza di grana sta venendo fuori, lì? La prossima volta mi dirai che è scoppiata la guerra nucleare.»

«Non è ancora escluso che succeda. Tu piuttosto, che hai di tanto urgente da dirmi?»

«Ci sono stati degli sviluppi, qui. Per la faccenda dei Larkin, intendo. Quello che abbiamo trovato su di loro ci fa sospettare che abbiano una bella copertura da qualche parte, una *joint-ven-*

ture con qualcosa di grosso ma che non siamo ancora riusciti a focalizzare. E da New York è arrivato Hudson McCormack.»

«E chi è? Che c'entra coi Larkin?»

«È quello che vorremmo sapere anche noi. Ufficialmente è arrivato qui in veste di legale, come difensore di Osmond Larkin. La cosa ci ha un po' stupito perché quello stronzo potrebbe permettersi di meglio, come ha sempre fatto in caso di necessità. Principi del foro con parcella a sei zeri, voglio dire. Questo McCormack è un mediocre avvocato trentacinquenne della Grande Mela, uno più famoso per aver fatto parte dell'equipaggio di *Stars and Stripes* alla Louis Vuitton Cup che per i suoi successi in campo legale.»

«Lo avete controllato?»

«Come no? Passato e ripassato. Niente di niente. Vita all'altezza delle sue entrate, non uno spillo oltre. Niente vizi, niente donne, niente coca. Al di fuori del suo lavoro gli interessa solo la vela. E adesso salta fuori come un pupazzo dalla scatola a dimostrarci quanto è piccolo il mondo.»

«Cosa vuoi dire?»

«Voglio dire che il nostro Hudson McCormack in questo momento è in viaggio per Montecarlo.»

«Buon per lui, anche se non è un bellissimo momento per venire da queste parti.»

«Lui ci viene per una regata piuttosto importante, sembrerebbe. Però…»

«Però?»

«Frank, non ti sembra perlomeno bizzarro che un modesto avvocato di New York, mai visto e mai conosciuto, abbia per la prima volta nella sua vita un incarico importante e lo molli anche solo temporaneamente per andare in Europa a fare un giro in barca a vela? Chiunque altro al suo posto ci si sarebbe buttato a testa bassa e si sarebbe alzato ogni giorno un'ora prima per poterci lavorare venticinque ore su ventiquattro.»

«Messa su questo piano non posso darti torto. Ma io che c'entro?»

«Tu sei sul posto e conosci la storia. In questo momento quell'uomo è l'unico collegamento di Osmond Larkin col resto del mondo. Può essere solo il suo avvocato ma potrebbe anche essere qualcosa di più. Ci sono in ballo montagne di droga e montagne di dollari. Montecarlo sappiamo tutti quello che è e i giri di soldi che ci sono. Però in caso di terrorismo e di droga possiamo far aprire qualunque cassaforte. Tu stai collaborando con la polizia di lì. Non ti costa niente chiedere di mettere McCormack sotto sorveglianza discreta ma efficace.»

«Vedrò cosa posso fare…»

Non disse a Cooper che lì praticamente *tutti*, lui compreso, erano sotto sorveglianza discreta ma efficace.

«Ti ho inviato una sua foto in formato *jpg* con la posta, tanto perché tu veda che faccia ha. Ci sono anche tutte le informazioni che abbiamo raccolto sul soggiorno di McCormack nel Principato.»

«Ok. Torna a dormire. Quelli poco intelligenti come te hanno bisogno della massima ricarica possibile per essere completamente efficienti.»

«Ti saluto, stronzo. *Break a leg.*»

Chiuse la comunicazione e posò il cordless di fianco al computer. Altro giro, altra corsa, altre grane. Salvò l'allegato con i dati relativi a Hudson McCormack su un floppy senza nemmeno aprirlo. Ci mise su un'etichetta che trovò nel cassetto del mobile e ci scrisse «Cooper». Niente nomi riservati in vista.

La breve conversazione con il suo collega per un istante lo aveva riportato a casa, anche se *casa* era un concetto vago in quel momento della sua vita. Si sentiva come se il suo corpo astrale, senza emozioni, si fosse aggirato per le macerie della sua esistenza a migliaia di chilometri di distanza, con la trasparenza dei fantasmi che vedono senza essere visti. Era in casa di Cooper e contemporaneamente nell'ufficio che avevano diviso al Bureau per tanto tempo e nella sua casa deserta da mesi e a camminare per le strade immerse nell'oscurità di Washington.

A che serve tutto ciò? C'è qualcuno, in tutta questa miserabile storia di poveri esseri umani, che l'ha capito? E se l'ha capito, perché non l'ha spiegato a tutti?

Forse la risposta più attendibile era che nessuno gli aveva creduto...

Chiuse gli occhi e gli ritornò alla mente una conversazione che aveva avuto con padre Kenneth, un sacerdote che era anche psicologo nella clinica dove era stato ricoverato dopo che la storia di Harriet lo aveva fatto sprofondare al centro della terra. Quando non era in terapia o in analisi, stava seduto su una panchina nel parco di quella specie di manicomio di lusso a fissare nel vuoto, lottando col desiderio di seguirla per la sua stessa strada. Padre Kenneth quella volta si era avvicinato camminando sull'erba senza rumore ed era venuto a sedersi accanto a lui sulla panchina di ferro battuto e doghe di legno scuro.

«Come va, Frank?»

Lo aveva guardato con attenzione prima di rispondere. Aveva studiato il suo viso lungo e pallido, da esorcista, gli occhi acuti e consapevoli del bisticcio che rappresentava come uomo di scienza e di fede. Era in borghese e poteva benissimo essere il parente qualunque di un paziente qualunque.

«Non sono pazzo, se è questo che vuole sentirmi dire.»

«Lo so che non sei pazzo e tu sai benissimo che non è quello che avrei voluto sentirti dire. Quando ti ho chiesto come va, intendevo *veramente* sapere da te come va.»

Frank aveva allargato le braccia in un gesto che pareva indicare qualsiasi cosa o tutto il mondo.

«Quando potrò andarmene di qui?»

«Sei pronto per farlo?»

Padre Kenneth aveva risposto con una domanda a un'altra domanda.

«Se me lo chiedo mi rispondo che non lo sarò mai. Per questo l'ho chiesto a lei.»

«Tu sei credente, Frank?»

Si era girato a guardarlo con un sorriso amaro sulla bocca.

«Per piacere, padre, non cada nelle banalità del tipo "guarda verso Dio e Dio guarderà verso di te". Ultimamente, quando i nostri sguardi si sono incrociati, Dio ha girato gli occhi da un'altra parte.»

«Non offendere la mia intelligenza e soprattutto non offendere la tua. Ti ostini a darmi un ruolo da recitare, forse perché anche tu hai deciso di recitarne uno. C'è un motivo per cui ti ho chiesto se credi in Dio…»

Frank aveva alzato gli occhi e si era messo a fissare un giardiniere che stava mettendo a dimora un acero.

«Non mi interessa. Io non credo in Dio, padre Kenneth. E questo non è un vantaggio, nonostante quello che può pensare lei.»

Si era girato a guardarlo.

«Questo significa che non c'è nessuno che mi perdona per il male che faccio.»

E infatti ho sempre creduto di non farne, pensò, *e invece ne stavo facendo. Ho tolto a poco a poco la vita proprio alla persona che amavo, quella che avrei dovuto proteggere più di ogni altra cosa.*

Mentre si infilava le scarpe, il suono del telefono lo riportò al presente. Andò a raccogliere il cordless dove lo aveva appoggiato prima.

«Hallo.»

«Ciao, Frank, sono Nicolas. Sei sveglio?»

«Sveglio e pronto all'azione.»

«Bene. Ho appena telefonato a Guillaume Mercier, il ragazzo di cui ti avevo parlato. Ci sta aspettando. Ti va di venire?»

«Come no? Mi potrebbe servire per affrontare un'altra notte a Radio Monte Carlo con uno spirito nuovo. Hai già letto i giornali?»

«Sì. E dicono di tutto. Puoi immaginare con che toni…»

«Sic transit gloria mundi. Fregatene. Abbiamo altro da fare. Ti aspetto.»

«Due minuti e sono lì.»

Andò a scegliere una camicia pulita. Mentre stava slacciando il bottone del colletto, suonò il cicalino del citofono. Attraversò il salotto per andare a rispondere.

«M'sieur Octobre? C'è una persona per lei.»

Frank pensò che Nicolas, quando diceva due minuti, era da prendere alla lettera.

«Sì, lo so, Pascal. Per favore, dica che sono un po' in ritardo. Se non vuole aspettare da basso lo faccia pure salire.»

Mentre si infilava la camicia sentì l'ascensore che si fermava al piano.

Andò ad aprire la porta e se la trovò di fronte.

Helena Parker era lì, sulla porta di fronte a lui, gli occhi grigi nati per riflettere le stelle e non quel dolore nascosto dietro il colore. Stava in piedi nella penombra del corridoio e lo guardava. Frank reggeva i lembi della camicia aperta sul torace nudo.

Gli sembrò la ripetizione della scena con Dwight Durham, il console, solo che gli occhi della donna si soffermarono a lungo sulle cicatrici del suo torace prima di risalire al suo viso. Si affrettò a chiudere la camicia.

«Buongiorno, Mister Ottobre.»

«Buongiorno. Mi scusi se l'ho accolta così, ma credevo che fosse un'altra persona.»

Un breve sorriso di Helena risolse quell'attimo di *impasse*.

«Non c'è problema, dalla risposta del portiere l'avevo immaginato. Posso entrare?»

«Certo.»

Frank si scostò dalla porta. Helena entrò sfiorandolo con il braccio e con un profumo delicato, sottile come un ricordo. Per un istante sembrò che quella stanza non fosse piena d'altro che di lei.

Il suo sguardo cadde sulla Glock che Frank aveva appoggiato sul mobile di fianco allo stereo. Frank si affrettò ad andare a nasconderla in un cassetto.

«Mi spiace che sia la prima cosa che ha visto entrando qui.»

«Non c'è problema. Ci sono cresciuta, in mezzo alle armi.»

Frank ebbe una fugace visione di Helena bambina nella casa

di Nathan Parker, il soldato inflessibile che il destino aveva osato irritare con la nascita di due figlie femmine.

«Immagino.»

Iniziò ad allacciarsi la camicia, contento di avere un posto dove mettere le mani. La presenza di quella donna nella sua casa era una fonte di interrogativi alla quale Frank non era preparato. Nathan Parker e Ryan Mosse erano la sua vera preoccupazione, erano persone che avevano voce, peso, un passo che lasciava impronte, un coltello fuori e dentro un fodero, un braccio che poteva colpire. Helena fino ad allora era stata una presenza muta e nient'altro. Il pensiero emozionante di una dolente bellezza. Il motivo per cui ciò avveniva non aveva interesse per Frank e non voleva arrivasse ad averne.

Frank ruppe il silenzio. La sua voce risuonò più dura di quanto non avrebbe voluto.

«Penso ci sia un motivo per la sua presenza qui.»

Helena Parker aveva occhi e capelli e viso e profumo e Frank girò la schiena mentre si infilava la camicia nei pantaloni come se quel gesto bastasse a girare la schiena a tutto ciò che lei era. La sua voce arrivò oltre le sue spalle, mentre si infilava la giacca.

«Certo. Ho bisogno di parlare con lei. Temo di aver bisogno del suo aiuto, ammesso che qualcuno possa aiutarmi.»

Quando si girò, Frank aveva già chiesto e ottenuto la complicità di un paio di occhiali scuri.

«Il mio aiuto? Lei vive nella casa di uno degli uomini più potenti d'America e ha bisogno del mio aiuto?»

Un sorriso amaro fiorì sulle labbra di Helena Parker.

«Io non vivo a casa di mio padre. Io sono prigioniera a casa di mio padre.»

«È per questo che ha tanta paura di lui?»

«Ci sono tanti motivi per aver paura di Nathan Parker. C'è solo l'imbarazzo della scelta. Però non è per me che ho paura... È per Stuart.»

«Stuart è suo figlio?»

Helena ebbe un attimo di esitazione.

«Già, mio figlio. È lui il mio problema.»

«E io che c'entro?»

Senza preavviso, la donna si avvicinò, sollevò le mani e gli sfilò i Ray-Ban. Lo guardò negli occhi con un'intensità che Frank sentì penetrare come un coltello molto più affilato di quello di Ryan Mosse.

«Lei è la prima persona che ho conosciuto capace di tenere testa a mio padre. Se c'è qualcuno in grado di aiutarmi, quel qualcuno è lei…»

Prima che Frank potesse abbozzare una qualsiasi risposta, il telefono suonò ancora. Impugnò il cordless col sollievo di chi trova finalmente un'arma da impugnare davanti a un nemico.

«Sì.»

«Nicolas. Sono qui sotto.»

«Okay, scendo subito.»

Helena gli tese gli occhiali.

«Forse non sono arrivata nel momento più opportuno.»

«Credo di avere qualche impegno, adesso. Ne avrò fino a tardi e non so…»

«Lei sa dove abito. Mi può raggiungere quando vuole, anche a notte fonda.»

«Pensa che Nathan Parker gradirebbe una mia visita in queste circostanze?»

«Mio padre è a Parigi. È andato a parlare con l'ambasciatore e a cercare un avvocato per il capitano Mosse.»

Una breve pausa.

«Ha portato Stuart con lui, come… come compagnia. Ecco perché sono qui da sola.»

Frank per un attimo si era aspettato che Helena usasse la parola «ostaggio». Forse era quello il significato che andava cercato nel termine «compagnia».

«Va bene. Ora però devo andare. Non vorrei, per una serie di motivi, che la persona che mi attende di sotto ci vedesse uscire insieme. Attenda qualche minuto prima di scendere, va bene?»

Helena assentì. L'ultima immagine che ebbe di lei prima di chiudere la porta furono i suoi occhi lucidi e il sorriso appena accennato che solo una piccola speranza può dare.

Mentre scendeva con l'ascensore, Frank si guardò nello specchio, alla luce innaturale delle lampade del *lift*. Nei suoi occhi c'era ancora il riflesso del viso di sua moglie. Non c'era posto per altri volti, per altri occhi, per altri capelli, per altri dolori. E soprattutto non poteva essere d'aiuto a nessuno, perché nessuno poteva aiutare lui.

Uscì alla luce del sole che arrivava dalle vetrate e attraversò l'atrio in marmo di Parc Saint-Roman. Fuori c'era la macchina di Hulot in attesa.

Quando aprì la portiera, attraverso il vetro del finestrino vide sul sedile posteriore un fascio di quotidiani. Quello in cima riportava un titolo a caratteri cubitali, *Il mio nome è Nessuno*, con esplicito riferimento alle beffe della sera precedente. Gli altri titoli dovevano essere più o meno in linea con quello. Nicolas non sembrava aver dormito meglio di lui.

«Ciao.»

«Ciao, Nic. Scusa se ti ho fatto aspettare.»

«Va tutto bene. Hai sentito qualcuno?»

«Silenzio assoluto. Non credo che al tuo dipartimento facciano salti mortali all'idea di vedermi, anche se ufficialmente Roncaille mi sta aspettando per un *briefing*.»

«Be', prima o poi ti dovrai far vedere.»

«Questo è certo. Per un sacco di ragioni. Ma nel frattempo credo che abbiamo una faccenda privata da sbrigare.»

Hulot avviò la macchina e percorse il breve vialetto d'ingresso del palazzo per arrivare alla piazzola dove si poteva effettuare l'inversione di marcia.

«Sono passato dal mio ufficio. Fra le mie cose che ho ritirato dalla scrivania ci ho infilato l'originale della cassetta, che era ancora al suo posto. L'ho sostituita con una copia.»

«Pensi che se ne accorgeranno?»

Hulot scrollò le spalle.

«Posso sempre dire di essermi sbagliato. Non mi pare un reato grave. Sarebbe molto più grave se scoprissero che abbiamo una traccia e non ne abbiamo fatto parola con nessuno.»

Mentre ripassavano davanti alla porta a vetri dell'ingresso, Frank vide solo il riflesso del cielo. Girò la testa per guardare dal lunotto posteriore. Prima che la macchina si lasciasse il vialetto alle spalle per girare a sinistra e scendere per Rue des Giroflées, ebbe la fugace visione di Helena Parker che usciva dall'ingresso di Parc Saint-Roman.

37

Quando arrivarono a casa dei Mercier, a Eze-sur-Mer, Guillaume Mercier li aspettava in giardino. Non appena vide il muso della Peugeot arrivare contro il cancello, puntò il telecomando che aveva in mano e i battenti iniziarono lentamente ad aprirsi. Alle sue spalle c'era una casa bianca a un solo piano dal tetto scuro, con persiane in legno azzurro, dal sapore vagamente provenzale, non troppo ricercata ma solida e funzionale.

Il giardino era abbastanza grande da poter essere considerato un piccolo parco. Sulla destra, oltre la casa, sul lato estremo, c'era un grande pino marittimo circondato da cespugli più bassi di sempreverdi. Oltre l'ombra dell'albero, una fila di lantane bianche e gialle in piena fioritura circondavano una pianta di limoni, dai frutti in continua maturazione. Tutto intorno alla proprietà correva una siepe di alloro, che superava l'inferriata infilata nel basso muro di cinta fino a coprire la vista dall'esterno.

Dappertutto c'erano aiuole e cespugli di arbusti in fiore, sapientemente alternati a un prato inglese attraversato da camminamenti in pietra, uguali alla pavimentazione del cortile su cui li attendeva Guillaume.

Dava un'impressione di serenità e solidità, economica e familiare, una condizione di benessere senza alcuna necessità di ostentazione, che per molti versi pareva essere un *must* in Costa Azzurra.

Appena superato l'ingresso, Hulot piegò sulla destra e andò a parcheggiare la macchina sotto una tettoia in legno lamellare, dove già stavano una piccola Fiat e una moto di grossa cilindrata, una BMW da enduro.

Guillaume venne verso di loro camminando con un'andatura dinoccolata. Era un ragazzo atletico, con un viso non bello ma simpatico e l'abbronzatura tipica di chi fa molto sport all'aria aperta. Le braccia muscolose con i peli schiariti dal sole che spuntavano dalle maniche della maglietta ne erano una testimonianza evidente. Indossava una T-shirt su dei bermuda di tela verde militare con tasche applicate sui lati e un paio di scarpe da vela gialle senza calze.

«Ciao, Nicolas.»

«Ciao, Guillaume.»

Il ragazzo strinse la mano del commissario.

Nicolas indicò con un cenno del capo la presenza del suo accompagnatore.

«Questo signore silenzioso alle mie spalle si chiama Frank Ottobre ed è un agente speciale dell'FBI.»

Guillaume tese la mano, accennando con la bocca una specie di fischio silenzioso.

«Ah, ma allora voi dell'FBI esistete anche nella vita reale, non solo nei film. Piacere di conoscerti.»

Mentre stringeva la mano del ragazzo, Frank si sentì istintivamente sollevato. Lo guardò negli occhi, scuri e profondi nel viso su cui l'abbronzatura aveva fatto affiorare un accenno di efelidi. Seppe istintivamente che Guillaume era la persona giusta per quello che stavano cercando. Non sapeva quanto fosse bravo nel suo lavoro, ma capì che avrebbe tenuto la bocca chiusa se glielo avessero chiesto nel modo dovuto, facendogli capire l'importanza e la gravità della situazione.

«Già, siamo parte integrante dei film e del paesaggio, in America. E adesso iniziano anche a esportarci, come può testimoniare la mia presenza qui sulla costa.»

Guillaume sorrise alla battuta, ma quel sorriso mascherava a malapena la curiosità per la presenza di quei due uomini in casa sua. Era un sorriso che alleggeriva l'attesa, non la sostanza. Probabilmente aveva intuito che c'era qualcosa di molto grave dietro al fatto che Nicolas Hulot fosse lì come poliziotto e non come amico di famiglia.

«Grazie di aver accettato di darci una mano.»

Guillaume fece un cenno con le spalle che era una sorta di silenzioso non-c'è-di-che e li precedette indicando loro la strada.

«Non ho moltissimo lavoro, in questo momento. Mi sto occupando dell'editing di un paio di documentari di subacquea, roba facile e poco impegnativa. E poi non potrei negare nulla a quest'uomo qui…»

Indicò con il pollice della mano destra il commissario che lo seguiva.

«Hai detto che i tuoi sono fuori?»

«Fuori? Fuori di testa, direi. I due vecchietti, dopo che mio padre ha smesso di lavorare, hanno soffiato sulla cenere e hanno scoperto che esistevano ancora tizzoni di passione. Sono al decimo viaggio di nozze, credo. L'ultima volta che mi hanno telefonato erano a Roma. Dovrebbero tornare domani.»

Proseguirono lungo il sentiero in pietra che attraversava il prato inglese di un verde commovente, fino ad arrivare davanti all'ingresso della *dépendance*. Alla loro destra un gazebo dello stesso legno lamellare, col tetto a vela in tela blu, ospitava una zona pranzo all'aperto. Sul tavolo in ferro battuto c'erano i resti di una cena risalente di sicuro alla sera prima.

«Quando i gatti non ci sono il topo balla, eh?»

Guillaume seguì lo sguardo di Nicolas e si strinse nelle spalle.

«Sono venuti degli amici ieri sera, e oggi la donna delle pulizie non si è vista…»

«Sì, degli amici… Sono un poliziotto, credi che non veda che è apparecchiato per due?»

Il ragazzo aprì le braccia in un gesto quantomeno possibilista.

«Vecchio, non bevo, non gioco, non fumo e non cedo alla lusinga dei paradisi artificiali. Me lo vorrai lasciare almeno un divertimento?»

Fece scorrere la porta di legno davanti alla quale si era fermato e li invitò a entrare. Li seguì chiudendo lo scorrevole alle sue spalle. Appena dentro, Hulot rabbrividì nella giacca leggera.

«Fa freschetto, qui.»

Guillaume indicò con un cenno della mano le apparecchiature che occupavano la parete di fronte alle vetrate che guardavano sul giardino, sotto le quali ronzavano a pieno regime due condizionatori.

«Questi macchinari sono un po' sensibili al caldo, ragion per cui sono costretto a far lavorare l'impianto a tutta forza. Se hai un problema con i reumatismi, posso vedere di recuperarti un loden di mio padre.»

Nicolas lo afferrò di scatto per il collo e lo piegò in avanti. Sorrideva mentre gli serrava la testa in una stretta scherzosa.

«Rispetto per gli anziani o quello che potresti sentire non è lo scricchiolio della mia artrite ma quello del tuo collo che si spezza.»

Guillaume alzò le braccia in segno di resa.

«Va bene, va bene. Cedo, cedo...»

Quando Hulot lo lasciò andare, Guillaume si fece cadere sbuffando su una poltrona in pelle con le ruote che era davanti alle macchine. Si mise a posto i capelli arruffati dalla presa del commissario e indicò ai due un divano appoggiato contro il muro fra le due vetrate. Puntò un dito accusatore contro Nicolas.

«Sappi che ho ceduto solo perché la mia considerazione per i tuoi capelli grigi mi impedisce la giusta reazione.»

Hulot si sedette e si lasciò andare contro lo schienale imbottito del divano, accentuando un accenno di fiatone.

«Meno male, perché, in confidenza, temo che tu ci abbia azzeccato sulla faccenda dei reumatismi...»

Guillaume fece un mezzo giro sulla poltrona e tornò a girarsi verso Frank e Hulot. La sua espressione si era fatta improvvisamente seria.

Bene, pensò Frank, *ecco un ragazzo che ha il senso della misura.*

Si convinse ancora di più che avevano trovato la persona giusta. Adesso non restava che sperare che Guillaume fosse bravo quanto Nicolas aveva detto. E sperare in un sacco di altre cose. Ora che erano arrivati al dunque, Frank si accorse che il suo cuore aveva accelerato leggermente il battito. Guardò un attimo fuori dalla finestra il riflesso del sole che giocava sulla superficie della piscina. La pace di quel posto faceva sembrare tutto così lontano, così lontano...

La sua storia, la storia di Helena, la storia di un generale che non vuol perdere nessuna guerra a nessun costo, la storia di un commissario senza più ambizioni se non trovare una ragione decente per sopravvivere al figlio, la storia di un assassino insaziabile che doveva essere piena di follia e di ferocia se lo aveva portato a essere quello che era.

E pensare che avrebbe potuto essere tutto così facile se soltanto...

Si riscosse e ritornò nella stanza. La sua voce superò a malapena il soffio dei condizionatori.

«Hai per caso seguito la storia di Nessuno?»

Guillaume fece dondolare lo schienale della poltrona.

«Gli omicidi nel Principato, intendi? E chi non l'ha seguita? Tutte le sere sono lì con la radio sintonizzata su Radio Monte Carlo o su Europe 2. Credo che a questo punto abbiano un'audience da fantascienza...»

Frank tornò a voltarsi verso il giardino. Una brezza piuttosto decisa faceva frusciare sulla destra la siepe di alloro contro il muro di cinta. Si accorse che non era il vento ma il ventilatore esterno dell'impianto di condizionamento.

Si girò e fissò senza vergogna il viso di Guillaume.

«Già. Sono morte cinque persone. Quattro di loro sfigurate in un modo orrendo. E noi non ci abbiamo fatto una gran bella figura in tutta questa vicenda, perché non abbiamo la più pallida idea di chi possa essere l'assassino, né di come fare a fermarlo. A parte certi indizi che ci ha fornito a bella posta, quel pazzo scatenato non ha lasciato la minima traccia dietro di sé, se si esclude un piccolo dettaglio...»

Il suo silenzio lasciò la parola a Nicolas. Il commissario si tirò a sedere sul bordo del divano e tese a Guillaume una cassetta VHS che aveva estratto dalla tasca della giacca.

«Questa è l'unica, vera traccia che abbiamo. C'è una cosa, su questa cassetta, che vorremmo che tu esaminassi per noi. È estremamente importante, Guillaume. Importante al punto tale che da quello che ne salta fuori potrebbe dipendere la vita di altri esseri umani. Per questo ci serve il tuo aiuto e la tua riservatezza. Una riservatezza estrema, non so se mi spiego…»

Annuendo, Guillaume prese la cassetta dalle mani di Hulot e la tenne fra le dita come se dovesse esplodere da un momento all'altro.

«Cosa c'è su questa cassetta?»

Frank lo guardò attentamente. Non c'era traccia di ironia nella voce del ragazzo.

«Vedrai. Però ho il dovere di avvertirti che non sarà un bello spettacolo. Te lo dico tanto perché tu sia preparato.»

Guillaume non disse niente. Si alzò e andò a chiudere le tende delle vetrate, per proteggere gli schermi dal riflesso del sole. Una luminosità ambrata si diffuse per la stanza. Tornò a sedersi sulla poltrona e accese uno schermo al plasma e il monitor del computer. Infilò la cassetta in un riproduttore alla sua sinistra e premette un tasto. Sullo schermo davanti a lui apparvero dapprima le barre colorate e le poi le prime immagini.

Mentre l'omicidio di Allen Yoshida iniziava a scorrere davanti agli occhi di Guillaume, Frank decise di lasciargli vedere il filmato per intero. Avrebbe potuto arrivare direttamente al punto che gli interessava senza ulteriori spiegazioni, ma adesso che lo aveva conosciuto voleva che il ragazzo capisse con chi avevano a che fare e quanto fosse importante il suo ruolo nella faccenda. Si chiese cosa potesse passare nella mente di Guillaume mentre vedeva quel film, se dentro di sé ritrovava immutato lo stesso orrore di quando l'aveva visto la prima volta. Dovette ammettere suo malgrado che su quel nastro c'era fissata una sorta di diabolica opera d'arte, fatta per distruggere e non per creare, e che tuttavia non poteva esimersi dal trasmettere emozioni.

Dopo un minuto di proiezione, Guillaume allungò una mano e mise il nastro in pausa. L'assassino e la sua vittima insanguinata si bloccarono nella posizione che il caso e una macchina avevano loro assegnato.

Si girò e li guardò con gli occhi sgranati.

«Ma… è un film o è tutto vero?» chiese con un filo di voce.

«Purtroppo è tutto vero al cento per cento. Te l'avevo detto che non era un bello spettacolo.»

«Certo, ma questo macello supera ogni immaginazione. Ma com'è possibile una cosa del genere?»

«È possibile, è possibile. Purtroppo è una realtà, come puoi vedere tu stesso. E noi stiamo appunto cercando di farlo finire questo macello, come l'hai chiamato tu.»

Frank vide che la maglietta del ragazzo aveva due chiazze scure sotto le ascelle, che prima non c'erano. La temperatura della stanza escludeva che quelle macchie di sudore fossero dovute al caldo. Si trattava quasi di sicuro di una reazione nervosa a quello che aveva appena visto.

La morte è fredda e calda insieme. La morte è sudore e sangue. La morte è purtroppo l'unico vero modo che il destino ha scelto per ricordarci continuamente che esiste la vita. Vai avanti, ragazzo, non ci deludere.

Come se avesse sentito i suoi pensieri, la poltrona di Guillaume tornò a girarsi con un leggero cigolio. Si appoggiò allo schienale, come se quel gesto lo aiutasse a difendersi, a prendere le distanze dalle immagini che avrebbe continuato a vedere. Premette di nuovo il pulsante di pausa e le figure lasciarono l'immobilità che le aveva fissate per qualche istante e ripresero ad agitarsi davanti ai loro occhi, fino al beffardo inchino finale e all'effetto neve che indicava la fine della registrazione. Guillaume fermò il nastro.

«Cosa volete che faccia?» chiese senza girarsi.

Si sentiva dal tono della sua voce che avrebbe preferito non essere lì, non aver visto quella danza di morte e l'inchino con cui l'assassino pareva chiedere un applauso a un pubblico di dannati.

Frank si avvicinò e si mise alle spalle del ragazzo seduto sulla sedia.

«Torna indietro col nastro, ma in modo che si veda il filmato.»

Guillaume girò una rotella e le immagini iniziarono a scorrere velocemente all'indietro. Nonostante la proiezione veloce al contrario, che di solito volge in caricatura i movimenti umani fino alla comicità, la drammaticità delle riprese rimaneva inalterata.

«Ecco, rallenta, qui... ferma adesso.»

Al tocco prudente delle dita di Guillaume, la proiezione si arrestò, qualche fotogramma troppo indietro.

«Puoi andare avanti lentamente solo un po'?»

Guillaume manovrò morbido la manopola e il film avanzò *frame* per *frame*, come una serie di foto che si sovrappongano lentamente.

«Stop!»

Frank si pose di fianco a Guillaume e indicò un punto dello schermo toccandolo con il dito indice.

«Ecco, in questa zona qui, sul mobile, c'è appoggiata quella che sembra essere la copertina di un disco. Non si riesce a vedere bene l'immagine. Puoi isolarla e ingrandirla in modo da poterla leggere?»

Guillaume si spostò di lato fino ad arrivare davanti alla tastiera del computer, sulla sua destra, continuando a tenere gli occhi fissi sul punto indicato da Frank.

«Uhmm, ci posso provare. Questa cassetta è un originale o una copia?»

«No, è l'originale.»

«Meglio. Il VHS non è il massimo come supporto, a meno che non sia l'originale. Prima di tutto devo digitalizzare l'immagine. Si perde un po' di qualità nel passaggio, ma poi la posso lavorare meglio.»

La sua voce era ferma e tranquilla. Adesso che era entrato nel suo specifico, Guillaume pareva aver superato lo shock di quanto aveva appena visto. Iniziò a cliccare con il mouse sullo schermo del computer. Sul monitor comparve la stessa immagine che c'era su quello di fronte a Frank. Guillaume digitò per qualche istante sulla tastiera e la figura si fece più nitida.

«Ecco fatto. Adesso andiamo a vedere che succede se evidenziamo quella parte.»

Con la freccia del mouse aprì un quadrato tratteggiato che conteneva il pezzo di figura che gli aveva indicato Frank. Premette un pulsante sulla tastiera e lo schermo si riempì di una specie di mosaico elettronico, assolutamente senza senso.

«Non si vede niente.»

Il commento sfuggì quasi senza volere dalle labbra di Frank, che se ne pentì immediatamente. Guillaume si girò verso di lui, inarcando le sopracciglia.

«Calma, uomo di poca fede. Abbiamo appena iniziato a lavorare.»

Digitò una decina di secondi sulla tastiera e sul monitor apparve, abbastanza nitida da poterla distinguere, la copertina scura di un disco. Al centro della figura, la silhouette di un uomo che suonava una cornetta, ombra in controluce, era piegata all'indietro nella tensione del musicista che sta cercando una nota impossibile, per la meraviglia sua e degli spettatori. Era l'attimo supremo in cui l'artista scorda il luogo e il tempo e va a caccia solo della musica, di cui è vittima e carnefice nello stesso tempo. Sotto c'era una scritta bianca.

Robert Fulton – «Stolen Music».

Frank lesse a voce alta quello che c'era sullo schermo come se fosse il solo in quella stanza in grado di farlo.

«Robert Fulton. "Stolen Music." Musica rubata. Che significa?»

«Io non ne ho la più pallida idea. E tu, Guillaume, conosci questo disco?»

La voce di Nicolas li sorprese. Mentre Guillaume trafficava con il computer, si era alzato dal divano e si era posto alle loro spalle senza che i due se ne accorgessero.

Il ragazzo continuava a fissare l'immagine sul monitor.

«Mai visto prima. E mai sentito prima questo Robert Fulton. Ma a occhio e croce direi che si tratta di un Lp di jazz piuttosto vecchio, e devo dire che è un tipo di musica che io non bazzico molto.»

Nicolas tornò a sedersi sul divano. Frank si passò una mano sul mento. Mosse alcuni passi avanti e indietro per la stanza, con gli occhi socchiusi. Iniziò a parlare, ma si capiva che era un pensiero ad alta voce, il monologo di un uomo che cammina con un fanale appeso alle spalle.

«"Stolen Music." Robert Fulton. Perché Nessuno ha avuto il bisogno di sentire questo disco durante l'omicidio? Perché poi se l'è portato via? Che cos'ha di speciale?»

Cadde nella stanza il silenzio delle domande che non trovano risposta, il silenzio di cui la mente si nutre mentre divora distanze infinite alla ricerca di un'indicazione, una traccia, un segno, il silenzio degli occhi fissi alla ricerca di un punto che invece di avvicinarsi si allontana sempre di più.

Nella sua testa si agitava lo spettro sinistro di un *déjà-vu,* i loro visi attoniti davanti alla copertina muta di un disco in un drammatico nulla di fatto, quando il silenzio ignorante era rotto dallo squillo di una telefonata che arrivava ad annunciare un nuovo omicidio…

Il rumore delle dita di Guillaume sulla tastiera decretò la fine di quel momento di pausa, turbato solo dal vortice ignaro dei condizionatori.

«Qui forse c'è una cosa…»

Frank girò di scatto la testa verso di lui, lo sguardo di un ipnotizzato che ha appena udito lo schiocco delle dita che lo hanno fatto uscire dalla trance in cui era caduto.

«Cosa?»

«Un istante, fatemi controllare…»

Fece scorrere il nastro all'indietro fino all'inizio e ricominciò a vederlo molto lentamente, bloccando le immagini ogni tanto e utilizzando una funzione di zoom per evidenziare qualche particolare che gli interessava.

Nonostante il fresco nell'ambiente, Frank sentiva le tempie pulsare. Non capiva che cosa stesse cercando di fare Guillaume, ma, qualsiasi cosa fosse, avrebbe voluto che la facesse in fretta, molto più in fretta di così.

Il ragazzo bloccò l'immagine in un punto in cui l'assassino stava chino su Allen Yoshida, in un atteggiamento che, in un'altra situazione, poteva essere scambiato per confidenziale. Probabilmente gli stava sussurrando qualcosa all'orecchio e Frank si rammaricò che il filmato non avesse il sonoro, anche se Nessuno era troppo furbo per fornire loro un campione della sua voce al naturale, per quanto filtrata dalla trama in lana di un passamontagna.

Si rimise al computer e trasferì sul monitor a cristalli liquidi l'immagine che aveva frizzato sullo schermo. Con la freccia del mouse selezionò una porzione dello schermo e digitò sulla tastiera. Apparve una macchia come quella apparsa in precedenza, che pareva composta di tanti tasselli colorati disposti alla rinfusa dalla fantasia di un artista ubriaco.

«Questi che vedete sono i *pixel*. Sono come tante piccole tessere che compongono l'immagine, una specie di puzzle, insomma. Ingrandendola molto rimane confusa e non si capisce niente. Ma noi...»

Prese a digitare con foga sulla tastiera, alternando i tasti con il mouse.

«Noi abbiamo un programma che esamina i *pixel* danneggiati dall'ingrandimento e li ricostruisce. Non per niente m'è costata una fortuna questo trabiccolo. Dai bello, non mi deludere...»

Premette il tasto di invio sulla tastiera. L'immagine si schiarì un poco ma rimase sempre confusa in modo incomprensibile.

«Eh no, cazzo! Vediamo un po' se sei più furbo tu o sono più furbo io!»

Guillaume avvicinò di scatto la sedia al monitor, minaccioso.

Si passò una mano fra i capelli e tornò a posare le dita sulla tastiera. Digitò furiosamente per una decina di secondi, poi si alzò in piedi e prese a trafficare con dei macchinari sospesi su delle mensole davanti a lui, premendo pulsanti e girando manopole, facendo lampeggiare led rossi e verdi.

«Ecco, se ho visto giusto…»

Tornò a sedersi sulla poltrona e la spostò di nuovo davanti allo schermo su cui aveva bloccato l'immagine. Premette un paio di pulsanti e apparvero due immagini affiancate, quella da cui aveva tratto la copertina del disco e quella che stava esaminando adesso. Toccò con un dito la prima.

«Ecco, vedete qui? Ho controllato, e questa è l'unica immagine in cui si vede per intero la copertina del disco. Non completamente però, perché, come potete vedere, in alto a sinistra è coperta in parte dalla manica dell'uomo con il pugnale. Non l'abbiamo notato nell'ingrandimento perché il colore del vestito è scuro come la copertina. Però sulle due pareti contrapposte della stanza ci sono degli specchi e il riflesso del disco rimbalza dall'uno all'altro. Mi è sembrato che ci fosse una leggera differenza cromatica rispetto a quella che ho tirato fuori direttamente dal filmato…»

Guillaume fece scorrere di nuovo le dita sulla tastiera.

«Mi è sembrato che, nell'immagine riflessa nello specchio, quella che vediamo per intero, qui in alto al centro, ci potesse essere un'etichetta applicata alla copertina…»

Premette il tasto di invio con il dito cauto di chi lancia il missile destinato a distruggere il mondo. Lentamente, davanti ai loro occhi, la macchia confusa sul monitor si compose e prese forma. Apparve su uno sfondo dorato una scritta scura, leggermente distorta e sfocata ma leggibile.

«L'etichetta del negozio che ha venduto il disco, per esempio. Ecco qui. Disque à Risque, Cours Mirabeau vattelapesca, Aix-en-Provence. Il numero civico non si riesce a leggere. E nemmeno il numero telefonico. Mi dispiace, ma quelli ve li dovrete trovare da soli.»

C'era una nota di trionfo nella voce di Guillaume. Si girò verso Hulot con un gesto che pareva quello di un acrobata che saluta il pubblico dopo un triplo salto mortale.

Frank e Nicolas erano senza parole.

«Guillaume, sei un fenomeno!»

Il ragazzo si strinse nelle spalle e sorrise.

«No, non esageriamo, sono semplicemente il meglio che c'è sul mercato.»

Frank si appoggiò alla poltrona e si piegò leggermente sullo schermo. Rilesse incredulo la scritta sul monitor. Dopo tanto nulla, finalmente avevano qualche cosa. Dopo tanto vagare per mare c'era, lontana all'orizzonte, una linea scura che poteva essere la terra ma anche un ammasso confuso di nuvole. Loro adesso la stavano guardando con gli occhi paurosi di chi teme la beffa di una nuova illusione.

Nicolas si alzò dal divano.

«Puoi stamparci queste immagini?»

«Certo, non c'è problema. Quante copie?»

«Quattro dovrebbero bastare, direi, per ogni evenienza.»

Guillaume iniziò a trafficare con il computer e una stampante si mise in moto con uno scatto secco. Mentre i fogli si depositavano a uno a uno nel cestino, si alzò dalla poltrona.

Frank si mise davanti al ragazzo e cercò il suo sguardo, pensando che a volte non servono molte parole con certe persone.

«Non hai idea di quello che puoi avere fatto per noi e per molta altra gente, oggi pomeriggio. C'è qualcosa che *noi* possiamo fare per te?»

Guillaume gli diede le spalle, senza parlare. Espulse la cassetta dal videoregistratore, si girò e la tese verso Frank tenendola salda in mano, senza nascondere lo sguardo.

«Solo una cosa. Prendete l'uomo che ha fatto tutto questo.»

«Ci puoi scommettere. E sarà anche merito tuo.»

Prendendo le foto dal cassetto della stampante, la voce di Nicolas aveva per la prima volta da molto tempo una risonanza positiva.

«Bene, credo che adesso noi abbiamo da fare. Molto da fare. Non ti disturbare ad accompagnarci, se devi lavorare. So come si esce da questo posto.»

«Andate pure, voi. Per oggi, basta lavoro. Chiudo tutto e me ne vado a fare un giro in moto. Dopo quello che ho visto, non ho nessuna voglia di restare qui da solo...»

«Ciao, Guillaume, grazie ancora.»

Fuori li accolse il languore del tramonto su quel giardino che pareva incantato, dopo la crudezza delle immagini che avevano appena rivisto. C'era la brezza tiepida di quell'inizio d'estate a soffiare dal mare, c'erano le macchie colorate delle aiuole, il verde brillante del prato, il verde più scuro della siepe d'alloro.

Frank notò che, per una bizzarra casualità cromatica, nemmeno uno dei fiori era rosso, il colore del sangue. Prese questa cosa per un buon auspicio e sorrise.

«Perché sorridi?» gli chiese Nicolas.

«Un pensiero stupido. Non farci caso. Forse un pallido accenno di ottimismo dopo quello che Guillaume ci ha appena fornito.»

«Ottimo ragazzo, quello...»

Frank rimase in silenzio. Sapeva che il discorso non era finito.

«Era il migliore amico di mio figlio. Erano molto simili. Tutte le volte che vedo Guillaume non posso fare a meno di pensare che se Stéphane fosse vissuto, molto probabilmente sarebbe diventato una persona come lui. È un sistema un po' contorto per continuare a essere orgoglioso di mio figlio...»

Frank non girò lo sguardo per non vedere negli occhi di Nicolas il luccichio delle lacrime che sentiva nella sua voce.

Percorsero in silenzio il breve tragitto fino alla macchina. Quando furono all'interno, Frank prese le stampe che il commissario aveva appoggiato sul cruscotto e iniziò a guardarle, per dargli il tempo di riprendersi. Mentre Hulot avviava il motore, tornò a posarle dove le aveva prese e si appoggiò contro lo schienale.

Mentre allacciavano le cinture, si accorse di essere eccitato.

«Nicolas, conosci Aix-en-Provence?»

«Nemmeno un po'.»

«Allora è meglio che ti compri una piantina quando ci arrivi. Credo proprio che dovrai fare un piccolo viaggio, amico mio.»

38

L'automobile di Hulot si fermò all'angolo di Rue Princesse Florestine con Rue Suffren Raymond, a poche decine di metri dalla centrale di polizia. Per ironia della sorte, di fianco a loro c'era un cartellone pubblicitario che annunciava «Peugeot 206 – Enfant terrible».

Nicolas indicò l'*affiche* con il mento. Sulle sue labbra aleggiava un sorriso malizioso.

«Ecco là, la macchina giusta per l'uomo giusto.»

«Okay, *enfant terrible*. Da questo momento in poi tutto è nelle tue mani. Datti da fare.»

«Mi farò vivo se trovo qualcosa.»

Frank aprì la portiera e uscì dalla macchina. Dal finestrino aperto puntò un dito accusatore contro il commissario.

«Non *se* trovi qualcosa. *Quando* trovi qualcosa. O ci avevi creduto davvero a quella faccenda delle ferie?»

Hulot si portò due dita alla fronte in segno di saluto. Frank chiuse la portiera e rimase un istante a guardare la macchina che si avviava e spariva nel traffico.

La traccia emersa dal filmato aveva portato un soffio di ottimismo nell'aria stagnante di quell'inchiesta, ma era ancora troppo esile per rappresentare qualcosa di sostanzioso. Frank riusciva solo a tenere le dita incrociate, per ora.

Imboccò a piedi Rue Suffren Raymond e si avviò verso la centrale. Durante il ritorno da Eze-sur-Mer aveva ricevuto una telefonata di Roncaille che lo convocava nel suo ufficio per delle «decisioni importanti». Frank aveva sentito il tono e poteva immaginare il tenore della riunione. L'insuccesso della sera precedente, la

nuova vittima, anzi, le nuove vittime, che avevano portato al siluramento di Nicolas, non doveva essere passato invano nemmeno
sulle teste di Roncaille e Durand.

Fece il suo ingresso alla centrale passando davanti al piantone,
che lo fece salire senza degnarlo di uno sguardo. Ormai era di casa.
Fino a quando, non era dato sapere, ma per il momento era così.

Quando arrivò davanti alla porta dell'ufficio di Roncaille bussò e dall'interno la voce del direttore lo invitò a entrare.

Frank aprì la porta e non si stupì eccessivamente di trovarci al-
l'interno il procuratore generale Durand. Lo colpì invece la presenza di Dwight Durham, il console americano. Non che fosse ingiusti-
ficata, ma pensava che i rimescoli di carattere diplomatico sarebbero stati discussi e trattati a un altro livello, ben superiore a quello che
la sua qualifica di investigatore aggregato all'inchiesta lasciasse pre-
supporre. La presenza di Durham in quella stanza era un segnale
molto forte del governo degli Stati Uniti, sia per quello che Nathan
Parker poteva aver smosso in modo ufficioso a livello di conoscenze personali, sia per l'omicidio di cittadini americani sul territorio
del Principato. C'era stato poi, come ultimo tocco, il poco edificante biglietto di presentazione di un capitano dell'esercito USA accu-
sato di omicidio e attualmente detenuto nelle monegasche galere.

Roncaille si alzò al suo ingresso, come faceva sempre con
chiunque, d'altronde.

«Venga Frank, lieto di vederla. Immagino che dopo la notte
scorsa avrà fatto fatica a dormire, come tutti noi.»

Frank strinse le mani che gli venivano tese. Lo sguardo che
Durham gli rivolse di sfuggita aveva un sacco di sottintesi che non
fece fatica a cogliere. Si sedette su una poltrona di pelle. L'ufficio
era leggermente più grande di quello di Hulot e aveva un divano,
oltre alle poltrone, ma non era sostanzialmente diverso dalla media degli uffici della centrale. L'unica concessione al ruolo di direttore della Sûreté erano un paio di quadri alle pareti, sicuramente autentici, ma di cui Frank non seppe valutare l'importanza.
Roncaille tornò a sedersi alla scrivania.

«Immagino pure che avrà visto i giornali e quello che hanno scritto dopo gli ultimi avvenimenti.»

Frank si strinse nelle spalle.

«No, confesso che non ne ho sentito la necessità. I media hanno una loro logica, che sta di solito dalla parte del cittadino e dell'editore. Raramente sono utili a chi conduce delle indagini. Non è il mio lavoro leggere i giornali. Né procurare loro a tutti i costi qualcosa da scrivere...»

Durham portò una mano alla bocca per mascherare un sorriso. Durand probabilmente ritenne che le parole di Frank avessero un preciso riferimento al siluramento di Hulot e si sentì in dovere di fare una precisazione.

«Frank, so cosa prova nei confronti del commissario Hulot. Non è piaciuto nemmeno a me dover prendere dei provvedimenti che ritengo perlomeno impopolari. So quanto Hulot sia stimato nell'ambito delle forze di polizia, però lei capisce...»

Frank lo interruppe con un leggero sorriso stampato sulle labbra.

«Certo che capisco. Perfettamente. E non vorrei che questo fosse un problema.»

Roncaille si accorse che la conversazione stava imboccando una strada in discesa che poteva far raggiungere alle parole una velocità pericolosa. Si affrettò a stendere tappeti di benvenuto e a distribuire porzioni di ambrosia secondo una sua precisa predisposizione personale.

«Non c'è e non ci deve essere nessun problema fra di noi, Frank. La richiesta e l'offerta di collaborazione sono piene, fiduciose e totali. Il signor Durham è qui proprio per confermarglielo.»

Il console si appoggiò allo schienale della poltrona e si passò il dito indice sulla punta del naso. Era in una posizione di privilegio e stava facendo di tutto per non farla pesare, pur dando a Frank la sensazione positiva di non essere solo. Frank non poté che rinnovargli la simpatia e la considerazione che già gli aveva attribuito durante la breve visita a Parc Saint-Roman.

«Frank, non è il caso di nascondersi dietro a un dito. La situazione è ingarbugliata al massimo. Lo era già di suo, ancora prima che arrivasse questo… chiamiamolo incidente, del capitano Mosse a rimescolare ulteriormente le carte. Comunque questa pare una pagina chiusa, che risolveranno le rispettive diplomazie nei modi e nei termini che riterranno opportuni. Per quel che riguarda il signor Nessuno, come lo ha battezzato la stampa, be'…»

Si girò verso Durand, come a lasciare a lui il compito di terminare il discorso. Il Procuratore guardò Frank e lui ebbe l'impressione che avrebbe volentieri mostrato il culo in televisione in prima serata piuttosto che essere costretto a dire le parole che stava per dire.

«Di comune accordo abbiamo deciso di lasciare nelle sue mani il prosieguo delle indagini. Nessuno, a questo punto, è più qualificato di lei. È un agente dal curriculum eccellente, eccezionale direi, segue l'inchiesta fin dall'inizio, conosce i protagonisti e le persone coinvolte e ne gode la fiducia. Le verrà affiancato l'ispettore Morelli come rappresentante della Sûreté e come trait d'union con le autorità del Principato, ma per il resto lei ha carta bianca. Riferirà a me e a Roncaille gli sviluppi dell'inchiesta, tenendo presente che il suo obiettivo è anche il nostro: dobbiamo prendere questo assassino prima che faccia altre vittime.»

Durand finì il suo pistolotto e rimase a guardarlo con la faccia di chi ha appena fatto una concessione inconcepibile, permettendo addirittura al bambino cattivo di servirsi di una doppia razione di dolce.

Frank assunse un'aria di circostanza, grossomodo quella che Roncaille e Durand si aspettavano da lui, mentre invece li avrebbe volentieri baciati, consegnati ai centurioni romani e si sarebbe andato a godere i sessanta denari di ricompensa senza il minimo rimorso.

«Bene. Penso di dovermi ritenere onorato per questo incarico, e in effetti lo sono. Purtroppo l'astuzia del serial killer a cui stiamo dando la caccia sembra addirittura sovrumana. Fino a ora non ha commesso nemmeno il più piccolo errore. E dire che di movimenti ne ha fatti molti, in un contesto così piccolo e così agguerrito dal punto di vista dei controlli di polizia…»

Roncaille incassò questo riconoscimento sulle forze di polizia locali come un fatto dovuto. Appoggiò i gomiti sulla scrivania e si protese leggermente verso di lui.

«Lei può utilizzare l'ufficio del commissario Hulot. L'ispettore Morelli, come le ho già detto, è a sua disposizione. Ci troverà tutta la documentazione sul caso, i rapporti della scientifica sugli ultimi due omicidi, incluso quello di Roby Stricker. Le perizie dell'autopsia sono in arrivo e dovrebbero essere sul suo tavolo domani mattina. Nel caso lo ritenesse opportuno le verrà messa a disposizione un'automobile personale e un contrassegno di "Macchina della polizia in servizio".»

«Non le nascondo che mi sarebbe molto utile.»

«Quando esce, Morelli gliene farà trovare una di fianco all'ingresso. Un'ultima cosa… Lei è armato?»

«Sì, ho una pistola.»

«Bene. Le faremo avere un distintivo a integrazione del suo che le darà pieno diritto di agire sul territorio del Principato. Buona fortuna, Frank.»

Frank capì che la riunione, almeno per quanto lo concerneva, era terminata. Le cose di cui quei tre dovevano discutere forse lo riguardavano, ma non lo interessavano per nulla. Si alzò, strinse le mani dei presenti e uscì nel corridoio. Mentre scendeva nell'ufficio di Hulot, ripensò alle novità del pomeriggio.

La prima era la scoperta fatta attraverso l'opera di Guillaume Mercier. Quel dettaglio venuto alla luce dall'analisi del filmato portava nell'inchiesta una traccia che al momento valeva tanto oro quanto pesava. Nel mondo dei ciechi, un solo occhio può essere una valida qualifica per diventare re. Nel mondo dell'ignoranza, un nome e un indirizzo possono significare la differenza fra la vita e la morte di qualcuno. Al contrario di Nicolas, viveva questa traccia più come un'ansia che come una speranza. Era come se cento mani da dietro lo spingessero a correre mentre cento voci indistinte sussurravano parole senza senso alle sue orecchie. Parole che avrebbe dovuto capire e non capiva durante una corsa che non riusciva a fermare.

Ora le poche chance che avevano erano riposte in Nicolas Hulot, commissario in ferie, che avrebbe avuto più possibilità di scoprire cose durante il suo tempo libero che durante il tempo ufficialmente dedicato all'inchiesta.

Il secondo pensiero era rappresentato da Helena Parker. Che cosa voleva da lui? Perché era così spaventata da suo padre? E che rapporto c'era fra lei e il capitano Mosse? Da come l'aveva trattata il giorno della loro rissa, era evidente che quel rapporto andava oltre la normale pratica tra la figlia di un generale e un suo subalterno, per quanto sembrasse quasi uno di famiglia. E soprattutto, quanto era vera la storia della labilità psicologica della donna sostenuta da suo padre?

Queste domande arrivavano alla mente di Frank nonostante cercasse di scacciare il pensiero di Helena Parker come non pertinente, un elemento di disturbo che aveva la sola funzione di distogliere la sua attenzione da Nessuno e dall'inchiesta che da quel momento in poi lo vedeva coinvolto in prima persona.

Aprì la porta dell'ufficio di Nicolas senza bussare. Adesso era il suo e poteva farlo. Morelli stava seduto alla scrivania e si alzò in piedi di scatto quando lo vide arrivare. Tra di loro ci fu un momento di imbarazzo. Frank decise che era necessaria una spiegazione, per capire esattamente da che parte ognuno di loro due aveva deciso di stare.

«Ciao, Claude.»

«Buongiorno Frank.»

«Hai sentito le novità?»

«Sì, Roncaille mi ha detto tutto. Sono contento che sia tu a occuparti dell'inchiesta, anche se…»

«Anche se?»

Morelli pareva solido come la Rocca di Gibilterra mentre pronunciava queste parole.

«...Anche se ritengo quello che hanno fatto al commissario Hulot un'autentica carognata.»

Frank sorrise.

«Se devo essere onesto, anch'io, Claude.»

Se c'era stato un esame, parevano averlo superato tutti e due. L'atmosfera nella stanza si rilassò sensibilmente. Arrivato il momento di fare una scelta, Morelli aveva operato quella che Frank si aspettava. Si chiese fino a che punto poteva fidarsi di lui e metterlo al corrente delle ultime novità e dei movimenti ufficiosi di Nicolas. Decise che per il momento andava bene così e non bisognava chiedere troppo alla fortuna. Morelli era un poliziotto preparato e valido, ma faceva pur sempre parte della Sûreté Publique del Principato di Monaco. Rivelargli troppe cose poteva significare automaticamente metterlo nei pasticci se fosse scoppiata qualche grana. Questa era una cosa che il buon Morelli non si meritava.

L'ispettore indicò un fascicolo sulla scrivania.

«Sono arrivati i reperti della scientifica.»

«Li hai già letti?»

«Ho dato un'occhiata. Non c'è niente che già non sappiamo. Gregor Yatzimin è stato ucciso esattamente come gli altri, senza lasciare alcuna traccia. Nessuno prosegue dritto per la sua strada ma non diminuisce l'attenzione.»

Non è esatto, Claude, non del tutto. C'è musica rubata in aria...

«Non abbiamo molto da fare. Possiamo solo continuare a tenere sotto controllo la radio. Questo significa massima allerta, squadra speciale in preallarme e tutto il resto. Sei d'accordo?»

«Certamente.»

«C'è un favore che ti devo chiedere.»

«Dimmi, Frank.»

«Se per te va bene, ti lascerei solo questa sera a controllare la situazione in radio. Non credo che succederà nulla. L'omicidio della notte scorsa ha caricato le batterie del nostro cliente, e almeno fino a quando l'effetto non si sarà esaurito se ne starà buono. Di solito con i serial killer l'intervallo di tempo fra gli omicidi significa questo. Io ascolterò la trasmissione e sarò reperibile in ogni momento al cellulare, ma mi serve una serata di libertà. Te la senti?»

«Non c'è problema, Frank.»

Frank si chiese come stesse proseguendo la storia fra Morelli e Barbara. Gli era sembrato che la simpatia dell'ispettore nei confronti della ragazza avesse trovato terreno fertile, ma poi gli eventi probabilmente l'avevano fatta passare in secondo piano. Morelli non sembrava il tipo da trascurare il lavoro per divagazioni di carattere affettivo, per quanto rappresentate da una persona attraente come Barbara.

«Mi hanno promesso una macchina personale. Ti va di andare a controllare se la promessa è stata mantenuta?»

«Va bene.»

L'ispettore uscì dalla stanza e Frank rimase solo. Prese il portafoglio dalla tasca interna della giacca. Tirò fuori un biglietto ripiegato in due. Era un pezzo della lettera che il generale Parker gli aveva lasciato in portineria dopo il loro primo incontro nella piazza di Eze Village, su cui erano segnati i suoi numeri di telefono.

Rimase un istante a fissarlo. Infine si decise. Prese il cellulare e compose il numero di casa. Dopo qualche squillo la voce di Helena Parker uscì dalla cornetta.

«Pronto?»

«Salve. Sono Frank Ottobre.»

Ci fu una leggera pausa prima che arrivasse la risposta.

«Sono contenta di sentirla.»

Frank non fece alcun commento in proposito.

«Lei ha già cenato?»

«No, non ancora.»

«È una pratica che ha deciso di abbandonare o ritiene che possa rientrare nei suoi programmi, questa sera?»

«Penso che sia un'ipotesi proponibile.»

«Allora potrei passare da lei fra un'ora, se le pare un tempo accettabile.»

«Più che accettabile. L'aspetto. Ricorda dov'è la casa, vero?»

«Certo. A fra poco.»

Frank chiuse la comunicazione. Rimase a guardare il cellulare come se sul display ci fosse la possibilità di seguire i movimenti della donna nella sua casa, in quel momento. Mentre chiudeva il guscio del Motorola, non poté fare a meno di chiedersi in quale nuovo guaio si stesse cacciando.

39

Frank accostò in corrispondenza della breve strada sterrata che portava alla casa di Helena Parker e spense il motore della Mégane che aveva ricevuto in uso dalla polizia. L'auto era priva di qualunque contrassegno. L'unica differenza con una macchina di serie era l'apparecchio radio che gli permetteva di comunicare con la centrale. Morelli gli aveva spiegato come usarlo e indicato le frequenze occupate dalla polizia.

Mentre saliva verso Beausoleil e la casa presa in affitto dal generale, aveva telefonato a Helena che stava arrivando.

In precedenza, aveva accompagnato Morelli in radio e insieme avevano controllato che tutto fosse in ordine. Prima di uscire, Frank aveva preso Pierrot da una parte e lo aveva portato nel piccolo ufficio dalla porta a vetri di fianco all'ingresso.

«Pierrot, sei capace di mantenere un segreto?»

Il ragazzo lo aveva guardato timoroso, con gli occhi socchiusi, come se stesse riflettendo se la richiesta fosse alla sua portata.

«Un segreto vuole dire che non lo devo dire a nessuno?»

«Esatto. E poi adesso sei un poliziotto anche tu, partecipi a un'indagine di polizia, e i poliziotti non possono dire a nessuno i loro segreti. È *top secret*. Sai cosa vuole dire?»

Il ragazzo aveva fatto energicamente segno di no con il capo, facendo ondeggiare i suoi buffi capelli dritti, che in quel momento avrebbero avuto bisogno di una spuntata.

«Vuole dire che è così segreto che lo possiamo sapere solo tu e io. Sei d'accordo, agente Pierrot?»

«Sissignore.»

Aveva portato la mano alla fronte, in un accenno di saluto militare, come probabilmente aveva visto fare in qualche film alla televisione. Frank aveva tirato fuori la foto del disco che Guillaume aveva ricavato dal filmato.

«Adesso ti farò vedere la copertina di un disco. Mi sai dire se c'è nella stanza?»

Aveva messo l'immagine sotto il viso di Pierrot, che aveva stretto di nuovo gli occhi come di solito faceva quando cercava la concentrazione. Quando aveva sollevato la testa e lo aveva guardato, non c'era sul suo viso la soddisfazione di un risultato positivo. Aveva scosso la testa.

«Non c'è.»

Frank aveva mascherato la sua delusione per non trasmetterla a Pierrot. Lo aveva trattato come se il suo diniego fosse in ogni caso un successo.

«Molto bene, agente Pierrot. Molto, molto bene. Puoi andare adesso, e mi raccomando, segreto assoluto!»

Pierrot aveva incrociato gli indici sulle labbra a indicare un giuramento di silenzio, era uscito dalla stanza e si era allontanato verso le cabine di regia. Frank aveva riposto il foglio in tasca e se ne era andato, lasciando Morelli a controllare la situazione. Mentre usciva aveva visto Barbara che, con addosso un vestito nero particolarmente intrigante, si avvicinava per parlare con lui.

Mentre pensava alle inclinazioni umane dell'ispettore Morelli, il cancello della casa si aprì e ne uscì la figura di Helena Parker.

Frank la vide a poco a poco emergere dalla penombra creata dalla luce indiretta dei fari.

Dapprima fu la sua figura aggraziata, il senso del passo sulla ghiaia, la camminata senza incertezze nonostante il terreno leggermente sconnesso. Poi il suo viso sotto la massa di capelli biondi, tra ombre di rami e di ciocche, e poi gli occhi, quegli occhi nei quali qualcuno pareva aver coltivato la tristezza per poi distribuirla a tutto il mondo. Frank si chiese che cosa ci fosse dietro a quel velo strappato. Quali sofferenze, quali e quanti momenti di solitudine non cercata o di compagnia non richiesta, quanta semplice sopravvivenza invece di una vera vita.

Probabilmente di lì a poco lo avrebbe saputo, ma si chiese fino a che punto lo volesse sapere. Si chiese anche fino a che punto fosse preparato a saperlo. Di colpo realizzò che cosa rappresentava per lui Helena Parker. Faceva fatica a confessare persino a se stesso di avere paura. Aveva timore che la storia di Harriet lo avesse definitivamente reso un vile. Se così era, poteva andare in giro con mille armi e arrestare o uccidere mille uomini, poteva passare tutta una vita di corsa ma, per quanto forte corresse, non sarebbe mai più riuscito a raggiungere se stesso. Se non faceva qualcosa, se non succedeva qualcosa, quella paura non sarebbe passata mai più.

Scese dalla macchina e girò dall'altra parte, per aprirle la portiera. Helena Parker indossava un completo giacca e pantalone scuro, con il collo alla coreana, con un sapore vagamente orientale ottimamente interpretato da qualche stilista di grido. Il suo abbigliamento, tuttavia, non denotava ricchezza, ma semplice buon gusto. Frank notò che non portava praticamente gioielli e il trucco era, questa volta come ogni volta che l'aveva vista, così leggero da risultare praticamente invisibile.

Arrivò accanto a lui preceduta da un profumo speziato che sembrava arrivare direttamente dalla notte.

«Buonasera, Frank. La ringrazio di essere sceso ad aprirmi la portiera, ma non si ritenga in obbligo di farlo ogni volta.»

Helena si sedette in macchina e alzò il viso verso di lui, che era rimasto in piedi con la portiera aperta.

«Non è semplice cortesia…»

Frank indicò con un cenno della testa la Mégane.

«Questa è una macchina francese. Se non si ci si adegua a certe modalità di *savoir-faire*, il motore non parte.»

Helena parve apprezzare questo approccio e sottolineò il suo gradimento con una piccola risata.

«Lei mi sorprende, Mister Ottobre, in un'epoca in cui gli uomini di spirito paiono essere esemplari in via di estinzione.»

Il suo sorriso parve a Frank più prezioso di qualsiasi gioiello mai indossato da nessuna donna. E di fronte a quel sorriso si sentì di colpo solo e disarmato.

Questo pensava intanto che girava intorno alla macchina e prendeva posto sul sedile del guidatore. Mentre avviava il motore, si chiese quanto sarebbe durata quella schermaglia fra loro prima di arrivare al vero motivo del loro incontro. Si chiese anche chi dei due avrebbe avuto il coraggio di affrontarlo per primo.

Guardò il profilo di Helena, che era luce e buio nel riflesso dei fari delle macchine che incrociavano senza sapere di essere la stessa luce e lo stesso buio nei pensieri dell'uomo che le stava seduto accanto. Lei si girò e ricambiò il suo sguardo. Nella penombra ogni parvenza di allegria era sparita dai suoi occhi ed erano tornati quelli di sempre.

Frank capì che sarebbe stata lei a premere il pulsante di avvio.

«Conosco la sua storia, Frank. Sono stata costretta da mio padre a saperla. Tutto quello che lui sa io lo devo sapere, tutto quello che lui è, io devo essere. Mi dispiace, mi sento un'intrusa nella sua vita e non è una sensazione edificante.»

A Frank venne in mente la diceria popolare che attribuiva agli uomini, nei confronti delle donne, il ruolo di cacciatori. Con Helena Parker avvertiva che quel ruolo si trovava a essere ribaltato. Quella donna era un'autentica cacciatrice, senza nemmeno saperlo, forse perché era stata da sempre una preda.

«L'unica cosa che posso darle in cambio è la mia, di storia. Non trovo altra giustificazione al fatto che sono con lei e rappresento una serie di domande a cui di certo fa fatica a trovare una risposta.»

Frank ascoltava la voce di Helena e guidava lentamente, seguendo il flusso delle macchine che scendevano da Roquebrune verso Mentone. C'era vita intorno a loro, c'erano luci ed esistenze normali, persone a passeggio al respiro caldo e luminoso di quel tratto di costa, persone alla ricerca di qualcosa di futile, senza altra motivazione che il piacere altrettanto futile della ricerca fine a se stessa.

Non ci sono tesori, non ci sono isole né mappe, solo l'illusione, finché dura. E a volte la fine dell'illusione è una voce che mormora due semplici parole: «Io uccido…»

Quasi senza accorgersene, Frank allungò una mano a spegnere la radio, come se temesse che da un momento all'altro ne uscisse una voce innaturale a richiamarli alla ragione. La leggera musica di sottofondo tacque.

«Non è un problema, che lei sappia la mia storia. Il problema è che io ne abbia una. Spero per lei che la sua sia diversa dalla mia.»

«Se fosse molto diversa, lei pensa che ora sarei qui?»

La voce di Helena si fece di colpo dolcissima. Era la voce di una donna in guerra che cercava la pace e che in cambio la proponeva.

«Com'era sua moglie?»

Frank rimase sorpreso dalla naturalezza con cui quella domanda venne formulata. E dalla facilità con cui diede la sua risposta.

«Non so dire com'era. Come ognuno di noi, era due persone contemporaneamente. Potrei dirle come la vedevo io, ma sarebbe del tutto inutile adesso.»

Frank rimase in silenzio e al suo silenzio si unì per un tratto di strada quello di Helena.

«Come si chiamava?»

«Harriet.»

Helena parve accogliere quel nome come quello di una vecchia amica.

«Harriet. Anche se non l'ho mai conosciuta mi sembra di sapere molte cose di lei. Forse si sta chiedendo da dove mi arriva questa presunzione…»

Una piccola pausa. Poi ancora la voce di Helena piena di amarezza.

«Non c'è nessuno come una donna debole per riconoscerne un'altra.»

Helena guardò un istante fuori dal finestrino. Le sue parole erano un viaggio che in qualche modo stava arrivando alla fine.

«Mia sorella, Arijane, è riuscita a essere più forte di me. Lei ha capito tutto e se n'è andata, è sfuggita alla pazzia di nostro padre. O probabilmente lei non gli interessava al punto tale da trovare il modo di chiuderla nella stessa mia prigione. Io non potevo scappare…»

«È a causa di suo figlio?»

Helena nascose il viso tra le mani. La sua voce arrivò ovattata dallo schermo delle dita che racchiudevano il volto nella loro piccola gabbia di dolore.

«Non è mio figlio.»

«Non è suo figlio?»

«No, è mio fratello.»

«Suo fratello? Ma lei mi ha detto…»

Helena sollevò il viso. Nessuno poteva portare dentro tutto quel dolore senza morire, senza essere già morto da tempo.

«Le ho detto che Stuart è mio figlio, ed è la verità. Ma è anche mio fratello…»

Mentre Frank, senza fiato, arrivava a comprendere, Helena diede libero sfogo al suo pianto. La voce della donna era un sussurro, ma nell'abitacolo ristretto di quell'auto risuonò come un grido di liberazione trattenuto per tanto, troppo tempo.

«Maledetto! Che tu sia maledetto, Nathan Parker. Che tu possa bruciare all'inferno non per una, ma per mille eternità!»

Frank vide una piazzola di sosta dall'altra parte della strada, accanto a un cantiere di lavori in corso. Mise la freccia e ci andò a parcheggiare la macchina. Spense il motore lasciando le luci accese.

Si girò verso Helena. Come se fosse la cosa più naturale del mondo, la donna scivolò a cercare la protezione del suo abbraccio, il tessuto della sua giacca per il viso rigato di pianto, la sua mano per i capelli che tante volte avevano nascosto un volto pieno di vergogna dopo notti d'infamia.

Restarono così per un tempo che a Frank parve interminabile.

Nella sua mente mille immagini si mescolavano insieme, mille storie di mille vite, fondendo la realtà con l'immaginazione, il presente con il passato, il vero con il plausibile, i colori con il buio, il profumo dei fiori con la terra che porta l'odore pungente della putrefazione.

Vide se stesso nella casa dei suoi genitori e la mano di Nathan Parker che si allungava verso la figlia e le lacrime di Harriet e un pugnale alzato verso un uomo legato su una sedia e il lampo di un coltello infilato nella sua narice e lo sguardo azzurro di un bambino di dieci anni che viveva fra belve feroci senza saperlo.

Nella sua mente l'odio divenne una luce accecante e a poco a poco quella luce fu un urlo silenzioso così forte da far esplodere tutti gli specchi in cui si poteva riflettere la malvagità umana, tutti i muri dietro a cui si poteva nascondere la viltà, tutte le porte chiuse su cui si erano abbattuti invano i pugni di chi chiedeva disperatamente di entrare per trovare un aiuto alla propria disperazione.

Helena non chiedeva che di dimenticare. Ed era la stessa cosa di cui aveva bisogno Frank, esattamente lì, in quella macchina parcheggiata di fianco a delle macerie, in quell'abbraccio, in quel senso d'incontro fra muro ed edera, descritto da una sola, semplice parola: finalmente.

Frank non avrebbe mai saputo chi si era sciolto per primo. Quando finalmente ritrovarono i loro sguardi, seppero tutti e due dalla loro stessa incredulità che era successo qualcosa di importante.

Si baciarono e le loro labbra si unirono nel timore e non nell'amore, in quel loro primo bacio. Era il timore che non fosse vero niente, che fosse la disperazione a pronunciare il nome della tenerezza, che fosse la solitudine a dare una voce diversa alle parole, che niente fosse come sembrava.

Furono costretti a rifarlo e a rifarlo ancora, prima di credere. Prima che il sospetto diventasse una piccola speranza, perché nessuno dei due si poteva ancora permettere il lusso di una certezza.

Dopo, rimasero a guardarsi senza fiato. Fu Helena a riprendersi per prima. Gli accarezzò il viso.

«Di' una cosa stupida, ti prego. Stupida ma viva.»

«Temo che abbiamo perso la prenotazione al ristorante.»

Helena lo abbracciò di nuovo e Frank sentì la sua risata di sollievo perdersi in piccoli sussulti di fiato sul suo collo.

«Ho vergogna di me stessa, Frank Ottobre, ma non posso fare a meno di pensare tante cose belle di te. Gira questa macchina e torniamo a casa mia. Ci sono cibo e vino, nel frigorifero. Non ho nessuna intenzione di dividerti con il mondo, questa sera.»

Frank accese il motore e si avviò per la strada che avevano appena percorso. Quando era successo? Forse un'ora, forse una vita prima. Non sapeva dare un senso al tempo, in quel frangente. C'era una sola cosa di cui era certo. Se si fosse trovato davanti in quel momento il generale Nathan Parker, sicuramente lo avrebbe ucciso.

Ottavo carnevale

Nascosto nel suo posto segreto, l'uomo è steso sul letto.

È scivolato in un sonno soddisfatto con la sensazione liquida e appagante che prova una barca in secca quando ritrova il mare. Il suo respiro calmo, tranquillo, appena accennato, solleva a malapena il lenzuolo che lo ricopre a indicare che è vivo, che il tessuto bianco su di lui è una coperta e non un sudario.

Di fianco a lui, immobile allo stesso modo, il cadavere incartapecorito giace nella sua bara di vetro. Indossa come un vanto quello che era stato il volto diafano di Gregor Yatzimin. Questa volta il lavoro di rimozione è stato un autentico capolavoro. Non pare una maschera ma sembra il suo vero volto quello che ricopre il teschio mummificato.

L'uomo steso sul letto dorme e sogna.

Sono immagini indecifrabili quelle che vengono ad agitare il suo sonno, anche se le figure che la sua mente cerca di dipanare non arrivano a scuotere la perfetta immobilità del corpo.

Dapprima era buio. Adesso c'è una strada sterrata e sul fondo si intravede una costruzione, sotto la luce morbida della luna piena. È una calda sera d'estate. L'uomo si avvicina passo dopo passo alla sagoma di una grande casa confusa nella penombra, dalla quale arriva come un richiamo il profumo familiare della lavanda. L'uomo sente i piccoli morsi della ghiaia sotto i piedi nudi. Prova il desiderio di avanzare ma nello stesso tempo ha paura.

L'uomo avverte il suono soffocato di un respiro affannoso, il morso brusco dell'angoscia che si calma ed evapora non appena si accorge che il respiro è il suo. Ora è tranquillo, è nel cortile della casa, divisa a metà dalla cappa di un camino in pietra che spunta oltre la linea del tetto come un dito alzato a indicare la luna.

La casa è avvolta in un silenzio che suona come un invito.

Tutt'a un tratto l'immagine della casa si dissolve e lui è all'interno e sale una scala. Alza la testa verso una luminosità fioca che piove dall'alto. Dal pianerottolo in cima arriva una luce a spargere penombra nel vano delle scale. C'è una figura umana stagliata nel controluce.

L'uomo sente che la paura torna come un nodo di cravatta troppo stretto ad accorciare il respiro. Nonostante tutto continua la sua lenta avanzata verso l'alto. Mentre sale e non vorrebbe salire, si chiede chi può essere la persona che troverà alla sommità, e nello stesso istante in cui se lo chiede sente che ha il terrore di saperlo.

Un gradino. Un altro. Il cigolio del legno sotto i piedi nudi che si infila in una pausa del suo respiro di nuovo affannoso. La mano appoggiata sulla ringhiera di legno a poco a poco si tinge della luminosità che piove dall'alto.

Mentre sta per imboccare l'ultima rampa, la figura si gira e oltrepassa la porta dalla quale proviene la luce, lasciandolo solo per le scale.

L'uomo sale gli ultimi gradini. Davanti a lui una porta aperta dalla quale esce una luce vivida e tremolante. Arriva lentamente sulla soglia, la supera, investito da quella luce che è anche rumore oltre che chiarore.

In piedi in mezzo alla stanza c'è un uomo. Il corpo è nudo, agile e atletico, ma il suo viso è deforme. È come se un polipo fosse avvolto intorno alla sua testa a cancellare i lineamenti. Da quel viluppo mostruoso di escrescenze carnose due occhi chiari lo osservano supplichevoli, come a cercare la sua pietà. Quella figura infelice piange.

«*Chi sei?*»

Una voce nell'aria pone questa domanda. Non la riconosce come la sua. E non può essere quella dell'uomo deforme davanti a lui, perché non ha bocca.

«*Chi sei?*» ripete la voce e pare che venga da ogni parte, che esca direttamente dalla luce abbacinante che li circonda.

Ora l'uomo sa e non vorrebbe sapere, vede e non vorrebbe vedere.

La figura tende le braccia verso di lui ed è terrore autentico quello che riesce a trasmettere, anche se i suoi occhi continuano a cercare la pietà di chi ha di fronte come forse invano hanno cercato la pietà del mondo. E di colpo la luce è fuoco, alte fiamme ruggenti che divorano tutto quello che trovano sul loro cammino, un fuoco che pare arrivare direttamente dall'inferno a purificare la terra.

Si sveglia senza un sussulto, aprendo semplicemente gli occhi e sostituendo il buio al bagliore delle fiamme.

La sua mano sale nell'oscurità a chiedere l'aiuto dell'abat-jour posta sul tavolino da notte. L'accende. La luce fioca si sparge per la stanza spoglia.

Subito arriva la voce. I morti, per il fatto che dormono per sempre, in realtà non hanno bisogno di dormire mai.

Che hai, Vibo, non riesci a riposare?

«No, Paso, per oggi ho dormito a sufficienza. Sono giorni in cui ho molto da fare. Avrò tempo per riposarmi dopo…»

Non aggiunge il resto del suo pensiero: *quando tutto sarà finito…*

L'uomo non nutre alcuna illusione in proposito. Sa benissimo che prima o poi arriverà la fine. Tutte le cose umane ce l'hanno, esattamente come hanno un principio. Ma per ora tutto è ancora aperto e non può negare al corpo steso nella bara la lusinga di un volto nuovo e a se stesso la soddisfazione della promessa mantenuta.

C'era una clessidra rotta nelle nebbie del suo sonno, un tempo sommerso dalla sabbia che si è sparsa sulla memoria. Qui, nel mondo reale, quella clessidra continua a ruotare sul suo asse e nessuno la romperà mai. Andranno in frantumi le illusioni come da sempre succede, ma quell'infrangibile clessidra no, continuerà a girare all'infinito, persino quando non ci sarà più nessuno a contare il tempo che sta segnando.

L'uomo sente che è ora. Si alza dal letto e inizia a vestirsi.

Che fai?

«Devo uscire.»

Starai via molto?

«Non so. Tutto il giorno, credo. Forse anche domani.»

Non mi lasciare in ansia, Vibo. Sai che sto male quando non ci sei.

L'uomo va verso la teca di cristallo e sorride affettuoso all'incubo che contiene.

«Ti lascio la luce accesa. Ti ho fatto una sorpresa mentre dormivi.»

Allunga una mano a prendere lo specchio e lo tende sopra il volto steso nella bara in modo che possa vedere la propria immagine riflessa.

«Guarda…»

Oh, ma è fantastico. Sono io quello? Vibo, sono bellissimo! Ancora più bello di prima.

«Certo che sei bello, Paso. E sarà sempre meglio.»

C'è un attimo di silenzio, un silenzio di immota commozione che il corpo non sa e non può esprimere con le lacrime.

«Ora devo andare, Paso. È molto importante.»

L'uomo gira le spalle al corpo steso e si avvia verso la porta. Mentre supera la soglia ripete la frase, forse solo a se stesso.

«Sì, è molto importante.»

E la caccia riprende.

40

Nicolas Hulot rallentò, piegò a destra e imboccò la rampa di uscita su cui un cartello bianco indicava Aix-en-Provence. Si accodò a un TIR con targa spagnola e la scritta «Trasporti Fernández» sul telone che procedeva lentamente giù per la breve discesa. Appena fuori, il camion accostò in una piazzola sulla destra e il commissario lo superò per andare a fermarsi proprio davanti alla cabina di guida. Estrasse dalla tasca della portiera la cartina della città che si era procurato e la aprì appoggiandola al volante.

Controllò la pianta dove la sera prima aveva già individuato Cours Mirabeau. Tutto sommato l'assetto urbanistico della città era abbastanza semplice e la via che cercava era proprio in centro.

Mise in moto la Peugeot e si avviò lungo la strada. A poche centinaia di metri si trovò su una rotonda e seguì i cartelli che promettevano il «Centre Ville». Mentre percorreva la circonvallazione, fatta di salite e discese e di continui dissuasori in pietra messi a terra a uso e consumo dei fanatici della velocità, Hulot notò che la città era estremamente pulita e ricca di fermento. Le strade erano piene di gente, soprattutto giovani. Ricordò che Aix-en-Provence era sede di un'università piuttosto prestigiosa fondata nel XV secolo, e che perdipiù era una stazione termale. Oltre al normale turismo di passaggio, era logico aspettarsi qualcosa di più.

Sbagliò strada un paio di volte, passando e ripassando davanti alle lusinghe di alberghi e ristoranti di diversa caratura, finché si trovò in Place du General De Gaulle, da cui partiva Cours Mirabeau.

Trovò un posto libero in un posteggio a pagamento e rimase ad ammirare per un istante la grande fontana al centro della piazza. Una targa la battezzava ufficialmente «Fontaine de la Rotonde». Come sempre gli succedeva fin da quando era bambino, il rumore dell'acqua che cadeva gli fece venire voglia di pisciare.

Percorse le poche decine di metri che lo separavano dall'inizio di Cours Mirabeau cercando con gli occhi l'insegna di un bar e pensando a quanto sia incredibile come una vescica gonfia ti faccia capire in un lampo quanta voglia hai di un caffè.

Attraversò il corso occupato da lavori di ristrutturazione e pavimentazione. Un operaio con un elmetto giallo stava discutendo con quello che sembrava un direttore dei lavori a proposito di un materiale mancante, discolpandosi di un fatto che non dipendeva dalla sua responsabilità ma dalla scelta di un non meglio precisato ingegner Dufour. Sotto un platano, due gatti di strada si stavano studiando con la coda dritta, indecisi se scatenare la zuffa o ritirarsi in buon ordine cercando ognuno di salvare la propria dignità. Hulot decise che quello più scuro era lui e quello più chiaro e leggermente più grosso era Roncaille. Entrò nel bar lasciando i due animali alle loro beghe da cortile e ordinò al barman un caffè con del latte caldo, intanto che andava alla toilette.

Quando tornò, il caffè era pronto sul bancone. Mentre lo zuccherava chiamò il cameriere, un ragazzo giovane che stava chiacchicrando con due ragazze più o meno della sua età sedute a un tavolo con dei bicchieri di vino bianco davanti.

«Mi può dare un'informazione, per favore?»

Se il ragazzo lasciò a malincuore la conversazione con le due, non lo diede a vedere.

«Certo che sì, se posso.»

«Le risulta che ci sia o ci sia stato, qui, in Cours Mirabeau, un negozio di dischi chiamato Disque à Risque?»

Il giovanotto, un tipo dai capelli chiari tagliati cortissimi e un viso magro e pallido coperto di brufoli, ci pensò su un istante.

«Non mi pare di aver mai sentito questo nome, però io sono qui ad Aix da poco. Sono qui per l'università», si affrettò ad aggiungere.

Evidentemente il ragazzo ci teneva a far sapere che non sarebbe stato un cameriere per sempre ma che sarebbe stato chiamato prima o poi a ben altri destini.

«Però se risale il corso troverà da questa stessa parte un'edicola. Tattoo le sembrerà un po' strano, ma è lì da quarant'anni e se c'è uno che può darle un'informazione è lui.»

Hulot ringraziò con un cenno del capo e iniziò a bere il suo caffè. Il ragazzo si ritenne libero e tornò alla conversazione interrotta. Pagò la consumazione e lasciò il resto sul bancone in marmo. Quando uscì dal bar vide che il gatto-Hulot non c'era più e il gatto-Roncaille se ne stava tranquillo sotto il platano a guardarsi in giro.

Si incamminò per il corso ombreggiato ai due lati da una fila di grossi platani e pavimentato con lastroni in pietra. Da una parte e dall'altra, una serie ininterrotta di caffè, negozi e librerie.

Un centinaio di metri più avanti trovò l'edicola di Tattoo, quella che gli aveva indicato il ragazzo del bar, di fianco a una libreria che trattava libri antichi. In strada, due uomini più o meno della sua età giocavano a scacchi su un tavolino, seduti su due sedie pieghevoli di fronte alla porta aperta del negozio.

Hulot si avvicinò all'edicola e si rivolse al tipo che c'era all'interno, circondato da riviste, libri e fumetti. Era un vecchietto dagli occhi infossati e i capelli arruffati, più vicino ai settanta che ai sessanta, che pareva tirato via di peso da un film western di John Ford, qualcosa sul tipo di *Ombre Rosse*.

«Buongiorno. Lei è Tattoo?»

«Sì sono io. Che cosa posso fare per lei?»

Nicolas vide che gli mancava qualche dente. Anche la voce era adeguata. Pensò che quel *bonbon-au-chocolat* rasentava la perfezione. Peccato per lui che si trovasse in un'edicola al centro di Aix-en-Provence e non su una diligenza della Wells Fargo diretta a Tombstone.

«Mi serve un'informazione. Sto cercando un negozio di dischi che si chiama Disque à Risque.»

«È in ritardo di parecchi anni, allora. Quel negozio non esiste più.»

Hulot trattenne a fatica un gesto di stizza. Tattoo si accese una Gauloises senza filtro e si mise immediatamente a tossire. A giudicare dai colpi convulsi, la sua guerra con le sigarette pareva durare da lungo tempo. Era facile ipotizzare chi sarebbe stato il vincitore, ma per il momento il vecchio teneva duro. Fece un gesto con la mano verso il corso.

«Era dall'altra parte del Mirabeau, trecento metri più avanti, sulla destra. Adesso c'è un bistrot al suo posto.»

«Non ricorda come si chiamasse il proprietario?»

«No, ma quello che ha aperto il locale è suo figlio. Se va a parlare con lui potrà darle tutte le informazioni che le interessano. Café des arts et des artistes.»

«Grazie, Tattoo. E non fumi troppo.»

Mentre si allontanava, pensò che non avrebbe mai saputo se il nuovo attacco di tosse fosse un ringraziamento per il consiglio o un catarroso invito ad andare a quel paese. Meno male che la traccia non si era interrotta del tutto. Quello che avevano in mano già era così volatile che sembrava più il fumo di una sigaretta di Tattoo che un indizio vero e proprio. Era necessario almeno evitare le perdite di tempo strada facendo. Grazie a Morelli avrebbe potuto risalire al proprietario del negozio attraverso una ricerca alla Camera di commercio, ma ci sarebbe voluto del tempo e il tempo era l'unica cosa che non avevano in abbondanza.

Pensò a Frank, seduto in attesa su una sedia a Radio Monte Carlo, ad attendere che il telefono suonasse e che quella voce dal suo limbo promettesse una nuova vittima.

Io uccido…

Quasi senza volere affrettò il passo. Arrivò davanti alle tende blu con scritta bianca del Café des arts et des artistes. Gli affari andavano piuttosto bene, a giudicare dal numero di clienti. Nel *dehors* non c'era un tavolino libero.

Si infilò all'interno e ci mise qualche istante per adattare gli occhi al cambio di luce. Dietro il bancone c'era un'attività frenetica, visto l'affollamento. Un barman e un paio di ragazze sui venticinque anni si affannavano a preparare aperitivi e snack.

Chiese un Kir Royal a una ragazza bionda che accettò l'ordinazione con un cenno della testa mentre apriva una bottiglia di vino bianco. Poco dopo, la ragazza posò davanti a lui il bicchiere pieno di liquido rosato.

«Potrei parlare con il proprietario?» disse mentre lo portava alle labbra.

«Eccolo là.»

La ragazza indicò con la mano un uomo sui trent'anni dai capelli radi, che stava uscendo da una porta a vetri su cui c'era scritto «Privato», sul fondo del locale. Nicolas si chiese che veste dare alla sua presenza lì e alle sue domande. Quando il proprietario del Café des arts et des artistes fu davanti a lui, aveva già optato per quella ufficiale.

«Mi scusi…»

«Dica.»

Esibì il distintivo.

«Sono il commissario Hulot della Sûreté Publique del Principato di Monaco. Le chiederei una cortesia, signor…»

«Francis. Robert Francis.»

«Ecco, signor Francis, ci risulta che in questo locale una volta c'era un negozio di dischi che si chiamava Disque à Risque e che il proprietario era suo padre.»

L'uomo si guardò in giro smarrito. Nei suoi occhi apparve tutta una serie di domande.

«Sì, ma… cioè, il negozio è chiuso da parecchi anni…»

Hulot si trovò a sorridere, rassicurante. Cambiò tono di voce e atteggiamento.

«Stia tranquillo, Robert. Non ci sono grane in arrivo né per lei né per suo padre. Le sembrerà strano ma, dopo tutto questo tempo, quel negozio potrebbe essere la chiave di volta per un'indagine che stiamo conducendo. Ho solo bisogno di incontrare suo padre e rivolgergli alcune domande, se possibile.»

Robert Francis si rilassò. Si girò verso la ragazza bionda dietro il bancone e le indicò il bicchiere che Nicolas teneva in mano.

«Danne uno anche a me, Lucie.»

In attesa del drink, tornò a volgersi verso il commissario.

«Be', mio padre ha smesso l'attività qualche anno fa. Il negozio di dischi non è che rendesse tanto. Oddio, cifre iperboliche non ne ha mai fruttate, ma ultimamente era un vero disastro. E poi quel testone del mio vecchio, nonostante fosse un commerciante di dischi rari, erano più quelli che infilava nella sua raccolta personale che quelli che metteva in vendita. Questo fa di lui un ottimo collezionista ma un pessimo uomo d'affari…»

Hulot si sentì sollevato. Francis aveva parlato di suo padre al tempo presente. Ciò significava che era ancora vivo. Il suo «se possibile» di prima contemplava proprio la sfortunata eventualità che non lo fosse più.

«Così, a un certo punto, abbiamo fatto due conti e abbiamo deciso di chiudere il negozio e ho aperto questo…»

Indicò con un gesto circolare della mano il locale affollato.

«Non si può dire che il cambio non sia stato vantaggioso.»

«Tutta un'altra storia. E le garantisco che le ostriche che serviamo sono freschissime e non d'epoca, come i dischi di mio padre.»

Nicole spinse un bicchiere verso il suo principale. Francis lo prese e alzò la *flûte* in direzione del commissario, che imitò il gesto.

«Alla sua indagine.»

«Al suo locale e ai dischi rari.»

Bevvero un sorso e poi Francis appoggiò il bicchiere velato di gelo sul bancone.

«Mio padre a quest'ora è certamente a casa. Lei è arrivato in macchina da Montecarlo con l'autostrada?»

«Sì.»

«Bene. Allora non deve far altro che seguire le indicazioni per andarla a riprendere. Vicino allo svincolo dell'autostrada c'è il Novotel. Proprio dietro l'albergo c'è una villetta a due piani in mattoni rossi, con un piccolo giardino e dei cespugli di rose. Mio padre abita lì. Non si può sbagliare. Nel frattempo posso offrirle qualcosa?»

Hulot sollevò il bicchiere con un sorriso.

«Questo può già andare bene.»

Tese la mano e Francis gliela strinse.

«La ringrazio della cortesia, signor Francis. Lei non immagina quanto.»

Mentre usciva dal bistrot, vide sulla destra un cameriere che stava aprendo delle ostriche e altri frutti di mare davanti al bancone del *coquillage*. Avrebbe provato volentieri se la freschezza decantata da Francis corrispondeva a verità, ma non ne aveva il tempo.

Ripercorse al contrario la strada che aveva fatto poco prima. Dall'edicola di Tattoo continuavano a uscire cavernosi colpi di tosse e i due giocatori di scacchi non c'erano più. La libreria era chiusa. Tutt'e due le attività erano state coinvolte evidentemente nella pausa pranzo.

Mentre si dirigeva verso la macchina ripassò davanti al bar dove aveva preso il caffè. Sotto il platano il gatto-Roncaille era stato sostituito dal gatto-Hulot. Se ne stava seduto in assoluta tranquillità, dimenando lentamente la coda scura e pelosa, mentre faceva girare occhi sonnacchiosi sul mondo e i suoi abitanti.

Hulot pensò che non c'era nessuna ragione per non prendere quella rivalsa felina come un buon auspicio.

41

Jean-Paul Francis avvitò il tappo del piccolo irroratore in plastica e premette più volte lo stantuffo della pompa così da ottenere all'interno la pressione sufficiente per spruzzare l'insetticida. Prese l'attrezzo per il manico e si avvicinò al cespuglio di rose rosse a ridosso della rete metallica ricoperta di plastica verde che serviva da recinzione. Esaminò i piccoli rami del roseto. Erano pieni di parassiti che avevano creato una specie di lanugine bianca sul fusto.

«E guerra sia», disse con voce solenne.

Premette una levetta sul fondo della cannula e dal beccuccio dell'apparecchio uscì un getto nebulizzato di insetticida misto ad acqua. Partì dalla base e risalì lungo il tronco, distribuendo uniformemente la mistura sull'intero cespuglio.

Come aveva previsto, l'insetticida puzzava in un modo tremendo. Si congratulò con se stesso per aver avuto l'idea di indossare una mascherina di garza rigida per non inalare il prodotto che, come annunciava l'etichetta, «poteva essere tossico se ingerito. Tenere lontano dalla portata dei bambini».

Leggendo le avvertenze aveva pensato che, se era tossico per i bambini, alla sua età se ne sarebbe potuto fare una dose in vena senza subire alcun danno.

Mentre spruzzava vide con la coda dell'occhio la piccola Peugeot bianca fermarsi poco oltre l'uscita carraia del giardino. Non capitava sovente che una macchina si fermasse proprio lì, a parte quando l'albergo dall'altra parte era sovraffollato e non c'era più posto nel parcheggio. Ne scese un uomo alto sui cinquantacinque, con i capelli brizzolati tagliati di fresco, dall'aria un po' strapazzata, che si guardò in giro per un momento e poi si diresse deciso verso il cancello di casa sua.

Posò la sua attrezzatura per terra e andò ad aprire la porta a sbarre in ferro battuto, senza dargli il tempo di suonare.

L'uomo che si trovò davanti sorrideva.

«Lei è il signor Francis?»

«In persona.»

Il nuovo arrivato esibì un distintivo in un portadocumenti di cuoio. La sua foto era visibile sul documento protetto da un foglio trasparente di plastica dura.

«Sono il commissario Nicolas Hulot della Sûreté di Monaco.»

«Se è venuto per arrestarmi, sappia che sono già abbastanza in galera nell'occuparmi di questo giardino. Una cella non potrebbe che essere un'alternativa migliore.»

Il commissario si trovò a ridere suo malgrado.

«Be', questo si chiama non aver timore della legge, direi. È indice di una coscienza tranquilla o di una vita spesa nel mondo del crimine?»

«Colpa di donne malvagie che mi hanno spezzato il cuore a più riprese. Mentre piango sulle mie vicende personali, che ne direbbe di entrare? I vicini potrebbero pensare che sta cercando di vendermi delle spazzole.»

Nicolas entrò nel giardino e Francis padre chiuse la porta alle sue spalle. Indossava un paio di blue-jeans scoloriti e una camicia azzurra in denim leggero, dello stesso colore. Portava in testa un cappello di paglia e aveva appesa al collo una mascherina di garza, che aveva abbassato per parlare con lui. Da sotto il cappello spuntavano capelli bianchi e folti. Gli occhi azzurri, messi in risalto dalla pelle abbronzata, sembravano quelli di un ragazzino. Il risultato era quello di un viso simpatico e fine.

Nicolas Hulot sentì una stretta cordiale e vigorosa impadronirsi della mano che gli aveva teso.

«Non sono venuto per arrestarla, se questo la può tranquillizzare. E le ruberò solo pochi minuti, per ulteriore sua tranquillità.»

Jean-Paul Francis scrollò le spalle mentre si toglieva il cappello e la mascherina protettiva. Nicolas pensò che avrebbe potuto essere un'ottima controfigura per Anthony Hopkins.

«Stavo facendo il giardiniere non per scelta ma per noia. Non aspettavo altro che un pretesto per smettere. Venga, andiamo in casa, che fa più fresco.»

Attraversarono il minuscolo giardino dove una gettata di cemento a vista, corroso dalle intemperie e dal tempo, congiungeva il cancello d'ingresso con la porta della casa. Non si trattava di un'abitazione di lusso, era lontana anni luce da certe case della Costa Azzurra, ma ispirava ordine e pulizia. Salirono tre gradini e furono all'interno. In fondo all'ingresso una scala saliva ai piani superiori e due porte contrapposte si aprivano in modo simmetrico a destra e a sinistra.

Nicolas era abituato a valutare gli ambienti a colpo d'occhio ed ebbe subito l'impressione che, se quella non era la casa di un uomo ricco in denaro, lo era senz'altro di un uomo ricco in cultura, buon gusto e idee.

Lo notò dalla quantità di libri, dai soprammobili, dai pochi quadri e dai poster appesi alle pareti che, quando sostituivano i quadri veri e propri, erano in ogni caso legati in qualche modo al mondo dell'arte.

Ma quello che impressionava erano i dischi. Ogni parte dell'appartamento ne traboccava. Gettò uno sguardo dalla porta sulla destra. Intravide un salone dove faceva bella mostra di sé un megaimpianto stereo, probabilmente l'unica concessione al consumismo. Per il resto della stanza, come nell'ingresso, tutto lo spazio disponibile contro i muri era destinato ad accogliere scaffali pieni di vecchi Lp in vinile e cd.

«A quanto pare le piace la musica.»

«Non sono mai stato in grado di scegliere le mie passioni e così ho dovuto accettare che loro scegliessero me.»

Francis gli fece strada, entrando nella porta sulla sinistra. Si ritrovarono in una cucina sul fondo della quale da una porta aperta si intravedeva un locale adibito a dispensa. Dalla parte opposta c'era un piccolo terrazzo aperto direttamente sul verde del giardino.

«Come vede, qui niente musica. Siamo in cucina e non bisogna mescolare due tipi diversi di nutrimento. Beve qualcosa? Un aperitivo?»

«No, grazie, me l'ha già offerto suo figlio.»

«Ah, è stato da Robert.»

«Sì, è lui che mi ha indirizzato qui da lei.»

Francis guardò le chiazze di sudore sotto le proprie ascelle. Aveva il sorriso furbo di un bambino che ha appena inventato un gioco nuovo. Guardò lo Swatch che portava al polso.

«Senta, ha già mangiato?»

«No.»

«Bene. Le faccio una proposta. La signora Sivoire, la mia governante…»

Fece una pausa che terminò in un'aria perplessa.

«Veramente sarebbe la donna delle pulizie, ma se la chiamo governante lei si sente gratificata e io mi sento più importante. La signora Sivoire, di origine rigorosamente italiana e ottima cuoca, mi ha lasciato delle lasagne al pesto pronte da infornare. Le garantisco che sotto un profilo estetico la signora Sivoire lascia molto a desiderare, ma le sue lasagne sono al di sopra di ogni sospetto.»

Nicolas non poté fare a meno di ridere di nuovo. Quell'uomo era una forza della natura. Sprizzava simpatia da tutti i pori. La sua vita doveva essere stata un godimento continuo di quello straordinario modo di essere. O perlomeno glielo augurava.

«Non avevo intenzione di fermarmi per il pranzo, ma se ne va dell'orgoglio della signora Sivoire…»

«Fantastico. Mentre le lasagne cuociono, io salgo a farmi una doccia. Ho timore che se alzo un braccio, da sotto l'ascella parta una scarica di mitraglietta. Come potrei giustificare il cadavere di un commissario nella mia cucina, dopo?»

Jean-Paul Francis tirò fuori una teglia di vetro dal frigorifero e la infilò nel forno. Regolò la temperatura e il timer. Da come manovrava gli elettrodomestici, Nicolas pensò che quella era la casa di un uomo appassionato di cucina o di un uomo solo. In ogni caso una cosa non escludeva l'altra.

«Ecco fatto. Dieci minuti e si mangia. Forse quindici.»

Uscì dalla cucina e sparì su per le scale fischiettando. Da sotto, Hulot sentì poco dopo lo scroscio della doccia e la voce vagamente baritonale di Jean-Paul Francis che intonava *Lady is a Tramp*.

Quando tornò era vestito allo stesso modo, ma con calzoni e camicia puliti. Aveva i capelli ancora umidi pettinati all'indietro.

«Ecco fatto, mi riconosce?»

Nicolas lo guardò perplesso.

«Certo.»

«Strano, dopo la doccia mi sento un altro uomo. Si vede proprio che lei è un commissario...»

Hulot fu costretto a ridere di nuovo. Quell'uomo aveva la capacità di catalizzare il buonumore intorno a lui. Il suo ospite preparò la tavola sul piccolo terrazzino che dava sul giardino. Gli tese una bottiglia di vino bianco e un cavatappi.

«Mentre tiro fuori il cibo dal forno, che ne direbbe di aprire questa?»

Nicolas ebbe ragione del tappo nello stesso istante in cui Jean-Paul Francis depositava sul sottopentola di sughero al centro del tavolo la teglia fumante di lasagne al pesto.

«Ecco qui, si accomodi.»

Il suo ospite gli servì un'abbondante porzione di pasta fumante.

«Inizi pure. Questa è una casa in cui l'unica etichetta che si osserva con cura è quella delle bottiglie di vino», disse mentre si serviva una porzione identica.

«Uhmm, fantastica», commentò Hulot con la bocca piena.

«Che le avevo detto? Questa è la prova che, qualsiasi cosa lei voglia da me, sono un uomo che dice la verità.»

Quelle parole diedero a Nicolas Hulot l'occasione per scodellare il motivo della sua presenza lì, ed era un motivo che scottava molto più di qualsiasi cosa appena uscita da un forno.

«Lei aveva un negozio di dischi qualche tempo fa, vero?» disse tagliando con la forchetta un quadrato di pasta.

Dall'espressione dell'uomo si accorse di aver toccato un tasto dolente.

«Sì. L'ho chiuso sette anni fa. La musica di qualità da queste parti non è mai stata un buon affare...»

Hulot si guardò bene dal riferire il commento di Francis figlio sulla vicenda. Era inutile girare nella piaga un coltello che di giri ne doveva già aver fatti parecchi. Decise di essere franco con il suo ospite. Quell'uomo gli piaceva ed era sicuro di non sbagliare mettendolo al corrente almeno in parte della vicenda.

«Stiamo cercando un assassino, giù a Montecarlo, signor Francis.»

«A questo punto del film i due eroi non iniziano a chiamarsi per nome e a darsi del tu? Io mi chiamo Jean-Paul.»

«E io sono Nicolas.»

«Per "assassino a Montecarlo" non intendi mica quella faccenda del tipo che telefona alla radio? Quello che chiamano Nessuno?»

«Esatto.»

«Be', non ti nascondo che anch'io, come milioni di altre persone, immagino, ho seguito tutta la storia. Nel sentire quella voce c'è da farsi venire la pelle d'oca anche sulla pelle delle scarpe. Quanti ne ha già uccisi?»

«Quattro. E in quel modo che sai, poi. Quel che è peggio è che non abbiamo la minima idea di come impedirgli di farlo ancora.»

«Quell'uomo deve essere furbo come un branco di volpi. Ascolta pessima musica ma deve avere un cervello di prim'ordine.»

«Sul cervello sono d'accordo con te. Sulla musica sono venuto apposta per ragionarci insieme.»

Nicolas frugò nella tasca della giacca e tirò fuori le stampe che gli aveva dato Guillaume. Ne scelse una e la tese verso Jean-Paul Francis.

«Conosci questo disco?»

L'uomo prese la stampa e la guardò. Nicolas fu certo di vederlo impallidire. Alzò verso di lui i suoi occhi azzurri da ragazzino, pieni di meraviglia.

«Dove hai preso questa foto?»

«Sarebbe troppo lunga da spiegare. Sappi solo che il disco appartiene, presumiamo, all'assassino, e che è stato venduto qui...»

Porse a Jean-Paul l'altra stampa, quella che evidenziava l'etichetta col nome del negozio. Questa volta il pallore sul suo viso non fu più un accenno, ma una realtà. Le parole gli morirono in gola.

«Ma...?»

«Riconosci questo disco? Sai dirmi che significato può avere? Chi è Robert Fulton?»

Jean-Paul Francis allontanò il piatto e fece un gesto con entrambi le mani.

«Chi è Robert Fulton? Qualsiasi appassionato di jazz che vada oltre Louis Armstrong lo conosce. E qualsiasi musicofilo darebbe un piede per avere uno dei suoi dischi.»

«Come mai?»

«Perché al mondo ne esistono esattamente dieci, che io sappia.»

Questa volta fu Nicolas a impallidire. Francis si versò un bicchiere di vino e si appoggiò allo schienale della sedia. Improvvisamente le lasagne della signora Sivoire parevano aver perso ogni interesse.

«Robert Fulton è stato uno dei più grandi trombettisti della storia del jazz. Purtroppo, come a volte succede, musicalmente parlando era un genio, ma era matto come un cavallo. Aveva le sue idee. Non ha mai voluto incidere dischi perché era convinto che la musica non potesse e non dovesse essere imprigionata. Per lui l'unico modo di godere della musica era in concerto, *live*, come si dice adesso. Vale a dire, la musica è un'esperienza ogni volta diversa e non si ha il diritto di fissarla in un modo statico, immutabile.»

«E allora questo disco da dove viene?»

«Ci sto arrivando. Nell'estate del 1960 fece una breve tournée in America suonando nei club con alcuni dei migliori *session-men* del tempo. Una serie di concerti storici. Al Be-bop Café di New York alcuni amici, d'accordo con dei discografici, organizzarono una registrazione dal vivo a sua insaputa e stamparono da quel nastro cinquecento dischi, sperando che nel vederli realizzati Fulton cambiasse idea.»

«Ecco perché si chiama "Stolen Music"…»

«Esatto, musica rubata. Solo che gli amici non avevano previsto la sua reazione. Fulton si incazzò come una bestia e distrusse tutti i dischi, si fece consegnare le matrici e le lacche e distrusse anche quelle. La storia fece il giro dell'ambiente musicale e divenne una specie di leggenda che ognuno arricchiva del suo quando la raccontava. L'unica cosa certa è che di tutti quei dischi se ne salvarono soltanto dieci, che furono venduti a peso d'oro ai collezionisti di incisioni rare. E io ero uno di quei dieci.»

«Vuoi dire che hai ancora il disco?»

«Ho detto *ero*, non *sono*. Ci fu un momento difficile…»

Francis si guardò le mani abbronzate, macchiate dall'età. Di certo non erano bei ricordi quelli che gli erano arrivati alla mente.

«Mia moglie si ammalò di cancro e poi morì. Il negozio andava male, in quel periodo. Particolarmente male, intendo. Avevo bisogno di soldi per le cure e quel disco valeva un patrimonio, per cui…»

Francis si lasciò scappare un sospiro che parve lo sbuffo di fiato dopo un'apnea durata una vita.

«Quando lo vendetti, con tutto il malincuore del mondo, ci appiccicai l'etichetta del negozio come se fosse un modo per non separarmene del tutto. Quel disco è stata una delle poche cose che ho sentito veramente mie in tutta la mia esistenza, a parte mia moglie e mio figlio. Tre cose sono un'autentica fortuna, nella vita di un uomo.»

Il cuore di Nicolas Hulot batteva nel petto come l'unico pistone di un motore di enorme cilindrata. Scandì bene le parole. Fece una domanda e il tono della sua voce era quello di un uomo che teme la risposta.

«Ricordi a chi l'hai venduto, Jean-Paul?»

«Sono passati più o meno quindici anni, Nicolas. Ricordo che il cliente era un tipo strano, uno della mia età, su per giù. Veniva al negozio e comperava dischi, roba rara, da collezione. Non pareva avere problemi di denaro, per cui ti confesso che qualche volta ci ho anche marciato, sulle cose che gli vendevo. Quando ha saputo che possedevo una copia di "Stolen Music", mi ha ossessionato per dei mesi perché gliela cedessi. Io ho sempre rifiutato ma poi, come ti ho detto... La necessità fa l'uomo ladro. O venditore. Qualche volta tutte e due insieme.»

«Ti viene in mente un nome?»

«Sono un uomo e non un computer. Non mi scorderei di quel disco campassi mille anni. Ma per il resto...»

Si passò una mano tra i capelli bianchi e alzò la testa a guardare il soffitto. Nicolas si appoggiò al piano del tavolo e si protese verso di lui.

«È inutile che ti dica quanto può essere importante, Jean-Paul. Vite umane possono dipendere da questo.»

Hulot si chiese quante volte ancora avrebbe dovuto usare quell'espressione, quante volte avrebbe dovuto ricordare a qualcuno l'importanza di qualcosa per salvare altri esseri umani, prima che tutta quella storia fosse finita.

«Forse...»

«Forse cosa?»

«Vieni con me. Vediamo se sei un tipo fortunato.»

Seguì Jean-Paul fuori dalla cucina, osservando le sue spalle dritte nonostante l'età e la sua nuca folta di capelli bianchi, mentre una corrente leggera nella casa portava verso di lui il profumo del suo deodorante. Nell'ingresso girarono a sinistra e l'uomo imboccò una scala che portava nel seminterrato.

Scesero una decina di gradini e si trovarono in quello che doveva essere il locale jolly della casa. Da una parte c'erano una lavatrice accanto a un lavello, una bicicletta da donna appesa al muro, un bancone per il bricolage con una morsa e degli attrezzi per lavorare il legno e il ferro.

Dall'altra una fila di scaffalature metalliche con vasetti di conserva e bottiglie di vino. Una parte era dedicata a classificatori e scatole di cartone di diversa misura e colore.

«Io sono un uomo da ricordi. Sono un collezionista. E i collezionisti sono quasi tutti degli stupidi nostalgici, a parte quelli che collezionano soldi.»

Jean-Paul Francis si fermò davanti a uno scaffale e stette un attimo a guardarlo, con aria perplessa.

«Uhmm, vediamo…»

Fece la sua scelta e tirò giù dal ripiano più alto una scatola di cartone blu piuttosto voluminosa. Sul coperchio c'era appiccicata l'etichetta dorata di un vecchio negozio di dischi che si chiamava Disque à Risque. Andò ad appoggiarla sul bancone da lavoro, di fianco alla piccola morsa. Accese una luce che pendeva dall'alto.

«Questo è tutto quello che resta della mia attività commerciale e di un pezzo della mia vita. Un po' poco, non ti pare?»

Qualche volta è anche troppo, pensò Nicolas. *C'è gente che alla fine del viaggio non ha nemmeno bisogno di una scatola, piccola o grande che sia. Talvolta sono già d'avanzo persino le tasche.*

Jean-Paul aprì la scatola e iniziò a frugarci dentro, sollevando dei fogli che parevano vecchie licenze commerciali o piccole brochure di concerti e mostre-mercato di dischi da collezione.

A un certo punto tirò fuori un biglietto azzurro piegato a metà, lo aprì e guardò cosa c'era scritto, poi lo tese verso Nicolas.

«Tieni. Oggi è la tua giornata. Questo biglietto l'ha scritto di suo pugno il compratore di "Stolen Music". Mi aveva lasciato il numero quando aveva saputo che ne possedevo una copia. Adesso che ci penso, dopo che gli ho venduto il disco è venuto un paio di volte ancora e poi non l'ho più visto…»

Nicolas lesse quello che c'era scritto sul biglietto. Una grafia decisa e precisa nello stesso tempo aveva segnato un nome e un numero di telefono.

Legrand 04/4221545.

Hulot trovò strano quel momento. Dopo tanto correre, dopo tante voci distorte, corpi camuffati, impronte sconosciute, passi senza eco, dopo tante ombre senza un viso e tanti visi senza un volto, finalmente aveva in mano qualcosa di umano, la cosa più banale del mondo: un nome e un numero di telefono.

Guardò Jean-Paul Francis ed era come svuotato. Non riusciva a trovare le parole giuste da dire. Il suo ospite, quello che avrebbe potuto essere il salvatore suo e di altre vittime innocenti, gli fece un sorriso.

«Dalla tua faccia direi che sei coinvolto positivamente. Se fossimo in un film, come ti ho detto prima, penso che a questo punto dovrebbe partire una musica significativa.»

«Molto di più, Jean-Paul. Molto di più…»

Tirò fuori il cellulare. Il suo nuovo amico lo bloccò immediatamente.

«Non prende qui sotto, dobbiamo uscire. Vieni.»

Risalirono la scala. Intanto che la mente di Nicolas Hulot correva a cento all'ora, Francis integrava le informazioni che gli aveva appena dato con gli ultimi scampoli di memoria.

«Era di un posto qui vicino, mi pare di ricordare, nella zona di Cassis. Lui era un tipo solido, alto ma non altissimo, però dava l'impressione di una vigoria fisica non comune. Aveva l'aria del militare, non so se mi spiego. Erano gli occhi a fare effetto, credo. Mi davano l'impressione di guardare senza dare la possibilità di essere guardati. Questa è la definizione più giusta che riesco a trovare. Mi ricordo che trovai strano che un tipo di quel genere fosse un appassionato di musica jazz…»

«Be', per non essere un computer, mi pare che a memoria te la stai cavando abbastanza bene.»

Mentre saliva la scala, Jean-Paul Francis si girò verso di lui. Sorrideva.

«Dici? Per qualche motivo, sto iniziando a essere orgoglioso di me stesso.»

«Penso che tu possa averne un sacco, di motivi per essere orgoglioso di te stesso. Quello di oggi è solo uno in più.»

Salirono al piano terreno e ritrovarono la luce del sole. Sul tavolo della cucina la pasta era fredda e il vino caldo. Un triangolo di luce aveva raggiunto il pavimento del terrazzino e si stava arrampicando come un'edera su per una gamba del tavolo.

Hulot guardò il cellulare. Il display gli segnalava che era tornato il segnale. Si chiese se poteva correre il rischio. Scrollò le spalle. Probabilmente le sue ansie su intercettazioni telefoniche erano semplici paranoie. Premette il pulsante di un numero in memoria e attese di sentire la voce dall'altra parte.

«Ciao, Morelli, sono Hulot, ho bisogno di due cose da te. Informazioni e silenzio. Ce la fai?»

«Certo.»

Una dote indiscussa di Morelli era la capacità di non fare domande inutili quando non servivano.

«Ti do un nome e un numero di telefono. Può anche darsi che il numero non sia più in uso. Dovrebbe essere un numero della Provenza, per la precisione. Mi fai sapere a che indirizzo corrisponde, prima di subito?»

«Al volo.»

Riferì all'ispettore i dati in suo possesso e chiuse la comunicazione.

Chiese a Francis una conferma che in realtà era una semplice riflessione.

«La zona di Cassis, hai detto?»

«Mi pare. Cassis, Auriol, Roquefort, non ricordo bene, ma mi sembra che la zona fosse proprio quella.»

«Credo che dovrò andare a fare un giro da quelle parti.»

Hulot diede uno sguardo in giro per la casa, come per imprimersi ogni particolare nella mente. Tornò a fissare Francis negli occhi.

«Spero che non me ne vorrai se scappo via come un ladro. Come puoi immaginare, ho una certa fretta.»

«So cosa provi. Cioè no, non lo so, cerco solo di immaginarlo. Spero che trovi quello che devi trovare. Vieni, ti accompagno al cancello.»

«Mi dispiace di averti rovinato il pranzo.»

«Non hai rovinato proprio nulla, Nicolas. Anzi. Non è che ultimamente ho avuto molta compagnia. Quando arrivi a una certa età, arrivano anche certi bisticci dialettici. Ti chiedi a volte come mai, se il tempo passa così in fretta, ci sono dei momenti in cui sembra non passare mai…»

Mentre ascoltava Jean-Paul, avevano attraversato il giardino ed erano arrivati al cancello in ferro battuto. Nicolas guardò la sua macchina parcheggiata poco più avanti, sotto il sole. Sarebbe stata sicuramente un forno. Infilò due dita nel taschino della giacca e tirò fuori un biglietto da visita.

«Tieni questo. Se passi dalle parti di Montecarlo, sappi che per te, a casa mia, un letto e una ciotola di minestra ci saranno sempre.»

Jean-Paul lo prese e lo guardò senza dire nulla. Nicolas era sicuro che non lo avrebbe buttato. Forse non si sarebbero visti mai più, ma era certo che non lo avrebbe buttato.

Tese la mano verso quell'uomo e ritrovò la sua stretta energica.

«A proposito. C'è ancora una cosa che voglio chiederti. È una curiosità tutta mia, che non ha niente a che vedere con questa storia.»

«Dimmi.»

«Perché Disque à Risque?»

Questa volta fu Francis a mettersi a ridere.

«Ah, quello… Quando misi in piedi il negozio, non avevo la più pallida idea di come sarebbe andata a finire. Il rischio non era dei clienti, era il mio.»

Hulot se ne andò sorridendo e scuotendo la testa, mentre Francis lo guardava dal cancello aperto.

Quando raggiunse la macchina, infilò le mani in tasca della

giacca alla ricerca delle chiavi. Sentì sotto le dita la consistenza cartacea del foglietto di carta azzurra che gli aveva dato Jean-Paul, quello con il nome e il numero di telefono. Lo tirò fuori e rimase a guardarlo un istante, soprappensiero.

Pensò che probabilmente Disque à Risque, negozio di dischi rari, il suo più grosso successo lo aveva ottenuto parecchi anni dopo essere fallito.

42

Mentre attraversava Carnoux-en-Provence diretto verso Cassis, arrivò la telefonata di Morelli. Il dispositivo elettronico del cellulare innescò la radio sintonizzata su Europe 2, che iniziò a emettere dalle casse un leggero ticchettio sobbalzante. Un secondo dopo il telefono portatile si mise a squillare. Hulot lo raccolse dal sedile del passeggero e attivò la ricezione.

«Sì.»

«Commissario, sono Morelli. Ho trovato l'indirizzo che mi ha chiesto. Ci ho messo un po' perché aveva ragione lei, il numero non è più in uso. Si tratta di una numerazione vecchia. Sono dovuto risalire un po' indietro nel tempo con France Télécom.»

Hulot ebbe un gesto di disappunto.

«Dimmi, Morelli.»

«Il numero corrisponde a una tenuta agricola, Domaine La Patience, Chemin de l'Hiver, Cassis. C'è un fatto, però...»

«Quale?»

«Il telefono è stato staccato d'ufficio. Non è mai stata data disdetta. A un certo punto sono cessati i pagamenti e l'azienda, dopo un po' di sollecitazioni senza risposta, ha staccato la linea. La persona con cui ho parlato non ha saputo dirmi altro. Per ulteriori dettagli bisognerebbe fare una ricerca più accurata, e non mi è sembrato il caso...»

«Non è un problema, Claude, va bene così. Grazie.»

«Non c'è di che, commissario.»

Dall'altra parte ci fu una leggera esitazione. Hulot capì che Morelli stava aspettando un cenno da parte sua.

«Dimmi pure.»

«Va tutto bene?»

«Sì, Morelli, va tutto bene. Domani ti saprò dire se va ancora meglio. Per il momento ti saluto.»

«Anch'io, commissario. Si riguardi.»

Hulot appoggiò di nuovo il telefono sul sedile accanto. Non aveva bisogno di trascrivere i dati che gli aveva appena fornito Morelli. Erano già stampati nella sua mente e ci sarebbero stati per molto altro tempo ancora. Mentre usciva da Carnoux, piccola città della Provenza, moderna, pulita e ordinata, lasciò che altri ricordi arrivassero liberamente alla memoria.

Aveva fatto proprio quella strada, diretto a Cassis, con Céline e Stéphane, molti anni prima, durante una vacanza in cui avevano riso e scherzato e lui aveva rasentato quella che aveva definito la perfezione del benessere, per non andare a scomodare parole più impegnative. Raffrontata alla sua vita di adesso, quella di allora era felicità autentica, che gli aveva prosciugato la vita successiva, tante erano le energie che aveva dedicato al rimpianto.

Suo figlio aveva sette anni o poco meno, a quel tempo. Erano arrivati a Cassis e Stéphane era stato immediatamente invaso dall'eccitazione che prende tutti i bambini quando arrivano in un posto di mare. Avevano parcheggiato la macchina alla periferia del paese ed erano scesi verso il mare per uno stretto vicolo in discesa, battuto da una brezza tesa, in uno svolazzare di abiti.

Arrivati al porto, una moltitudine di alberi di barche a vela li aveva accolti. C'era sullo sfondo il faro dalla cupola verniciata di verde e oltre i bastioni in cemento eretti a protezione dell'imbarcadero si intravedeva il mare aperto.

Avevano preso un gelato, avevano fatto un giro col battello a visitare le *calanques*, le strette insenature a picco sul mare, piccoli fiordi che parlavano francese, dall'acqua limpida e trasparente. Durante il tragitto lui aveva finto di soffrire il mal di mare e Céline e Stéphane ridevano a crepapelle alle sue smorfie, ai suoi occhi strabuzzati e ai suoi finti conati di vomito. Si era completamente dimenticato di essere un funzionario di polizia ed era stato solo ed esclusivamente un marito, un padre e un clown.

Basta papà, mi fai morire dal ridere…

Hulot pensò alla regia dell'esistenza. Chi scriveva i copioni aveva un bizzarro e a volte macabro senso dell'umorismo. Mentre si aggirava per le strade della cittadina, parecchi anni prima, con sua moglie e suo figlio, felice e senza pensieri, magari esattamente in quel momento, da qualche parte, un uomo riceveva la telefonata con cui il proprietario di un negozio di dischi in cattive acque accettava di vendere la sua copia di un'incisione rarissima. Forse mentre passeggiavano lo avevano incrociato. Forse, uscendo da Cassis, avevano persino seguito per un tratto di strada la sua macchina, mentre andava verso Aix a ritirare quel disco.

Quando arrivò alla periferia della città, parcheggiò insieme alla macchina i ricordi di un passato felice. Dall'ultimo piano del silos in cui aveva lasciato la 206, che un cartello blu battezzava come «Parking de la Viguerie – 310 posti», girò lo sguardo intorno.

Cassis non sembrava molto cambiata da come la ricordava. I bastioni di cemento sul porto erano stati rinforzati, qualche casa era stata ristrutturata, qualcuna si era degradata, ma c'erano calce e vernice sufficienti per far dimenticare ai turisti il tempo che passava.

Quello era il senso delle vacanze, in fondo: dimenticare…

Si chiese che comportamento avrebbe dovuto tenere. La cosa più semplice sarebbe stata una richiesta di informazioni alla polizia locale, ma la sua era diventata una specie di indagine privata e voleva evitare di attirare l'attenzione, se non era più che necessario. D'altronde un tipo che andava in giro a fare domande, anche in una città di mare affollata di turisti, prima o poi smetteva di passare inosservato. Era sostanzialmente un piccolo centro, dove tutti si conoscevano, e lui sarebbe andato a scavare proprio in mezzo all'aiuola.

Il vicolo da cui scese verso il porto era lo stesso che avevano percorso lui e la sua famiglia tempo prima. Un uomo anziano che portava una cesta di vimini piena di ricci di mare risaliva lentamente la strada in senso contrario. Hulot si fermò e lo fermò. Contrariamente a quello che si era aspettato, il vecchio non aveva il minimo accenno di fiatone.

«Mi scusi…»

«Che c'è?» chiese brusco il vecchio.

«Mi serve un'informazione, per favore.»

L'uomo appoggiò a terra la cesta con i ricci e li guardò come se avesse timore che andassero a male. Sollevò a malincuore gli occhi sovrastati da spesse sopracciglia ancora nere.

«Dica.»

«Conosce una tenuta che si chiama La Patience?»

«Sì.»

Hulot soppesò per un istante se il rispetto che portava verso le persone anziane fosse *veramente* superiore all'irritazione profonda che gli provocavano gli stronzi, giovani o vecchi che fossero. Con un sospiro decise di lasciar perdere.

«Può essere così cortese da indicarmela?»

Il vecchio fece un gesto con la mano indicando un punto vago oltre le case.

«È fuori città.»

«Lo immaginavo…»

Hulot dovette sforzarsi per non prendere quell'uomo per il collo. Attese paziente, tuttavia l'espressione del suo viso dovette consigliare al suo interlocutore di non tirare troppo la corda.

«È in macchina?»

«Sì, ho la macchina.»

«Allora esca dal paese seguendo la circonvallazione. Al semaforo prenda a destra, in direzione Roquefort. Quando arriva a una rotonda troverà, sempre sulla destra, l'indicazione «Les Janots». Su per quella strada, subito sulla sinistra, c'è una via sterrata che passa su un ponte in pietra che scavalca la ferrovia. La prenda e quando si biforca tenga la destra. La strada finisce a La Patience.»

«Grazie.»

Senza una parola il vecchio raccolse il suo cesto di frutti di mare e riprese la sua strada.

Hulot sentiva finalmente l'eccitazione per la traccia che stava seguendo. Risalì il vicolo di buon passo col risultato che, quando arrivò alla macchina, aveva lui il fiatone. Seguì le indicazioni che, per quanto date con malagrazia, erano perfette e imboccò la strada sterrata che saliva verso il massiccio roccioso che dall'alto sovrastava Cassis. La vegetazione mediterranea mista a larici e ulivi nascondeva quasi completamente la specie di canyon in cui correva il tracciato della ferrovia. Mentre superava il ponte in pietra che il vecchio gli aveva indicato, un cane giallo, dalla vaga parentela con un labrador, seguì di corsa la Peugeot per un tratto abbaiando.

Quando arrivarono al bivio, pensando evidentemente che il suo lavoro l'aveva fatto, smise di rincorrerlo e di latrare e se ne andò trotterellando verso una fattoria sulla sinistra.

Hulot proseguì per la strada che saliva sempre più in alto, fiancheggiata da un bosco di alberi a grosso fusto che nascondevano a tratti la vista del mare. Le macchie colorate dei fiori erano sparite man mano che usciva dalla città, sostituite dal verde delle conifere e dei cespugli e dall'odore acuto del sottobosco misto al profumo del mare.

Continuò a seguire la strada per alcuni chilometri, al punto tale che iniziò a sospettare che il vecchio gli avesse fornito un'indicazione sbagliata, per il semplice gusto di fargli fare un giro a vuoto. Magari adesso era a casa sua con un qualche Jean o René o Armand a mangiare i suoi ricci e a ridere di quel coglione di turista che in quel momento stava girando come una trottola su per le montagne.

Mentre pensava queste cose, la strada arrivò a una curva e quando l'ebbe superata vide La Patience.

Ringraziò mentalmente Jean-Paul Francis e la sua scatola magica. Se fosse riuscito a mettere le mani su quel disco di Robert Fulton, sarebbe stato un atto dovuto farglielo riavere. Percorse col cuore che gli batteva in gola la strada che lo separava dalla costruzione stagliata contro la roccia della montagna, alla quale pareva appoggiarsi.

Passò sotto un arco di mattoni coperto da rampicanti e imboccò il viale d'accesso che portava sull'aia della grande casa colonica a due piani. Mentre si avvicinava, la delusione sostituì a poco a poco il senso di trionfo che la vista della tenuta gli aveva provocato. Le erbacce avevano invaso quasi completamente la strada di ghiaia, lasciando solo parzialmente libere due tracce laterali che sembravano due rotaie in cui si muovevano le ruote della macchina. Poteva sentire, mentre avanzava, gli arbusti grattare sotto il pianale con un rumore che suonava stranamente sinistro in quel silenzio.

Ora che la prospettiva era cambiata, poteva vedere che il retro della casa era tutto in rovina. Il tetto era quasi completamente crollato lasciando in piedi solo parte della sezione frontale. Travi annerite salivano al cielo come le dita scure dei cantori di un coro gospel, sbucando da quello che era rimasto della vecchia intelaiatura, dalla quale i coppi erano crollati a seppellire il terreno. I muri erano sbrecciati e incrostati di fuliggine, a testimoniare che quella casa era stata preda di un furioso incendio, che l'aveva quasi interamente devastata, lasciando solo la facciata come la costruzione posticcia di una scenografia teatrale.

E il tutto doveva essere successo parecchio tempo prima, se le erbacce e i rampicanti avevano avuto il tempo di riprendere possesso di quello che era sempre stato di loro proprietà. Sembrava che la natura, lentamente, stesse intessendo un delicato e paziente lavoro a maglia per ricoprire la ferita che gli uomini le avevano inferto.

Hulot fermò la macchina nel cortile e uscì all'aperto. Si guardò intorno. La vista da quel punto era stupenda. Si vedeva tutta la vallata, costeggiata di case isolate e vigneti alternati a macchie di vegetazione spontanea, che digradava fino a raggiungere Cassis, bianca e bella, che stava appoggiata sulla costa come una donna a un balcone, a guardare il mare che delimitava l'orizzonte. C'erano i resti consumati di un giardino, strutture ormai arrugginite in ferro battuto che testimoniavano come una volta quella casa dovesse essere un vero splendore. Al tempo della fioritura il giardino doveva essere stato un autentico spettacolo della natura. Dappertutto cespugli incolti di lavanda la facevano da padroni.

Adesso le persiane chiuse e i muri segnati dal calore, la gramigna che infilava le sue radici nelle crepe come un borsaiolo le dita nelle tasche di una vittima ignara, davano un senso di desolazione e di abbandono da cui era difficile non farsi prendere.

Vide un'auto arrivare dalla strada e imboccare il viale d'ingresso. Si fermò al centro del cortile e attese. Poco dopo una Renault Kangoo gialla parcheggiò di fianco alla Peugeot. Ne scesero due uomini in tenuta da lavoro, uno più anziano, sulla sessantina, e l'altro sui trent'anni, un tipo tozzo con la faccia ebete e la barba scura e lunga. Quello più giovane non lo degnò di uno sguardo. Andò ad aprire il retro del mezzo e iniziò a scaricare degli attrezzi da giardino.

L'altro gli impartì delle istruzioni.

«Inizia tu, Bertot, io arrivo subito.»

Dopo aver stabilito le gerarchie a suo uso e consumo, andò verso di lui. Vedendolo più da vicino, neanche la sua faccia dal naso camuso sprizzava intelligenza da tutti i pori. Sembrava una specie di versione più slanciata e stagionata di quell'altro.

«Buongiorno.»

«Buongiorno a lei.»

Hulot cercò di prevenire qualsiasi rimostranza con un atteggiamento umile. Sorrise con la sua miglior faccia da bravo ragazzo.

«Spero di non aver commesso alcuna infrazione, e se è successo le chiedo scusa. Credo di aver sbagliato strada, molto più sotto. Ho proseguito cercando un posto dove fare inversione finché non sono arrivato qui. Ho visto la casa in rovina e la curiosità ha prevalso. Così sono arrivato fin qui per dare un'occhiata. Me ne vado subito.»

«Non c'è problema, non sta dando nessun fastidio. Qui non è rimasto nulla che valga la pena di rubare, a parte la terra e le erbacce. Lei è un turista, vero?»

«Sì.»

«L'avevo immaginato.»

Alla faccia dell'immaginazione, Gaston-le-Beau. Sei appena passato vicino a un'auto targata Montecarlo. L'avrebbe capito anche uno con un bastone bianco e un cane lupo.

L'uomo si strinse nelle spalle, in segno di modestia.

«A volte succede che qualcuno arrivi fin quassù. Per caso, come lei, o per curiosità, come la maggior parte degli altri. Quelli di Cassis non ci vengono volentieri. Anch'io, a dire la verità, non è che faccio i salti mortali ogni volta che mi tocca di venirci. Dopo quello che è successo qui, d'altronde… ma cosa vuole, il lavoro è lavoro e di questi tempi non è il caso di andare troppo per il sottile. Ad ogni buon conto, come può vedere, ci veniamo sempre in due. Sono passati tanti anni ma questo posto ancora mi dà i brividi…»

«Perché, cos'è successo qui?»

«Non conosce la storia della Patience?»

Lo guardò come se ritenesse impossibile che qualcuno su quel pianeta ignorasse la storia della Patience. Forse se lo avesse visto allontanarsi su un disco volante l'unico commento che avrebbe tirato fuori sarebbe stato «Ah, volevo ben dire…»

Nicolas gli diede corda.

«No, non credo di averne mai sentito parlare.»

«Ci fu un delitto qui o, per meglio dire, una serie di delitti. Davvero non ha mai sentito niente?»

Hulot sentì che il polso accelerava leggermente il battito.

«No, mai.»

L'uomo tirò fuori un pacchetto di tabacco e iniziò con una certa perizia ad arrotolarsi una sigaretta con le cartine che aveva estratto dalla tasca del gilet. Come sempre succede alle persone semplici quando si rendono conto di essere depositari di una storia interessante, iniziò a parlare enfatizzando il racconto.

«Io non conosco la storia nei minimi dettagli perché a quell'epoca non vivevo qui a Cassis. Però sembra che il tipo che abitava in questa casa abbia fatto fuori la governante e suo figlio, prima di dar fuoco a tutto e tirarsi un colpo di pistola alla testa.»

«Caspita!»

«Certo, mica cazzi. Ma in paese dicono che era un tipo mezzo matto e che in vent'anni li avranno visti sì e no una ventina di volte, lui e suo figlio. C'era la donna che scendeva giù a far spese ma non dava confidenza a nessuno. Buongiorno, buonasera e ciao Filiberta! Nemmeno la terra la coltivava più, e sì che ne aveva un bel po'. L'aveva data in gestione a un'agenzia immobiliare che l'affittava ai produttori di vino della zona. Viveva solo come un eremita, in cima a questa montagna. Lo credo che a lungo andare gli è andato in fumo il cervello e ha fatto quello che ha fatto...»

«Tre persone, ha detto?»

«Già. I due, l'uomo e la donna, li hanno trovati completamente carbonizzati. Il corpo del ragazzo, invece, l'hanno recuperato intatto quando sono riusciti a spegnere il fuoco. E meno male che l'incendio l'hanno visto in tempo, altrimenti avrebbe acceso mezza montagna.»

Indicò con un dito l'uomo più giovane che era arrivato con lui.

«Mi ha detto il padre di Bertot, che a quell'epoca stava nei pompieri, che quando sono arrivati in casa, dopo aver spento le fiamme, il corpo del ragazzo era in uno stato terrificante, al punto che avrebbero preferito trovarlo carbonizzato, come gli altri due. E pensi che il corpo del padre era così cotto che aveva la palla con cui s'è fatto saltare le cervella fusa nel cranio...»

«Cosa vuol dire "in uno stato terrificante"?»

«Be', il padre di Bertot mi ha detto che non aveva più la faccia, non so se mi spiego, come se gliela avessero raschiata via dalla testa. E poi mi venga a dire se non era matto, quel tipo...»

Hulot sentì che le viscere gli si annodavano su per le pareti dello stomaco, come i rampicanti su quei muri sbrecciati.

Cristo santo, il ragazzo non aveva più la faccia, come se gliela avessero raschiata via dalla testa!

Come diapositive dall'inferno, una serie di volti scarnificati passò davanti ai suoi occhi. Jochen Welder e Arijane Parker. Allen Yoshida. Gregor Yatzimin. Vedeva i loro occhi senza palpebre spalancati verso il nulla, come una condanna senza fine verso chi li aveva uccisi e chi non aveva saputo impedire che ciò succedesse.

Gli parve di sentire una voce distorta che gli sussurrava in entrambe le orecchie, con un agghiacciante effetto stereo, quelle due parole maledette.

Io uccido…

Nonostante l'aria calda di quel pomeriggio d'estate, si sentì rabbrividire nella giacca di cotone sfoderato. Un rivolo di sudore prese a scorrere dall'ascella destra giù verso la cintura.

«E poi cos'è successo?» chiese con voce improvvisamente diversa.

L'uomo non se ne accorse o la scambiò per la normale reazione di una di quelle mezze checche di turisti ai fatti di sangue che narrava.

«Be', la meccanica del fatto era abbastanza evidente, per cui, dopo aver escluso una per una tutte le alternative, hanno archiviato la cosa come duplice omicidio e suicidio. Certo non è stata una bella pubblicità per La Patience…»

«Non ci sono eredi?»

«È esattamente quello che stavo dicendo. Eredi zero, per cui la tenuta è entrata a far parte del patrimonio pubblico. È stata messa in vendita e lo è tuttora, ma chi vuoi che se la pigli con quello che è successo? Io non la vorrei neanche regalata. Il Comune l'ha data in gestione alla stessa agenzia che si occupava e si occupa ancora dell'affitto della terra. Con quello che ci ricava tira fuori le spese di manutenzione e le spese per il loro disturbo. Io vengo qui una volta ogni tanto per impedire che le erbacce si mangino completamente quello che resta della casa.»

«E dove sono sepolti i corpi delle vittime?»

Hulot cercò di dare alle sue domande il senso di una normale curiosità da uomo del popolo, ma con quel tipo non era il caso di andar giù di fino. Ormai era tanto infervorato che probabilmente avrebbe finito la sua storia anche se se ne fosse andato via e lo avesse lasciato lì da solo.

«Oh, credo al cimitero giù in paese, quello che sta sopra il porto, sulla collina. Se ha fatto un giro da quelle parti non può non averlo visto.»

Hulot aveva un ricordo distratto di un camposanto vicino al parcheggio dove si era fermato prima.

«E come si chiamavano, quelli che abitavano qui?»

«Ah, non ricordo bene, un nome con Le... Le *qualcosa*, Legrand o Le Normand, mi pare.»

Hulot guardò con ostentazione l'orologio.

«Accidenti, s'è fatto tardi. È incredibile come il tempo passa in fretta quando si sentono racconti interessanti. I miei amici si staranno chiedendo che fine ho fatto. La ringrazio per la storia.»

«Non c'è di che. Dovere. Buone vacanze.»

L'uomo si girò e andò a unire la sua scienza a quella di Bertot. Mentre stava salendo in macchina Hulot si sentì richiamare.

«Ehi lei, senta. Se questa sera vuole mangiare del buon pesce, vada con i suoi amici a La Coquille d'Or, giù al porto. Se dalle altre parti la fregano, dopo non si venga a lamentare con me. Si ricordi, La Coquille d'Or. È mio cognato. Gli dica che la manda Gaston, la tratterà bene.»

Toh, Gaston. Gaston-le-Beau. Ma guarda un po', ci ho azzeccato. Oggi è proprio il mio giorno fortunato, pensò Hulot mentre avviava il motore.

Mentre tornava eccitato verso Cassis, con la ferma intenzione di andare a visitare il cimitero locale, Nicolas Hulot pensò che di fortuna gliene sarebbe servita ancora molta, per pareggiare certi conti.

43

Nicolas Hulot ritirò il ticket del parcheggio dal distributore automatico e andò a rimettere la macchina esattamente nello stesso posto dove l'aveva parcheggiata in precedenza.

Da quel punto si poteva vedere, poco più in alto sulla sinistra rispetto al Parking de la Viguerie, un piccolo cimitero delimitato da cipressi.

Lasciò la macchina, uscì dal parcheggio e si incamminò per la strada in salita, che pareva la continuazione del vicolo che aveva disceso poco prima. Mentre saliva verso il cimitero, vide proprio sotto il camposanto uno spiazzo in cemento dove erano state disegnate a terra le tracce di un paio di campi da tennis e un campo da basket. Un gruppo di ragazzi si agitava attorno a una palla, impegnati in una partita a un canestro solo.

Trovò strana la presenza di un campo giochi esattamente sotto un camposanto. La trovò strana in senso positivo. In fondo non era una mancanza di rispetto, ma il semplice, continuo accostamento fra la vita e la morte, senza traumi, senza falsi pudori. Se lui avesse creduto alle favole, avrebbe detto che quella vicinanza era un modo per i vivi di dividere un po' di vita con quelli che non ce l'avevano più.

Arrivò nel vialetto del cimitero.

Un cartello stradale blu, appeso a un lampione, avvertiva che si trovava in Allée du Souvenir Français. Sulla parete scavata nella collina, di fronte a lui, un cartello bianco bordato di rosso e blu ricordava la stessa cosa.

Percorse le poche decine di metri di strada sterrata che portavano al cancello d'ingresso posto sotto un arco, sulla sinistra. Di fianco al cancello, appeso in una bacheca consumata dalle intemperie, un altro cartello avvertiva che il custode, d'inverno, era disponibile dalle 8 alle 17.

Hulot passò sotto l'arco ed entrò nel cimitero, sentendo la ghiaia scricchiolare sotto le scarpe.

Immediatamente percepì il silenzio.

Non importava che poco sotto di lui un gruppo di ragazzi stesse schiamazzando nell'enfasi del gioco, che la cittadina fosse piena di turisti e di brusio d'estate, che si sentissero poco lontano rumori di auto che arrivavano e che partivano.

Pareva che la rete di cinta fosse costruita con una specie di materiale fonoassorbente, che non tagliava i rumori ma che semplicemente ne cambiava la natura, come se entrassero a far parte integrante del silenzio che si respirava lì.

Avanzò lentamente per il viottolo in mezzo alle tombe.

L'eccitazione per i suoi piccoli progressi si era già calmata durante il breve tragitto dalla Patience a lì. Adesso era il momento della razionalità, dell'invito alla calma, alla riflessione. Adesso era il momento di ricordare a *se stesso* che la vita di qualcuno dipendeva da lui e dalle sue prossime scoperte.

Il cimitero era molto piccolo, una serie di vialetti disegnati a scacchiera fra le tombe. Sulla destra, per sfruttare meglio il poco spazio a disposizione, una scala in cemento saliva verso una serie di terrazze sulle quali si indovinavano altre tombe, adagiate sulla collina che proseguiva in alto, oltre la recinzione.

Al centro, un enorme cipresso saliva verso il cielo sereno.

Sulla destra e sulla sinistra, appoggiate ai lati opposti del muro perimetrale del cimitero, c'erano due piccole costruzioni in muratura con il tetto in tegole rosse. Quella di destra, a giudicare dalla croce sulla sommità, pareva una cappella. L'altra probabilmente fungeva da ricovero attrezzi. Mentre la stava guardando, la porta in legno si aprì e ne uscì un uomo.

Hulot si incamminò in quella direzione, chiedendosi che veste assumere. Come sovente succede agli attori e ai poliziotti, maestri di menzogne, decise di affidarsi all'intuizione del momento e all'improvvisazione.

Si accostò all'uomo che nel frattempo si era avvicinato.

«Buongiorno.»

«Buonasera.»

Hulot guardò il sole che si avviava verso un trionfale tramonto e si accorse di non essersi nemmeno reso conto del passare del tempo.

«Già, ha ragione lei, buonasera. Senta…»

Rimase perplesso un attimo e poi decise che sarebbe stato solo un turista curioso. Cercò di indossare la maschera di un'espressione innocua.

«Lei è il custode?»

«Sì.»

«Ho sentito in paese una storia tremenda, che è successa qui qualche tempo fa, riguardo a…»

«Vuol dire quel fatto della Patience?» lo interruppe il custode.

«Esattamente quello. Mi chiedevo così, per curiosità, se fosse possibile dare un'occhiata alle tombe.»

«Lei è un poliziotto?»

Nicolas si trovò spiazzato. Guardò l'uomo davanti a lui come se di colpo gli fosse spuntata una terza narice. La sua espressione diede all'altro la certezza di aver colto nel segno e gli strappò un mezzo sorriso.

«Non si preoccupi, non ce l'ha scritto in fronte. Semplicemente sono stato a suo tempo un giovane scapestrato e ho avuto a che fare più volte con la polizia, per cui vi so riconoscere…»

Hulot non confermò né smentì ufficialmente.

«Lei vuole vedere le tombe dei Legrand, vero? Venga con me.»

Non fece domande. Se quell'uomo aveva un passato turbolento che lo aveva portato a vivere lì, in un piccolo paese dove c'è chi vuol sapere tutto e chi non vuol sapere niente, era abbastanza chiaro da che parte aveva deciso di stare.

Lo seguì fino a raggiungere la scala sotto le terrazze. Salirono alcuni gradini e, arrivati al primo pianerottolo, il custode piegò a sinistra. Si fermò davanti a una serie di tombe accostate. Hulot fece scorrere lo sguardo sulle lapidi appoggiate a terra, leggermente inclinate a loro favore rispetto al piano orizzontale. Ognuna portava una scritta molto semplice, un nome e una data scolpita nella pietra.

Laura de Dominicis	1943-1971
Daniel Legrand	1970-1992
Marcel Legrand	1992
Françoise Mautisse	1992

Sulle tombe non c'erano fotografie. Aveva notato che parecchie non ne portavano. In quel contesto non lo trovò particolarmente strano, ma avrebbe preferito avere delle facce da ricordare e da avere come riferimento.

Sembrò che il custode gli avesse letto nel pensiero.

«Sulle lapidi non ci sono foto perché sono andate tutte bruciate nell'incendio.»

«E come mai solo due portano la data di nascita?»

«Quelle che ce l'hanno sono la madre e il figlio. Le altre due credo che non siano riusciti ad averle in tempo. E dopo...»

Fece un gesto che stava a significare che dopo non c'era più nessuno a cui interessasse farle aggiungere.

«Com'è successo?» chiese il commissario senza alzare gli occhi dalle lastre di marmo.

«Brutta storia, non solo per il fatto in sé. Legrand era un tipo strano, un solitario. Era arrivato in paese dopo aver comperato quella tenuta, La Patience, con una moglie incinta e una donna che doveva essere una specie di governante tuttofare. Ci si è installato ed è stato subito chiaro quale sarebbe stato il suo atteggiamento: riservatezza assoluta. La moglie ha partorito a casa, da sola, probabilmente assistita da lui e dalla governante.»

Indicò la tomba con un gesto della mano.

«La donna è morta qualche mese dopo il parto. Forse se avesse partorito in un ospedale non sarebbe successo. Perlomeno è quello che disse il medico che ne accertò la morte. Ma quell'uomo era così. Sembrava che odiasse la gente. Il figlio non si è praticamente mai visto, non è stato battezzato, non ha frequentato la scuola. Doveva avere degli insegnati privati, forse lo stesso padre, perché ha dato gli esami alla fine di ogni corso di studi e finita lì.»

«Lei lo ha mai visto?»

Il custode assentì col capo.

«Ogni tanto, molto raramente, veniva con il padre a mettere dei fiori sulla tomba della madre. Di solito era la donna di casa che se ne occupava. Una volta successe una cosa...»

«Che cosa?»

«Una cosa piccola ma particolarmente significativa su quelli che dovevano essere i rapporti fra padre e figlio. Io stavo là dentro...»

Indicò con un gesto della mano la piccola costruzione da cui Hulot lo aveva visto uscire.

«Quando sono venuto fuori ho visto lui, il padre intendo, in piedi davanti alla tomba, girato di spalle. Il bambino stava di fianco al magazzino, appoggiato alla rete, e guardava di sotto dei bambini che giocavano a calcio. Sentendomi uscire, ha girato la testa verso di me. Era un bambino normale, piuttosto bello direi, ma aveva degli occhi strani, non so come dire... la parola che li descrive meglio è *tristi*, ecco, tristi, direi. Gli occhi più tristi che avessi mai visto. Doveva aver approfittato di un momento di distrazione del padre per arrivare fino a lì, attirato dalle voci degli altri bambini. Mi sono avvicinato per parlargli ma il padre è arrivato come una furia dietro di noi. Ha chiamato il ragazzo per nome... Posso dirle una cosa?»

Il custode fece una pausa che sembrò servirgli per togliere anche il più minuscolo granello di polvere da quel ricordo. Lo fissò come se non stesse vedendo lui ma stesse rivivendo quel momento.

«Il tono di voce con cui disse "Daniel" era quello di un uomo che grida "fuoco!" a un plotone di esecuzione. Il bambino si è girato verso il padre e si è messo a tremare. Tremava come una foglia. Legrand non ha detto niente. Si è limitato a guardare suo figlio con degli occhi sgranati, da pazzo. Tremava dalla rabbia quasi quanto suo figlio tremava dallo spavento. Non so cosa succedesse di solito in quella casa, so solo che in quel momento *il bambino si è pisciato addosso!*»

Il custode abbassò per un attimo lo sguardo a terra.

«Per cui può immaginare che, anni dopo, non mi ha sorpreso del tutto sapere che Legrand aveva fatto quel macello. Penso che sappia cosa intendo dire…»

«Mi risulta che si sia suicidato dopo aver ammazzato la governante e il figlio e aver appiccato il fuoco alla casa.»

«Esatto. O perlomeno è quello che stabilì l'inchiesta. Non c'erano motivi che facessero sospettare diversamente, e il comportamento di quell'uomo giustificava ampiamente questa ipotesi. Ma quegli occhi…»

Guardò nel vuoto scuotendo la testa.

«Quegli occhi da pazzo non riuscirò mai più a togliermeli dalla testa.»

«Ci sono altre cose che mi può dire? Ricorda qualche altro particolare?»

«Oh, sì, sono successe altre cose strane da allora. Parecchie, direi.»

«Vale a dire?»

«Oh, il furto del corpo, per esempio. Poi la storia dei fiori…»

Hulot per un istante credette di aver capito male.

«Quale corpo?»

«Il suo.»

L'uomo indicò con un dito la lapide di Daniel Legrand.

«Circa un anno dopo la faccenda, una notte la tomba è stata profanata. Quando sono arrivato al mattino ho trovato il cancello forzato, la pietra della lapide scalzata e la bara aperta. Del corpo del ragazzo non c'era traccia. La polizia ha pensato a un maniaco necrofilo che...»

«Se non sbaglio ha accennato anche qualcosa a proposito di fiori...» lo interruppe Nicolas.

«Già, c'è pure quello Un paio di mesi dopo la sepoltura ho ricevuto una lettera scritta a macchina. Me l'hanno consegnata qui, perché era indirizzata al custode del cimitero di Cassis. Dentro c'era del denaro. Non un assegno, badi bene, ma banconote avvolte nella carta della lettera.»

«E che c'era scritto?»

«Il denaro era il compenso per la cura della tomba di Daniel Legrand e della madre. Non una parola sul padre o la governante. Chi ha scritto la lettera mi pregava di tenere sempre pulite le lapidi e non fare mancare mai fiori freschi. Il denaro è continuato ad arrivare anche dopo il furto del corpo.»

«Fino a ora?»

«L'ultima l'ho ricevuta il mese scorso. Se non cambia niente, la prossima dovrebbe arrivare fra poco.»

«Ha conservato la lettera? Qualcuna delle buste?»

Il custode si strinse nelle spalle. Scosse leggermente la testa in senso negativo.

«Non mi pare. Per quello che riguarda la lettera, sono passati parecchi anni. Dovrei guardare a casa, ma non credo. Per le buste non so, qualcuna dovrei ancora averla. In ogni caso le posso far avere quella che riceverò fra poco, se la riceverò.»

«Gliene sarei grato. E le sarei anche grato se non facesse parola con nessuno della nostra conversazione.»

Il custode fece un gesto come se quello fosse un fatto scontato.

«Non si preoccupi.»

Mentre stavano parlando, una donna vestita di scuro, con un foulard in testa, salì le scale tenendo fra le braccia un mazzo di fiori. Raggiunse con uno strano passo da cinese una tomba in pietra sulla stessa fila di quelle dei Legrand. Si chinò e accarezzò con un gesto affettuoso il marmo della lapide. Si rivolse alla tomba con voce sommessa.

«Scusami se oggi sono in ritardo, ma ho avuto dei problemi con la casa. Adesso vado a prendere l'acqua e poi ti spiego.»

Appoggiò il mazzo di fiori sulla pietra, tolse dal contenitore i fiori vecchi ed estrasse il recipiente dalla tomba. Si allontanò per andarlo a riempire. Il custode seguì lo sguardo di Nicolas e anticipò la sua domanda. C'era pena sul suo viso.

«Povera donna, vero? Quello fu un periodo veramente sfortunato per Cassis. Poco prima di quello che successe alla Patience ci fu anche la sua, di disgrazia. Fu una banalità, se la morte di una persona si può definire tale. Un incidente durante un'immersione. Il figlio andava sott'acqua a prendere i ricci che vendeva ai turisti in una bancarella sul porto. Un giorno non è rientrato. Hanno trovato la sua barca ancorata poco fuori una delle *calanques*, abbandonata, con sopra i suoi vestiti. Quando il mare ha restituito il corpo, l'autopsia stabilì che si trattava di morte da annegamento, probabilmente causata da un malore durante l'immersione. Dopo la morte del ragazzo...»

Il custode fece una pausa e girò significativamente l'indice della mano destra intorno alla tempia.

«...Il suo cervello se n'è andato con lui.»

Hulot rimase a guardare la figura della donna che stava buttando nel cestino della spazzatura i fiori tolti dalla tomba.

Pensò a Céline, sua moglie. Anche a lei era successa la stessa cosa, dopo la morte di Stéphane. La definizione del custode era perfetta.

Il suo cervello se n'è andato con lui...

Si chiese con una stretta al cuore se qualcuno si fosse mai riferito anche a lei roteando in silenzio l'indice vicino alla tempia. La voce del custode lo riportò nel cimitero di una piccola città chiamata Cassis, davanti alle tombe di una famiglia distrutta.

«Se non ha più bisogno di me...»

«Oh, ha ragione, mi scusi, signor...?»

«Norbert, Luc Norbert.»

«Le chiedo perdono se ho abusato del suo tempo. Immagino che dovrà chiudere.»

«No, d'estate il cimitero resta aperto fino a tardi. Verrò dopo a chiudere il cancello, quando si farà buio.»

«Allora, se non le dispiace, vorrei fermarmi ancora qualche minuto.»

«Faccia con comodo. Se dovesse aver bisogno di me, mi può trovare qui oppure chiedere a qualcuno del paese. Mi conoscono tutti e chiunque le indicherà la mia casa. Buonasera a lei, signor…?»

Hulot capì e sorrise. Decise che il signor Norbert si meritava una piccola ricompensa.

«Hulot. Commissario Nicolas Hulot.»

L'uomo accettò la verifica della sua intuizione senza sottolinearla con nessuna espressione particolare. Fece solo un piccolo gesto col capo, come se non potesse essere altrimenti.

«Già, commissario Hulot. Be', buonasera, commissario.»

«Buonasera a lei e grazie infinite.»

Il custode gli voltò le spalle e se ne andò. Nicolas lo seguì con lo sguardo mentre si allontanava. La donna vestita di scuro stava riempiendo un contenitore d'acqua al rubinetto di fianco alla cappella. Un piccione stava appollaiato sul tetto della bassa costruzione. In alto, diretto verso il mare, veleggiava un gabbiano. Mendicanti di mare e di terra, che si dividevano equamente il cibo fra i rifiuti che gli uomini, quei poveri esseri che non sapevano volare, lasciavano dietro di loro.

Tornò a guardare le lapidi. Le fissò come se potessero parlare, mentre una valanga di pensieri si riversava nella sua mente. Cos'era successo in quella casa? Chi aveva trafugato il corpo sfigurato di Daniel Legrand? Che cosa collegava un dramma di dieci anni prima con un feroce assassino che deturpava le sue vittime nello stesso identico modo?

Si avviò verso l'uscita. Percorrendo il marciapiede in cemento passò davanti alla tomba del ragazzo morto più o meno nello stesso periodo durante un'immersione. Si fermò un istante davanti alla lapide. Guardò la foto. Un ragazzo moro, dall'aria sveglia, sorrideva da un'immagine su ceramica in bianco e nero, sicuramente ritoccata per l'occasione. Chinò lo sguardo a leggere il nome del morto. I suoi occhi toccarono la scritta e Nicolas Hulot rimase senza fiato. Ebbe l'impressione di sentire il rombo di un tuono mentre la scritta pareva ingigantirsi fino a occupare l'intera superficie della lapide.

In un solo breve lunghissimo istante capì tutto.

E seppe chi era Nessuno.

Sentì risuonare sul cemento, quasi senza registrarlo, l'eco di un passo che si avvicinava. Pensò che fosse la donna vestita di scuro che tornava alla tomba del figlio.

Preso dai suoi pensieri, travolto dall'eccitazione della scoperta, il cuore che rimbombava nelle orecchie col battito lungo di un timpano d'orchestra, non fece caso al battito ben più leggero del passo che proseguiva fino alle sue spalle.

Non ci fece caso finché non sentì la voce.

«Complimenti, commissario, non credevo che sarebbe arrivato sin qui.»

Il commissario Nicolas Hulot si girò lentamente. Quando vide la pistola puntata contro di lui, pensò che forse per quel giorno la sua fortuna era finita.

44

Frank si svegliò che fuori era ancora scuro. Aprì gli occhi e per l'ennesima volta era in un letto non suo, in una stanza non sua, in una casa non sua. Questa volta però tutto era diverso. Il ritorno alla realtà non conduceva solo a un altro giorno da dividere con gli stessi pensieri di quello precedente. Girò la testa alla sua sinistra e, nella luce azzurrata di un'abat-jour, vide il corpo addormentato di Helena steso accanto al suo. Il lenzuolo le ricopriva solo parzialmente la schiena e Frank ammirò il disegno dei muscoli sotto la pelle, le spalle tornite che terminavano nella linea affusolata delle braccia. Si girò di lato, si mise su un fianco e si avvicinò a lei come un randagio si avvicina cauto al cibo offerto da uno sconosciuto, in modo che prima di tutto gli arrivasse alle narici il profumo naturale della sua pelle.

Era la seconda notte che trascorrevano insieme.

La sera precedente erano rientrati alla villa ed erano usciti dall'auto di Frank quasi timorosi, come se abbandonando lo spazio ristretto di quell'abitacolo potesse cambiare qualcosa, come se quello che si era creato all'interno potesse dissolversi a contatto con l'aria.

Erano entrati in casa senza fare rumore, quasi furtivi. Pareva che quello a cui si stavano avvicinando non fosse un loro diritto, ma qualcosa di cui si stessero appropriando con la forza e con l'inganno.

Frank maledì quella sensazione malata e chi e cosa li aveva portati a provarla.

Non c'era stato il cibo e non c'era stato il vino che Helena aveva promesso.

C'erano stati subito e solo loro due e i loro vestiti di colpo

troppo larghi, caduti a terra con la naturalezza delle pro|
mantenute. C'erano un'altra fame e un'altra sete da troppo t|
ignorate da soddisfare, c'era un vuoto da riempire che sol|
mentre cercavano di colmarlo, riuscivano a capire quanto |
grande.

Frank tornò ad appoggiare la testa sul cuscino e chiuse gli o|
Le immagini presero a scorrere libere dietro le sue palpebre ser|

La porta.

La scala.

Il letto.

*La pelle di Helena unica al mondo a contatto con la sua, che p|
lava finalmente una lingua conosciuta.*

Gli occhi così belli velati da un'ombra.

*Lo sguardo di colpo impaurito quando Frank l'aveva stretta f|
le braccia.*

La sua voce, un soffio sulle labbra a sfiorare quelle di lui.

Ti prego, non farmi male, lo aveva implorato.

Frank aveva sentito gli occhi inumidirsi per la commozione|
Aveva chiesto invano l'aiuto delle parole. Helena aveva chiesto lo
stesso aiuto e nemmeno lei lo aveva trovato. L'unica spiegazione
fra di loro erano state la furia e la dolcezza con cui si erano cerca-
ti e in cui si erano riconosciuti bisognosi l'uno dell'altra. Aveva
preso possesso del suo corpo con tutta la delicatezza di cui era capace, desiderando di essere un qualunque dio esistente in grado di
tornare indietro nel tempo e cambiare il corso delle cose. E aveva
scoperto, mentre si annullava in lei, di esserne in grado, che lei poteva dargli la forza di diventare quel dio e trovare la forza di essere per lui la stessa cosa.

Avrebbero cancellato la sofferenza, se non la memoria.

La memoria...

Dopo Harriet non aveva più avuto nessuna donna. Era come se una parte di lui fosse entrata in animazione sospesa e
avesse lasciato attive solo le funzioni vitali primarie, quelle che
gli permettevano di bere, mangiare, respirare, di circolare per il

mondo come un automa fatto di carne e ossa invece che di metallo e circuito elettronici. La morte di Harriet gli aveva insegnato che l'amore non si può riprodurre a comando. Nessuno poteva imporsi di non amare più. E soprattutto nessuno poteva imporsi di amare ancora. Non bastava la volontà, per quanto ferrea: ci voleva la benedizione del caso, di quella somma di cose che migliaia di anni di esperienze e chiacchiere e poesie non avevano ancora spiegato del tutto. Solo constatato la sua esistenza.

Helena era stata di colpo il regalo del destino, era un silenzioso «oh!» di stupore mentre il suo pianeta ormai arido e spento ruotava inerte intorno a un sole che pareva brillare solo per gli altri. Era stata la commozione di scoprire che, in mezzo alle rocce e alla terra bruciata dall'arsura, un unico miracoloso filo d'erba stava germogliando. Non era ancora un ritorno alla vita, ma una piccola promessa sussurrata a fior di labbra, un'ipotesi da coltivare nel soffio gentile della speranza, che come tale non porta felicità, solo trepidazione.

«Dormi?»

La voce di Helena lo sorprese mentre inseguiva ricordi così recenti da essere appesi nella sua mente come foto fresche di stampa. Si voltò verso di lei e la vide nel controluce complice della lampada sul tavolino da notte, che lo osservava col capo sorretto dalla mano, il gomito appoggiato sul letto.

«No, non dormo.»

Si avvicinarono e il corpo di Helena scivolò nell'incastro delle sue braccia con la naturalezza con cui l'acqua rifluisce nel letto di un fiume dopo aver combattuto a lungo contro un ostacolo che ne aveva bloccato il corso. Frank sentì di nuovo il miracolo della pelle di Helena contro la sua. Lei appoggiò il viso al suo torace e l'annusò a sua volta.

«Sai di buono, Frank Ottobre. E sei bello.»

«Certo che sono bello. Sono la risposta dei comuni mortali a George Clooney. Il problema è che nessuno fa la domanda…»

La labbra di Helena sulle sue furono la certezza che lei intendeva porre quella domanda e pretendeva la risposta in esclusiva. Fecero di nuovo l'amore, con il gusto pigro e sensuale dei loro corpi ancora un po' assopiti, richiamati dal loro riposo verso un desiderio che in quel momento era più mentale che fisico.

Dimenticarono tutto il resto del mondo come solo l'amore fa dimenticare.

Dopo, al ritorno, furono costretti a pagare il prezzo del loro viaggio. Rimasero sdraiati in silenzio, a guardare il soffitto chiaro che stava sospeso su di loro molto meno di altre presenze che parevano fluttuare nella luce ambrata della stanza. Presenze che non era possibile scacciare semplicemente chiudendo gli occhi.

Frank aveva passato la giornata alla centrale di polizia, seguendo l'evolversi delle indagini su Nessuno, constatando a ogni ora che passava come le tracce in loro possesso oscillassero fra il niente e lo zero assoluto, sforzandosi comunque di mostrarsi attivo e concentrato mentre la sua mente vagava in altre direzioni.

Il suo pensiero era con Nicolas Hulot, che stava inseguendo un indizio scritto su una carta così sottile che attraverso ci si poteva leggere l'ansia dipinta sui loro volti. Il suo pensiero era con Helena, chiusa da un ignobile ricatto e da un carceriere altrettanto ignobile in quella beffarda e inespugnabile prigione che era la sua casa dalle porte e dalle finestre spalancate sul mondo.

Verso sera era risalito su a Beausoleil e l'aveva ritrovata in piedi nel giardino col senso di ricompensa di un viaggiatore che vede apparire la meta del suo pellegrinaggio dopo un lungo e faticoso cammino nel deserto.

Mentre Frank era con lei, Nathan Parker aveva telefonato da Parigi un paio di volte. La prima volta si era allontanato discretamente, ma Helena lo aveva bloccato trattenendolo per un braccio, con un gesto talmente imperioso da sorprenderlo. Aveva seguito la sua conversazione col padre, fatta più che altro di monosillabi, mentre negli occhi non riusciva a nascondere una paura che Frank temeva potesse non passare mai più.

Poi, finalmente, all'apparecchio le era stato passato Stuart, e il viso di Helena si era come illuminato mentre parlava con suo figlio. Frank si era reso conto che per lei Stuart era stato un'ancora di salvezza in tutti quegli anni, un luogo dove rifugiarsi, un posto segreto dove scrivere lettere da consegnare un giorno a qualcuno che non sapeva se sarebbe mai arrivato. Allo stesso modo aveva capito che la strada per il suo cuore passava inevitabilmente per il cuore di suo figlio. Non era possibile avere l'una senza avere l'altro. Frank si era chiesto, mentre un soffio di inquietudine veniva a mescolarsi al suo respiro, se ne sarebbe stato capace.

La mano di Helena si sollevò e venne a posarsi sulla cicatrice che gli attraversava la parte sinistra del torace, un tratto di pelle che spiccava rosata sul resto dell'epidermide appena più abbronzata. Helena sentì al tatto che era una pelle diversa, una pelle cresciuta *dopo*, quasi fosse parte di una corazza che, come tutte le corazze, aveva il vantaggio di parare i colpi duri ma che portava la conseguenza inevitabile di attenuare il tocco gentile delle carezze.

«Fa male?» chiese mentre ci passava delicatamente le dita, seguendone i contorni.

«Adesso non più.»

Ci fu un attimo di silenzio, durante il quale Frank pensò che in quel momento Helena non stava toccando le sue, ma le *loro* cicatrici.

Siamo vivi, Helena, pesti e sepolti ma vivi. E da fuori giungono i rumori di qualcuno che sta scavando per estrarci dalle macerie. Fate in fretta, vi prego, fate in fretta...

Helena sorrise e un piccolo sole si aggiunse alla luce della stanza. Si girò di colpo e si arrampicò su di lui come a picchettare una conquista personale. Gli morse delicatamente il naso.

«Pensa, se te lo staccassi, George Clooney avrebbe vinto un naso a zero!»

Frank le sollevò il viso tenendolo fra le mani. Helena provò a resistergli senza troppa convinzione ma la sua bocca si staccò dal naso di Frank con un leggero risucchio. Frank cercò di guardarla con tutta la tenerezza che gli occhi di un essere umano potevano trasmettere.

«Temo che d'ora in poi, con o senza naso, farò molta fatica a considerare la mia vita senza di te...»

Un'ombra passò sul viso di Helena. I suoi occhi grigi ora avevano il colore della lama di Excalibur. Delicatamente gli prese i polsi con le mani e si liberò il volto. Frank riusciva a immaginare i pensieri che c'erano dietro a quello sguardo e tentò di alleggerire la tensione.

«Ehi, che c'è? Non credevo di aver detto una cosa così terribile. Non ti ho mica ancora chiesto di sposarmi...»

Helena infilò il viso nell'incavo della sua spalla. Il suo tono di voce gli disse che quel breve intermezzo spensierato fra di loro era finito.

«Io sono già sposata, Frank. O meglio, lo sono stata.»

«Che significa: lo sono stata?»

«Tu lo sai com'è l'ambiente della politica, Frank. È come quello dello spettacolo. È tutta una finzione, una rappresentazione. E a Washington come a Hollywood, ufficiosamente si accetta di tutto purché non diventi di dominio pubblico. Un uomo in carriera non può accettare lo scandalo di una figlia che mette al mondo un bambino senza avere di fianco un regolare marito.»

Frank rimase in silenzio, in attesa. Sentiva il caldo umido del fiato di Helena carezzargli la pelle mentre parlava. La voce veniva da un punto sulla sua spalla ma era come se arrivasse dal fondo di un pozzo senza eco.

«Meno che mai se quest'uomo è il generale Nathan Parker. Ecco perché io ufficialmente sono la vedova del capitano Randall Keegan, caduto nella guerra del Golfo, lasciando in America una donna in attesa di un figlio non suo.»

Si sollevò e riprese la posizione di prima, il viso contro il suo viso. Sulle labbra le comparve un sorriso, mentre guardava gli occhi di Frank come se solo da lì potesse arrivare il suo perdono. Frank non avrebbe mai immaginato che in un sorriso ci potesse essere tanta amarezza.

Helena diede una definizione di se stessa, in quel frangente, quasi parlasse di un'altra persona, una donna verso la quale provava pietà mista a disprezzo.

«Sono la vedova di un uomo che ho visto la prima volta il giorno delle nozze e che non ho visto mai più, se non in una bara coperta da una bandiera. Non chiedermi come ha fatto mio padre a convincere quell'uomo a sposarmi. Non so che cosa gli ha promesso in cambio, ma è facile immaginarlo. Un matrimonio quasi per procura, un periodo di tempo che fosse sufficientemente lungo da creare una plausibile cortina fumogena e poi un divorzio chiarificatore. Nel frattempo, una carriera facile e con un tappeto rosso spianato davanti... E sai la cosa buffa?»

Frank attese in silenzio. Sapeva bene che la cosa buffa non lo sarebbe stata per niente.

«Il capitano Randall Keegan è morto nella guerra del Golfo senza aver mai sparato un solo colpo. È eroicamente caduto durante le operazioni di scarico, travolto da un Hammer che ha rotto i freni mentre scendeva dalla rampa di un aereo da trasporto. Uno dei più brevi matrimoni della storia. E perdipiù con un idiota...»

Frank non ebbe il tempo di rispondere. Stava ancora assimilando questa nuova dimostrazione della perfidia e della potenza di Nathan Parker, quando il cellulare sul tavolino da notte iniziò a vibrare. Frank riuscì a prenderlo prima che entrasse in funzione la suoneria. Guardò l'ora. Il quadrante dell'orologio segnava grane. Aprì lo sportellino del telefono.

«*Hallo?*»

«Frank, sono Morelli.»

Helena, stesa accanto a lui, vide il suo viso contrarsi.

«Dimmi, Claude. Ci sono rogne?»

«Sì, Frank, ma non del tipo che pensi tu. Il commissario Hulot ha avuto un incidente stradale.»

«Quando?»

«Non sappiamo di preciso, per il momento. Ci ha appena avvertito un comando della stradale francese. La sua macchina è stata trovata dalle parti di Auriol, in Provenza, su una strada secondaria, in fondo a una scarpata, da un cacciatore che era uscito per addestrare i cani.»

«Lui come sta?»

Il breve silenzio di Morelli dall'altra parte fu eloquente. Frank sentì lo sconforto sciogliergli il cuore.

No, Nicolas, non tu e non adesso. Non in questo modo di merda e in un momento in cui la tua vita sembrava fatta di spazzatura. Non così, enfant terrible…

«È morto, Frank.»

Frank serrò le mascelle così forte da sentire scricchiolare i denti. Le sue nocche sbiancarono intorno alla cornetta. Per un istante Helena pensò che il telefono gli si sarebbe sbriciolato in mano.

«La moglie lo sa?»

«No, non l'ho ancora avvertita. Ho pensato che forse avresti preferito farlo tu.»

«Grazie, Claude. Ottimo lavoro.»

«Avrei preferito non riceverli, questi complimenti.»

«Lo so e ti ringrazio anche a nome di Céline Hulot.»

Helena lo vide andare verso la poltrona sulla quale erano gettati alla rinfusa i suoi vestiti. Iniziò a infilarsi i pantaloni.

Si alzò a sedere sul letto, coprendosi il seno con il lenzuolo. Frank non notò quel gesto di pudore istintivo nei confronti di una nudità che Helena ancora non sentiva del tutto come un fatto naturale.

«Che succede, Frank? Dove vai?»

Frank la guardò ed Helena lesse un dolore rancoroso sul suo

viso. Lo vide sedersi sul letto per infilarsi i calzini. La sua voce le arrivò da dietro la barriera delle spalle coperte di cicatrici.

«Nel posto più brutto del mondo, Helena. Vado a svegliare una donna nel cuore della notte e a spiegarle i motivi per cui suo marito non tornerà mai più a casa.»

45

Al funerale di Nicolas Hulot pioveva.

Il tempo pareva aver deciso di interrompere quella luminosa estate e versare dal cielo le stesse lacrime che erano versate per lui sulla terra. Una pioggia dritta e senza compromessi, come dritta e senza compromessi era stata la vita di un anonimo commissario di polizia, spesa nella sua piccola missione di uomo qualunque.

Adesso stava raccogliendo, forse senza saperlo, l'unica ricompensa che aveva desiderato da vivo: quella di scendere nella stessa terra che accoglieva il corpo di suo figlio, accompagnato da parole che la speranza aveva creato per la consolazione di chi resta in vita.

Céline era in piedi di fianco alla fossa, accanto al prete, il viso composto nella fermezza del dolore, reduce senza più volontà davanti alle tombe del marito e del figlio. Vicino a lei, la sorella e il marito, arrivati precipitosamente da Carcassonne alla notizia della morte del cognato.

Le esequie dovevano essere in forma privata, secondo quelle che erano sempre state le volontà di Nicolas. Nonostante questo, una piccola folla era salita fino al cimitero di Eze Village in occasione del rito funebre. Leggermente discosto e poco più in alto rispetto al punto in cui era stata scavata la fossa, Frank osservava la massa di gente che attorniava il giovane sacerdote che officiava la funzione, a capo scoperto nonostante la pioggia.

C'erano gli amici, i conoscenti, gli stessi abitanti di Eze, tutte le persone che avevano avuto modo di conoscere e apprezzare la consistenza dell'uomo che ora stavano salutando per l'ultima volta. Probabilmente anche un certo numero di semplici curiosi.

C'era Morelli, il cui viso esprimeva una sofferenza così acuta che Frank ne rimase stupito. C'erano Roncaille e Durand in rappresentanza delle autorità del Principato e tutti gli esponenti della Sûreté liberi dal servizio. Frank vide Froben, sul lato esattamente opposto al suo, anche lui a capo scoperto. Sotto il commissario c'erano Bikjalo, Laurent, Jean-Loup e Barbara e gran parte dello staff di Radio Monte Carlo. C'erano persino, in disparte, Pierrot e sua madre.

L'avidità livellatrice dei pochi giornalisti presenti era stata trattenuta all'esterno da un servizio d'ordine che peraltro si era rivelato non indispensabile. La morte di un uomo in un incidente stradale era troppo banale per essere veramente interessante, anche se si trattava del commissario dapprima impegnato nelle indagini su Nessuno e successivamente sollevato dall'incarico.

Frank guardò la bara di Nicolas Hulot. Scendeva lentamente in una fossa scavata nella terra come una ferita, accompagnata da acqua piovana e acqua benedetta mescolate insieme, come benedizione congiunta del cielo e degli uomini. Due inservienti che indossavano una cerata verde, con dei badili, iniziarono a ricoprirla di terra che aveva lo stesso colore del legno della bara.

Frank rimase lì in piedi finché l'ultima palata cadde sulla fossa ormai colma. A poco a poco la terra si sarebbe spianata e qualcuno pagato per farlo avrebbe posto su quella terra una lapide di marmo, uguale a quella di fianco, su cui una scritta avrebbe indicato che Stéphane Hulot e suo padre Nicolas in qualche modo si erano ritrovati.

Il sacerdote diede l'ultima benedizione e tutti si fecero il segno della croce.

Nonostante tutto, Frank non riuscì a pronunciare la parola «*Amen*».

Subito dopo, la folla prese a scomporsi. I più vicini alla famiglia iniziarono la rappresentazione dei saluti alla vedova prima di allontanarsi. Mentre riceveva l'abbraccio dei Mercier, Céline lo vide. Salutò Guillaume e i suoi genitori, ricevette le frettolose condoglianze di Durand e Roncaille, si voltò e sussurrò qualcosa alla sorella, che la lasciò sola e si incamminò con il marito verso l'ingresso del cimitero. Frank osservò la figura aggraziata di Céline che avanzava verso di lui, il passo calmo, gli occhi arrossati ai quali aveva negato lo schermo di un paio di occhiali scuri.

Senza una parola, Céline si rifugiò nel suo abbraccio. Sentiva sulla spalla il suo pianto silenzioso, mentre si concedeva finalmente una pausa di lacrime che non poteva ricostruire il suo piccolo mondo in frantumi.

Céline si staccò da lui e lo guardò. Nei suoi occhi brillava come un sole incandescente la stella vivida del dolore.

«Grazie, Frank. Grazie di essere qui. Grazie di essere stato tu a dirmelo. So quanto ti è costato.»

Frank non disse nulla. Dopo la telefonata di Morelli, aveva lasciato Helena, era salito fino a Eze e aveva raggiunto la casa di Nicolas. Era rimasto per cinque lunghi minuti davanti alla porta degli Hulot prima di trovare il coraggio di suonare il campanello. Quando Céline era venuta ad aprire, stringendo i lembi di una vestaglia leggera sulla camicia da notte, aveva subito capito tutto, appena lo aveva visto. Era la moglie di un poliziotto, in fin dei conti. Quella scena doveva averla già immaginata prima di allora, l'aveva vissuta come eventualità funesta anche se l'aveva sempre scacciata come un pensiero di malaugurio. Adesso Frank era lì, in piedi, sulla soglia di casa, l'espressione dolente, il silenzio a conferma che anche suo marito, dopo suo figlio, d'ora in poi sarebbe stato altrove.

«È successo qualcosa a Nicolas, vero?»

Frank aveva annuito in silenzio.

«È…?»

«Sì, Céline, è morto.»

Céline aveva chiuso un istante gli occhi e il suo viso era stato invaso da un pallore mortale. Aveva barcollato leggermente e lui aveva temuto che stesse per svenire. Aveva fatto un passo in avanti per sorreggerla, ma lei si era ripresa immediatamente. Frank aveva visto una vena sulla sua tempia pulsare mentre gli chiedeva ragguagli di cui avrebbe fatto volentieri a meno.

«Com'è successo?»

«Un incidente stradale. Non ne so molto. È uscito di strada con la macchina ed è precipitato in una scarpata. Deve essere morto sul colpo. Se ti può essere di conforto, non ha sofferto.»

Mentre le pronunciava, Frank era conscio della futilità delle sue parole. No, non era un conforto, non poteva esserlo, anche se Frank aveva saputo da Nicolas dello strazio suo e di Céline per l'agonia di Stéphane in coma, ormai ridotto a un vegetale, attaccato a una macchina che l'aveva tenuto in vita fino a che la loro pietà non era stata più forte della speranza e avevano deciso di dare l'autorizzazione a spegnerla.

«Vieni dentro, Frank. Dovrei fare un paio di telefonate, ma una la posso rimandare a domattina. E devo chiederti un favore…»

Quando si era girata a guardarlo, i suoi occhi di donna ancora innamorata di suo marito erano pieni di lacrime.

«Tutto quello che vuoi, Céline.»

«Non mi lasciare sola questa notte, ti prego.»

Aveva chiamato l'unico parente di Nicolas, un fratello che viveva in America e che, per via del fuso, non sarebbe stato raggiunto dalla notizia in piena notte. Aveva spiegato brevemente la situazione e aveva riattaccato mormorando un «No, non sono sola», che era sicuramente una risposta alla preoccupazione di chi stava dall'altra parte del telefono. Aveva riattaccato come se la cornetta fosse fragilissima e si era girata verso di lui.

«Vuoi un caffè?»

«No, Céline, ti ringrazio. Non ho bisogno di nulla.»

«E allora sediamoci sul divano, Frank Ottobre. Voglio che tu mi abbracci e mi tenga stretta mentre piango…»

E così era stato. Erano rimasti seduti sul divano, nella bella stanza dalle finestre che davano sul terrazzo e sul vuoto della notte, e Frank l'aveva ascoltata piangere fin quando la luce non era venuta a tingere d'azzurro il mare e il cielo oltre i vetri. Aveva sentito il suo corpo stremato scivolare in una specie di dormiveglia e l'aveva tenuta così, con tutto l'affetto che doveva a lei e a Nicolas, finché non l'aveva consegnata molto più tardi alle cure della sorella e del cognato.

E adesso erano lì, di nuovo l'uno davanti all'altra, e lui non poteva fare a meno di continuare a guardarla, come se i suoi occhi volessero insinuarsi dentro di lei. Céline capì la domanda nascosta in quello sguardo. Gli rivolse un sorriso tenero, per la sua ingenuità di uomo.

«Adesso non serve più, Frank.»

«Non serve più che cosa?»

«Pensavo che tu lo avessi capito…»

«Che c'era da capire, Céline?»

«La mia piccola follia, Frank. Sapevo benissimo che Stéphane era morto, l'ho sempre saputo, come so che adesso anche Nicolas non c'è più.»

Vedendo la sua espressione smarrita, Céline Hulot sorrise con tenerezza e gli posò una mano su un braccio.

«Povero Frank, mi dispiace di aver ingannato anche te. Mi dispiace di averti fatto soffrire ogni volta che nominavo Harriet.»

Alzò la testa a guardare il cielo grigio. Una coppia di gabbiani volteggiava in alto, veleggiando pigramente grazie al vento in quota. Erano in due, erano insieme. Forse questo pensava Céline seguendo per un istante le traiettorie di quel volo. Uno sbuffo di vento fece muovere le ciocche del foulard che aveva al collo.

I suoi occhi tornarono a incontrare quelli di Frank.

«Era tutta una commedia, amico mio. Una piccola, stupida commedia, solo per impedire a un uomo di lasciarsi andare fino a morire. Vedi, dopo la perdita di Stéphane, proprio qui, mentre uscivamo dal cimitero dopo la sepoltura, ho avuto la certezza che se non avessi fatto qualcosa Nicolas ne sarebbe uscito distrutto. Più ancora di me. Forse addirittura fino al punto di farla finita.»

Céline proseguì con la voce di chi segue un ricordo.

«Così, mentre tornavamo a casa, seduti sull'auto, di colpo ho avuto quell'idea. Ho pensato che se Nicolas si fosse preoccupato per me, se fosse sorto un altro motivo di attenzione, avrebbe distolto almeno in parte la sua disperazione dal pensiero di Stéphane. Fosse stata anche una distrazione infinitesimale, poteva essere utile a evitare qualcosa di peggio. Così è iniziato tutto. E così è continuato. L'ho ingannato e non me ne pento. Lo rifarei se fosse necessario, ma, come vedi, non c'è più nessuno per cui fingere...»

Adesso le lacrime scorrevano di nuovo sulle guance di Céline Hulot. Frank guardò nella meravigliosa profondità di quegli occhi.

Nel mondo c'erano persone il cui unico valore era riuscire a vendere se stesse come seta, mentre erano un cumulo di stracci. Altre che avevano fatto cose enormi, cose che avevano cambiato il mondo. Frank pensò che nessuna di loro poteva eguagliare la grandezza di quella donna.

Céline gli sorrise di nuovo con tenerezza.

«Ciao, Frank. Qualunque cosa tu stia cercando, spero che la trovi presto. Vorrei tanto che tu fossi felice, perché te lo meriti. *Au revoir*, bell'uomo...»

Si alzò leggermente sulla punta dei piedi e gli sfiorò le labbra con un bacio. La sua mano lasciò una traccia dolente sul braccio di Frank mentre gli voltava le spalle e si incamminava per il sentiero di ghiaia.

Frank la guardò allontanarsi. Dopo pochi passi la vide fermarsi e tornare verso di lui.

«Frank, per me non cambia niente. Nulla al mondo mi potrà restituire Nicolas. Tuttavia può essere importante per te. Morelli mi ha raccontato i dettagli dell'incidente. Tu hai letto i verbali?»

«Sì, Céline, molto attentamente.»

«Claude mi ha detto che Nicolas non aveva allacciato la cintura di sicurezza al momento dell'incidente. Questa mancanza è stata a suo tempo la causa della morte di Stéphane. Se avesse avuto la cintura allacciata, nostro figlio si sarebbe salvato. Da allora, Nicolas non infilava nemmeno le chiavi nella macchina senza prima agganciarla. Trovo strano che non l'abbia fatto questa volta...»

«Non conoscevo questo dettaglio riguardo all'incidente di tuo figlio. Sì, ora che me lo dici, lo trovo strano anch'io.»

«Ti ripeto, per me non cambia niente. Ma se esiste la possibilità che Nicolas sia stato ucciso, vuol dire che era sulla strada giusta, che *eravate* sulla strada giusta.»

Frank assentì col capo, in silenzio. La donna si girò e se ne andò senza voltarsi più. Mentre guardava Céline allontanarsi, Roncaille e Durand gli si affiancarono, con addosso una perfetta faccia di circostanza. Seguirono anche loro con lo sguardo la figura di Céline, esile sagoma nera sotto la pioggia nel viale di un cimitero.

«Che perdita, vero? Ancora non riesco a crederci...»

Frank si girò di scatto. La sua espressione fece passare un'ombra sul viso del capo della polizia.

«Ah, ancora non riuscite a crederci? Proprio voi, che avete sacrificato Nicolas Hulot alla ragion di Stato e lo avete costretto a morire da uomo sconfitto, ancora non riuscite a crederci?»

Frank fece una pausa che pose su di loro una lapide ben più pesante di quelle che li circondavano.

«Se sentirete la necessità di vergognarvi, ammesso che ne siate capaci, ne avrete tutti i motivi.»

Durand rialzò la testa di scatto.

«Mister Ottobre, giustifico il suo risentimento esclusivamente alla luce del suo dolore, ma non le permetto...»

Frank lo interruppe bruscamente. La sua voce era secca come il rumore di un ramo che si spezza sotto il piede.

«Dottor Durand, sono perfettamente consapevole di quanto la mia presenza qui le sia difficile da digerire. Ma voglio prendere quell'assassino più di ogni altra cosa al mondo per mille motivi, uno dei quali è che lo devo al mio amico Nicolas Hulot. Quello che *lei* mi permette o meno mi lascia assolutamente indifferente. Se fossimo in altre circostanze e in altri luoghi, le garantisco che prenderei tutta la sua autorità e gliela caccerei in gola insieme ai denti.»

Il viso di Durand avvampò. Roncaille intervenne a cercare di ricomporre quella frattura. Frank si stupì di sentirlo prendere una posizione, anche se la motivazione poteva essere del tutto discutibile.

«Frank, forse abbiamo tutti i nervi un po' scossi da quello che è successo. Penso che sia meglio non permettere alla nostra emotività di avere il sopravvento. Abbiamo un lavoro da fare, che pare di per sé già abbastanza difficile senza insinuarci ulteriori elementi che possano essere di ostacolo. I nostri dissapori personali, quali che siano, *devono* passare in secondo piano per il momento.»

Roncaille prese il braccio di Durand, che oppose solo una resistenza formale, e lo trascinò via. I due si allontanarono, protetti dagli ombrelli, lasciandolo solo.

Frank fece alcuni passi e si trovò in piedi davanti al tumulo che conteneva le spoglie mortali di Nicolas Hulot. Rimase a osservare la pioggia che iniziava il suo lavoro di livellamento della terra smossa, sentendo la rabbia ribollire dentro di lui come lava rovente nella bocca di un vulcano.

Una breve folata di vento venne ad agitare i rami di un albero poco lontano. Il soffio d'aria tra le fronde sembrò portare alle sue orecchie una voce che aveva già sentito troppe volte da quando tutto era iniziato.

Io uccido…

Lì, proprio lì, sotto quel mucchio di terra scavata di fresco, c'era il suo migliore amico. Era l'uomo che lo aveva visto alla deriva e aveva avuto la forza di tendergli una mano quando ne aveva avuto bisogno. Era l'uomo che aveva avuto il coraggio di confessargli tutte le sue debolezze e proprio per questo era diventato ancora più grande ai suoi occhi. Se lui, Frank Ottobre, era ancora in piedi, se era ancora vivo, lo doveva esclusivamente a Nicolas Hulot.

Quasi senza rendersene conto, iniziò a parlare con chi non gli poteva rispondere.

«È stato lui, Nicolas, vero? Non eri una vittima designata, non facevi parte dei suoi piani, eri solo un ostacolo arrivato casualmente sulla sua strada. Per questo si è visto costretto a fare quello che ha fatto. Prima di morire tu hai scoperto chi è, vero? Come posso fare per saperlo anch'io, Nicolas? Come?»

Frank Ottobre rimase a lungo in piedi davanti a una tomba muta, sotto la pioggia battente, a ripetersi in modo ossessivo quella domanda. Non ci fu alcuna risposta, nemmeno una parola sussurrata nella lingua del vento, un suono da decifrare in un movimento d'aria fra la chioma di un albero.

Nono carnevale

Al cimitero ci sono solo ombrelli neri.

In questa giornata senza sole, sembrano ombre capovolte, proiezioni della terra, pensieri funerei danzanti sopra le persone che, ora che la cerimonia è finita, si allontanano lentamente cercando di mettere, a ogni passo, una piccola distanza in più fra loro e il pensiero della morte.

L'uomo ha visto la bara scendere nella fossa senza che nessuna espressione sia venùta ad alterare il suo viso. È la prima volta che assiste al funerale di una persona che ha ucciso. Gli dispiace per quell'uomo, gli dispiace per la riservata compostezza della moglie che lo ha visto sparire nella terra umida. La tomba che lo ha accolto, di fianco a quella del figlio, gli ha ricordato un altro cimitero, un'altra fila di tombe, altre lacrime, altri dolori.

Dal cielo cade una pioggia senza rabbia e senza vento.

L'uomo pensa che le storie si ripetono all'infinito. A volte paiono concludersi e invece no, sono solo i protagonisti che si avvicendano. Gli attori cambiano ma i ruoli rimangono sempre gli stessi. L'uomo che uccide, l'uomo che muore, l'uomo che non sa, l'uomo che finalmente capisce ed è disposto a pagare con la vita pur che questo succeda.

Tutt'intorno, uno stuolo anonimo di comparse, gente senza importanza, sciocchi portatori di ombrelli colorati, che non servono da riparo ma solo per mantenere un precario equilibrio su un filo teso così in alto da non vedere che sotto di loro la terra è disseminata di tombe.

L'uomo chiude l'ombrello e lascia che la pioggia cada direttamente sul suo capo. Si allontana verso l'ingresso del cimitero, lasciando al suolo il segno del suo passo, impronte di uomo confuse fra le altre. Come ogni ricordo, prima o poi saranno cancellate.

Invidia la pace e il silenzio che rimarranno in quel posto dopo che tutti se ne saranno andati. Pensa a tutti quei morti immobili nelle loro bare sotterranee, gli occhi chiusi, le braccia incrociate sul petto, le labbra mute, senza voci a interrogare il mondo dei vivi.

Pensa alla consolazione del silenzio, del buio senza immagini, dell'eternità senza futuro, del sonno senza sogni e senza risvegli di soprassalto.

L'uomo sente la pietà per se stesso e per il mondo arrivare come un soffio di vento, mentre qualche lacrima esce finalmente anche dai suoi occhi e si mescola con la pioggia. Non sono lacrime per la morte di un altro uomo. Sono lacrime salate di rimpianto per il sole di un tempo, per i pochi lampi di un'estate passata in un soffio, per gli unici momenti felici che ricorda, così lontani nella memoria da parere non essere mai esistiti.

L'uomo oltrepassa l'ingresso del camposanto come se avesse il timore di udire, da un momento all'altro, una voce, più voci, richiamarlo indietro, come se oltre quel muro di cinta esistesse un mondo di vivi a cui lui non ha il diritto di appartenere.

A un tratto, come colto da un pensiero improvviso, gira la testa a guardare dietro di sé. Giù, in fondo al cimitero, inquadrato nella prospettiva del cancello d'ingresso come in una diapositiva, solo davanti a una tomba scavata di fresco, c'è un uomo vestito di scuro.

Lo riconosce. È uno di quelli che gli danno la caccia, uno dei cani dalla bocca fumante, nell'ansia della corsa e dei latrati di sfida. Immagina che ora sarà ancora più determinato, ancora più feroce. Vorrebbe poter tornare indietro, mettersi accanto lui e spiegargli tutto, dirgli che in lui non c'è ferocia, non c'è vendetta, c'è solo giustizia. E il senso di assoluta certezza che unicamente la morte è chiamata a rappresentare.

Mentre sale sull'auto che lo porterà via, si passa una mano fra i capelli umidi di pioggia.

Vorrebbe spiegare, ma non può farlo. Il suo compito non è terminato.

Lui è uno e nessuno e il suo compito non terminerà mai.

Tuttavia, mentre sul vetro del finestrino rigato di gocce che si rincorrono guarda tutta quella gente che si allontana da un posto di dolore, mentre guarda quei visi composti in stolte facce di circostanza, si pone una domanda che proviene dalla sua stanchezza e non dalla sua curiosità. Si chiede quale sarà, fra tanti, l'uomo che per primo verrà ad annunciargli che finalmente tutto è finito.

46

Quando Frank uscì dal cimitero, fuori non c'era più nessuno.

Anche la pioggia era cessata. Su, nell'alto dei cieli, nessun dio misericordioso. Solo il movimento di nubi bianche e grigie, fra cui il vento si stava scavando un timido pezzo d'azzurro.

Arrivò fino alla macchina seguendo il leggero crepitio dei suoi passi sulla ghiaia. Salì sull'auto e accese il motore. I tergicristalli della Mégane si misero in moto con un fruscio morbido e iniziarono a ripulire il parabrezza dalla pioggia residua. Come un omaggio alla memoria di Nicolas Hulot, si allacciò la cintura di sicurezza. Sul sedile di fianco c'era una copia di «Nice Matin», con un titolo in prima pagina: *Chiesta dal governo USA l'estradizione per il capitano Ryan Mosse.*

La notizia della morte di Nicolas era all'interno, in terza pagina. La scomparsa di un semplice commissario di polizia non meritava gli onori della prima.

Prese il quotidiano e lo gettò con disprezzo sul sedile posteriore. Ingranò la marcia e guardò istintivamente lo specchietto retrovisore prima di mettere in movimento l'auto. Il suo sguardo cadde sul giornale, che era rimasto in piedi, appoggiato contro lo schienale.

Frank rimase per un istante senza fiato. Di colpo si sentì come uno di quei pazzi che praticano il bunjee-jumping. Era in volo nel vuoto e vedeva la terra sotto di lui avvicinarsi a velocità vertiginosa, senza avere la matematica certezza che l'elastico fosse della lunghezza giusta. Da dentro di lui si alzò una muta preghiera, a chiunque fosse in grado di accoglierla, che l'intuizione che aveva appena avuto non fosse una delle tante illusioni che solo gli specchi possono fornire.

Rimase qualche secondo a pensare e poi fu il diluvio. Una cascata di ipotesi in attesa di conferma gli si rovesciò dentro, allo stesso modo in cui l'acqua allarga con la sua forza un foro minuscolo che si è scavato a poco a poco in una diga, fino a farlo diventare un getto enorme. Però, alla luce di quello che aveva appena pensato, tante piccole incongruenze di colpo ebbero una spiegazione, tanti dettagli trascurati assunsero una forma che si adattava perfettamente allo spazio a loro assegnato.

Prese il cellulare e compose il numero di Morelli. Appena Claude rispose lo investì con la furia delle sue parole.

«Claude, sono Frank. Sei solo in macchina?»

«Sì.»

«Bene. Sto andando a casa di Roby Stricker. Raggiungimi lì senza farne parola con nessuno. Devo accertare alcune cose e vorrei che ci fossi anche tu mentre lo faccio.»

«C'è qualche problema?»

«Direi di no. Solo un sospetto così piccolo da essere quasi insignificante. Ma se ho visto giusto, può essere la fine di tutta questa storia.»

«Vuoi dire…»

«Ci vediamo da Stricker», tagliò corto Frank.

Adesso rimpiangeva di essere al volante di una macchina privata e non di un'auto della polizia con annessi e connessi. Si rammaricò di non aver richiesto un lampeggiante magnetico da applicare al tetto in caso di bisogno.

Nel frattempo iniziò a recriminare con se stesso. Come aveva potuto essere così cieco? Come aveva potuto permettere ai suoi risentimenti personali di sopraffare la sua lucidità di valutazione? Aveva visto quello che aveva voluto vedere, sentito quello che aveva voluto sentire, accettato quello che gli aveva fatto piacere accettare.

E tutti ne avevano pagato le conseguenze. Nicolas in prima persona.

Se lui avesse usato il cervello, forse a quest'ora Hulot sarebbe stato ancora vivo e Nessuno già al sicuro dietro le sbarre di una prigione.

Quando arrivò a Les Caravelles, Morelli era già in piedi davanti all'ingresso del palazzo che lo aspettava.

Abbandonò l'auto in strada senza curarsi se fosse in divieto di sosta. Passò di fianco a Morelli come il vento fra le vele. Senza una parola, l'ispettore lo seguì all'interno. Andarono a fermarsi davanti alla guardiola dove il portiere li vide arrivare con una viva preoccupazione dipinta sul viso. Frank si appoggiò al piano di marmo.

«Le chiavi dell'appartamento di Roby Stricker. Polizia.»

La precisazione era inutile. Il portiere ricordava benissimo Frank. Il groppo di saliva che deglutì ne era una conferma più che evidente. Morelli esibì il distintivo e questo aprì definitivamente una porta già spalancata. Mentre salivano in ascensore, Morelli finalmente trovò il modo per inserire qualche parola nella furia dell'americano.

«Che succede, Frank?»

«Succede che sono un idiota, Claude. Un grande, grandissimo idiota. Se non fossi stato così occupato a essere un uomo di merda, magari mi sarei anche ricordato di essere un poliziotto e molto di quello che è successo ce lo saremmo potuto evitare.»

Morelli continuava a non capire. Arrivarono davanti alla porta che portava ancora i sigilli messi dalla polizia. Frank strappò via quasi con rabbia le sottili fettucce di plastica gialla. Aprì la porta ed entrarono nell'appartamento.

C'era sospeso il senso di ineluttabilità che rimane sempre a fluttuare nell'aria dove è stato commesso un delitto. Il quadro rotto a terra, i segni sulla moquette, le tracce dei rilevamenti della scientifica, l'odore metallico del sangue rappreso ricordavano la vana fuga di un uomo davanti alla morte, alla lama di un coltello, alla determinazione del suo carnefice.

Frank si diresse senza esitazione verso la camera da letto. Morelli lo vide superare la soglia e subito dopo bloccarsi a osservare la stanza. Il sangue sul pavimento di marmo era stato pulito. Restavano le tracce sulle pareti come unica testimonianza del delitto che era stato consumato in quella camera.

Frank rimase immobile per qualche istante e poi fece una cosa che Morelli trovò incomprensibile. Superò con due passi il letto e andò a sdraiarsi sul pavimento esattamente nella posizione in cui avevano trovato il cadavere di Stricker, posizione che era stata tracciata sulle piastrelle di marmo dalla scientifica prima di rimuoverlo. Rimase sdraiato così a lungo, muovendo appena la testa. Alzò lo sguardo davanti a sé a controllare qualcosa che, evidentemente, solo da quel punto poteva vedere.

«Ecco, maledizione. Ecco…»

«Ecco che cosa, Frank?»

«Stupidi, siamo stati tutti degli stupidi, io per primo. Impegnati a vedere le cose dall'alto, quando a volte la risposta va cercata in basso.»

Morelli non riusciva a capire. Frank si alzò di scatto.

«Vieni con me. C'è ancora una cosa che dobbiamo verificare.»

«Dove andiamo?»

«Alla sede di Radio Monte Carlo. Se ho visto giusto, la risposta definitiva è lì.»

Uscirono dall'appartamento. Morelli guardava Frank come se non l'avesse mai visto. L'americano pareva in preda a una smania che nessuna cosa al mondo avrebbe potuto calmare.

Percorsero quasi di corsa l'elegante atrio del condominio dopo aver gettato le chiavi a un portiere notevolmente sollevato nel vederli andare via. Uscirono all'aperto e salirono sulla macchina di Frank, che già un agente in divisa aveva preso di mira. Il poliziotto stava in piedi davanti all'auto con il carnet delle contravvenzioni aperto in mano.

«Molla l'osso Leduc, servizio.»

L'agente riconobbe Morelli.

«Ah, è lei, ispettore. Va bene.»

Li salutò portandosi la mano al kepì, mente l'auto partiva

sgommando e si infilava nel traffico senza dare eccessiva importanza alle precedenze. Arrivarono a imboccare a velocità sostenuta la strada che scendeva sulla destra, davanti alla chiesa di Sainte-Dévote. Mentre costeggiavano il porto, Frank pensò che tutto era iniziato lì, in una barca carica di morti che si era arenata contro la banchina come un vascello fantasma.

Se aveva visto giusto, quella storia si sarebbe conclusa esattamente dove era cominciata. Fine della caccia alle ombre senza volto. Adesso era il tempo della caccia agli uomini che, come tali, un volto e un nome ce li avevano.

Fecero di volata tutto il giro che portava alla sede di Radio Monte Carlo, dall'altra parte del porto, facendo stridere le gomme sull'asfalto, che un pallido sole fra le nubi stava già asciugando.

Mollarono la macchina dove capitò, di fianco a una barca appoggiata a un ponteggio, in attesa di essere varata. Morelli pareva contagiato dalla febbre che aveva preso Frank, il quale parlava da solo, muovendo in silenzio le labbra e smozzicando frasi che solo lui riusciva a capire. L'ispettore poteva solo seguirlo, in attesa che quei farfugliamenti senza senso diventassero frasi di senso compiuto.

Suonarono al campanello e, quando la segretaria aprì loro la porta, in un lampo furono davanti al grande ascensore-montacarichi, che fortunatamente era presente al pianterreno.

Salirono fino alla radio, dove Bikjalo li aspettava sulla soglia, la porta aperta.

«Che succede, Frank? Come mai a quest'or...»

Frank lo fece di lato con un gesto brusco e lo superò. Morelli si strinse nelle spalle quasi a chiedergli scusa per il comportamento dell'americano. Frank passò oltre la postazione della segretaria. Raquel era seduta alla scrivania e Pierrot, in piedi dall'altra parte, stava raccogliendo dei cd impilati per l'archivio. Frank andò a fermarsi alla parete di fronte all'ingresso, dove, dietro ai battenti a vetro, c'erano i cavi delle connessioni telefoniche e dei collegamenti con il satellite e l'ISDN.

Si girò verso Bikjalo, che con Morelli lo aveva seguito senza capire.

«Apra questa porta.»

«Ma…»

«Faccia come le dico!»

Il tono di Frank era di quelli che non ammettono repliche. Bikjalo spalancò i battenti e un soffio di aria fresca si riversò nella stanza. Frank rimase un attimo perplesso davanti a quell'intrico di fili. Infilò le mani e prese a far scorrere i polpastrelli sotto i piani che reggevano i connettori delle linee telefoniche.

«Che succede Frank? Che stai cercando?»

«Te lo dico io cosa sto cercando, Claude. Siamo diventati pazzi, senza risultato, per intercettare le telefonate di quel bastardo. Non ci saremmo riusciti mai, neanche se avessimo continuato una vita intera, e sai perché?…»

Frank sembrò aver trovato qualcosa. Le sue mani si bloccarono sotto uno dei piani. Iniziò a tirare con forza, come se dovesse estrarre qualcosa che era fissato sotto al piano metallico. Finalmente riuscì nel suo intento. Quando si spostò, nella sua mano c'era una specie di scatola piatta di metallo, grande circa il doppio di un pacchetto di sigarette, da cui usciva un filo che terminava con un *plug* telefonico. La scatola era interamente avvolta da nastro isolante scuro. Frank la mostrò ai due che lo guardavano attoniti.

«Ecco perché non siamo mai riusciti a intercettare una chiamata che arrivava da fuori. Quel figlio di puttana trasmetteva da qui dentro!»

Frank parlava esponendo i suoi pensieri con la concitazione di chi si trova di colpo davanti a una verità fatta di troppe parole e le vorrebbe dire tutte insieme.

«Ecco com'è andata. Non è stato Ryan Mosse a uccidere Stricker. Nella mia ostinazione, avevo talmente voglia che fosse lui il colpevole che non ho neanche lontanamente considerato un'altra eventualità. Invece Nessuno, ancora una volta, si è dimostrato di un'astuzia diabolica. Ci ha dato a bella posta un indizio che era soggetto a una doppia chiave di lettura. Poteva indifferentemente essere riferito a Roby Stricker come a Gregor Yatzimin. Dopodiché è rimasto tranquillamente alla finestra ad aspettare. Quando abbiamo messo sotto protezione Stricker con tutte le forze che avevamo a disposizione, è andato del tutto indisturbato a uccidere Yatzimin. Quando il cadavere del ballerino è stato scoperto e noi abbiamo abbandonato la protezione su Stricker per correre a casa del morto, Nessuno è andato a Les Caravelles a ucciderc anche lui.»

Frank fece una pausa.

«*Quello* era il suo vero obiettivo. *Voleva uccidere sia Stricker sia Yatzimin nella stessa notte!*»

Bikjalo e Morelli sembravano pietrificati.

«Quando ha ucciso Stricker, fra i due c'è stato un corpo a corpo. Nel corso della lotta, senza volere, lo ha ferito al viso. *Nessuno non ha preso la sua faccia perché era sfregiata e per i suoi scopi, quali che siano, non era più utilizzabile.* Ha lasciato l'appartamento convinto che Stricker fosse morto, mentre quel poveraccio era ancora vivo e ha avuto il tempo di scrivere col sangue un messaggio…»

Frank parlava come se tutte le tessere del mosaico si componessero alla perfezione davanti ai suoi occhi mentre esponeva il modo in cui si erano svolti i fatti.

«Roby Stricker era uno che frequentava la vita notturna di Montecarlo e della costa. Conosceva tutti quelli che ne facevano parte. Quindi, conosceva anche il suo assassino, ma forse, in quel momento, ed è comprensibile, non ne ricordava il nome. Però sapeva chi era e cosa faceva…»

Frank fece un'altra pausa, per dare modo ai due davanti a lui di assimilare quello che stava dicendo. Riprese a parlare con meno foga, scandendo quasi le parole.

«Cerchiamo di fare mente locale. Stricker è sdraiato a terra, colpito a morte, il braccio sinistro rotto. Dalla posizione in cui si trova, ho controllato di persona, vede se stesso riflesso nella parete di specchi del bagno attraverso la porta, che è aperta. Scrive quello che sa vedendo la propria immagine rovesciata e usando la mano destra, che non usa mai per scrivere. È abbastanza naturale che abbia scritto il messaggio al contrario e che purtroppo sia morto *senza essere riuscito a completarlo…*»

Prese per le braccia i due che lo guardavano senza parole e li trascinò davanti allo specchio di fronte alla sala di regia. Indicò con il dito la scritta rossa sopra le loro teste, riflessa al contrario sulla superficie lucida.

«Non era "RYAN" quello che voleva scrivere, ma "ON AIR", il segnale che in radio indica la messa in onda! Abbiamo trovato un segno indistinto, all'inizio della scritta, e abbiamo creduto che non avesse senso, che fosse uno scarabocchio provocato da uno spasmo della morte. Invece un senso ce l'aveva. Stricker è morto prima di completare la "O".»

«Vuoi dire che…?»

La voce di Morelli arrivava da un posto dove è difficile credere alle proprie orecchie e ai propri occhi. Bikjalo si portò le mani alla faccia, pallido come un morto, e si nascose il viso fra le mani. Spuntavano solo i suoi occhi increduli. La pressione delle dita li aveva aperti più del dovuto, accentuando l'espressione di stupore.

«Voglio dire che abbiamo vissuto insieme al diavolo senza sentire mai il puzzo dello zolfo!»

Frank mostrò la scatoletta che teneva fra le mani.

«Vedrete che una volta analizzato quest'aggeggio scopriremo che è un comunissimo, obsoleto ricevitore radio a transistor, che non saremmo mai riusciti a rilevare perché trasmette su una frequenza che non avremmo mai considerato. Nessuno di noi avrebbe preso in considerazione un sistema così arcaico. E vedrete che qui dentro c'è un timer o qualche altra diavoleria che lo faceva scattare al momento desiderato. E inoltre il segnale telefonico non veniva rilevato perché quest'aggeggio è posizionato *prima* della centralina a cui ci eravamo attaccati per l'intercettazione. I dettagli ce li daranno i tecnici, anche se ormai non servono più. Nessuno trasmetteva telefonate registrate in precedenza all'unica persona che poteva sapere come formulare le domande o dare le risposte *in quanto già le conosceva...*»

Frank si frugò in tasca e tirò fuori la foto del disco di Robert Fulton.

«Ed ecco la prova definitiva della mia faciloneria. Nella smania di fare domande, a volte si finisce per inseguire ipotesi astruse e si dimentica di considerare l'ovvio. E cioè che il cervello di un bambino è pur sempre il cervello di bambino, anche se sta nel corpo di un ragazzo. Pierrot!»

La testa di «Rain Boy» sbucò come una marionetta dalla transenna di legno che divideva la scrivania della segretaria dalla postazione dei computer.

«Vieni un attimo, per favore.»

Il ragazzo si avvicinò con la sua faccia stralunata e la sua andatura caracollante. Aveva sentito le parole concitate di Frank senza capirci granché, ma il suo tono gli aveva messo paura. Si accostò ai tre uomini timoroso, come se temesse di essere la causa di tutta quell'eccitazione e di venire rimproverato.

Frank gli mise sotto gli occhi la foto.

«Ti ricordi questo disco?»

Pierrot annuì con un cenno del capo, come faceva di solito quando era interrogato.

«Ricordi che ti ho chiesto se c'era questo disco nella stanza, e tu mi hai detto di no? Ti avevo anche detto di non parlarne con nessuno, che doveva essere un segreto fra di noi. Adesso ti chiedo una cosa e tu mi devi dire la verità...»

Frank diede a Pierrot il tempo di assimilare quello che gli stava chiedendo.

«Hai parlato con qualcuno di questo disco?»

Pierrot abbassò di colpo gli occhi a terra e rimase in silenzio. Frank ripeté la domanda.

«Ne hai parlato con qualcuno, Pierrot?»

La voce di Pierrot parve arrivare da un posto sottoterra, esattamente sotto i suoi piedi che adesso stava fissando.

«Sì.»

Frank gli posò una mano sui capelli.

«Con chi ne hai parlato?»

Il ragazzo sollevò il viso. I suoi occhi erano umidi di lacrime.

«Non ne ho parlato con nessuno, lo giuro.»

Fece una pausa, facendo vagare i suoi occhi smarriti sui tre uomini che lo guardavano in silenzio.

«Solo con Jean-Loup…»

Frank guardò Bikjalo e Morelli. Sul suo viso c'erano mescolati in egual misura dispiacere e trionfo.

«Signori, che vi piaccia o no, Nessuno è Jean-Loup Verdier!»

Per un attimo ci fu il silenzio dell'eternità in quella stanza.

Oltre il vetro della sala di regia si vedeva Luisella Berrino, la dee-jay in onda in quel momento, proseguire la sua trasmissione, seduta davanti al microfono come davanti a una finestra aperta sul mondo. Oltre le vetrate della sala si intravedeva la spianata del porto. Sulla gente, sugli alberi ancora gocciolanti di pioggia, sulle barche alla fonda e su tutta la città, stava tornando il sole. C'erano parole, c'erano sorrisi, c'era musica, c'erano persone vive all'ascolto, uomini alla guida di un'auto, donne che stiravano, impiegati seduti alla loro scrivania, coppie che facevano all'amore, ragazzi che studiavano.

Lì, in quella stanza, l'aria sembrava sparita, la luce del sole un ricordo senza speranza, il sorriso un bene prezioso perduto per sempre.

Morelli fu il primo a riscuotersi. Afferrò il cellulare e compose il numero della centrale con dita frenetiche.

«Pronto, sono Morelli. Abbiamo un Codice 11, ripeto, Codice 11, luogo Beausoleil, casa di Jean-Loup Verdier. Avverti Roncaille e digli che il soggetto è Nessuno. Hai capito bene? Lui saprà cosa fare. E mettimi subito in contatto con la macchina di servizio davanti alla casa…»

Bikjalo si accasciò sulla sedia davanti a una delle postazioni dei computer. Sembrava invecchiato di cento anni. Probabilmente pensava a tutte le volte che si era trovato da solo con Jean-Loup Verdier senza sospettare di trovarsi in compagnia di un assassino dalla ferocia disumana. Mentre passeggiava avanti e indietro per la stanza come un leone in gabbia, Frank sperò per la sua anima che non pensasse, in quel momento, che il successo di *Voices* era finito.

Finalmente la comunicazione via radio fu attivata.

«Sono Morelli. Chi sei e chi c'è lì con te?»

Ricevette la risposta e sul suo viso si dipinse un'espressione di sollievo. Probabilmente si trattava di agenti che riteneva adeguati all'emergenza.

«Verdier è in casa?»

Attese la risposta. Le sue mascelle si contrassero.

«Sorel è in casa con lui? Sei sicuro?»

Altra attesa. Ancora parole dall'altra parte.

«Non ha importanza. Ascolta bene quello che sto per dirti. Nessun commento. Jean-Loup Verdier è Nessuno. Ripeto: *Jean-Loup Verdier è Nessuno.* Non è necessario che ti ricordi quanto può essere pericoloso. Richiama fuori Sorel con un pretesto qualunque. Lasciate solo il soggetto ma impeditegli a ogni costo di uscire di casa. Disponetevi in modo da tenere tutte le uscite sotto controllo, ma senza dare a vedere niente di anomalo. Stiamo per arrivare lì con delle macchine di rinforzo. Non fate nulla finché non arriviamo noi. Ci siamo spiegati? Nulla di nulla.»

Morelli chiuse il telefono. Frank era sulle spine.

«Andiamo.»

Con tre passi furono in fondo alla sala e piegarono a destra verso l'ingresso. Vedendoli arrivare alla porta, Raquel fece scattare la serratura. Mentre stavano per uscire, sentirono la voce concitata di Pierrot provenire da dietro la porta a vetri dell'ufficio di fianco all'ingresso. Un pensiero improvviso arrivò alla mente di Frank e si sentì morire.

No, si disse, *non ora, sciocco ragazzo, non ora. Non mi dire che la tua stupida bontà ci ha perduti…*

Spalancò la porta a vetri e rimase impietrito sulla soglia. In piedi di fianco al tavolo c'era Pierrot, il viso inondato di lacrime, che stava parlando al telefono con voce rotta dai singhiozzi.

«Qui dicono che sei tu l'uomo cattivo, Jean-Loup. Dimmi che non è vero, ti prego, dimmi che non è vero…»

Con un salto, Frank fu vicino a lui e gli strappò il telefono dalle mani. Se lo portò all'orecchio.

«Pronto, Jean-Loup, sono Frank, mi senti…?»

Ci fu un attimo di silenzio dall'altra parte, poi Frank udì distintamente il *clic* della comunicazione che veniva interrotta. Pierrot si sedette su una sedia e continuò il suo pianto a dirotto. Frank si girò verso Morelli.

«Claude, quanti uomini ci sono davanti a casa di Jean-Loup?»

«Tre, due fuori e uno all'interno.»

«Grado di esperienza?»

«Ottimo.»

«Bene. Richiamali subito e spiega la situazione. Di' loro che la sorpresa è sfumata e che il soggetto è avvertito. L'agente all'interno corre pericolo di vita. Che facciano irruzione nella casa con la massima cautela e in caso di necessità usare le armi. E di non sparare soltanto per ferire, mi sono spiegato? Noi adesso possiamo solo correre, sperando che non sia già troppo tardi.»

Frank e Morelli uscirono dalla stanza, lasciando dietro di loro il silenzio allibito di Bikjalo e Raquel.

Il povero Pierrot rimase seduto come un fantoccio sulla sedia, a piangere con gli occhi al pavimento, davanti ai cocci del suo idolo in frantumi.

Decimo carnevale

L'uomo riattacca lentamente il telefono, incurante della voce, rabbiosa e implorante nello stesso tempo, che proviene dalla cornetta. Sorride ed è un sorriso dolcissimo quello che gli tende le labbra.

Così, il momento che aspettava è arrivato. In qualche modo, prova sollievo e un senso di liberazione. È finito il tempo dei passi felpati lungo i muri, coperto dal riparo provvido dell'ombra. Adesso ci sarà, per quanto durerà, il conforto della luce del sole, del suo calore sul viso scoperto. L'uomo non è per niente preoccupato, semplicemente vigile come non è mai stato in tutto quel tempo. Eppure di nemici da adesso in poi ne avrà a centinaia, molti di più di quelli che fino a ora gli hanno dato la caccia.

Il suo sorriso si allarga.

Sarà tutto inutile, non lo prenderanno mai. Le lunghe ore di addestramento del passato, imposte come un dovere incrollabile, sono rimaste impresse nella sua mente come il marchio a fuoco sulla schiena di uno schiavo.

Bene, signore! Certo signore! Conosco cento modi per uccidere un uomo, signore. Il miglior nemico non è quello che si arrende, signore. Il miglior nemico è quello morto, signore.

Di colpo alla memoria ritorna la voce imperiosa dell'uomo che li obbligava a chiamarlo in quel modo, «signore», i suoi ordini, le sue punizioni, il pugno di ferro con cui dirigeva ogni istante della loro vita.

Come in un film, ritrova le immagini della loro umiliazione, della loro fatica, la pioggia sul loro corpo tremante di freddo,

461

una porta chiusa, una lama di luce sempre più piccola sui loro volti nel buio, il rumore di una chiave in una serratura, la sete, la fame.

E la paura, la loro unica vera costante compagnia, senza mai la consolazione delle lacrime. Non erano mai stati bambini, non erano mai stati ragazzi, non erano mai stati uomini: solo soldati.

Ricorda gli occhi e il viso di quell'uomo duro e inflessibile, che per loro rappresentava il terrore. Eppure, quando tutto era successo, in quella notte benedetta, era stato sorprendentemente facile sopraffarlo. Il suo corpo giovane era una perfetta macchina da combattimento, grazie ai suoi stessi insegnamenti. Quello dell'altro era appesantito dall'età e dall'incredulità, e ormai non poteva più competere con la sua forza e la sua ferocia, che lui stesso aveva creato e rafforzato giorno dopo giorno.

Lo aveva sorpreso mentre ascoltava con gli occhi socchiusi il suo disco preferito, «Stolen Music», di Robert Fulton. La musica del suo piacere, la musica della propria ribellione. Lo aveva bloccato con una presa al collo, salda come la morsa di un fabbro. Aveva sentito le sue ossa scricchiolare sotto la stretta e si era stupito di scoprire che, dopotutto, era solo un uomo.

Ricorda come fosse adesso la sua domanda, formulata con voce non impaurita ma semplicemente allibita, quando aveva sentito il freddo della canna di una pistola appoggiarsi alla sua tempia.

Cosa stai facendo, soldato?

Ricorda la propria risposta, forte e chiara e fredda nonostante tutto, nel momento sublime della ribellione, il momento in cui tutti i torti stavano per essere sanati, le ingiustizie appianate.

Quello che mi ha insegnato. Io uccido, signore!

Quando aveva tirato il grilletto, il suo unico rimpianto era stato quello di poterlo uccidere una volta sola.

Il sorriso si spegne sul viso dell'uomo, che ha perso un nome preso in prestito tanto tempo prima per tornare a essere solo e unicamente uno e nessuno. Adesso i nomi non servono più, ci sono solo gli uomini e i ruoli che sono chiamati a rappresentare.

L'uomo che fugge e l'uomo che insegue, l'uomo forte e l'uomo debole, l'uomo che sa e l'uomo che ignora.

L'uomo che uccide e l'uomo che muore...

Si gira a osservare la stanza in cui si trova. Seduto di spalle su un divano di fronte a lui c'è un uomo in uniforme. Vede la sua nuca spuntare dallo schienale, l'attaccatura dei capelli tagliati corti sulla sua testa china, mentre esamina una pila di cd posata su un basso tavolino di fronte al divano.

Dallo stereo acceso sta uscendo la chitarra acustica di John Hammond. Nell'aria galleggia la sinuosità struggente di un blues, un *sound* che ricorda il del Mississippi, la pigrizia sonnolenta di pomeriggi d'estate, un mondo fatto di umidità e zanzare, così lontano da lì da far temere che sia tutta un'invenzione, che non esista nemmeno.

L'uomo in uniforme è entrato in casa con un pretesto qualsiasi, vinto dalla noia di un compito che forse ritiene inutile, lasciando altri due come lui sulla strada, in preda alla stessa noia e alla stessa convinzione. È rimasto affascinato dalla quantità di dischi che ha trovato sugli scaffali e ha iniziato a parlare di musica con una presunzione di competenza che non ha trovato riscontro nelle sue parole.

Ora l'uomo in piedi osserva come ipnotizzato il collo indifeso dell'uomo seduto sul divano.

Rimani seduto e ascolta la musica. La musica non tradisce. La musica è il viaggio e la meta del viaggio stesso. La musica è il principio e la fine di tutto.

L'uomo apre lentamente un cassetto del mobile su cui sta appoggiato il telefono. All'interno c'è un coltello, affilato come un rasoio. La lama riflette la luce che arriva da una finestra mentre lo impugna saldamente e inizia a muoversi verso l'uomo seduto di spalle.

La sua testa china si muove lentamente, seguendo il ritmo della musica. La sua bocca chiusa emette un mugolio che, nella sua intenzione, vorrebbe essere un accompagnamento alla voce del *blues-man*.

Quando gli tappa la bocca con la mano, il mugolio cambia di tono e diventa più acuto, smette di essere un tentativo di canto per diventare un coro muto di sorpresa e paura.

La musica è la fine di tutto...

Quando gli taglia la gola, ne esce uno schizzo rosso così forte da arrivare a imbrattare lo stereo. Il corpo senza vita dell'uomo in uniforme si affloscia, la sua testa si inclina di lato.

Ci sono dei rumori che provengono dall'ingresso della casa. Sono passi di uomini che si avvicinano camminando con prudenza, ma i suoi sensi vigili e addestrati li hanno *sentiti*, più che uditi veramente.

Mentre pulisce la lama del coltello sullo schienale del divano, l'uomo sorride di nuovo. Il blues, malinconico e indifferente, continua a uscire dalle casse, coperto di ruggine e sangue.

47

Frank e Morelli uscirono dalla Rascasse a tutta velocità in Boulevard Albert Premier e si trovarono praticamente accodati con la
Mégane alla fila di mezzi che stavano arrivando da Rue Suffren
Raymond a sirene spiegate. Oltre alle auto con i colori della polizia, c'era un furgone blu con i vetri fumé, nel quale stavano seduti gli agenti dell'unità d'intervento in tenuta da combattimento.

Frank fu costretto suo malgrado ad ammirare l'efficienza della Sûreté Publique monegasca. Erano passati pochissimi minuti da
quando Morelli aveva fatto scattare l'allarme e la macchina si era
messa in moto con una celerità impressionante.

Piegarono a destra all'inizio della salita di Sainte-Dévote e costeggiarono il porto per andare a imboccare il tunnel. Era grossomodo il tracciato del Gran Premio fatto alla rovescia. Frank pensò che mai nessun pilota lo avrebbe percorso con maggiore motivazione.

Sbucarono dal tunnel come proiettili sparati dalla bocca di un
cannone e si lasciarono alle spalle le spiagge di Larvotto per prendere la strada che passa davanti al Country Club e prosegue in alto verso Beausoleil.

Frank vedeva confusamente teste di curiosi girarsi al loro passaggio. Non era uno spettacolo frequente un numero così elevato
di auto in assetto da pronto intervento per le vie di Montecarlo.
Nella storia della città, le occasioni in cui era stato commesso un
crimine che avesse richiesto un simile spiegamento di forze si potevano contare sulle dita di una mano, per la morfologia della città
stessa. Montecarlo è costituita praticamente da un'unica strada in

accesso e una sola in uscita, facilissime da chiudere da una parte e dall'altra. Nessuno con un briciolo di cervello si sarebbe venuto a cacciare in una trappola del genere.

Sentendo le sirene, le macchine civili si bloccavano ordinatamente per dare strada al loro passaggio. Nonostante la velocità a cui viaggiavano, a Frank sembrava di procedere a passo di lumaca.

Avrebbe voluto poter volare, avrebbe voluto…

La radio sul cruscotto gracchiò. Morelli si sporse a staccare il microfono.

«Morelli.»

Attraverso il viva voce Roncaille si infilò nella macchina.

«Sono Roncaille. Dove siete?»

«Dietro di voi, direttore. Sono in macchina con Frank Ottobre, vi stiamo seguendo.»

Frank accennò un sorriso, sentendo che il capo della polizia in persona era su una delle macchine che li precedevano. Per niente al mondo quell'uomo si sarebbe perso la possibilità di essere presente al momento dell'arresto di Nessuno. Si chiese se anche Durand fosse nella stessa macchina. Probabilmente no. Roncaille non era scemo. Se appena gli fosse stato possibile, non avrebbe diviso con nessuno il merito della cattura dell'assassino che stava facendo parlare di sé mezza Europa.

«Mi sente anche lei, Frank?»

«Sì, la sente. Sta guidando, ma la sente. È lui che ha scoperto l'identità di Nessuno.»

Morelli si sentì in dovere di confermare gli effettivi meriti di Frank a proposito della loro corsa sfrenata verso la casa di Jean-Loup Verdier. Poi fece una cosa di cui Frank non lo avrebbe mai creduto capace. Sempre tenendo il microfono vicino alla bocca con la mano sinistra, mostrò il dito medio della mano destra al ricevitore, nello stesso momento in cui la voce di Roncaille usciva di nuovo delle casse.

«Bene. Molto bene. Stanno arrivando anche quelli di Mentone. Li ho dovuti avvertire perché la casa di Jean-Loup è in Francia e si tratta della loro giurisdizione. Abbiamo bisogno della loro presenza per convalidare l'arresto. Non voglio che nessun avvocato da quattro soldi possa attaccarsi a un pretesto qualsiasi per mettere i bastoni fra le ruote al momento del processo... Frank, mi sente?»

Ci fu un crepitio di energia statica. Frank prese il microfono dalle mani di Morelli e proseguì tenendo il volante con una sola mano.

«Mi dica, Roncaille.»

«Spero vivamente per tutti noi che lei sappia cosa sta facendo.»

«Stia tranquillo, abbiamo sufficienti conferme per essere sicuri che si tratti effettivamente di lui.»

«Un altro passo falso, dopo gli ultimi eventi, sarebbe inconcepibile da parte nostra.»

Certo, specialmente adesso che il primo nome sulla lista dei siluramenti è diventato il tuo...

La preoccupazione del direttore pareva non fermarsi lì. La si poteva sentire anche attraverso la voce leggermente distorta dal ricevitore della radio.

«C'è una cosa, Frank, che non riesco a spiegarmi.»

Una sola?

«Come ha fatto quell'uomo a commettere gli omicidi se era praticamente barricato in casa sotto il costante controllo dei nostri agenti?»

Frank si era già posto la stessa domanda e diede a Roncaille la risposta che aveva già dato a se stesso.

«Questo è un dettaglio che non mi so spiegare. Penso che dovrà essere lui stesso a farlo, una volta che gli avremo messo le mani addosso.»

Mentre si svolgeva questa conversazione, erano praticamente arrivati alla casa di Jean-Loup. Frank riteneva un pessimo segno non avere ancora stabilito nessun contatto con gli agenti della macchina in servizio sul posto. Se erano entrati in azione, avrebbero già dovuto comunicare l'esito dei loro movimenti.

Non divise questa preoccupazione con Morelli, il quale, non

essendo uno stupido, probabilmente era già arrivato a nutrirla per conto suo.

Con una scelta di tempo perfetta, si fermarono davanti al cancello d'ingresso della casa di Jean-Loup contemporaneamente alla macchina del commissariato di Mentone. Frank notò che sul posto non c'erano giornalisti e, in altre circostanze, gli sarebbe venuto da ridere. Avevano piantonato senza esito quella casa fino a poco prima, per abbandonare l'assedio proprio nel momento in cui ci sarebbe stata una storia succulenta come una bistecca dove piantare i denti.

Sicuramente adesso sarebbero arrivati in massa, ma sarebbero stati fermati dalle auto della polizia che si stavano disponendo in modo da formare dei posti di blocco nei due sensi della strada. Alcuni agenti si erano già posizionati più sotto, all'altezza della casa di Helena, così da bloccare ogni possibilità di fuga per la ripida discesa che scendeva verso la costa e il mare.

Non si era ancora arrestato del tutto, che già le porte posteriori del furgone blu si aprivano. Una dozzina di uomini dell'unità d'intervento, agenti in tuta blu, con caschi e giubbotti antiproiettile in kevlar e fucili M-16, uscirono e si prepararono a fare irruzione nella casa.

La macchina degli agenti di servizio era parcheggiata fuori, vuota, le portiere chiuse ma non bloccate. Roncaille stesso era andato a provare l'apertura. Frank ebbe un brutto presentimento. Un bruttissimo presentimento.

«Prova a chiamare gli agenti», disse a Morelli.

L'ispettore approvò con un cenno del capo mentre Roncaille si avvicinava a loro. Frank vide che dalla macchina su cui stava il capo della polizia stava scendendo anche il dottor Cluny. Roncaille non era così sprovveduto come sembrava, dopotutto. In caso di negoziato con ostaggi la sua presenza sarebbe stata molto utile. Morelli iniziò a chiamare senza esito gli agenti mentre Roncaille veniva a fermarsi davanti a lui.

«Che facciamo?»

«Gli agenti non rispondono e non è un bel segno. Io farei entrare in azione la squadra, a questo punto.»

Roncaille si girò e fece un gesto con la testa al capo del gruppo d'assalto, che aspettava istruzioni in piedi in mezzo alla strada. L'uomo diede un ordine e tutto successe con la velocità del lampo. In un attimo gli uomini si sparpagliarono e sparirono alla vista.

Un uomo in borghese, piuttosto giovane, con una calvizie incipiente e l'andatura dinoccolata del giocatore di pallacanestro, scese dalla macchina della polizia di Mentone e si avvicinò. A Frank parve di averlo già visto, confuso tra la folla, al funerale di Nicolas. Tese loro la mano.

«Buonasera. Sono il commissario Roberts, della omicidi di Mentone.»

I due strinsero la mano tesa mentre Frank si chiedeva dove avesse già sentito quel nome. Poi ricordò. Era il funzionario di polizia con cui Nicolas aveva parlato la sera dell'omicidio di Roby Stricker e Gregor Yatzimin, quello che era andato a controllare la telefonata che poi si era rivelata un falso allarme.

«Che succede? Tutto a posto?» chiese Roberts mentre si girava a guardare verso il tetto della casa che spuntava fra i cipressi.

Frank pensò al viso rigato di lacrime di Pierrot, al suo cervello di bambino ingenuo, che prima li aveva aiutati e poi in un attimo aveva distrutto tutto quello che avevano costruito con fatica e al prezzo di vite umane. Avrebbe voluto urlare e mentire, ma costrinse la sua voce alla verità e alla calma.

«Temo di no. Purtroppo il sospetto è stato messo in allarme e la sorpresa è sfumata. Ci sono tre agenti all'interno che non rispondono alla radio e di cui non sappiamo nulla.»

«Uhmm, brutta faccenda. Però tre contro uno, mi pare...»

Le parole di Roberts furono interrotte dal gracchiare della radio portatile che Morelli teneva in mano. L'ispettore si affrettò a rispondere mentre si accostava al gruppo.

«Sì.»

«Sono Gavin. Siamo all'interno. Abbiamo perquisito l'abitazione da cima a fondo. Il posto è sicuro adesso, però qui c'è stato un macello. Ci sono tre agenti morti ma, a parte i cadaveri, in casa non c'è nessuno.»

48

La sala in cui si stava svolgendo la conferenza stampa era affolla-
tissima. Proprio in previsione della prevedibile affluenza di esponenti dei media, era stata organizzata all'Auditorium, una sala del
Centre Congrès, invece che nella sede della polizia, in Rue Notari, dove non c'era un ambiente adeguato ad accogliere tutta quella gente.

A un lungo tavolo coperto da un drappo verde, addossato alla parete, stavano seduti Durand, Roncaille, il dottor Cluny e
Frank, con dei microfoni a stelo davanti. Tutte le parti coinvolte
in quell'inchiesta erano rappresentate. Davanti a loro, su una fila
di sedie in plastica ordinatamente disposte nella sala, i rappresentanti dell'informazione: carta stampata, radio e televisione.

Frank trovava ridicola quella rappresentazione, ma il prestigio
del Principato di Monaco e degli Stati Uniti d'America, che lui
rappresentava come agente dell'FBI, l'avevano resa necessaria.

Poco importava che Nessuno, alias Jean-Loup Verdier, fosse
ancora uccel di bosco. Poco importava che entrando in casa sua,
dopo l'incursione degli uomini della *task-force*, avessero trovato la
casa deserta e l'agente Sorel sgozzato come un agnello sacrificale.
Gli altri due, Gambetta e Megéne, erano stati freddati con un colpo di pistola, che era risultata essere la stessa con cui era stato ucciso Gregor Yatzimin.

Ubi major, minor cessat.

Certi particolari imbarazzanti non potevano essere rivelati, nascosti dietro il provvido paravento del segreto istruttorio. Il successo invece andava enfatizzato, la scoperta dell'assassino, la bril-

lante operazione congiunta della polizia monegasca e dell'FBI, l'astuzia diabolica del criminale che nulla aveva potuto contro la capacità e la determinazione incrollabile degli investigatori che lo avevano infine identificato eccetera, eccetera, eccetera...

Mimetizzata dietro a quella fila di «eccetera» c'era la fuga dell'assassino, dovuta a eventi non prevedibili, e la sua attuale latitanza. Tuttavia, la cattura del responsabile di quegli orribili omicidi era questione di ore. Tutte le polizie europee erano in allerta e si aspettava la notizia dell'arresto da un momento all'altro.

Frank ammirò l'abilità con cui Roncaille e Durand riuscivano a districarsi in quella ridda di domande, ponendosi in pieno sotto i riflettori quando ce n'era la possibilità e correndo abilmente a cercare nuova luce quando qualcuno li costringeva in una zona d'ombra.

Nessuno di loro due aveva speso una sola parola per il commissario Nicolas Hulot. Frank rivide le foto dell'incidente, la macchina accartocciata, il corpo dell'amico riverso sul volante, il suo povero viso di *enfant terrible* coperto di sangue. Infilò una mano nella tasca della giacca e strinse un foglio di carta che aveva all'interno. Perquisendo palmo a palmo la casa di Jean-Loup Verdier, cercando una traccia per scoprire un indizio sulla sua fuga, aveva trovato una banale ricevuta di una multa per eccesso di velocità contestata da una pattuglia della stradale. La targa era quella di una macchina a noleggio dell'Avis. La data era quella del giorno della morte di Nicolas e la località in cui era stata commessa l'infrazione poco lontana da quella dell'incidente.

Frank era risalito ai movimenti di Jean-Loup grazie a questa semplice prova e attraverso le parole di quello che, suo malgrado, si era rivelato un complice involontario ma efficace: Pierrot.

Il segreto a cui lo aveva invitato in qualità di poliziotto onorario evidentemente comprendeva tutti meno il suo grande amico Jean-Loup. Proprio a lui e solo a lui, per ironia della sorte, aveva confidato che Frank lo aveva interrogato a proposito di un disco di un certo Robert Fulton. Così, Jean-Loup aveva capito di aver commesso un errore e Nessuno era partito all'inseguimento di Nicolas nel suo viaggio alla scoperta di quello che il disco poteva rivelare.

Frank aveva rifatto passo dopo passo il percorso compiuto dal commissario e aveva appreso tutto quello che c'era da apprendere e cioè che lui, molto prima di loro, era riuscito a scoprire il nome dell'assassino. Per quel motivo era stato ucciso.

La voce di Roncaille lo riscosse dai suoi pensieri.

«...per cui io lascerei la parola all'uomo che è riuscito a dare un nome e un volto al serial killer conosciuto col nome di Nessuno, l'agente speciale dell'FBI Frank Ottobre.»

Non ci furono applausi, solo una selva frenetica di mani alzate. Roncaille indicò un giornalista con i capelli rossi seduto in prima fila. Frank lo riconobbe e si preparò alla fucilazione delle sue domande. Coletti si alzò in piedi e si qualificò.

«René Coletti, "France Soir". Agente Ottobre, siete riusciti a comporre le motivazioni per cui Jean-Loup Verdier praticava quelle mutilazioni ai volti delle sue vittime?»

Frank si trattenne dal sorridere mentre rifletteva sul narcisismo di quell'evoluzione dialettica.

Se queste sono le regole del gioco, lo so giocare anch'io.

Frank si appoggiò allo schienale della sedia.

«Questa è una domanda alla quale il dottor Cluny potrà rispondere in modo molto più qualificato di me. Vi posso però anticipare che, a tutt'oggi, non siamo in grado di dare una motivazione esauriente alla modalità degli omicidi. Come ha già detto il direttore Roncaille, molti particolari dell'indagine sono ancora in fase di accertamento e fanno parte del segreto istruttorio. Tuttavia, alcuni di questi elementi sono ormai delle certezze di cui possiamo farvi partecipi.»

Frank fece una pausa a effetto. Pensò che il dottor Cluny sarebbe stato orgoglioso di lui.

«Tali certezze ci derivano dal lavoro precedentemente svolto dal commissario Nicolas Hulot e sul quale mi sono basato per arrivare a identificare l'identità di Nessuno. Il commissario, grazie a un errore commesso dall'assassino nel corso dell'omicidio di Allen Yoshida, era riuscito a risalire a una vicenda rimasta oscura, accaduta molti anni fa a Cassis, in Provenza, un fatto di sangue in cui un'intera famiglia era andata distrutta. Il caso era stato archiviato piuttosto frettolosamente con un responso di doppio omicidio e suicidio, ipotesi che ora andrà pesantemente rivisitata. Vi posso dire che una delle vittime aveva il volto sfigurato esattamente come le vittime di Nessuno.»

Ci fu un brusio nella sala. Altre mani si levarono. Una giornalista giovane e dall'aria sveglia si alzò in piedi precedendo tutti.

«Laura Schubert. "Le Figaro".»

Frank le diede la parola con cenno affermativo della testa.

«Ma il commissario Hulot non era stato rimosso dall'indagine?»

Con la coda dell'occhio Frank vide Durand e Roncaille irrigidirsi. Fece alla ragazza il sorriso di chi sta per fornire una diversa versione dei fatti, quella vera.

Prendetelo nel culo, stronzi!

«Questo non è del tutto esatto, signorina. Quella è stata, per certi versi, una libera interpretazione della stampa a dichiarazioni che mai avevano fatto cenno a questa eventualità. Il commissario Hulot si era semplicemente staccato dal prosieguo dell'inchiesta qui, a Montecarlo, per seguire discretamente la traccia di cui era in possesso. Come è facile immaginare, questo particolare non è stato reso di dominio pubblico per una serie di motivi. È purtroppo con dolore che vi devo annunciare che la sua abilità nelle indagini è stata la causa della sua morte, che non è avvenuta per un incidente stradale. Si è trattato di un ennesimo omicidio commesso da Nessuno che, vistosi identificato, è stato costretto a uscire allo scoperto per difendersi. Vi ripeto che il merito dell'identificazione del responsabile di tutti questi omicidi va riferito alla figura del commissario Nicolas Hulot, che ha pagato questo risultato con la sua stessa vita.»

Nella sala ci fu un piccolo boato. Quella storia faceva acqua da tutte le parti, ma era un ottimo colpo di scena. Era una cosa da scrivere e i giornalisti l'avrebbero scritta. E questo a Frank bastava. Durand e Roncaille erano allibiti e la loro faccia divenne di colpo un manifesto del buon-viso-a-cattivo-gioco. Morelli, in piedi a braccia conserte, appoggiato a una parete laterale della sala, gli fece vedere da sotto un gomito il pugno col pollice sollevato in alto.

Un giornalista che parlava francese con un forte accento italiano si alzò in piedi.

«Marco Franti. "Corriere della Sera", Milano. Ci può dire qualcosa di più sulla vicenda del commissario Hulot e delle sue scoperte a Cassis?»

«Le ripeto che le indagini in quella direzione sono ancora in corso e ben lontane dall'essere concluse. Sono in grado di riferire solo delle ipotesi che potrebbero essere smentite dai fatti. Un'unica cosa vi posso anticipare con una certa presunzione di verità. Stiamo cercando di dare a Nessuno il suo vero nome, in quanto riteniamo che nemmeno Jean-Loup Verdier sia quello autentico. Una ricerca effettuata nel cimitero di Cassis, seguendo le tracce del commissario Hulot, ha portato a nostra conoscenza il fatto che Jean-Loup Verdier è il nome di un ragazzo perito in mare parecchi anni fa durante un'immersione subacquea, più o meno all'epoca del grave fatto di sangue di cui vi ho parlato in precedenza. Si tratta di un caso di omonimia perlomeno sospetto, considerando che la tomba del ragazzo è a pochi metri dalle tombe delle vittime.»

Un altro giornalista alzò la mano e gridò la sua domanda senza nemmeno alzarsi in piedi, riuscendo miracolosamente a farsi udire sopra il clamore generale.

«E della storia del capitano Ryan Mosse cosa ci può dire?»

Il tempo di assimilare la domanda e il silenzio si fece di colpo assoluto. Quello era un aspetto scottante di tutta la faccenda. Frank guardò attentamente il giornalista che lo aveva posto sul piatto e poi fece scorrere lo sguardo su tutti i presenti.

«Riguardo al capitano Ryan Mosse, che è già stato scarcerato, si è trattato di un madornale errore da parte mia. Non cerco scusanti né attenuanti negli indizi, che parevano tali e tanti da accusarlo senza ombra di dubbio dell'omicidio di Roby Stricker. Purtroppo a volte può capitare, nel corso di un'inchiesta complicata come quella in corso, che degli innocenti ci vadano di mezzo. Questa tuttavia non può e non deve essere una scusante. Vi ripeto che si è trattato di un errore di cui io sono il solo responsabile e di cui sono disposto a sopportare le conseguenze, sollevando chiunque altro da ogni possibile aggravio. Ora, se volete scusarmi…»

Frank si alzò in piedi.

«Purtroppo sono ancora impegnato con le forze di polizia nella caccia a un assassino molto pericoloso. Il dottor Durand, il direttore Roncaille e il dottor Cluny penso saranno lieti di rispondere al resto delle vostre domande.»

Frank si allontanò dal tavolo, si avvicinò alla parete a cui stava appoggiato Morelli e sparì dietro una porta laterale. Si trovò in un ampio corridoio semicircolare che costeggiava la sala in cui si teneva la conferenza. Pochi istanti dopo l'ispettore lo raggiunse.

«Sei stato grande, Frank. Pagherò qualunque cifra per una foto delle facce di Roncaille e Durand quando hai detto quelle cose sul commissario Hulot. Le farò vedere ai miei nipotini a conferma che Dio esiste. Ora…»

Un rumore di passi interruppe le parole di Morelli. Lo sguardo dell'ispettore si fissò su qualcuno alle spalle di Frank.

«E così ci rincontriamo, *Mister* Ottobre…»

Frank riconobbe quel tono e quella voce. Si girò e si trovò davanti gli occhi senza vita del capitano Ryan Mosse e la sua anima dannata, il generale Nathan Parker. Morelli gli si fece subito di fianco. Frank sentì la sua presenza e gliene fu grato.

«Qualche problema, Frank?»

«No, Claude, nessun problema. Credo che tu possa andare, vero generale?»

La voce di Parker era più fredda dei ghiacci dell'Artide.

«Certo, nessun problema. Se ci vuole scusare, ispettore…»

Morelli si allontanò non del tutto convinto. Frank sentì il rumore dei suoi passi sul marmo del corridoio. Nathan Parker e

Mosse rimasero in silenzio finché non svoltò l'angolo e svanirono del tutto.

Fu Parker a parlare per primo.

«E così ce l'ha fatta, eh, Frank? Ha scoperto il suo assassino. Lei è un uomo dalle mille iniziative.»

«Si può dire la stessa cosa di lei, generale, anche se non sono tutte iniziative di cui andare orgoglioso. Se le può interessare, Helena mi ha detto tutto.»

Il vecchio soldato non batté ciglio.

«Anche a me ha detto tutto. Mi ha parlato a lungo della sua abilità tutta maschile nell'approfittare di una donna non nel pieno possesso delle sue facoltà mentali. Credo che lei abbia commesso una serie di grossi errori mentre giocava al cavaliere senza macchia e senza paura. Se ricordo bene, l'avevo avvertita di non mettersi sulla mia strada, ma lei non ha voluto darmi ascolto.»

«Lei è un essere spregevole, generale Parker e io la distruggerò.»

Ryan Mosse fece un passo avanti. Il generale lo bloccò con un gesto. Sorrise con la perfidia di un serpente.

«Lei è un fallito e, come tutti i falliti, è anche un illuso, Mister Ottobre. Lei non è un uomo, ma semplicemente quello che ne resta. La posso superare con un solo balzo, senza nemmeno avere dopo la necessità di spolverarmi i pantaloni. Ascolti cosa le dico...»

Si avvicinò talmente che Frank poté sentire il calore del suo fiato e i leggeri spruzzi di saliva che uscivano dalla sua bocca mentre gli sibilava in faccia tutto il suo livore.

«Lei starà lontano da mia figlia. Frank, io la posso far prendere e ridurre in uno stato che sarà lei a implorare di essere ucciso. Se non ha a cuore la sua incolumità personale, tenga presente che io ho in pugno anche quella di Helena. Posso farla rinchiudere in una clinica per malattie mentali quando voglio e far gettare via la chiave.»

Cominciò a girargli intorno, mentre proseguiva il suo discorso.

«Certo, potete mettervi insieme e insieme potete provare a

mettervi contro di me. Potete provare a sputare il vostro veleno. Rifletta, però. Da una parte ci sono io, un generale dell'esercito americano, un eroe di guerra, consigliere militare del presidente degli Stati Uniti. Dall'altra ci siete voi due, una donna dalla comprovata fragilità psicologica e un uomo ricoverato per mesi in un manicomio dopo aver praticamente portato al suicidio la moglie. Mi dica, Frank, chi vi crederebbe? E inoltre tutto quello che potete *inventare* su di me ricadrebbe su Stuart, e questa credo sia l'ultima cosa che Helena possa desiderare. Mia figlia ha già capito e ha promesso che non cercherà mai più di rivederla. La stessa cosa mi aspetto da lei, Mister Ottobre, ha capito? *Mai più!*»

Il vecchio soldato si allontanò di un passo con una luce di trionfo negli occhi.

«Comunque si concluda questa storia, lei è un uomo finito, Mister Ottobre.»

Il generale gli girò le spalle e si allontanò senza voltarsi. Mosse si avvicinò a Frank. Sul suo viso c'era dipinto il piacere sadico di infierire su un uomo sconfitto.

«Ha ragione lui, signor agente dell'FBI. Sei un uomo finito.»

«Questo ha già un senso. Tu non sei nemmeno mai cominciato.»

Frank fece un passo indietro, aspettandosi una reazione. Quando Mosse ne accennò una, si trovò la canna della Glock puntata contro.

«Avanti, capitano, dammi un pretesto. Uno solo. Il vecchio ha le spalle coperte, ma tu non sei né utile né pericoloso quanto credi di essere.»

«Prima o poi finirai nelle mie mani, Frank Ottobre.»

Frank alzò le braccia in un gesto possibilista.

«Siamo tutti nelle mani degli dèi, Mosse, ma ti garantisco che tu non fai parte di questa categoria. E adesso alza i tacchi e segui il tuo padrone.»

Rimase in piedi nel corridoio finché i due non si furono allontanati. Rimise la pistola nella fondina appesa alla cintura e si appoggiò con la schiena al muro. Lentamente si lasciò scivolare fino a trovarsi seduto sul freddo pavimento di marmo. Si accorse che stava tremando.

Nascosto chissà dove, c'era un assassino pericoloso e ancora libero di colpire. Quell'uomo aveva già ucciso diverse persone con una ferocia inaudita, fra cui Nicolas Hulot, il suo migliore amico. Pochi giorni prima avrebbe dato gli anni che ancora gli restavano da vivere semplicemente per poter scrivere il suo nome su un pezzo di carta.

Adesso tutti i suoi pensieri erano in mano a Helena Parker e lui non sapeva che fare.

49

Laurent Bedon uscì dal Café de Paris accarezzando con le dita il fascio di banconote da 500 euro che gli deformava la tasca interna della giacca. Ripensò alla fortuna sfacciata di quella serata. Era stato il protagonista assoluto del sogno di ogni giocatore di roulette. Pieno e cavalli sul 23 rosso, ripetuto tre volte di fila, con puntata massima, pubblico in delirio e faccia sconvolta del croupier davanti a un evento più unico che raro.

Era andato alla cassa e aveva iniziato a tirare fuori dischetti colorati dalle tasche come se quella fosse stata la giacca di Eta Beta. L'impiegato era rimasto impassibile davanti all'entità della vincita, ma era stato costretto a farsi portare dell'altro contante perché quello che aveva nel cassetto non gli bastava per pagare la somma.

Mentre ritirava la tracolla di plastica cerata che aveva lasciato al guardaroba, Laurent aveva pensato che la fortuna, quando si decide a girare dalla tua parte, può essere addirittura imbarazzante nella sua frenesia di dare schiaffi alla miseria. Era entrato al Café de Paris tanto per far passare mezz'ora e in quella mezz'ora aveva recuperato quello che aveva perso negli ultimi quattro anni.

Guardò l'orologio. In orario perfetto.

Rimase un istante sul marciapiedi a osservare la piazza davanti a lui.

A sinistra, il Casinò Municipale scintillava di tutte le sue luci, che facevano risaltare i barocchismi leziosi dell'architettura. Di fianco all'ingresso, sul lato sinistro, c'era una BMW 750 posta su un piano inclinato, sapientemente illuminata da una serie di spot.

Era il premio per una gara di *chemin-de-fer* che si sarebbe tenuta da lì a poco.

Di fronte, l'Hotel de Paris sembrava una conseguenza naturale del casinò, come se uno non potesse esistere senza l'altro. Laurent immaginò la gente all'interno. I camerieri, i facchini, i *concierges*, i clienti pieni di boria e di soldi.

Per quello che lo riguardava, le cose sembravano finalmente girare per il verso giusto. A partire dal gioco. Da quando era cominciata la sua *collaborazione* con quell'americano, il vento sembrava cambiato in ogni direzione. Si rendeva conto che quel tipo, Ryan Mosse, era estremamente pericoloso. Lo aveva capito dalla facilità con cui si era sbarazzato di Vadim. Ma era anche estremamente generoso, e finché lo fosse stato, una cosa avrebbe fatto passare l'altra in secondo piano. In fondo che gli aveva chiesto? Semplicemente di riferirgli con discrezione tutte le novità riguardanti le indagini sul caso di Nessuno, tutte le informazioni di cui sarebbe venuto in possesso attraverso la sua frequentazione delle forze di polizia appostate in radio in attesa delle telefonate di quell'assassino. Una *sine cura* che aveva portato nelle sue tasche denaro a sufficienza da turare più di una falla nella barca disastrata della sua economia.

Aveva avuto un profondo senso di delusione quando Mosse era stato arrestato con l'accusa di aver ucciso Roby Stricker. Non che gli importasse molto né dell'uno né dell'altro. L'americano era chiaramente uno psicopatico e lui, a essere sincero, aveva pensato che il posto giusto per quel fanatico fosse quello dove l'avevano ficcato, una robusta cella in una solida galera come quella della Rocca. Per ciò che riguardava Stricker, quella specie di playboy era un coglione che aveva avuto come unico merito nella vita quello di essere uscito da una figa piuttosto che da un'altra. Nessuno, forse nemmeno suo padre, ne avrebbe sentito la mancanza.

Requiescat come cazzo gli pare. Amen.

Questo pensiero fu lo sbrigativo epitaffio di Laurent Bedon alla memoria di Roby Stricker.

L'unico motivo di rimpianto alla notizia dell'arresto di Mosse era stato veder sparire dal pollaio la sua gallina dalle uova d'oro. La viva preoccupazione per la perdita del suo sponsor, come lo chiamava dentro di sé, aveva fatto passare in secondo piano il timore di un'eventuale accusa di complicità. Quel tipo non sembrava uno che si sbottonasse tanto facilmente. I *flics* avrebbero dovuto sudare sette camicie per tirargli fuori qualcosa. Mosse era un duro, tantopiù avendo alle spalle quell'altro, il generale Parker, il padre della ragazza uccisa. Quello sì che doveva essere davvero un pezzo grosso. Sicuramente era lui il proprietario della borsa che Mosse teneva in mano, quello che provvedeva a riempirla quando il povero Laurent la svuotava.

In ogni caso, aveva accolto la sua scarcerazione con un sospiro di sollievo e un rinnovo della speranza. La speranza si era tramutata in autentico senso di trionfo quando aveva ricevuto una seconda e-mail, che come la prima portava la firma dello zio d'America, che gli fissava un appuntamento.

Non si era chiesto cosa volesse da lui, ora che l'identità dell'assassino era stata finalmente scoperta. L'unica cosa che gli interessava era che il flusso di denaro diretto verso le sue tasche non si interrompesse.

Aveva ancora negli occhi l'espressione sospettosa di Maurice quando aveva finalmente saldato il suo debito. Aveva guardato il denaro che gli aveva gettato sulla scrivania, nell'ufficio sul retro del Burlesque, il suo squallido night-club di Nizza pieno di puttane da quattro soldi, come se fosse falso.

Se si era chiesto da dove venisse quel denaro, non ne aveva fatto parola.

Laurent se n'era andato con un'aria di derisione stampata sul viso, passando davanti a Vadim che portava ancora sul naso i cerotti a ricordo del suo incontro col capitano Ryan Mosse. Il sospetto che avesse la protezione di qualcuno ancora più pericoloso di loro gli aveva fatto abbandonare l'atteggiamento sprezzante che di solito tenevano nei suoi confronti.

Il signor Bedon ha pagato. Il signor Bedon è libero. Il signor Bedon vi manda tutti a fare in culo. Il signor Bedon se ne va da questo posto di merda.

Laurent sistemò la borsa che portava appesa alla spalla e si mosse. Attraversò in diagonale la piazza, diretto verso i giardini di fronte al casinò.

In giro c'era un sacco di gente. A parte la stagione e i turisti abituali, la storia del serial killer che si aggirava per Montecarlo aveva richiamato sul posto, oltre a un sacco di giornalisti, anche un numero incredibile di semplici curiosi. C'era l'animazione dei tempi migliori anche se, per uno strano bisticcio dialettico, la presenza di tutta quella vita era causata dalla presenza della morte.

Dappertutto non si parlava d'altro. Sui giornali, nelle radio, in televisione, nei salotti delle case la cui luce scendeva in strada dalle finestre aperte.

Gli arrivò di colpo davanti agli occhi il viso di Jean-Loup. Nonostante tutto il suo cinismo, non riuscì a trattenere un brivido. Essere vissuto per tanto tempo gomito a gomito con qualcuno capace di fare quello che aveva fatto lui, era un pensiero da far accapponare la pelle a gente con un pelo sullo stomaco ben più lungo del suo.

Quante persone aveva ucciso? Otto, se non sbagliava. No, nove, contando anche quel poveraccio del commissario Hulot. Cazzo. Un'autentica carneficina, fatta da un bel ragazzo dagli occhi verdi, dalla voce profonda e dall'aria riservata, che sembrava più indicato a essere inseguito da uno stuolo di donne arrapate che dalle polizie di tutta Europa.

Ricordò che era stato lui a far iniziare la carriera di Jean-Loup. Era stato lui a portarlo in radio solo per vedersi progressivamente messo da parte man mano che le doti del dee-jay venivano alla luce.

Adesso, anche in quella direzione le cose stavano cambiando.

Bikjalo, che sembrava uscito distrutto da quell'esperienza, era stato pesantemente ridimensionato dalla presidenza della radio. Ormai fumava una sigaretta russa via l'altra e parlava una lingua che pareva essere la stessa delle sue sigarette. Il presidente aveva chiesto a Laurent se se la sentiva di condurre *Voices* in prima persona. Gli avvenimenti non parevano aver deviato l'interesse del pubblico verso la trasmissione, che anzi aveva la possibilità di rinforzare gli ascolti, con quella strana morbosa alchimia che aleggia intorno ai fatti di sangue.

Bene, pezzi di merda, perché non chiamate il vostro Jean-Loup, adesso?

Lui, dal canto suo, aveva venduto a peso d'oro un'intervista in esclusiva a un settimanale e l'editore della rivista gli aveva versato un congruo anticipo per un *instant-book* a cui stava già lavorando intitolato *La mia vita con Nessuno*. Poi c'era stata, poco prima, la vincita inaspettata al Café de Paris. E la serata non era ancora finita...

Il fatto che Jean-Loup fosse ancora libero non lo preoccupava minimamente.

Quel ragazzo non era più un problema. Come diceva la polizia, la sua cattura era questione di ore. Dove poteva andare a nascondersi un uomo la cui foto era su tutti i giornali e in mano a ogni agente di polizia da lì a Helsinki?

La stella di Jean-Loup Verdier era tramontata per sempre.

Ora stava sorgendo il sole di Laurent Bedon.

Aveva persino scoperto, con sua grande sorpresa, che non gli importava più un fico secco nemmeno di Barbara. Che si tenesse pure il suo poliziotto, il suo cane da guardia. Laurent aveva capito che la sua ostinazione nei confronti della ragazza era solo motivata dal momento negativo. Probabilmente la vedeva come il simbolo del suo fallimento, la rappresentante più significativa dei rifiuti che la vita gli stava opponendo in quel momento.

Adesso era lui quello seduto su un piccolo trono ad avere in mano la facoltà di dire sì e no. La sola cosa che avrebbe desiderato, se una cosa poteva ancora volere da lei, era di vederla arrivare con la coda fra le gambe ad ammettere di aver commesso un grosso errore lasciandolo. Avrebbe voluto sentire la sua voce umiliata che lo pregava di perdonarla e riprenderla con sé.

Tutto questo solo per avere la possibilità sublime di gettarle in faccia la verità. Non aveva più bisogno di lei, ormai. Non avrebbe avuto bisogno di lei mai più.

Si sedette su una panchina sul lato destro del parco, la zona più in ombra. Accese una sigaretta e si appoggiò allo schienale guardando quel mondo che girava intorno a lui, finalmente senza sentirsi un componente abusivo.

Poco dopo la figura di un uomo arrivò dall'ombra alle sue spalle e venne a sedersi di fianco a lui. Si girò a guardarlo. I suoi occhi, quegli occhi che parevano senza vita come quelli di un animale impagliato, non gli incutevano timore. Per lui, quell'uomo significava solo altro denaro in arrivo.

«Buonasera, Laurent», disse l'uomo in inglese.

Laurent chinò leggermente la testa e rispose nella stessa lingua.

«Buonasera a lei. Sono lieto di vederla di nuovo in circolazione, capitano Mosse.»

L'altro ignorò completamente il senso di quel saluto. Passò in modo molto sbrigativo al motivo del loro incontro.

«Ha quello che le ho chiesto?»

Laurent mise sulla panchina fra di loro la sacca di tela cerata che aveva portato a tracolla fino a quel momento.

«Ecco qui. Non c'è tutto, ovviamente. Ho scelto un po' di materiale a caso. Se mi avesse detto a cosa le serve questa roba, avrei potuto...»

Ryan Mosse lo interruppe con un gesto. Ignorò la domanda implicita nella sua frase e gli mise davanti una valigetta ventiquattrore da pochi soldi.

«Qui dentro c'è quello che avevamo pattuito.»

Laurent afferrò la valigetta e se la mise sulle ginocchia. Fece scattare le serrature e sollevò il coperchio. Nella penombra, vide appoggiate sul fondo mazzette di banconote in misura sufficiente a ricoprirlo completamente. Laurent pensò che facevano una luce migliore di qualunque impianto di illuminazione.

«Va bene.»

«Non li conta?» chiese Mosse con un leggero tono ironico.

«Lei non ha modo di controllare qui il materiale che le ho portato io. Mi sembrerebbe una grossa caduta di stile non ricambiare la sua fiducia con la stessa fiducia.»

Il capitano Ryan Mosse si alzò in piedi. Lo scambio era concluso. Non era sicuramente il piacere della compagnia reciproca un motivo sufficiente per prolungare quell'incontro, né per lui né per Laurent.

«Arrivederci, signor Bedon.»

Laurent rimase seduto sulla panchina e fece un gesto con la mano.

«Arrivederci, capitano Mosse. È sempre un piacere trattare affari con lei.»

Rimase seduto a guardare la figura atletica dell'americano che si allontanava con il suo passo deciso, a cui i vestiti borghesi non riuscivano a togliere un connotato marziale. Restò in attesa sulla panchina finché non sparì alla vista. Era di ottimo umore. La serata era stata decisamente fruttuosa. Prima la vincita al casinò, a cui si era aggiunta la somma contenuta nella valigetta… Come dicevano i vecchi, soldo chiama soldo.

E sarebbe continuata così, ne era certo.

Diamo tempo al tempo, si disse. *Tempo al tempo.*

Una logica popolare diceva che anche un orologio fermo ha ragione due volte al giorno. I fatti stavano dimostrando che il suo orologio non era affatto fermo e aveva iniziato a segnare tempi migliori.

Si alzò dalla panchina e prese la valigetta, molto più leggera della sacca che aveva consegnato a Mosse, ma che lui sentiva *molto* più pesante. Rimase un istante a riflettere. Per quella sera, basta Café de Paris. Non si poteva chiedere troppo alla fortuna nello stesso giorno. Era salito fino alla piazza del Casinò grazie a un passaggio di Jacques, il fonico. Poteva prendere un taxi o poteva scendere a piedi fino al porto, bere qualche bicchiere allo Stars 'n Bars, prendere la sua automobile nuova di zecca dal parcheggio sotto la radio e tornare a Nizza. Non era la Porsche che avrebbe voluto, ma era solo questione di saper aspettare. Per ora era più che sufficiente a evitargli di andare al lavoro con i mezzi pubblici, partendo dalla sua nuova abitazione vicino a Place Pellegrini, nella zona dell'Acropolis, un appartamento piccolo ma elegante che aveva appena preso in affitto. Ironia della sorte, era poco lontano dalla sua vecchia casa, quella che gli aveva portato via Maurice, che il colera lo prendesse dove stava.

Guardò l'ora. Era ancora presto e la notte era lunga.

Laurent Bedon si incamminò senza fretta verso l'Hotel de Paris col passo leggero dell'uomo pieno di ottimismo, pensando che per il resto della serata avrebbe seguito l'ispirazione del momento.

50

Remy Bretecher mise il casco in testa e sollevò con il piede il cavalletto laterale della moto. Nonostante la strada in discesa, non faceva alcuna fatica a reggere la Pegaso. L'eccitazione che si sentiva addosso gli avrebbe fatto reggere il peso della sua Aprilia con una gamba sola. Aveva parcheggiato la moto sulla piazza del Casinò, nel parcheggio riservato ai motocicli davanti all'Hotel Metropole, sul lato destro. Attraverso la visiera sollevata, teneva sotto controllo il suo uomo che stava attraversando i giardini e che adesso era arrivato all'altezza della fontana. Remy non era nuovo a un certo tipo di pedinamenti. Di solito i sui luoghi d'azione erano altrove, il Casinò di Mentone o di Nizza per esempio, o altre piccole case da gioco presenti un po' dappertutto sulla costa. Talvolta arrivava addirittura fino a Cannes. Montecarlo, per un certo tipo di attività, era da considerare *off-limits*. Troppo pericoloso, troppo chiuso e troppa polizia efficiente in giro. Remy sapeva benissimo che, mescolati agli abituali clienti, nelle sale da gioco c'era un numero esagerato di agenti in borghese.

Quella sera era lì come semplice turista. Era venuto a curiosare un po' in giro, a vedere che aria tirava nel Principato con quella storia del serial killer in circolazione. Era entrato al Café de Paris quasi per caso ed era stata solo la forza dell'abitudine che gli aveva fatto notare quel tipo con la faccia da sifilitico e l'aria strafottente che aveva preso tre pieni successivi alla ruota dimostrando un culo da lotteria nazionale.

Senza parere, lo aveva seguito alla cassa e aveva visto l'ammontare del *magot* che si era infilato nella tasca interna della giacca. Questo aveva immediatamente trasformato una serata di vacanza in una serata di lavoro. In realtà, Remy faceva il meccanico in un'officina specializzata nella preparazione e nella personalizzazione di motociclette alla periferia di Nizza. Era talmente bravo con i motori che il signor Catrambone, il suo datore di lavoro, aveva chiuso un occhio sui suoi trascorsi. Infatti, quella a cui si stava dedicando in quel momento e che si poteva definire un'attività part-time del giovanotto, gli aveva fruttato quando era minorenne un paio di soggiorni in riformatorio. Esperienze giovanili dovute a una sostanziale mancanza di esperienza, bisticcio di parole a parte. Per il momento, fortunatamente, ancora nessun soggiorno nelle patrie galere. I tempi moderni, d'altronde, consideravano lo scippo un peccato veniale, e Remy era abbastanza furbo da non usare armi nel corso dei suoi «contatti di lavoro», come li definiva lui. Tutto sommato, il gioco valeva la candela e i fatti lo stavano dimostrando. Bastava fare le cose con un po' di sale in zucca e un secondo stipendio non dava fastidio a nessuno.

Ogni tanto, quando *sentiva* la serata giusta, andava a gironzolare per i casinò adocchiando i giocatori solitari che arrivavano a vincere grosse somme. Li seguiva all'uscita e poi gli andava dietro con la moto. Se si allontanavano in macchina la cosa era un po' più complicata. Doveva pedinarli fino a casa e se avevano un box interno tutto finiva in un nulla di fatto. Guardava la macchina sparire oltre un cancello o giù per la discesa di un garage con gli stop dei freni che si accendevano a indicare una serata buca. Se parcheggiavano in strada, invece, era fatta. Li raggiungeva mentre erano in piedi davanti alla porta d'ingresso del palazzo e cercavano le chiavi di casa. Tutto succedeva in un attimo. Si presentava con il casco in testa, una mano nella tasca del giubbotto e intimava loro di cacciar fuori i soldi. La mano in tasca poteva essere un semplice bluff o poteva nascondere *veramente* la presenza di una pistola. Quelle che lui trattava, non erano di solito somme per cui uno si sentiva di giocarsi la vita pur di evitare il furto. Questo deponeva a favore della consegna dei soldi al nuovo proprietario.

Quindi una veloce fuga in moto e tutto era finito. Rimaneva la sorpresa di verificare, dopo, al sicuro, qual era il significato economico di quella transazione tipo Bancomat.

Quando invece il «cliente» si allontanava a piedi, bastava aspettare il momento giusto – zona con poco traffico, niente *flics* in vista e possibilmente illuminazione scarsa – e poi la modalità era la stessa. Anzi, sovente molto più veloce.

Visto che si occupava di gente che frequentava i casinò, Remy si era chiesto più di una volta se il suo non fosse una specie di vizio del gioco, una forma deviata di dipendenza dal tavolo verde, con annessi e connessi. Era arrivato infine alla conclusione di potersi considerare una sorta di guaritore per quelli che ne erano affetti, la dimostrazione vivente che la farina del diavolo va tutta in crusca.

Una specie di autoassoluzione, insomma.

Il fatto di doversi considerare un volgare delinquente non gli era mai neanche passato per il cervello.

Premette il pulsante dell'avviamento e il motore dell'Aprilia si avviò docile, ronfando sommesso ma con un rumore pieno anche al minimo. Sperò che il suo uomo non fosse diretto verso la stazione dei taxi di fianco all'Hotel de Paris. Questo avrebbe semplificato leggermente le cose, perché un uomo in taxi significava niente parcheggio in un box sotto casa. Però poteva anche comportare che la serata non era ancora finita, rischio sempre presente. Di solito i giocatori in grana finivano per spendere le loro vincite in malo modo, in uno dei tanti night di cui Nizza era un campionario incredibile e che nella maggioranza dei casi erano dei postriboli legalizzati. Pagavano da bere a destra e sinistra e alla fine offrivano a un'*entraîneuse*, per un pompino in un *séparé*, una cifra con cui una famiglia di tre persone avrebbe vissuto una settimana. Gli sarebbe spiaciuto che il frutto di tanta fortuna finisse giù per la gola di una mignotta.

Sollevò con il piede il pedale del cambio, mise la prima e si mosse, arrivando a incrociare il suo uomo mentre attraversava la piazza all'altezza dell'aiuola centrale. Si fermò e rimise la moto sul cavalletto. Scese come se dovesse controllare qualcosa nel bauletto appeso sul parafango posteriore.

Vide con sollievo che l'uomo superava l'unico taxi fermo in attesa. Se si avviava giù verso Sainte-Dévote, sarebbe stata una fortuna incredibile. Quella zona era di solito poco trafficata dai pedoni, specie a quell'ora, e poteva uscirne un lavoretto rapido e pulito, tantopiù che avrebbe potuto imboccare immediatamente la strada che portava verso Nizza e sparire su per una delle tre *corniches*.

Remy era particolarmente elettrizzato da questo lavoretto imprevisto. Uscendo dal Café de Paris, aveva seguito la sua vittima a piedi attraverso i giardini. L'uomo si stava avviando in una direzione che lo avrebbe portato a pochi metri dal posto dove aveva parcheggiato la moto. Poteva addirittura lavorarselo lì, nella penombra di quella zona. Non sarebbe stato male fare il lavoro subito sul posto, avendo la possibilità di saltare sulle sue due ruote in pochi secondi e sparire in un attimo.

Aveva visto l'uomo sedersi su una panchina e aveva tirato dritto, senza farsi vedere, perché un'altra persona era venuta a sedersi di fianco a lui. Fra i due c'era stato un movimento strano. Quello che aveva seguito per primo, quello con la faccia da morto, aveva dato all'altro una sacca che portava a tracolla e ne aveva ricevuto in cambio una valigetta ventiquattrore.

La cosa puzzava parecchio. O profumava, a seconda dei punti di vista. C'era l'eventualità, neppure troppo remota, che quella valigetta contenesse qualcosa di prezioso. Questa sensazione positiva, sommata ai soldi che gli aveva visto incassare al Café de Paris, poteva mettere quella serata al top assoluto d'incasso nel suo personale Guinness dei primati.

Ultimato lo scambio, quando i due si erano separati, aveva perso l'attimo. Da destra era arrivato un gruppo di persone che scendeva verso il casinò. Remy si era chiesto se agire lo stesso. Anche se la sua vittima avesse chiesto aiuto, cosa di cui dubitava, di solito nessuno si immischia in certe faccende. Quando è in corso una rapina, la gente ha la tendenza immediata a farsi diabolicamente i fatti suoi. Non per niente nei corsi di autodifesa insegnano che, quando si è vittima di un furto, non conviene mai gridare «al ladro», parola magica che di colpo fa vedere solo schiene di gente che si allontana il più in fretta possibile. In quel caso è molto meglio gridare «al fuoco» se si vogliono vedere le facce di persone che arrivano in soccorso.

Remy sapeva benissimo che gli eroi non nascono sotto i cavoli. Comunque, ci può sempre essere l'eccezione che conferma la regola e non se l'era sentita di rischiare fino a quel punto.

Avviò la moto e tagliò per Avenue des Beaux Arts per piegare a sinistra in Avenue Princesse Alice e cercare di ristabilire il contatto visivo con la persona in questione, che aveva imboccato Avenue de Monte-Carlo, la strada con la vista sul mare che confluiva in Avenue d'Ostende con quella che aveva preso lui.

Se non fosse stato impegnato nella guida della moto, Remy si sarebbe fregato le mani. Quel tratto di strada era praticamente deserto. Condizione ideale per gli animali come lui e la loro caccia per il cibo quotidiano.

Remy procedeva lentamente, in seconda, con la visiera del casco aperta, la lampo del giubbotto di pelle leggera slacciata a metà, come un normale turista in moto che volesse godersi senza fretta l'aria calda di quella sera d'estate.

Eccolo, il suo uomo. Procedeva senza fretta, fumando una sigaretta. Molto bene. All'inizio di Avenue d'Ostende, addirittura attraversò la strada e si venne a mettere sul lato del suo senso di marcia. Teneva persino la valigetta con la mano sinistra, posizione nettamente favorevole alle sue intenzioni. Remy non credeva ai suoi occhi. Se avesse scelto lui stesso le condizioni, non avrebbe potuto ottenere di meglio. Pensò che il suo prossimo cliente si era decisamente scoppiato tutta la sua dose di fortuna con la vincita al Café de Paris, per quella sera.

Vista la situazione, pensò che in quell'azione avrebbe dovuto essere un po' meno delicato del solito. D'altronde, se non vai alla stazione il treno non lo prendi, come diceva sempre il suo padrone, il barbuto signor Catrambone.

Tirò un respiro profondo e decise che era ora. Puntò lo scalino del marciapiede con la ruota anteriore e con una spinta verso l'alto sul manubrio l'aiutò a superare l'ostacolo.

Si trovò con la moto dietro alla sua vittima, che proprio in quel momento gettava via il mozzicone della sigaretta. Bisognava spicciarsi, prima che decidesse di cambiare la mano che reggeva la valigetta. Remy accelerò di colpo e arrivò alle spalle dell'uomo che, sentendo il rumore del motore, girò istintivamente la testa. Il pugno di Remy gli arrivò sul lato sinistro della faccia, tra il naso e la bocca.

Quel poveraccio, forse più per la sorpresa che per la botta, cadde a terra tenendo tuttavia la valigetta ben stretta nella mano. Remy inchiodò la moto, facendo leggermente sbandare la ruota posteriore.

Mise la moto sul cavalletto laterale e scese veloce come un gatto. In previsione delle sue necessità, aveva modificato il meccanismo in modo che il motore non si spegnesse automaticamente quando tirava giù la leva.

Si avvicinò all'uomo a terra, la mano sinistra in tasca che spingeva in fuori la pelle del giubbotto.

«Non ti muovere o sei morto.»

Remy si piegò sulle ginocchia, gli infilò una mano nella giacca e tirò fuori il fascio di banconote che trovò nella tasca interna. Non fu molto delicato in questa operazione e sentì il tessuto leggero della fodera che si lacerava. Senza nemmeno guardarli, infilò i soldi nel giubbotto. Si rialzò in piedi e tese una mano verso l'uomo a terra.

«Molla la valigetta.»

Quel tipo aveva già per conto suo una faccia malaticcia e un fisico da mezza sega. Adesso, con il naso tutto imbrattato di sangue, sembrava ancora di più uno in procinto di rendere l'anima a Dio.

Chi se lo sarebbe mai immaginato che era in grado di abbozzare una reazione? Finora era successo tutto con una rapidità tale che non aveva avuto modo di rendersi conto della situazione. Quando realizzò infine quello che stava succedendo, che quel tipo con la motocicletta e il giubbotto di pelle lo stava rapinando, si rialzò in piedi di scatto e sferrò un colpo con la valigetta sul casco di Remy.

Il ragazzo pensò che l'uomo non era di certo uno con le palle. La sua reazione era dettata dall'istinto e non da una capacità precisa di difendersi. Era semplice panico e basta. Se invece di menargli la botta sul casco integrale, col solo risultato di fargli deviare la testa di lato, gli avesse infilato la valigetta fra le gambe con la stessa violenza, gli avrebbe di sicuro spappolato i coglioni.

Remy era un ragazzo robusto, molto più robusto della sua vittima. Colpì l'uomo con un pugno esattamente nello stesso punto in cui lo aveva colpito prima. Sentì un dente scricchiolare. Se non avesse avuto la protezione dei guanti, si sarebbe fatto addirittura male alla mano.

In quel momento, per fortuna, non c'erano altre persone in giro a piedi in quel tratto di strada, ma era passata una macchina dall'altra parte, in salita. Uno dei passeggeri si era girato a guardare. Se aveva capito quello che stava succedendo e arrivava in piazza del Casinò dove c'era sempre qualche poliziotto, la faccenda poteva avere degli sviluppi poco confortanti. Doveva sbrigarsi.

Nonostante il secondo pugno, l'uomo ancora non aveva mollato la presa sulla valigetta. I due colpi però lo avevano rintronato notevolmente. Adesso il naso gli pisciava sangue in modo deciso, andando a imbrattare di rosso la giacca e la camicia. Aveva le lacrime agli occhi, sia per le botte sul naso sia per la rabbia.

Remy afferrò il manico della ventiquattrore, tirò con tutta la sua forza e riuscì a strapparglielo di mano. Si girò e si diresse verso la moto. La sua vittima trovò la forza, forse nella disperazione, di gettargli le braccia al collo e aggrapparsi alle sue spalle.

Remy cercò di scrollarselo di dosso, senza riuscirci.

Gli sferrò un colpo col gomito nello stomaco. Sentì il braccio affondare con violenza nella carne molle mentre l'uomo aggrappato alle sue spalle emetteva un violento soffio d'aria dalla bocca. A Remy ricordò il rumore di un palloncino che si sgonfia di colpo.

Sentì il peso dell'uomo abbandonargli le spalle. Si girò e lo vide piegato in due, che si comprimeva lo stomaco con le braccia. A scanso di ogni sorpresa, gli diede una spinta, non un calcio, una semplice spinta col piede su una spalla per allontanarlo da lui.

L'uomo scivolò all'indietro oltre il bordo della strada e cadde sull'asfalto proprio mentre una grossa berlina scura stava arrivando giù da Avenue d'Ostende a velocità piuttosto sostenuta.

Laurent Bedon fu investito in pieno e per effetto del colpo fu scaraventato dall'altra parte della strada con il bacino e una gamba fratturata. La sua testa sbatté violentemente contro il bordo in pietra del marciapiede.

Morì sul colpo.

Non ebbe modo di sentire il rumore di una moto che si allontanava a tutta velocità, il grido isterico di una donna, lo stridere dei freni di un'altra macchina che inchiodava le ruote per non investire il suo corpo steso inerte sulla strada, in una pozza di sangue che iniziava lentamente ad allargarsi sull'asfalto sotto la sua testa.

Il caso, beffardo con i vivi come con i morti, alzò un improvviso soffio di vento. Galleggiando su quella brezza, un foglio di giornale arrivò a posarsi sul viso di Laurent, quasi a voler nascondere pietosamente il raccapriccio di quella morte ai presenti. Per ironia della sorte, proprio nella sera in cui iniziava a sentirsi qualcuno, al suo volto senza vita si sovrappose il volto di Jean-Loup Verdier, stampato a grandezza naturale sulla prima pagina di «Nice Matin».

Sotto c'era un titolo in nero, sottolineato da una riga rossa.

Il titolo diceva: *Il vero volto di Nessuno*.

51

Frank guardò rassegnato il fascio di dispacci sulla scrivania, nell'ufficio che era stato di Nicolas Hulot. Non riusciva a stare in quella stanza senza sentire in qualche modo la presenza dell'amico, senza provare la sensazione che se avesse girato la testa se lo sarebbe trovato alle spalle, in piedi accanto alla finestra.

Fece scorrere i fogli con le dita come si fa scorrere un mazzo di carte da gioco. Li aveva esaminati frettolosamente uno per uno ma non c'era niente di significativo.

La sostanza era che stavano ancora nella merda.

Passata l'esaltazione per la scoperta dell'identità di Nessuno, niente era cambiato. Quarantotto ore dopo aver scoperto *chi era*, nonostante tutti i loro sforzi, non erano ancora riusciti a scoprire *dov'era*.

Sguinzagliato sulle sue tracce c'era uno spiegamento di forze di cui non si ricordava l'eguale. Tutte le polizie dei Paesi confinanti erano in allarme, con le relative sezioni dai vari acronimi corrispondenti al VICAP, il reparto speciale dell'FBI che si occupava dei criminali violenti. Non c'era poliziotto in Europa che non avesse al seguito una serie di foto di Jean-Loup, al naturale e ritoccate col computer, secondo i possibili mutamenti che poteva apportare al proprio aspetto fisico. Le strade, i porti e gli aeroporti pubblici e privati erano pieni di posti di blocco. Non c'era auto che non fosse controllata, non c'era aereo in partenza i cui passeggeri non fossero messi sotto esame, non c'era imbarcazione da diporto che non fosse ispezionata.

L'Europa meridionale era setacciata praticamente palmo a

palmo. Tutti i mezzi conosciuti per dare la caccia a un uomo erano impiegati nella ricerca. Per un criminale che aveva impressionato l'opinione pubblica in modo sensazionale occorreva una dimostrazione di forza altrettanto sensazionale. E in quell'occasione aveva capito l'effettiva influenza del Principato di Monaco. Qualcuno lo poteva pure giudicare uno Staterello da operetta, ma era un giudizio tanto frettoloso quanto sbagliato.

Eppure, si trovavano ancora di fronte a un nulla di fatto.

Jean-Loup Verdier, o come diavolo si chiamava, sembrava volatilizzato. Questa, paradossalmente, era una prova a discarico per la polizia di Montecarlo. Se quell'uomo riusciva a tenere in scacco tutti quanti, se nessuno era ancora riuscito a mettergli un paio di braccialetti ai polsi, significava che avevano di fronte un essere dall'intelligenza *molto* superiore alla media. I parziali insuccessi fino a quel momento, in qualche modo, erano giustificati. La filosofia del «mal comune mezzo gaudio» si poteva applicare con una certa efficacia anche a quella collettiva battuta di caccia. Frank pensò che entro poco la loro disperazione li avrebbe indotti persino a ricorrere a qualche medium, pur di ottenere un risultato qualsiasi.

La casa in cui Jean-Loup aveva abitato, su a Beausoleil, era stata praticamente rivoltata e passata meticolosamente al setaccio senza ricavarne una pur esile traccia.

Erano riusciti ad avere qualche notizia sul suo passato seguendo le indagini di Hulot, grazie alle informazioni che Morelli aveva fornito a proposito del numero di telefono di cui il commissario aveva chiesto notizie. Il guardiano del cimitero di Cassis aveva confermato di aver parlato con Nicolas della storia della Patience e di quello che era successo in quella casa. Avevano capito che con tutta probabilità proprio lì, nel cimitero, era stato intercettato e rapito dal suo assassino.

Attraverso la polizia francese avevano indagato su Marcel Legrand, fino a quando non si erano trovati davanti a un muro. Legrand in passato aveva fatto parte dei servizi segreti e il fascicolo col suo nome aveva stampato il marchio «top secret». Frank aveva scoperto, suo malgrado, come il top secret dei servizi francesi fosse molto meno elastico di quello di Pierrot.

Tutto quello che erano riusciti a sapere era che a un certo punto Legrand aveva abbandonato il servizio attivo e si era ritirato in Provenza a vivere nell'isolamento più completo. C'era in ballo un complicato movimento di diplomazie e segreti di Stato, in quel momento, per cercare di aggirare certi ostacoli e abbattere certi muri. Ma se Legrand rappresentava per qualcuno uno scheletro in un armadio, sarebbe stato molto difficile convincere quel qualcuno ad aprire quell'armadio.

D'altronde, niente poteva essere trascurato, che venisse dal passato o dal presente. Nessuno era pericoloso e la sua libertà rappresentava un pericolo di vita per ogni persona che fosse venuta a contatto con lui.

Prima uccideva in preda ai suoi deliri ma seguendo schemi che parevano estremamente rigorosi. Adesso era in guerra per garantirsi la sopravvivenza e chiunque per lui rappresentava un nemico. La facilità con cui si era sbarazzato dei tre agenti a casa sua la diceva lunga sulle sue effettive capacità. Quello non era solo un innocuo dee-jay di una radio, un bel ragazzo abituato a trasmettere musica e a rispondere a telefonate del pubblico. All'occorrenza sapeva trasformarsi in un combattente di prim'ordine. C'erano i cadaveri di tre agenti di polizia perfettamente addestrati che lo potevano testimoniare.

In tutto quel casino, Frank aveva cercato di cacciare in un angolo della mente il pensiero di Helena, senza per questo riuscirci. Sentiva la sua mancanza in un modo così vivo da provare quasi un dolore fisico, e saperla prigioniera nelle mani di quell'essere senza scrupoli che era suo padre non serviva di certo ad alleviare questa sensazione. Il senso d'impotenza lo stava portando lentamente a mollare tutti i freni inibitori di cui era in possesso. La sola cosa che lo tratteneva dal correre a casa sua e stringere le mani al collo del generale Parker fino a ucciderlo era la certezza che agendo in quel modo avrebbe solo peggiorato la situazione.

Eccomi qui. Questo sono ora. Un uomo seduto a una scrivania che non sa da che parte cominciare a dare la caccia ai suoi fantasmi.

Aprì un cassetto della scrivania e ci mise il mucchio di dispacci, sebbene fosse tentato di gettarli nel cestino della carta straccia. Sul piano di legno vide un floppy-disk che ci aveva messo quando aveva preso possesso dell'ufficio per la prima volta. Sull'etichetta c'era scritto «Cooper» con la sua calligrafia. Nella confusione di quegli ultimi giorni si era completamente dimenticato della telefonata di Cooper e dei controlli che gli aveva chiesto di effettuare a proposito di quel tipo, quell'avvocato, Hudson McCormack.

Non era il momento adatto per chiedere una cosa del genere, però ci doveva provare. Lo doveva a Cooper e a tutto quello che insieme avevano passato per mettere sotto chiave Jeff e Osmond Larkin.

Spinse il pulsante dell'interfono e chiamò Morelli.

«Claude, ti spiace fare un salto da me?»

«Stavo per venirci io. Arrivo.»

Dopo qualche istante l'ispettore entrò nell'ufficio.

«Prima che parli tu, c'è una cosa che ti devo dire io. Laurent Bedon è morto.»

Frank fece un salto sulla sedia.

«Quando?»

«Stanotte.»

Morelli mise avanti le mani per evitare una serie prevedibile di domande.

«No, niente a che vedere con la nostra storia. Quel poveraccio è morto durante un tentativo di rapina. Aveva vinto una bella somma al Café de Paris, ieri sera, e qualche rubagalline ha tentato di scipparlo, dietro la piazza del Casinò. Ha cercato di resistere, è caduto in strada ed è stato investito da una macchina. Il ladro è scappato in moto. Se il numero della targa che un testimone ha preso è giusto, lo becchiamo in poche ore.»

«Sì, però è un altro morto fra quelli coinvolti in questa storia. Cristo, sembra ci sia in aria una maledizione…»

Morelli risolse quel momento con un cambio di rotta.

«A parte questo fatto poco piacevole, che cosa volevi dirmi?»

Frank si ricordò del motivo per cui lo aveva chiamato.

«Claude, ho bisogno di un favore.»

«Dimmi.»

«È un'altra cosa che non c'entra niente con la nostra storia. C'è un uomo libero da mettere alle costole di un tizio sospetto?»

«Lo sai come siamo messi. Stiamo utilizzando anche gli accalappiacani, in questo momento…»

Frank gettò sul piano della scrivania il floppy.

«Qui dentro c'è la foto e il nominativo di qualcuno che potrebbe essere coinvolto in un'indagine che stavo seguendo con il mio partner, in America. Si tratta di un avvocato che, ufficialmente, si trova qui a Monaco per partecipare a una regata.»

«Penso si tratti della Grand Mistral. Roba grossa. Il porto di Fontvieille è pieno di barche.»

«Non so, non me ne intendo per niente. Questo tipo è l'avvocato di un grosso spacciatore che abbiamo beccato tempo fa. L'ipotesi è che sia qualcosa di più del suo avvocato e che non sia qui nel Principato solo per la regata. Mi sono spiegato?»

Morelli si avvicinò alla scrivania e prese il dischetto.

«Va bene, vedrò cosa posso fare, ma è un brutto momento, Frank. Non credo che ci sia bisogno che io te lo ricordi.»

«Già. È davvero un brutto momento… Silenzio assoluto?»

«Silenzio assoluto. Tutto tace. Dopo un attimo di luce, stiamo di nuovo dando la caccia alle ombre. C'è la polizia di mezza Europa che sta correndo dietro alla sua stessa coda e, come diceva il commissario Hulot…»

Frank finì la frase per lui.

«…sotto a una coda ci trovi solo un buco del culo.»

«Esatto.»

Frank inclinò all'indietro lo schienale della poltrona.

«Eppure, se ti devo dire una mia impressione… e bada bene, ti sto parlando di una semplice sensazione…»

Fece una pausa. Raddrizzò la poltrona e posò i gomiti sulla scrivania. Morelli si sedette sulla poltroncina davanti alla scrivania in attesa del seguito. Aveva imparato che le sensazioni dell'americano andavano valutate attentamente.

«Per me è ancora qui. Tutte le ricerche in qualunque parte della terra non servono a un cazzo. Nessuno non si è mai mosso dal territorio del Principato di Monaco!»

Morelli stava per ribattere, ma in quel preciso momento squillò il telefono. Frank guardò l'apparecchio come se ci fosse sospeso sopra un punto interrogativo. Al terzo squillo sollevò la cornetta. Lo investì la voce concitata del centralinista.

«Mister Ottobre, c'è *lui* al telefono! E ha chiesto espressamente di lei.»

Frank si sentì di colpo come se qualcuno gli avesse infilato il tubo di un compressore nello stomaco. C'era solo una persona che in quel momento potesse essere definita usando semplicemente il pronome *lui*.

«Passamelo. E registra la chiamata.»

Frank premette il pulsante del viva voce, in modo che anche Morelli potesse sentire. Indicò all'ispettore l'apparecchio con un gesto imperioso dell'indice della mano destra.

«Pronto?»

Ci fu un istante di silenzio, poi una voce conosciuta si sparse nell'ufficio.

«Pronto, sono Jean-Loup Verdier...»

Morelli si alzò dalla poltrona come se fosse diventata di colpo rovente. Frank gli fece un gesto roteando nell'aria il dito con cui aveva indicato il telefono. Morelli gli rispose mostrandogli la mano chiusa a pugno col pollice sollevato verso l'alto e uscì di corsa dalla stanza.

«Sì, sono Frank Ottobre. Dove sei?»

Una piccola pausa, poi di nuovo la voce profonda del dee-jay.

«Niente chiacchiere inutili. Non mi serve qualcuno che cerchi di parlare con me. Mi serve qualcuno che mi ascolti. Se mi interrompi, chiudo la comunicazione...»

Frank rimase in silenzio. Qualsiasi cosa pur di tenerlo all'apparecchio, in modo che gli uomini di sotto avessero il tempo di intercettare la telefonata.

«*Niente è cambiato. Io sono uno e nessuno e nulla mi potrà fermare. Per questo è inutile parlare con me. Tutto è come prima. La luna e i cani. I cani e la luna. Solo la musica non ci sarà più. Io sono ancora qui e tu sai benissimo cosa faccio. Io uccido…*»

La comunicazione si interruppe. In quel preciso istante Morelli rientrò come una furia.

«Ce l'abbiamo Frank. Chiama da un cellulare. C'è già una macchina che ci aspetta sotto, con un impianto di rilevazione satellitare.»

Frank si alzò e seguì Morelli di corsa per il corridoio. Scesero a piedi le scale facendo i gradini a quattro a quattro. Uscirono sparati come due proiettili dall'atrio, quasi gettando a terra due agenti che stavano salendo la scala in senso opposto.

Le portiere non erano ancora perfettamente chiuse che già la macchina era partita sgommando. Frank vide che l'autista era lo stesso del mattino in cui era stato scoperto il cadavere di Allen Yoshida. Era un ottimo guidatore e fu contento che ci fosse lui al volante.

Un agente in borghese era seduto sul sedile del passeggero e osservava un monitor posto davanti a lui su cui era riprodotta la pianta di una città. Al centro di una larga strada in riva al mare si vedeva un punto rosso.

Morelli e Frank si affacciarono nello spazio fra i due sedili anteriori, cercando di vedere quello che era possibile senza darsi fastidio a vicenda. L'agente indicò con il dito il punto rosso, che adesso si era messo in movimento.

«Quello è il cellulare da cui è partita la chiamata. Lo abbiamo identificato grazie alle coordinate satellitari. Si trova a Nizza, più o meno in Place Île de Beauté. Siamo fortunati. È una zona della città dalla parte dove stiamo arrivando noi. Prima era fermo: adesso si muove, ma dalla velocità con cui procede credo si stia spostando a piedi.»

Frank si girò verso Morelli.

«Chiama Froben, spiegagli la situazione. Digli che noi stiamo arrivando e che si muovano anche loro. Stai in contatto in modo da potergli comunicare gli spostamenti del soggetto.»

L'autista stava letteralmente volando.

«Come ti chiami?» gli chiese Frank.

L'agente rispose con voce calma, come se stesse andando tranquillamente a passeggio invece che sparato come un missile.

«Xavier Lacroix.»

«Bene Xavier, ti prometto che, se questa faccenda si conclude in modo positivo, farò di tutto per garantirti un futuro nel mondo delle corse.»

L'agente non disse nulla ma, forse per effetto del riconoscimento dei suoi meriti, premette ancora di più sull'acceleratore. Mentre Morelli parlava concitatamente con Froben, Frank tornò a occuparsi del punto rosso sul display. In quel momento stava lampeggiando.

«Che significa?»

L'agente rispose senza girarsi.

«Sta telefonando.»

«È possibile sentire quello che dice?»

«Con questo apparecchio no. È un semplice rilevatore di segnale.»

«Non importa. L'importante è sapere dove si trova quel pezzo di merda.»

Percorsero la *basse corniche* a una velocità che avrebbe destato l'invidia di un qualunque finlandese campione di rally. Il pilota – Frank lo riteneva assolutamente degno di questa definizione – conduceva quel bolide in mezzo al traffico delle vie cittadine con una freddezza che derivava da autentico talento.

«Froben chiede dov'è...»

«Sta risalendo Rue Cassini... Adesso si è fermato. Sta facendo un'altra telefonata.»

All'imbocco della piazza c'era un leggero ingorgo di traffico.

Lacroix l'aveva aggirato imboccando senza batter ciglio il tratto contromano e stava percorrendo Rue Cassini come se fosse in piena qualificazione per un Gran Premio. L'agente davanti al monitor dava le indicazioni per la loro macchina mentre Morelli le riferiva a quelle della polizia di Nizza.

«Gira di qui, a sinistra. Su per Emmanuel Philibert.»

«Emmanuel Philibert», ripeté la voce di Morelli.

«A destra, adesso. Rue Gauthier.»

«Rue Gauthier», fece eco Morelli.

Fecero la curva a destra praticamente su due ruote. Quando arrivarono al fondo della breve via, piena di macchine parcheggiate ai lati, alcune auto della polizia bloccavano l'incrocio con Rue Segurane, disposte a raggiera. I poliziotti in divisa formavano un capannello a pochi metri dalle auto. Uno stava tornando verso i mezzi, rinfoderando la pistola La loro macchina si bloccò vicino alle altre. Scesero a terra e in meno di un secondo raggiunsero i loro colleghi. Froben li vide arrivare. Guardò Frank e allargò le braccia con l'espressione di chi ha appena pestato una grossa merda.

In piedi in mezzo a tutti quei poliziotti c'era un ragazzino di una dozzina d'anni con una maglietta rossa, un paio di calzoni sotto il ginocchio che sarebbero stati perfetti addosso a Spike Lee e scarpe Nike ai piedi. Teneva in mano un cellulare.

Guardò a uno a uno i poliziotti, per niente intimorito. Fece un sorriso che mostrò una bocca con un incisivo spezzato e si lasciò scappare un commento entusiasta.

«Cazzo, forte!»

52

Erano quasi le due di notte quando Hudson McCormack costeggiò la banchina del porto di Fontvieille e si fermò davanti a un grande cabinato dai parabordi rivestiti di tessuto blu, ormeggiato fra due barche a vela che lo fiancheggiavano come due sentinelle. Scese dallo scooter e lo mise sul cavalletto prima di levarsi il casco. Aveva noleggiato quel mezzo, invece di una macchina, perché lo riteneva in assoluto il più adatto alle condizioni di traffico di Montecarlo. La città d'estate era un caos già per conto suo e, nonostante l'abbondanza di parcheggi, muoversi in automobile era un autentico supplizio.

Perdipiù, in occasione della regata, il porto di Fontvieille era un marasma indescrivibile di gente e di mezzi di supporto che andavano e venivano fra equipaggi, giornalisti, sponsor e loro rappresentanti, a cui si aggiungeva l'inevitabile corollario di semplici appassionati e curiosi.

Ogni spostamento diventava una specie di gimkana a tempo indeterminato e la moto era la soluzione migliore per sgusciare con facilità nel casino generale. In più, casco e occhiali erano una maschera sufficiente per evitare di essere riconosciuto e bloccato a ogni piè sospinto da qualcuno desideroso di sapere novità sulla loro barca.

Guardando l'enorme cabinato, Hudson McCormack ripensò all'eterna distinzione fra barche a vela e barche a motore, che da sempre opponeva in feroci discussioni da bar gli appassionati dell'una e dell'altra disciplina. Lui la riteneva una distinzione oziosa e sostanzialmente inesatta. *Tutte* erano barche a motore. Semplicemente, una barca a vela non aveva un propulsore di stampo tradizionale, non era un gioco di manovellismi, cilindri e pistoni e di carburanti piazzati da qualche parte sotto la carena. Il loro motore era il vento. Come tutti i motori, andava capito, analizzato, il suo pulsare regolato, bisognava sapere come sfruttarlo al meglio nella sua messa a punto naturale.

Quante volte, seguendo le gare automobilistiche di cui era appassionato, aveva visto il motore di un pilota esplodere con un'improvvisa fumata bianca, aveva visto la monoposto accostare mestamente al bordo della pista mentre tutte le altre la superavano, il pilota scendere dalla macchina e chinarsi a guardare verso il retrotreno per cercare di capire quale particolare l'avesse tradito.

Per loro era la stessa cosa. Anche uno scafo da regata era soggetto ai capricci del suo motore, il vento, che girava, cambiava direzione, aumentava o diminuiva a suo piacimento. Così, di colpo, senza preavviso, ci si poteva trovare con le vele flosce, mentre, a poche decine di metri, la barca avversaria procedeva a tutta velocità con lo spinnaker colorato così gonfio che pareva doversi rompere da un momento all'altro.

E qualche volta succedeva anche quello, che una vela si strappasse con un rumore che pareva quello dell'apertura di un'enorme chiusura lampo. Allora era il caos programmato, la concitazione del cambio della vela danneggiata, gli ordini dello skipper, le istruzioni del tattico, i membri dell'equipaggio che si muovevano come ballerini su un palcoscenico che rollava e beccheggiava.

Hudson McCormack non aveva una spiegazione personale per tutto questo, sapeva solo che lo amava. Non sapeva bene *perché* quando era in mare stava bene, ma non gliene importava assolutamente nulla.

La felicità non si analizza, si vive. Sapeva che quando era in barca era felice, e tanto gli bastava.

Gli arrivò di colpo l'eccitazione per la regata imminente. La Grand Mistral era una specie di anticipazione della Louis Vuitton Cup, che si sarebbe tenuta a fine anno. Era l'occasione in cui si scoprivano e si rimescolavano le carte. Gli equipaggi e le imbarcazioni, rapportandosi a vicenda, avevano modo di testare sul campo la validità degli scafi e delle novità studiate dai progettisti per essere sempre più competitivi. Si facevano i confronti e si tiravano le somme. C'era tutto il tempo per apportare le modifiche necessarie per quella che tutti ritenevano la regina assoluta delle regate, la più importante, la più prestigiosa.

Ci sarebbero stati tutti, alla Grand Mistral. Equipaggi conclamati e novità, *absolute beginners* come *Mascalzone Latino*, una nuova barca italiana. Unica assente di prestigio *Luna Rossa*, la barca sponsorizzata da Prada, che aveva deciso di proseguire gli allenamenti a Punta Ala.

Loro avevano piazzato la loro barca, *Try for the Sun*, con tutto il materiale, in un capannone sul mare attrezzato per l'alaggio e il varo, preso in affitto dalle parti di Cap Fleuri, a pochi chilometri da Fontvieille. Sul posto erano stati alloggiati gli inservienti e gli uomini di fatica, in una situazione un po' spartana ma funzionale, approntata in loco per tenere sotto controllo la barca ventiquattr'ore al giorno ed evitare che occhi indiscreti si posassero su certi dettagli che bisognava mantenere segreti. Nella vela come nell'automobilismo, un'idea rivoluzionaria poteva rappresentare la differenza fra il trionfo e la sconfitta. Le idee avevano il difetto intrinseco di essere facili da copiare, e ognuno cercava di tenere il più possibile nascosti i particolari di barche che erano le autentiche Formula Uno della vela.

Certo, avevano il vantaggio che gran parte della loro aerodinamica, per volerla chiamare così, era sommersa. Però, in un mondo di uomini, succedevano cose umane.

Esistevano i respiratori, esistevano le macchine fotografiche subacquee e c'erano al mondo tipi senza scrupoli. Qualcuno meno scafato – Hudson McCormack si complimentò con se stesso per la pertinenza di quel termine – avrebbe preso certi timori come eccessi di prudenza.

Invece erano cose che potevano capitare in un ambiente in cui c'erano in ballo interessi economici piuttosto rilevanti oltre che l'onore della vittoria. Non per niente, ogni mezzo di supporto aveva a bordo un respiratore ARO, di quelli che funzionavano a ossigeno e non ad aria, nati durante la seconda guerra mondiale e usati dagli incursori sottomarini. Erano costruiti sfruttando il ricircolo dell'anidride carbonica, secondo un sistema che permetteva di avvicinarsi alle navi nemiche senza rivelare la propria presenza con le bolle d'aria che salivano alla superficie...

Non c'erano più in giro gambe di legno, uncini o pezzuole nere sugli occhi. La bandiera nera col teschio e le tibie incrociate aveva smesso da tempo di sventolare sul pennone più alto, ma la filibusta continuava. I suoi figli erano ancora vivi e scorrazzavano ancora per i sette mari.

Non c'erano più re o regine a distribuire caravelle, solo sponsor a distribuire milioni di dollari. Altri uomini, altre barche, ma le motivazioni erano ancora le stesse. Semplicemente, avevano sostituito un sistema raffinato di previsioni del tempo a un dito umido di saliva per sentire la direzione del vento.

L'equipaggio di *Try for the Sun*, di cui lui faceva parte, era alloggiato sul grande yacht con i colori del loro sponsor, ormeggiato al porto di Fontvieille. Avevano scelto quella soluzione per motivi di rappresentanza. Il finanziatore di quell'avventura, il marchio di una multinazionale del tabacco, aveva l'intenzione di ottenere il massimo rientro pubblicitario possibile. Onestamente, con quello che sborsava, Hudson riteneva ne avesse anche il pieno diritto.

Già le foto dei membri dell'equipaggio erano apparse su tutti i più importanti settimanali del settore. Non c'era rivista, di vela o yachting, che non avesse pubblicato un servizio sulla loro barca e sui componenti dell'equipaggio, intervistati a uno a uno, forti delle loro precedenti esperienze.

In occasione del loro arrivo a Montecarlo erano state acquistate sui più importanti quotidiani pagine pubblicitarie che dovevano essere costate un occhio della testa. Hudson aveva notato con un certo compiacimento che le immagini riprodotte sulla umile carta dei giornali rendevano loro giustizia e non sembravano le solite foto prese dopo una retata di spacciatori. Lui in particolare era venuto decisamente bene. Si era trovato davanti il suo volto stampato sulla pagina con un sorriso aperto e naturale e non con una di quelle vuote espressioni da foto di matrimonio.

D'altronde, lui *aveva* effettivamente un viso e un sorriso così, di quelli che di solito non lasciano indifferenti il sesso femminile.

La serata di gala da cui arrivava ne era stata la dimostrazione lampante.

C'era stata la presentazione ufficiale della barca e dell'equipaggio allo Sporting Club d'Eté. Tutti i componenti la spedizione si erano presentati nelle loro divise colorate, molto più eleganti, secondo Hudson, degli smoking maschili e degli abiti da sera delle donne che si era trovato di fronte. A un certo punto, il conduttore della serata aveva chiesto un momento d'attenzione: un sapiente gioco di luci, una rullata a effetto del batterista dell'orchestra, e loro erano usciti di corsa dai due lati della sala e si erano disposti in una fila davanti al pubblico, mentre sul vidi-wall alle loro spalle scorrevano le immagini di *Try for the Sun* in allenamento, col sottofondo di *We Are the Champions* dei Queen, arrangiata per l'occasione sfruttando al massimo l'uso degli archi, che evocavano il soffio dell'aria nelle vele.

Erano stati presentati a uno a uno e avevano raccolto la loro personale razione di applausi mentre facevano un passo avanti nel momento in cui veniva pronunciato il loro nome. Uomini esperti, forti, agili e astuti: il meglio di quello che si potesse trovare in quello sport. Almeno, così erano stati definiti e, per un po', era bello crederlo.

Dopo la cena si erano trasferiti tutti in discoteca, al Jimmy'z. Erano degli sportivi e come tali di solito si comportavano. Il loro abito mentale e il loro atteggiamento potevano essere descritti in toto dal buon vecchio detto «Presto a letto, presto in piedi».

Il giorno dopo, tuttavia, non sarebbero usciti in mare, e i responsabili avevano pensato che un po' di misurata baldoria non poteva che giovare al morale della truppa.

Hudson mise la catena allo scooter. Una grossa catena ricoperta di plastica trasparente rossa, in tinta col colore della carrozzeria. Gli avevano assicurato tutti che Montecarlo non era un posto dove ci fossero da temere furti, ma l'abitudine era più forte di lui. Viveva da sempre a New York, dove c'era gente capace di sfilarti le mutande senza nemmeno sfiorarti i pantaloni. Un certo tipo di precauzioni non faceva parte delle sue abitudini, ormai faceva parte del suo DNA.

Rimase in piedi sul molo davanti al grande cabinato illuminato fiocamente dalle sole luci di servizio, sul quale non c'era nessun movimento. Si accese una sigaretta e sorrise. Chissà che avrebbero detto i boss della multinazionale che sborsava i quattrini per la barca, se avessero visto che fumava una marca di sigarette della concorrenza. Si allontanò di pochi passi, lasciandosi lo yacht alle spalle, per finire in santa pace la sigaretta. La persona che stava aspettando, se conosceva le donne, non sarebbe stata lì prima di mezz'ora, venti minuti se andava bene.

Aveva parlato per tutta la serata con Sereena, una ragazza neozelandese conosciuta per caso alla festa. Non aveva capito bene il motivo della sua presenza a Montecarlo, salvo il fatto che riguardava la regata. Non faceva parte dello staff di nessuna imbarcazione, che comprendeva di solito, oltre all'equipaggio vero e proprio e alle riserve, tutta una serie di figure utili e necessarie. Tecnici, progettisti, addetti stampa, preparatori atletici e massaggiatori.

Qualcuno si era portato al seguito persino uno psicologo. Si trattava di una barca non particolarmente competitiva, e la malignità generale aveva di fatto convenuto che la sua funzione non fosse tanto quella di gasare i ragazzi prima della regata, ma di consolarli dopo...

Probabilmente Sereena era solo una delle tante ragazze ricche che giravano il mondo grazie ai soldi della famiglia fingendo di interessarsi di questo o quello. Nella fattispecie, di vela.

*Sai, il vento fra i capelli e il rumore della prua che taglia le on-
de e quel senso di libertà che...*

Roba del genere, insomma.

Hudson di solito non era eccessivamente sensibile al fascino
femminile. Oddio, non che non gli piacessero le donne. Era un
fior di regolare, e una bella ragazza rappresentava sempre un bel
modo di passare il tempo, specie se era dotata del dono della scintilla, quella che fa l'uomo diverso dalla bestia. Aveva le sue storie
a New York, relazioni soddisfacenti ma di nessun impegno, secondo un tacito accordo mutualistico. Nulla che gli impedisse di
partire dall'oggi al domani in occasione di una regata senza dover
dare eccessive spiegazioni, senza lacrime e fazzoletti sventolati sul
molo da una ragazza che ti saluta con un'espressione accorata che
significa «perché mi fai questo?» Certo, le donne gli piacevano,
ma non si riteneva un assatanato, costantemente a caccia di trofei.

Però quella era una sera speciale. Insomma, le luci, la gente,
gli applausi, un po' di narcisismo del tutto comprensibile, se vogliamo...

Stava lì, impegnato in una delle cose che amava di più al mondo, in uno dei posti più belli del mondo. C'era di che farsi coinvolgere. Non si nascondeva che Montecarlo esercitava su di lui,
americano fino al midollo, un fascino al quale non riusciva a sottrarsi. C'erano la bellezza e la singolarità del luogo e poi tutte quelle storie di principi e principesse...

Inoltre gli occhi di Sereena non parevano del tutto privi dello
shining di cui sopra e nel contempo, da sotto il leggero vestito da
sera, un paio di tette da campionato faceva «ciao ciao» con la ma-
nina. Anzi, con i capezzoli.

C'era di che sorridere alla vita.

Avevano chiacchierato per un po' di vari argomenti. Prima di
tutto di vela, *of course*.

Soprattutto chiacchiere da molo, chi era chi e chi faceva cosa.
Poi il discorso si era spostato su un'altra faccenda, di cui Hudson
era vagamente al corrente, la storia di quell'assassino che si aggi-

rava per il Principato di Monaco sfigurando la gente. La ragazza era elettrizzata. Quella storia aveva *addirittura* fatto passare in secondo piano l'avvenimento della regata. Quel criminale aveva ucciso qualcosa come nove o dieci persone, non si sapeva bene. In quel momento era ancora libero, ecco il motivo della presenza ossessiva di tutta quella polizia in giro per la città.

Hudson aveva pensato istintivamente alla sua catena per lo scooter. Alla faccia del posto dove non c'erano da temere furti…

Man mano che approfondivano la loro conoscenza, nello sguardo di Sereena era comparsa una confortante espressione, molto biblica, che diceva «Bussate e vi sarà aperto». E Hudson, fra un bicchiere di champagne e l'altro, aveva bussato tenendo idealmente una Bibbia nell'altra mano. Dopo pochi minuti già si stavano chiedendo che cosa ci facevano lì, in mezzo a tutta quella gente di cui a loro non importava assolutamente nulla.

Ecco perché passeggiava avanti e indietro sul molo del porto di Fontvieille, a quell'ora di notte. Avevano lasciato la discoteca quasi subito dopo aver scoperto che il loro destino non riguardava più quel posto. Avevano deciso che lui sarebbe sceso al porto a mollare lo scooter e lei sarebbe passata in macchina a prenderlo. Sereena aveva dichiarato il possesso di un cabriolet e proposto un giro notturno per la costa.

Una specie di regata di terra, insomma, liberi e felici e con il vento nei capelli. Se conosceva gli uomini oltre che le donne, si disse, il loro tour sarebbe finito prima ancora di cominciare, nella camera dell'albergo di lei. Non che la cosa gli facesse dispiacere, anzi…

Gettò la sigaretta in mare e tornò verso il cabinato. Salì a bordo nel silenzio assoluto, sentendo la passerella di tek e alluminio cigolare al suo passaggio. In giro sulla barca non c'era nessuno. A quell'ora i marinai dormivano della grossa. Scese nella sua cabina, che stava proprio accanto a quella di Jack Sundstrom, lo skipper. Le due cabine a lato di quella di Jack erano state estratte a sorte e lui e John Sikorsky, il tattico, avevano perso. Jack era un ragazzo adorabile ma aveva un difetto mostruoso. Russava in un modo tale che pareva il sonoro di una gara di go-kart. Chiunque dormisse con lui o vicino a lui, se aveva il sonno leggero, doveva ricorrere ai tappi per le orecchie.

Dalla cabina di fianco non giungeva nessun rumore, segno che Sundstrom ancora stava alla festa oppure che era sveglio. Hudson si tolse la giacca della divisa ufficiale. Aveva intenzione di cambiarsi e mettersi addosso qualcosa di meno appariscente. Un conto era il contesto della serata, un altro conto andare in giro vestito con i colori di un pesce esotico in un acquario.

Mise un paio di calzoni di tela blu e una camicia bianca, che faceva risaltare l'abbronzatura. Decise che le scarpe potevano rimanere quelle. Era un tipo di calzatura da vela estremamente comoda e fresca. Non riteneva che la sua figura di americano andasse tanto puntualizzata da necessitare un paio di stivali da cow-boy.

Si diede una spruzzata di profumo. Si disse, guardandosi allo specchio, che il narcisismo era finito, ma un tocco di sana, onesta vanità maschile non poteva che dare pepe alla serata.

Scese dalla barca cercando di fare il minor rumore possibile. I marinai, quelli veri, quelli che lavorano sodo e guardano agli equipaggi delle barche da regata come delle checche viziate e sfaticate, di solito erano estremamente suscettibili nei confronti di chi disturbava il loro meritato riposo.

Si ritrovò sul molo, da solo.

Sereena aveva deciso, comprensibilmente, di passare in albergo a cambiarsi anche lei, prima di passare a prenderlo. Il vestito da sera e le scarpe col tacco alto non sembravano l'abbigliamento adatto al prosieguo della serata, in qualunque modo andasse a finire. Probabilmente il suo sano, onesto tocco di vanità femminile aveva altri parametri e necessitava di più tempo per essere soddisfatto.

Guardò l'orologio, poi scrollò le spalle. Decise che non c'era nessun motivo di tenere sotto controllo l'ora. Il giorno dopo avrebbe avuto l'intera giornata a disposizione e questo comprendeva una certa propensione alla pigrizia.

Fino a un certo punto...

Hudson McCormack si accese un'altra sigaretta. La sua permanenza a Montecarlo prevedeva anche incombenze non strettamente legate a quelle della regata. I classici due piccioni con una fava. Doveva parlare con certi direttori di banca e vedere un altro paio di persone che avevano la loro ragion d'essere, in Europa. Gente molto, molto importante per il suo futuro.

Si passò una mano sul mento ancora liscio dopo la rasatura accurata in occasione dell'evento mondano. Hudson McCormack sapeva bene quello che stava facendo ed era perfettamente conscio dei rischi che correva. Chiunque avesse visto in lui semplicemente un bel ragazzo americano, sano e atletico e appassionato di sport, avrebbe commesso un errore madornale. Dietro il suo aspetto accattivante si nascondeva un cervello brillante ed estremamente pratico.

Soprattutto quello: *estremamente pratico*.

Sapeva benissimo di non avere la stoffa per diventare un principe del foro. Non perché non ne avesse le capacità: semplicemente perché non aveva voglia di attendere. Non aveva voglia di dannarsi l'anima cercando di tirare fuori dalle patrie galere dei delinquenti che avevano tutte le ragioni per starci. Sospettava da tempo di aver seguito un corso di studi non particolarmente adatto alla sua natura, per cui non aveva alcuna intenzione di farsi il culo tutta la vita frequentando la feccia della società, di quale grado fosse non aveva importanza.

Non voleva aspettare di arrivare a sessantacinque anni per ritrovarsi a giocare a golf con dei vecchi rincoglioniti e pieni di soldi, facendo attenzione che non gli cadesse la dentiera sul *green* mentre stava pattando. Lui voleva le cose che gli interessavano *adesso*, a trentatré anni, ora che il corpo e la mente erano in grado di supportarlo nel soddisfacimento dei suoi desideri.

Hudson McCormack aveva un'altra freccia all'arco della sua filosofia di vita. Non era avido. Non gli interessavano le ville, gli elicotteri, le somme smodate di denaro, il potere. Anzi, per lui, tutte quelle cose rappresentavano più una specie di galera che un sinonimo di successo. I manager di portata stellare, quelli che dormivano due ore per notte e passavano le giornate a comperare e a vendere titoli o quant'altro da diversi telefoni, gli ispiravano un profondo senso di pena. Si ritrovavano quasi tutti in una sala di rianimazione per infartuati, senza sapere come ci erano finiti, a chiedersi come mai con tutto il loro potere e il loro denaro non riuscivano a comperarsi un altro po' di tempo.

Il giovane avvocato Hudson McCormack non trovava nessuna soddisfazione nel poter disporre del destino degli altri: gli bastava essere il solo padrone del suo.

E una barca a vela rappresentava in pieno il suo ideale di vita. Nel suo caso era davvero un fatto di vento nei capelli e di rumore della prua che tagliava le onde e di libertà di scegliere la rotta, una qualunque, secondo il capriccio del momento…

Gettò di nuovo la sigaretta in mare. Nel silenzio riuscì a sentire il leggero sfrigolio con cui si spense nell'acqua.

Per fare quello che aveva intenzione di fare gli servivano soldi. Molti soldi. Non una quantità enorme, di cui non avrebbe sentito il bisogno, ma una cifra sostanziale sì. E c'era un solo modo di procurarsela in fretta. Aggirare la legge. Questo era il termine che usava. Un leggero sofisma. Non *violare* la legge, ma *aggirarla*. Camminare sul filo, ai bordi, in modo da potersi voltare, se qualcuno lo chiamava, opponendo la miglior faccia da bravo ragazzo e rispondere con un'espressione innocente: «Chi, io?» Il rischio c'era, non poteva nasconderselo, ma lo aveva valutato in tutte le sue sfaccettature. Aveva esaminato la questione in lungo e in largo, dall'alto in basso e in diagonale: era un rischio tutto sommato accettabile. Certo, c'era una storia di droga di mezzo ed era un argomento su cui non si poteva scherzare. Tuttavia il caso specifico era particolare, *molto* particolare, come sempre succedeva quando c'erano di mezzo montagne e montagne di dollari.

Tutti sapevano benissimo dove veniva prodotta la droga e

dov'era raffinata e a cosa serviva. Interi Paesi basavano la loro economia su polverine varie, che nel posto d'origine costavano poco più del borotalco e nei posti di destinazione venivano vendute con un ricarico del cinque o seimila per cento.

Nel mezzo, i vari passaggi erano oggetto di una guerra tremenda, sotterranea ma non meno feroce e organizzata di quelle autentiche. C'erano soldati, ufficiali, generali e strateghi anche lì, che agivano nell'ombra ma che erano altrettanto abili e determinati. E come contatto fra i vari eserciti, c'erano persone che avevano fatto del riciclo di denaro legato a quei traffici la loro specializzazione professionale. Il mondo degli affari non era sofistico al punto da girare le spalle a chi si presentava tenendo in mano tre o quattro miliardi di dollari, quando non erano di più.

Volavano aerei con insegne di eserciti regolari, pagati con la droga. Con lo stesso sistema alcune marine militari pagavano il carburante dei loro cacciatorpediniere. Ognuna delle cartucce sparate da kalashnikov in mano a soldati più o meno regolari in certe parti del mondo, corrispondeva a un buco nel braccio di qualche tossico in altre parti del mondo.

Lo stesso mondo.

Hudson McCormack non era così ipocrita da nascondersi dietro a un dito. Sapeva che con quello che stava facendo entrava a pieno diritto nell'ampio numero delle facce di merda che stavano distruggendo quel pianeta. Era una constatazione semplice ma doverosa, e lui non aveva alcuna intenzione di sottrarsi al proprio implacabile giudizio. Era solo un fatto di stimoli, di pesi sulla bilancia. Quello che lui voleva, per il momento, stava su un piatto e aveva una consistenza maggiore di qualunque argomento lui potesse mettere sull'altro.

Aveva valutato attentamente la situazione, in lunghe sere passate nel suo appartamento, analizzando i fatti con la freddezza con cui si analizza il bilancio di una società regolare. Pensava di aver previsto tutto, di aver considerato tutto. Riteneva di aver quantificato in modo significativo e messo in lista anche un certo numero di imprevisti. Quali fossero, non era dato sapere. Non per niente si chiamano imprevisti.

Nel migliore dei casi avrebbe avuto a disposizione denaro a sufficienza per mettere a mare due cose: la sua coscienza e la barca che intendeva lui. Dopo di ciò, avrebbe girato il mondo a suo piacimento, libero come il vento. Il paragone, ben lungi da sembrargli banale, calzava a pennello. Nel peggiore dei casi, e si toccava i coglioni mentre lo pensava, le conseguenze sarebbero state tutto sommato accettabili. In ogni modo, non talmente disastrose da distruggere completamente la sua vita.

Si era lasciato più di una scappatoia, il che conteneva i rischi entro limiti accettabili, per quanto accettabile un rischio simile potesse essere. Come tutti, anche lui si era accorto di avere un prezzo. Tuttavia Hudson McCormack non era così corrotto e così avido da diventare temerario e alzare quel prezzo a un livello che non riusciva a sostenere.

Stava reggendo le fila di un gioco che avrebbe portato entro poco tempo, su un conto che aveva aperto alle Isole Cayman, il saldo del suo compenso, già accreditato per metà. Pensò a quello che glielo aveva versato, il suo cliente, Osmond Larkin, che in quel momento stava in carcere in America.

Quell'uomo lo disgustava profondamente. A ogni loro colloquio professionale aveva sentito il suo disgusto aumentare. Il suo viso dagli occhi porcini, crudeli, l'atteggiamento di chi si ritiene in credito col mondo, il tono arrogante di chi pensa sempre di essere più astuto di chiunque altro, avevano il potere di rivoltargli lo stomaco. Come tutte le persone che si ritengono furbe, Osmond Larkin era contemporaneamente anche uno stupido. Come tutti i furbi, non era riuscito a esimersi dall'ostentare la propria furbizia, e questo era il motivo per cui stava in galera. Hudson avrebbe voluto dirglielo in faccia, alzarsi dalla sala dei colloqui e andarsene. Se avesse seguito il suo istinto, avrebbe addirittura violato il segreto professionale e avrebbe detto lui stesso agli inquirenti quello che volevano sapere.

Ma questo non si poteva fare.

A parte i rischi personali che avrebbe corso e che avrebbe fatto correre alle persone che lo avevano aiutato a entrare in quel giro, significava prendere il telecomando e spegnere un televisore sul quale c'era l'immagine di una stupenda barca a vela che fendeva le onde con un bel ragazzo al timone...

No, niente da fare, nonostante l'avversione per Larkin. Qualcosa doveva pur sopportare, se voleva ottenere quello che desiderava.

Non tutto, si ripeté, *ma molto e subito*.

Ritornò verso il cabinato dello sponsor. Le numerose barche ormeggiate una di fianco all'altra erano immerse nella penombra, le più grandi con parte dell'illuminazione di servizio lasciata accesa, altre avvolte nel buio e nel riflesso delle altre luci.

Si guardò intorno. Il molo era deserto. I bar erano chiusi, le sedie di plastica impilate nei *dehors*, le tende da sole avvolte intorno ai loro supporti. Trovò strano quel fatto. Nonostante l'ora tarda, era estate, e le notti d'estate hanno sempre dei protagonisti estemporanei in scena. Soprattutto le notti in Costa Azzurra. Gli venne in mente la storia del serial killer che gli aveva raccontato Sereena. Che fosse quello il motivo della sua presenza solitaria sulla banchina? Forse nessuno aveva piacere di trovarsi in giro da solo, col rischio di fare incontri poco desiderabili. Si disse che di solito le persone, quando hanno paura, cercano il più possibile la compagnia degli altri, con l'illusione di proteggersi a vicenda.

In questo, Hudson si ritrovava a essere un perfetto abitante di New York. Nella città dove viveva lui, se ci si lasciava coinvolgere da pensieri come quelli non si sarebbe usciti mai di casa...

Sentì il rumore del motore di un'auto in avvicinamento e sorrise. Alla fine Sereena ce l'aveva fatta. Immaginò i capezzoli della ragazza solleticati dalle sue dita. Ebbe un piacevole senso di calore alla bocca dello stomaco e un soddisfacente riscontro sotto la lampo dei pantaloni. Aveva intenzione di chiederle con un pretesto qualsiasi di lasciargli guidare la macchina. Mentre aspettava, si era costruito nella testa un'immagine stilisticamente molto intrigante. Lui che percorreva col vento nei capelli la *haute corniche* immersa nell'oscurità, guidando lentamente una cabriolet fra l'aroma dei pini, mentre una simpatica ragazza neozelandese teneva la testa china sul suo grembo e il suo uccello in bocca.

Si mosse verso le luci della città, sullo sfondo, dall'altra parte del molo, per andarle incontro. Non sentì il passo dell'uomo che arrivava veloce alle sue spalle per il semplice fatto che pareva figlio del silenzio stesso.

Il braccio che gli cinse il collo, però, era fatto di ferro, e la mano che gli coprì la bocca sembrava costruita dello stesso metallo. Il colpo di coltello, vibrato dall'alto in basso, fu preciso e micidiale, come già era stato molte altre volte.

Gli spaccò il cuore di netto.

Il suo corpo atletico raddoppiò il suo peso e di colpo si afflosciò tra le braccia del suo assassino, che lo sostenne senza fatica.

Hudson McCormack morì con l'immagine della Rocca di Monaco negli occhi, senza vedere soddisfatta una sua piccola, ultima vanità. Non seppe mai come la sua camicia bianca, oltre all'abbronzatura, mettesse in risalto anche il rosso del suo sangue.

53

Helena, dal balcone della casa, rispose con un sorriso e un gesto della mano al cenno di saluto di suo figlio, che stava uscendo dal cancello del cortile insieme a Nathan Parker e Ryan Mosse. Il battente si richiuse con uno scatto secco e la casa rimase deserta. Dopo diversi giorni, era la prima volta che la lasciavano da sola e si era stupita non poco che questo succedesse. Suo padre seguiva un disegno di cui lei era a conoscenza ma che rimaneva abbastanza oscuro nei suoi contorni e nelle sue manifestazioni. Aveva sorpreso Nathan e il suo sgherro impegnati in una conversazione che era cessata di colpo al suo arrivo. Da quando era diventato palese il rapporto con Frank, la sua presenza era di colpo ritenuta sospetta o addirittura pericolosa. Neanche per un istante il generale aveva preso in considerazione l'eventualità di lasciarla da sola con Stuart. Per questo era rimasta in casa con l'unica compagnia della sua angoscia.

Prima di uscire, suo padre aveva dato un ordine a Ryan Mosse. Lui aveva staccato tutti gli apparecchi telefonici e li aveva chiusi a chiave in una stanza al piano terra. Helena non possedeva un cellulare. Nathan Parker le aveva parlato brevemente, con il tono che usava con lei e col mondo quando non ammetteva repliche.

«Noi usciamo. Tu resti qui, da sola. Serve che io dica qualcosa?»

Aveva interpretato il suo silenzio come una risposta affermativa.

«Bene. Ti ricordo una cosa, nel caso servisse. La vita di quell'uomo, quel Frank, dipende da te. Se tuo figlio non è così importante da indurti a ragionare, questa considerazione penso possa servire come deterrente per qualunque iniziativa avventata da parte tua.»

Mentre suo padre le parlava attraverso la porta aperta sul giardino, Helena poteva vedere Stuart e Mosse che lo stavano aspettando davanti al cancello.

«Fra poco ce ne andremo, appena finito quello che devo fare qui. Dobbiamo portare a casa il corpo di tua sorella, di cui non pare importarti molto. Quando saremo tornati in America, vedrai che le tue prospettive cambieranno, compresa questa stupida infatuazione per quella nullità…»

Quando era tornato da Parigi e lei aveva trovato il coraggio per gettargli in faccia la sua storia con Frank Ottobre, Nathan Parker era come impazzito. Non era sicuramente gelosia nei suoi confronti, non una gelosia di stampo tradizionale, quella comprensibile di un padre verso una figlia. Non era nemmeno l'attrazione abietta di un uomo verso la sua amante, in quanto, come aveva detto a Frank, erano anni che non la obbligava ad avere rapporti con lui.

Quel periodo, grazie a dio, sembrava finito per sempre. Bastava ripensasse per un solo istante alle mani di quell'uomo su di lei per provare un senso di schifo che ancora adesso, a distanza di anni, le faceva venire il desiderio impellente di lavarsi. Le sue *attenzioni* erano cessate subito dopo la nascita del bambino. Anzi, prima ancora, da quando gli aveva confessato fra le lacrime di essere incinta.

Ricordava gli occhi di suo padre quando gli aveva riferito la sua condizione e gli aveva comunicato che intendeva abortire.

«Cos'hai intenzione di fare?» aveva chiesto Nathan Parker con voce incredula, come se la sua intenzione e non la sua gravidanza fosse la cosa abominevole.

«Non lo voglio questo figlio. Non mi puoi obbligare a tenerlo.»

«Tu non puoi dirmi cosa posso e non posso fare. Sono io che lo dico a te. E tu non farai niente di niente. Capito? N-i-e-n t-e!» aveva scandito col volto a pochi centimetri dal suo.

Poi aveva emesso la sua condanna.

«Tu *avrai* questo bambino.»

Helena avrebbe voluto squarciarsi il ventre ed estrarre con le sue stesse mani sanguinanti quello che portava dentro. Forse suo padre, il maledetto padre di suo figlio, aveva sentito quei pensieri nella sua testa. Forse glieli aveva letti sul viso. Fatto sta che da quel momento in poi non era rimasta più sola un istante.

Per giustificare agli occhi del mondo la sua gravidanza e la nascita di Stuart, si era inventato quella storia assurda del matrimonio. Nathan Parker era un uomo potente, molto potente. Quando non c'era di mezzo la sicurezza nazionale, gli era praticamente tutto concesso.

Si era chiesta diverse volte come fosse possibile che nessuno di quelli che frequentavano suo padre avessero mai capito la vera portata della sua alienazione. Eppure erano uomini importanti, deputati, senatori, militari di pari grado, addirittura presidenti degli Stati Uniti. Possibile che nessuno di loro, mentre ascoltava le parole del generale Nathan Parker, eroe di guerra, avesse sospettato che quelle parole uscivano dalla bocca e dal cervello di un pazzo? Forse la spiegazione c'era ed era molto semplice: un banale *do ut des*.

Se anche al Pentagono o alla Casa Bianca erano a conoscenza dei risvolti poco edificanti della personalità del generale, finché le conseguenze restavano fra le sue mura domestiche potevano essere tollerate in cambio dei servigi che rendeva alla nazione.

Dopo la nascita di Stuart, *un maschio* finalmente, suo padre pareva aver esteso su loro due un senso di possesso che andava ben oltre le sue attitudini maniacali, il suo modo innaturale di amare. Madre e figlio non erano due esseri umani, ma una specie di proprietà personale. Li riteneva *cosa* interamente e totalmente sua. Avrebbe distrutto chiunque fosse arrivato a minacciare questa situazione che, nella sua alienazione lucida e totale, riteneva perfettamente legittima.

Per questo odiava Frank. Si era messo sulla sua strada, opponendogli una personalità altrettanto forte. Nonostante la storia che Frank aveva alle spalle, Parker capiva che la sua forza non era malata, ma *sana*. Non gli arrivava dall'inferno, ma dal mondo degli uomini. E come tale aveva osato contrastarlo, si era rifiutato di aiutarlo quando lo aveva cercato e lo aveva colpito quando avrebbe dovuto stare alla larga.

E soprattutto, *non aveva paura di lui.*

La prova dell'innocenza di Mosse e la sua scarcerazione, l'aver costretto l'agente dell'FBI Frank Ottobre ad ammettere pubblicamente di aver sbagliato, era stato un fatto vissuto da Nathan Parker come un successo personale. Ora mancava la cattura dell'assassino di Arijane per decretare il suo trionfo assoluto. Ed Helena non aveva dubbi sul fatto che ci sarebbe riuscito. In ogni caso ci avrebbe provato.

Helena pensò alla povera Arijane. La vita della sorellastra non era stata molto migliore della sua. Lei e Arijane non erano figlie della stessa donna. La madre di Helena, che non aveva praticamente conosciuto, era morta di leucemia quando lei aveva tre anni. A quel tempo le cure per quel tipo di malattia erano ancora approssimative, e nonostante i mezzi economici di cui disponeva il marito, in poco tempo se n'era andata. Di lei erano rimaste delle foto e qualche film in superotto, poche immagini dai movimenti un po' meccanici di una donna bionda ed esile, dal viso dolce, che sorrideva con in braccio una bambina piccola, di fianco al marito-padrone in uniforme.

Ancora adesso Nathan Parker parlava della sua morte come di un affronto del destino. Helena aveva l'impressione che il padre, se avesse dovuto sintetizzare i suoi sentimenti a proposito della scomparsa della moglie, avrebbe usato un'unica parola: *intollerabile*.

Lei era cresciuta da sola, in compagnia di uno stuolo di governanti che si avvicendavano a ritmo sempre più serrato man mano che lei cresceva. Era una bambina e non aveva motivo di sospettare che quelle donne, appena respirata l'atmosfera della casa, appena scoperto chi era *veramente* il generale Parker e quello che ci si poteva aspettare da lui, nonostante lo stipendio più che buono se ne andavano di loro spontanea volontà, chiudendosi alle spalle la porta con un sospiro di sollievo.

Poi, senza alcun preavviso, Nathan Parker era tornato da un lungo periodo in Europa come comandante di qualcosa relativo alla NATO, portando come souvenir una nuova moglie, Hanneke, una tedesca bruna dal corpo statuario e gli occhi verdi e freddi come il ghiaccio. Suo padre aveva trattato la faccenda nel solito modo sbrigativo. Le aveva presentato quella donna dalla pelle levigata e pallida, una perfetta estranea, come la sua nuova madre. E quello era rimasta per sempre. Non sua madre, ma una perfetta estranea.

Poco dopo era nata Arijane.

Tutto preso dalla sua carriera che procedeva a gonfie vele, il generale aveva abbandonato la cura della casa nelle mani di Hanneke, che la gestiva con lo stesso gelo che sembrava percorrerle le vene. I rapporti fra di loro erano improntati a una formalità a volte addirittura stucchevole. Ad Helena non era permesso di vedere la sorella come una bambina. Arijane era un'altra piccola persona estranea che divideva la stessa casa, non una compagna che poteva aiutarla a crescere e che poteva aiutare a crescere. Per questo c'erano le governanti, le tate, le istitutrici e gli insegnanti privati.

Poi, quando Helena era entrata in una splendida adolescenza, c'era stato l'episodio di quel ragazzo, Andrés. Era il figlio di Bryan Jeffereau, il vivaista che si occupava della manutenzione del parco intorno alla grande casa dei Parker. D'estate, nella pausa della scuola, lavorava con gli operai per «farsi le ossa», come diceva con orgoglio il padre quando ne parlava con Nathan Parker. Il generale era d'accordo sull'argomento e aveva definito più volte Andrés «un bravo ragazzo».

Dal canto suo Andrés era un tipo timido, che la guardava di nascosto da sotto la visiera del berretto da baseball che portava per ripararsi dal sole mentre trascinava sul cassone del pick-up i rami potati da portare via.

Helena aveva notato i suoi approcci maldestri fatti più che altro di sguardi e sorrisi imbarazzati. Li aveva accettati senza dare riscontri in cambio, ma dentro di sé si era sentita avvampare. Andrés non era quello che si dice un bel ragazzo. Era un tipo come ce ne sono tanti, né bello né brutto, con un modo di fare che diventava di colpo goffo e inconcludente quando lei era presente. Aveva nei confronti di Helena un solo fascino: era l'unico ragazzo che aveva modo di frequentare. Si prese la sua prima cotta. Andrés le sorrideva arrossendo e lei gli sorrideva arrossendo. Tutto lì. Un giorno, Andrés aveva trovato il coraggio di lasciarle un biglietto nascosto nel folto di una magnolia, legato a un ramo con un filo di ferro ricoperto di plastica verde. Lei lo aveva recuperato e se lo era infilato nella tasca dei calzoni da amazzone. Più tardi, mentre stava a letto, lo aveva tirato fuori e lo aveva letto col cuore che le batteva a cento all'ora.

Adesso, a distanza di tanto tempo, non ricordava le esatte parole con cui Andrés Jeffereau le aveva dichiarato il suo amore, solo la tenerezza che le aveva ispirato la sua calligrafia incerta. Erano le frasi innocue di un ragazzo di diciassette anni, portatore di una cotta adolescenziale per quella che vedeva come *la principessa della grande casa* e che come tale la trattava.

Hanneke, la sua matrigna, che non viveva secondo gli insegnamenti che impartiva, era entrata nella stanza all'improvviso, senza bussare. Lei aveva nascosto il biglietto sotto le coperte, con un gesto troppo svelto per non sembrare furtivo.

La sua matrigna si era avvicinata al letto e aveva teso una mano verso di lei.

«Dammi quello che hai lì sotto.»

«Ma io…»

La donna l'aveva solo guardata spalancando leggermente gli occhi. Le guance di Helena si erano incendiate.

«Helena Parker, credo di averti appena dato un ordine.»

Lei aveva estratto il biglietto e glielo aveva consegnato. Hanneke lo aveva letto senza tradire alcuna emozione, poi lo aveva ripiegato e se l'era infilato nella tasca del golfino del twin set che aveva addosso.

«Bene, credo che questo debba rimanere un piccolo segreto fra noi due, se non vogliamo dare un dolore a tuo padre…»

Quello era stato il suo solo commento. Helena aveva provato un sollievo così forte da non capire che quella donna le stava mentendo, per il semplice fatto che in quel momento la divertiva farlo.

Il giorno dopo aveva visto Andrés.

Si erano trovati da soli alla scuderia dove Helena andava tutti i giorni a prendersi cura di Mister Marlin, il suo cavallo. Il ragazzo era lì, per caso o perché aveva fatto in modo di trovarcisi, sapendo che prima o poi sarebbe arrivata anche lei. Rosso come un papavero, le si era avvicinato. Helena non aveva notato prima che il suo viso era coperto di efelidi. Andrés le aveva parlato con una voce così emozionata che lei, per un motivo che non sapeva spiegarsi, l'aveva definita dentro di sé «piena di efelidi vocali».

«Hai letto il biglietto?»

Era la prima volta che si parlavano.

«Sì, l'ho letto.»

«E cosa ne pensi?»

Lei non sapeva cosa dire.

«È… è bello.»

Senza preavviso, cogliendo il coraggio a due mani, Andrés si era chinato e l'aveva baciata su una guancia.

Helena aveva girato la testa da una parte e si era sentita morire. Suo padre era in piedi, in controluce sulla porta delle scuderie, e aveva visto tutto quello che era successo. Tutto e *solo* quello era successo.

Un ragazzo della sua età l'aveva baciata su una guancia.

Si era avventato come una furia su quel poveretto e lo aveva schiaffeggiato così violentemente da fargli sanguinare la bocca e il naso. Poi lo aveva sollevato da terra e scaraventato come un fuscello contro la porta del box di Mister Marlin, che era arretrato con un piccolo nitrito di spavento. Andrés aveva il naso che gocciolava sangue sulla camicia quando lo aveva afferrato per il colletto e lo aveva rimesso in piedi.

«Vieni con me, piccolo bastardo.»

Aveva trascinato Andrés sul davanti della casa e lo aveva sbattuto come un sacco vuoto ai piedi di Bryan Jeffereau, che era rimasto con la bocca spalancata e un paio di cesoie da giardino aperte in mano.

«Tieni, Bryan, riprenditi il tuo maniaco e andate subito fuori da casa mia. E ringrazia che se la cava così invece di trovarsi addosso un'accusa di tentato stupro!»

La furia di Nathan Parker non ammetteva repliche e Jeffereau lo conosceva troppo bene per opporne una. Aveva raccolto in silenzio suo figlio, i suoi uomini e i suoi attrezzi e se n'era andato.

Helena non aveva mai più visto Andrés Jeffereau.

Poco dopo, erano iniziate le *attenzioni* di Nathan Parker nei suoi confronti.

Helena attraversò la stanza da letto che dava sul balconcino. Il letto era tagliato a metà da una lama di luce. Prese come buon auspicio il fatto che la parte piena di sole era quella dove aveva dormito Frank, l'unica persona al mondo a cui avesse trovato il coraggio di confessare la sua vergogna.

Uscì dalla stanza e scese al piano inferiore.

Il pensiero felice dei pochi momenti passati con Frank non bastava a cancellare i suoi ricordi, così lontani nel tempo ma ancora così forti da ferirla come se tutto fosse successo il giorno prima.

Non sono molte le ragazze che possono raccontare in giro di aver perso la verginità a opera del proprio padre, si disse. *Spero per loro che non ce ne siano molte, spero per la pietà dell'universo di essere l'unica, anche se sono sicura che non è così...*

Il mondo era pieno di Nathan Parker, ne era certa. Ed era altrettanto certa che il mondo fosse pieno di donne come lei, povere ragazze impaurite che si erano ritrovate a piangere lacrime di umiliazione e disgusto in un letto dalle lenzuola imbrattate di sangue e dello stesso seme che le aveva generate.

Il suo odio non aveva confini. Per il padre e per se stessa, per non essere riuscita a ribellarsi quando era il momento. Ora aveva la giustificazione di Stuart, il figlio che amava tanto quanto odiava suo padre. Il figlio che un tempo avrebbe pagato qualsiasi cifra pur di perdere e che adesso non voleva perdere a nessun costo. Ora c'era lui, ma allora chi c'era? Per quanto si sforzasse, non riusciva a trovare nessun alibi alla propria debolezza di fronte alle violenze di suo padre.

A volte si era chiesta se dentro di lei non ci fosse, attaccato alla sua mente come un cancro, l'identico amore malato che c'era in Nathan Parker. Forse continuava a subire quella tortura perché era sua figlia e nelle sue vene scorreva lo stesso sangue e la stessa perversione di quell'uomo. Se lo era chiesto più volte.

Paradossalmente, una sola cosa l'aveva trattenuta dall'impazzire. La consapevolezza che mai, non una sola volta, quello che era stata costretta a sopportare *le era piaciuto*.

Hanneke qualcosa doveva aver sospettato, questo Helena non lo avrebbe mai saputo con certezza. Probabilmente quello che era successo in seguito era stato causato solo da un fuoco che covava sotto la sua apparenza glaciale e formale, un fuoco di cui nessuno, forse nemmeno lei, si era mai accorta.

In un modo banale e prosaico, lasciando una lettera di cui Helena era venuta a conoscenza solo molti anni dopo, era fuggita con un maestro di equitazione che frequentava la casa, abbandonando senza rimpianti il marito e le figlie. Naturalmente, come ciliegina sulla torta, aveva portato con sé una notevole somma di denaro.

In quella faccenda, il generale Nathan Parker aveva tenuto in considerazione una sola cosa: la discrezione con cui tutto era avvenuto. Hanneke probabilmente era una puttana, per quanto di classe, ma non era una stupida. Se avesse umiliato pubblicamente il marito, le conseguenze potevano essere catastrofiche. Quell'uomo l'avrebbe inseguita sino alla fine del tempo e del mondo, finché non fosse riuscito a vendicarsi.

La lettera, che Helena non aveva mai letto, probabilmente

serviva proprio a questo: se la donna sapeva o sospettava della storia del marito e di Helena, aveva proposto un baratto. La sua libertà e il suo silenzio in cambio della stessa libertà e dello stesso silenzio. Il patto era stato tacitamente accettato. Nel tempo, tramite avvocati, era arrivato un provvido divorzio che aveva messo a posto le cose.

Nessuno, come si diceva, si era fatto male.

Non certo Nathan Parker, la cui indifferenza nei confronti della moglie negli ultimi tempi era diventata assoluta, come il suo potere su Helena. Non certo Hanneke, che ora si godeva denaro e cavalieri in giro per il mondo.

Restavano due ragazze, come ostaggi del destino, a pagare errori che non avevano commesso. Arijane, poco dopo la maggiore età, se n'era andata di casa e dopo vagabondaggi vari era finita a vivere a Boston. I conflitti col padre erano cresciuti in progressione geometrica man mano che lei cresceva. Da una parte Helena era terrorizzata che le succedesse la stessa cosa che era successa a lei. A volte spiava il viso di suo padre mentre parlava con Arijane per vedere se nei suoi occhi si accendeva quella luce che aveva imparato a riconoscere e a temere. Per un altro verso, e si era *maledetta* per questo, aveva pregato che capitasse, per non sentire più il passo di suo padre che si avvicinava alla sua camera nel pieno della notte, per non sentire la sua mano che sollevava le lenzuola e il peso del suo corpo nel letto, per non sentire...

Chiuse gli occhi e rabbrividì. Ora che aveva conosciuto Frank e capito quale potesse essere *veramente* il messaggio che due persone potevano scambiarsi attraverso un rapporto fisico, realizzava in pieno l'orrore e il disgusto per ciò che aveva vissuto in tutti quegli anni.

Frank era il secondo uomo della sua vita con cui era stata a letto, il primo con cui avesse fatto l'amore.

Al piano terreno, la casa era invasa dalla luce. Non c'era in nessun posto al mondo una luce come quella. Da qualche parte, in quella città, Frank stava vivendo nella stessa luce e forse stava provando la stessa sensazione di vuoto. Era come se una macchina le stesse risucchiando l'aria da dentro e la pelle aderisse ferocemente alle ossa, in un tentativo innaturale di implosione. E questo avveniva mentre in lei c'era in azione una forza esattamente opposta, il desiderio sfrenato di far esplodere tutto quello che portava dentro.

Helena attraversò il corridoio che portava alla vetrata sul giardino. Passò davanti alla porta della stanza in cui erano chiusi i telefoni. La superò e andò a fermarsi poco oltre. Proprio sulla porta dove stava adesso, lei e Frank si erano scambiati un lungo sguardo, la sera in cui avevano arrestato Ryan. Lei, esattamente in quel momento, aveva capito. Chissà se a lui era successa la stessa cosa? Nei suoi occhi non c'era stata traccia di emozione, ma Helena, con quell'intuito che solo le donne sanno avere, era certa che quello era stato il momento preciso in cui fra loro era iniziato tutto.

Desiderava più di ogni altra cosa che lui fosse lì, per chiederglielo.

Estrasse dalla tasca un telefono cellulare. Glielo aveva portato Frank, la seconda sera in cui si erano visti, quando era dovuto scappare per andare a comunicare a Céline la morte del suo amico commissario. Rifletté sull'enormità della sua situazione, che le imponeva di custodire come un segreto prezioso quello che il mondo intero considerava ormai un oggetto di uso comune.

Provò a chiamare il numero di Frank, che lui le aveva messo in memoria. Una voce automatica le disse che il cellulare della persona desiderata era spento e la consigliò di riprovare più tardi.

No, ti prego, Frank, non mi sfuggire proprio ora. Non so quanto tempo mi resta. Sto morendo all'idea di non poterti vedere, almeno che ti possa parlare...

Premette un altro tasto, che corrispondeva al numero della centrale di polizia. Le rispose la voce del centralinista.

«Sûreté Publique, *bonjour.*»

«Parla inglese?» chiese Helena con una certa apprensione.

«Certo *Madame*. Che posso fare per lei?»

La risposta era in inglese, ma la parola «Madame» fu pronunciata alla francese. *Noblesse oblige.* Helena tirò un sospiro di sollievo. Se non altro le erano evitate acrobazie in una lingua che non era il suo forte. Hanneke aveva insegnato, anzi imposto, il tedesco a lei e ad Arijane. La seconda moglie di suo padre aveva orrore del francese, che definiva una lingua da omosessuali.

«Vorrei parlare con l'agente Frank Ottobre, per favore…»

«Un attimo, *Madame*. Chi devo dire?»

«Helena Parker, grazie.»

«Attenda.»

Il centralinista la mise in attesa e dopo qualche istante la voce di Frank le giunse dall'apparecchio.

«Helena, dove sei?»

Helena si sentì avvampare e fu l'unico motivo per cui fu contenta che lui non fosse lì in quel momento. Le sembrò di essere tornata indietro nel tempo, quando aveva sentito sulla guancia le labbra timide e inesperte di Andrés Jeffereau. Capì che Frank Ottobre aveva il potere magico di farle recuperare la sua innocenza. E da quella scoperta Helena ebbe la conferma definitiva di quanto lo amava.

«Sono a casa. Mio padre è uscito con Ryan e Stuart e sono sola. Mosse ha chiuso in una stanza tutti i telefoni della casa. Sto usando quello che mi hai lasciato tu.»

«Quel bastardo. Meno male che ho avuto l'idea di portarti un cellulare…»

Helena non aveva idea se il centralino della polizia ascoltasse le telefonate di Frank. Lui le aveva parlato del suo sospetto di avere sotto controllo il cellulare e il telefono di casa, su a Parc Saint-Roman. Forse era quello il motivo del suo tono brusco.

Helena non voleva dire nulla che potesse danneggiarlo o metterlo in imbarazzo, ma si sentiva esplodere.

«C'è una cosa che ti devo dire.»

Ora, si disse, *dillo ora o non lo dirai mai più!*

«Ti amo, Frank.»

Helena pensò che era la prima volta nella sua vita che pronunciava quelle parole. E che per la prima volta provava una paura di cui non aveva paura.

Dall'altra parte ci fu una pausa. Furono pochi istanti, ma a Helena sembrò che, nel tempo trascorso prima di sentire la risposta, un uomo avrebbe potuto piantare e raccogliere datteri. Poi la voce di Frank, finalmente, uscì dal telefono.

«Anch'io ti amo, Helena.»

Così, semplicemente, come doveva essere. Con quel senso di pace che da sempre i capolavori portano con sé. Adesso Helena Parker non aveva più dubbi.

«Che Dio ti benedica, Frank Ottobre.»

Non ci fu il tempo di dire altro. Nella stanza dove stava Frank, Helena sentì il rumore di una porta che sbatteva, ovattata dal filtro del telefono.

«Scusa un attimo», lo sentì dire, di colpo freddo all'apparecchio.

Sentì una voce che non era la sua che diceva parole che non capì. Poi un urlo di Frank, il rumore di qualcosa che batteva su un piano di legno, seguito da un'imprecazione, la voce di Frank che gridava: «No, Cristo, ancora lui, maledetto figlio di puttana…»

Poi di nuovo la sua voce al telefono.

«Scusami, Helena. Dio sa *quanto* non ti vorrei lasciare, ma devo correre…»

«Che cos'è successo? Me lo puoi dire?»

«Certo, tanto domani lo leggerai su tutti i giornali. Nessuno ne ha ucciso un altro!»

Frank chiuse la comunicazione. Helena rimase a guardare il display, confusa, cercando di capire come chiudere il contatto a sua volta. Era talmente felice che non si rese nemmeno conto che la sua prima, vera telefonata d'amore, era stata interrotta dalla notizia di un omicidio.

54

Frank e Morelli scesero le scale come se dalla velocità di quella discesa dipendesse il destino del mondo. Mentre volavano letteralmente sui gradini, Frank si chiese per quante volte quella corsa si sarebbe ripetuta prima della fine dell'incubo. Era al telefono con Helena, per pochi istanti aveva trovato posto su una piccola isola tranquilla in mezzo a un mare in tempesta, quando Claude era arrivato a interrompere quel sogno a occhi aperti.

Nessuno aveva colpito ancora. E nel modo peggiore, aggiungendo la beffa al danno.

Cristo santo, quando mai finirà questa strage? Chi è quest'uomo? Che cos'è per riuscire a fare tutto quello che fa?

Uscirono dalla porta a vetri del comando e subito sulla destra vide un capannello di poliziotti intorno a una macchina. La strada era già stata transennata, per bloccare veicoli e pedoni sia dalla parte di Rue Suffren Raymond sia dalla parte opposta, a metà di Rue Notari.

Frank e Morelli scesero la rampa esterna di scale e si avvicinarono. Gli agenti si fecero di lato per farli passare. Parcheggiata proprio di fronte all'ingresso della centrale, sulla destra, nell'ultimo stallo riservato alle macchine della polizia, c'era la Mercedes SLK di Jean-Loup Verdier con il baule aperto.

All'interno c'era il corpo di un uomo. Sembrava la brutta copia dell'omicidio di Allen Yoshida, un tentativo malriuscito compiuto in precedenza come prova generale. Rannicchiato nel baule dell'auto, appoggiato sul fianco destro, c'era il corpo di un uomo. Indossava un paio di calzoni blu e una camicia bianca macchiata di sangue. Sul petto, all'altezza del cuore, la camicia aveva un taglio slabbrato, intorno al quale il sangue si era sparso sul tessuto. Ma, come al solito, era il viso la parte più devastata. Il cadavere sembrava fissare la moquette sulla parete del baule che aveva a pochi centimetri dagli occhi spalancati, con il suo ghigno orrendo, la faccia scorticata, il sangue raggrumato sulla testa calva dove un beffardo ciuffo di capelli indicava che, questa volta, il lavoro era stato compiuto in modo piuttosto frettoloso.

Frank si guardò intorno. Nessuno degli agenti aveva conati di vomito.

Ci si abitua a tutto, al peggio come al meglio.

Ma questa non era un'abitudine, questa era una maledizione e ci doveva essere, da qualche parte, il modo per farla cessare. E lui lo doveva trovare a tutti i costi, se non voleva finire di nuovo sulla panchina di legno e ferro battuto nel giardino di una clinica per disturbi mentali, seduto a fissare senza vederlo un giardiniere che piantava un albero.

Ricordò la conversazione con padre Kenneth. Se fosse stato lì in quel momento, avrebbe potuto dirgli di aver cambiato almeno in parte la sua convinzione. Ancora non riusciva a credere in Dio, ma stava iniziando a credere al diavolo…

«Com'è andata?» chiese a tutti e nessuno in particolare.

Un agente si avvicinò. Frank non sapeva come si chiamava. Ricordava che era uno di quelli addetti alla sorveglianza della casa di Jean-Loup, fortunatamente per lui non il giorno in cui avevano scoperto che era Nessuno.

«Stamattina ho notato la macchina parcheggiata in divieto di sosta. Di solito siamo piuttosto rigorosi e le facciamo rimuovere immediatamente, ma in questi giorni, col casino che c'è…»

L'agente fece un gesto che comprendeva una situazione che Frank conosceva benissimo. Aveva bene in mente i turni insostenibili a cui gli agenti erano costretti, l'andirivieni continuo delle macchine, gli arrivi e le partenze a raffica per andare a controllare tutte le chiamate che arrivavano. Era la conseguenza inevitabile del momento che stavano vivendo. Tutti i mitomani della terra parevano scatenarsi in casi come quello. Nessuno era già stato segnalato in decine di posti diversi, che avevano dovuto controllare a uno a uno, senza risultato.

Sì, conosceva benissimo la situazione. Fece segno all'agente di continuare.

«Quando sono venuto fuori di nuovo, dopo un po', ho visto che la macchina era ancora nello stesso posto. Ho pensato che fosse di qualche residente che era venuto in ufficio per una pratica. A volte succede che ci provano, a mollarla lì… Mi sono avvicinato a controllare. Stavo chiamando il reparto per la rimozione quando mi è parso di riconoscere la targa. Io ero su a Beausoleil, a casa di…»

«Sì, lo so», tagliò corto Frank. «Vai avanti.»

«Be', quando sono stato vicino, ho visto che sul cofano posteriore, vicino alla serratura, c'era una macchia rossa che poteva essere sangue. Ho chiamato Morelli e abbiamo forzato l'apertura. E dentro c'era questo…»

L'agente indicò il corpo con la mano.

Già, «c'era questo». E «questo», come lo chiami tu, si fa fatica a definirlo un essere umano, vero?

L'agente sollevò completamente il coperchio del cofano in modo che si potesse vedere bene la parte interna, spingendolo con una biro che teneva in mano per non lasciare impronte.

«E c'era anche questa…»

Frank sapeva già cosa ci avrebbe visto. Sulla lamiera c'era una scritta tracciata col sangue, la solita beffarda scritta lasciata a commento di una nuova prodezza.

Io uccido…

Frank si morse l'interno della guancia fino a che il dolore si fece insopportabile. Sentì in bocca il sapore dolciastro del suo sangue. Ecco quello che Jean-Loup gli aveva preannunciato durante la brevissima telefonata del giorno prima. Non ci sarebbero stati più indizi, ma cadaveri sì. Ora, questo povero essere umano nel baule di un'auto era una conferma che la guerra continuava e che anche questa nuova battaglia era stata persa. Quella macchina parcheggiata proprio lì, davanti alla centrale, con il suo macabro carico, era l'ennesima presa in giro di tutti i loro sforzi. Frank ripensò alla voce di Jean-Loup, finalmente libera, senza distorsioni, col sottofondo del rumore del traffico. Aveva fatto la chiamata da un cellulare a scheda da due soldi, comperato per l'occasione in un qualunque discount di elettronica. Dopo lo aveva abbandonato su una panchina. Il ragazzino che avevano fermato era passato di lì, lo aveva trovato e l'aveva preso. Aveva iniziato a farci delle telefonate, e proprio durante una chiamata al fratello maggiore per dargli la notizia di quello che aveva in mano, lo avevano bloccato. Non aveva visto la persona che aveva abbandonato il cellulare, e sull'apparecchio, oltre alle sue, non c'erano impronte.

Frank tornò a guardare il corpo nel cofano. Nonostante gli sforzi che potesse fare, non riusciva a immaginare la reazione dei media, questa volta. Sarebbe stata un'impresa per chiunque trovare le parole per definire in modo sintetico questo nuovo delitto.

Delle reazioni di Durand e Roncaille, onestamente, se ne fregava. E anche del loro destino. Desiderava solo non essere rimosso da quell'inchiesta prima di aver potuto catturare Nessuno.

«Si sa chi è questo disgraziato?»

Morelli, che stava dall'altra parte della macchina, fece il giro e venne di fianco a lui.

«No, Frank. Non aveva addosso documenti di riconoscimento. Niente di niente.»

«Temo che lo scopriremo presto. Dalla pelle si vede che è uno giovane. Se quel figlio di puttana ha seguito i suoi soliti schemi, sarà senz'altro qualcuno in vista, sui trenta, trentacinque anni, di bell'aspetto. Un povero cristo che ha avuto la sola colpa di essere nel posto sbagliato al momento sbagliato. E con l'uomo sbagliato, Dio lo fulmini. Fra poco arriverà sicuramente qualche vip a denunciarne la scomparsa e allora lo sapremo, chi è. Cerchiamo di arrivarci prima che succeda.»

Un agente si avvicinò.

«Ispettore…»

«Che c'è, Bertrand?»

«Un'idea, forse stupida, ma…»

«Di' pure.»

«Le scarpe, ispettore.»

«Che c'entrano le scarpe?»

L'agente si strinse nelle spalle.

«Be', sono scarpe da vela. Lo so perché le uso anch'io.»

«Penso che ce ne siano a bizzeffe di scarpe così e non credo…»

Frank, che iniziava a capire dove l'agente intendesse arrivare, interruppe Morelli.

«Fallo finire, Claude. Vai avanti, Bertrand.»

«Queste scarpe, dicevo, oltre al marchio del fabbricante, hanno anche il marchio di una marca di sigarette. Potrebbe essere il nome di uno sponsor. E dato che in questi giorni…»

Di colpo Frank ricordò la regata. Mise le mani sulle spalle dell'agente.

«…Dato che in questi giorni c'è la Grand Mistral o come si chiama, potrebbe essere uno legato a quell'ambiente. Bravo, ragazzo, bel lavoro.»

Frank fece questo commento a voce sufficientemente alta perché gli altri agenti lo sentissero. Bertrand tornò verso di loro come se fosse il marinaio di Cristoforo Colombo che aveva gridato «terra, terra!»

Frank prese da parte Morelli.

«Claude, il discorso di Bertrand mi pare plausibile. D'altronde è l'unica traccia che abbiamo. Facciamo ricerche in quella direzione. Ormai, tutto quello che ci potevamo giocare ce lo siamo giocato. A questo punto, non abbiamo più niente da perdere.»

Il furgone blu della scientifica sbucò dall'angolo di Rue Raymond. Un agente si mosse per andare a spostare le transenne e farlo passare.

Frank indicò il furgone con la testa.

«Non credo sia necessario dirtelo, ma ricorda a quelli della scientifica che ci servono subito le impronte digitali del morto. Visto com'è conciato è l'unico modo che abbiamo per identificarlo. Può darsi che il suo dentista non sia molto disponibile, in questo momento...»

Morelli aveva il viso sprofondato nel dubbio e nella fatica. Dopo tutta quella serie di delitti, non era facile incassare certe mazzate senza vacillare. Frank lo lasciò a dare istruzioni ai tecnici che stavano scendendo dal furgone. Infilò la porta per risalire nel suo ufficio. Gli venne in mente il viso di Helena. Risentì la sua voce al telefono, impaurita eppure così sicura mentre gli diceva che lo amava.

Ecco un altro fallimento.

Aveva a pochi chilometri da sé una donna che poteva essere la sua salvezza e per la quale poteva rappresentare l'identica speranza. Aveva il mondo a portata di mano e c'erano due uomini a sbarrargli la strada.

Da una parte Nessuno, la cui furia omicida lo spingeva a uccidere persone innocenti finché qualcuno non lo avesse fermato. Dall'altra il generale Parker, la cui aberrazione lo spingeva a uccidere tutto ciò che di buono incontrava sul suo cammino, finché qualcuno non avesse fatto con lui la stessa cosa.

E Frank voleva essere quel qualcuno.

Altri debiti non sentiva di averne. Essere un poliziotto significava, in ultima analisi, solo quello. Le vere motivazioni erano nascoste in casseforti che ognuno apriva solo se voleva.

Durand, Roncaille, il ministro di Stato, il principe e anche il presidente degli Stati Uniti in persona potevano pensare quello che volevano. Frank si sentiva un semplice manovale, ben lontano dalle stanze in cui si disegnavano i progetti. Lui era quello che si trovava davanti i muri da demolire e da ricostruire, fra la polvere di cemento e l'odore della calcina. Lui era quello che si trovava a osservare corpi mutilati e scorticati, nel sentore acre della polvere da sparo e del sangue. Non voleva scrivere pagine immortali, desiderava solo scrivere un rapporto nel quale spiegava come e perché aveva chiuso in gabbia il responsabile di tanti omicidi.

Poi avrebbe pensato a Parker. Nessuno, nel suo delirio, gli aveva insegnato una cosa. A essere feroce nel perseguire i propri scopi. Ed esattamente così sarebbe stato nei confronti del generale. Di una ferocia di cui Parker stesso, che pure ne era maestro, si sarebbe stupito.

Quando arrivò nell'ufficio, si sedette alla scrivania e provò a comporre il numero del cellulare che aveva dato a Helena. Era staccato. Probabilmente non era più sola e non voleva correre il rischio che l'apparecchio si mettesse a squillare di colpo, tradendo il suo possesso. La immaginò nella casa, con Stuart come unica consolazione fra i suoi carcerieri, Nathan Parker e Ryan Mosse.

Rimase un quarto d'ora a pensare, le mani dietro la nuca, fissando il soffitto. Ovunque cercasse di portare la sua mente, trovava una porta chiusa.

Eppure sentiva che la soluzione era vicina, a portata di mano. Sul loro impegno non c'era dubbio, sulle loro capacità nemmeno. Ognuno degli uomini impegnati in quell'indagine, nessuno escluso, aveva alle spalle un curriculum che lo testimoniava. Mancava solo un piccolo aiuto della fortuna, che nonostante tutto è una grossa componente del successo. Ed era buffo che quella cronica avversità della sorte si manifestasse proprio lì, nel Principato di Monaco, una città piena di casinò grandi e piccoli dove, su ogni slot machine, c'era scritto «Winning is easy», vincere è facile. Frank avrebbe voluto mettersi davanti a una macchinetta e poterci infilare la somma necessaria a far girare le ruote fino a quando su tutte e tre le linee fosse arrivata, invece di un *triple bar*, l'indicazione del posto in cui stava nascosto Jean-Loup Verdier.

La porta dell'ufficio si aprì di colpo. Morelli entrò, talmente eccitato da scordarsi di bussare.

«Frank, un piccolo colpo di culo.»

Lupus in fabula, e speriamo sia davvero il lupo e non un cane di pelouche…

«Dimmi.»

«Sono venute un paio di persone a fare una denuncia. Cioè, non proprio una denuncia, sono venute a esprimere una preoccupazione…»

«E sarebbe?»

«Un componente dell'equipaggio di *Try for the Sun*, una barca che partecipa alla Grand Mistral, è sparito.»

Frank staccò di colpo le mani dalla nuca e attese il seguito. Morelli andò avanti, sapendo di aver messo sul tappeto un argomento interessante.

«Ieri sera aveva appuntamento con una ragazza, sul molo di Fontvieille. Quando lei è arrivata a prenderlo, lui non c'era. Ha aspettato un po' e poi se n'è andata. La ragazza in questione è una tipa tignosa e stamattina è tornata alla barca dello sponsor dove dorme l'equipaggio giusto per dirgli in faccia quello che pensava di lui, che una donna come lei non si tratta così eccetera eccetera… Trovandosi davanti quella furia scatenata, un marinaio è andato a chiamarlo nella sua cabina, ma era deserta. Il letto era fatto, il che significa che non ha dormito lì.»

«Non potrebbe averlo rifatto lui stesso ed essere uscito stamattina presto?»

«Possibile, ma estremamente difficile. I marinai dello yacht si alzano prestissimo, e qualcuno lo avrebbe visto di sicuro. Perdipiù, appoggiati sulla cuccetta, c'erano i vestiti che indossava la sera prima, la divisa ufficiale di *Try for the Sun*, segno che sulla barca per cambiarsi prima o poi c'è salito…»

«Non ci sono elementi conclusivi, ma bisogna stare dietro a tutto. Confrontate le impronte digitali del cadavere con quelle della cabina. È il mezzo più sicuro.»

«Ho già dato disposizioni. Ho avvertito un agente in zona di isolare la cabina. Un uomo della scientifica sta già scendendo verso Fontvieille.»

«Tu che ne dici?»

«La persona scomparsa rientra nei parametri di Nessuno. Trentatré anni, bel ragazzo, moderatamente famoso nel mondo della vela... Si tratta di un americano, si chiama Hudson McCormack.»

Nel sentire il nome, Frank fece uno scatto così violento che Morelli temette addirittura che cadesse dalla sedia.

«Che nome hai detto?»

«Hudson McCormack. È un avvocato di New York.»

Frank si alzò in piedi.

«Lo so, Claude, lo conosco benissimo. Cioè, non lo conosco affatto, ma è la persona di cui ti avevo parlato, quella che volevo si mettesse sotto sorveglianza.»

Morelli si infilò la mano nella tasca posteriore dei calzoni e tirò fuori il floppy che gli aveva dato Frank il giorno prima.

«Guarda, ho qui il dischetto. Ieri non ce l'ho fatta a occuparmene. Avevo intenzione di farlo oggi...»

Frank e Morelli si ritrovarono con la mente nello stesso posto. Sapevano bene tutti e due quello che significava l'aver rimandato quel provvedimento. Se avessero messo McCormack sotto sorveglianza il giorno prima, *forse* in quel momento sarebbe stato ancora vivo e *forse* Jean-Loup Verdier sarebbe stato dietro le sbarre di una cella.

Frank pensò che in quella storia continuavano ad ammassarsi troppi «se» e troppi «forse». Ognuna di quelle parole era una pietra che poteva costruire rimorsi pesanti come una montagna.

«Okay, Claude, controlla e fammi sapere.»

Morelli gettò il floppy ormai inutile sulla scrivania e uscì dalla stanza. Frank rimase solo. Prese il telefono e chiamò Cooper a casa, in America, fregandosene del fuso. Gli rispose la voce del suo amico, sorprendentemente sveglia nonostante l'ora.

«Sì.»

«Coop, sono Frank. Ti ho svegliato?»

«Svegliato? Non sono ancora andato a dormire. Sono appena

rientrato in casa, ho ancora la giacca che dondola sull'attaccapanni. Che succede?»

«Un casino, succede. Una cosa pazzesca. L'uomo che stiamo cercando, il nostro serial killer, stanotte ha fatto fuori Hudson McCormack e lo ha scuoiato come un'antilope.»

Ci fu un attimo di silenzio. Probabilmente Cooper non riusciva a credere alle sue orecchie.

«Cristo santo, Frank, il mondo sembra impazzito. Anche qui siamo nel caos più totale. Arrivano continui allarmi di possibili attentati terroristici e dobbiamo stare in campana come non ti immagini nemmeno. E ieri pomeriggio ci è arrivata un'altra tegola sulla testa. Osmond Larkin è stato ucciso in prigione, nell'ora d'aria. È scoppiata una rissa fra detenuti e lui ci ha rimesso le penne.»

«Bel colpo.»

«Già, bel colpo. E dopo tutto il lavoro che sai, ci ritroviamo con un pugno di mosche.»

«Ognuno ha le sue, Coop. Qui non siamo messi meglio. Stamattina ci siamo ritrovati fra le mani un altro cadavere.»

«Quanti sono, fino a ora?»

«Tieniti forte. Dieci.»

Cooper non era al corrente degli ultimi avvenimenti. Emise un fischio mentre il suo conteggio delle vittime veniva aggiornato.

«Cazzo. Sta concorrendo al Guinness dei primati?»

«Si direbbe di sì. Quel figlio di puttana ha sulla coscienza dieci omicidi e il problema è che me li sento sulla coscienza anch'io.»

«Tieni duro, Frank. Se ti può interessare, è la stessa cosa che mi ripeto io, qui.»

«Non posso fare altro, in questo momento.»

Riattaccò il telefono. Povero Cooper, ognuno aveva le sue. Frank rimase un attimo perplesso. In attesa di conferme ufficiali su Hudson McCormack, temendo che da un secondo all'altro si aprisse la porta ed entrasse Roncaille con un diavolo per capello, non sapeva che pesci pigliare. Probabilmente in quel momento il sobrio Roncaille stava ricevendo una lavata di testa che avrebbe provveduto successivamente a distribuire ai suoi sottoposti.

Prese dal piano della scrivania il floppy, accese il computer e lo infilò dentro. Aprì sul dischetto uno dei due file contrassegnato con l'estensione *jpg*.

Sullo schermo comparve una foto. Era stata scattata in un locale pubblico, evidentemente all'insaputa di McCormack. Era un bar abbastanza affollato, uno dei tanti bar di New York lunghi e stretti, pieni di specchi per farli sembrare più grandi, dove all'ora di pranzo ci trovi gente degli uffici che si mangia un piatto freddo nella pausa del lavoro e che di sera cambiano faccia e diventano ritrovo di single in cerca di compagnia. L'avvocato Hudson McCormack stava seduto a un tavolino e parlava con una persona di spalle, che indossava un trench col bavero rialzato.

Andò ad aprire anche l'altro file. Era un dettaglio ingrandito della stessa foto, leggermente più sgranato rispetto all'originale.

Frank rimase a fissare l'immagine di un bel ragazzo americano, dai capelli tagliati corti secondo la moda newyorchese, con addosso un vestito blu che sembrava perfetto per un frequentatore di tribunali.

E così, con ogni probabilità, quella era la faccia del cadavere senza volto che avevano trovato poco prima. Chissà se quel povero ragazzo avrebbe mai immaginato, partendo per Montecarlo con la prospettiva di una regata in mare aperto, che avrebbe finito la sua vita nello spazio ristretto del baule di una macchina. E che l'ultima cerata che avrebbe indossato sarebbe stata quella del sacco in cui si infilano i cadaveri...

Frank rimase a osservare la foto. Di colpo, un'idea pazzesca si fece strada nel suo cervello, come la punta di un trapano spunta dall'altra parte di un muro troppo sottile.

Ma era mai possibile...

Andò ad aprire l'agenda virtuale che aveva trovato nel computer di Nicolas. Il suo amico non era un cultore dell'elettronica, ma fino a quel punto ci arrivava. Sperava di trovare il numero che gli serviva. Impostò il cognome da cercare e subito il numero corrispondente apparve sullo schermo, insieme al nome completo e all'indirizzo.

Prima di fare la telefonata, chiamò Morelli con l'interfono.

«Claude, avete registrato la telefonata che ha fatto ieri Jean-Loup?»

«Certamente.»

«Me ne serve una copia, al volo.»

«È già fatta. Te la faccio avere subito.»

«Grazie.»

Ottimo, Morelli. Laconico ma efficace. Mentre componeva il numero di telefono, Frank si chiese come procedesse la sua storia con Barbara, adesso che non frequentavano più la radio. Con lei, Claude era sembrato tutto meno che laconico, anche se altrettanto efficace. Il suo pensiero venne interrotto dalla voce che uscì dalla cornetta.

«Pronto?»

Aveva fortuna. La persona che aveva risposto alla chiamata era proprio quella con cui gli interessava parlare.

«Ciao, Guillaume, sono Frank Ottobre.»

Il ragazzo non fu stupito per niente della telefonata. Gli rispose come se si fossero visti l'ultima volta dieci minuti prima.

«Ciao, agente dell'FBI. A cosa devo l'onore?»

«Mi sono trovato bene l'ultima volta, in negozio da te. Credo che ricorrerò volentieri ai tuoi servigi un'altra volta…»

«Accetto proposte, vieni quando vuoi.»

«Il tempo di arrivare e sono lì.»

Frank chiuse la comunicazione e rimase ancora qualche istante a fissare la foto sul computer prima di chiudere il file ed estrarre il dischetto. Se ci fosse stato qualcuno con lui nella stanza, gli avrebbe potuto dire che la sua espressione, mentre guardava l'immagine, era la stessa di un giocatore incallito che osserva la pallina che gira in una roulette.

55

Frank fermò la Mégane davanti al cancello dipinto di verde, al fondo della strada che portava a casa di Helena. Scese dalla macchina stupito di trovarlo aperto a metà. Il pensiero che entro pochi secondi avrebbe avuto di fronte il viso della donna che amava gli fece battere il cuore. Ma avrebbe visto anche il generale Nathan Parker, e questo gli fece stringere i pugni dalla rabbia. Si impose la calma, prima di entrare. La rabbia era una pessima consigliera, in certi frangenti. L'ultima cosa di cui aveva bisogno, in quel momento, erano dei cattivi consigli.

Lui era in grado di darne di ottimi, in compenso. L'incontro del mattino con Guillaume era stato estremamente chiarificante. Quando era stato da lui, la sera prima, gli aveva chiesto di fare un paio di controlli. Lo aveva raggiunto nella piccola *dépendance* in cui lavorava, trovandola nel caos assoluto. Il ragazzo aveva le macchine impegnate in un lavoro che non poteva smettere immediatamente. Si era preso la sera e la notte di tempo per fare quello che Frank gli aveva chiesto. Era stato costretto a fare i salti mortali, ma era riuscito ad atterrare in piedi. E a rimettere in piedi anche la figura barcollante di Frank Ottobre, agente speciale dell'FBI.

Quando Guillaume gli aveva messo sotto gli occhi il risultato delle sue ricerche, Frank era rimasto di sale nel constatare come le sue ipotesi astruse si fossero rivelate esatte. Sembravano solo supposizioni campate in aria, congetture senza senso e senza costrutto. Lui stesso si era dato del pazzo, invece...

Aveva sentito il bisogno di abbracciare quel ragazzo. Si era detto invece che doveva smettere di definirlo in quel modo riduttivo, che considerava solo la sua età anagrafica. Guillaume era un uomo. Un uomo con le palle. Lo aveva capito definitivamente quando se n'era andato da casa sua. Guillaume lo aveva accompagnato in silenzio fino al cancello. Avevano attraversato il giardino uno di fianco all'altro, senza parlare, ognuno immerso nei propri pensieri. Frank aveva già aperto la portiera e stava per salire in macchina quando la sua espressione lo aveva fermato.

«Che c'è, Guillaume?»

«Non so, Frank. È una sensazione strana. È come se mi fosse caduta una benda dagli occhi.»

Frank sapeva a cosa si riferisse Guillaume, ma fece lo stesso la domanda.

«Cosa intendi dire?»

«Be', tutto questo. È stato come scoprire di colpo che c'è un altro mondo, oltre, un mondo dove le cose succedono non solo agli altri ma anche *a noi*. La gente non viene uccisa solo nei telegiornali, ma pure sul marciapiede mentre ti cammina di fianco…»

Frank aveva seguito in silenzio quello sfogo. Immaginava dove Guillaume volesse andare a parare.

«Ti chiedo una cosa, Frank. Mi devi rispondere sinceramente. Non voglio sapere i dettagli, solo che tu mi chiarisca un dubbio personale. Quello che io ho fatto per te, l'altra volta e oggi, ti servirà a catturare l'assassino di Nicolas?»

Guillaume aveva gli occhi lucidi. Portava in giro un atteggiamento scanzonato ma era una persona vera. Voleva bene a Nicolas Hulot come senz'altro aveva voluto bene a suo figlio Stéphane.

Frank lo aveva guardato con un sorriso.

«Prima o poi, quando tutto sarà finito, tu e io faremo un discorso. Non so quando, amico mio, ma in quel momento ti spiegherò per filo e per segno *quanto* tu sia stato importante per questa storia e in particolare per me.»

Guillaume aveva annuito e si era fatto da parte. Aveva fatto scattare l'apertura del cancello e mentre la Mégane usciva lo aveva salutato con un gesto indeciso della mano.

Sei grande, Guillaume.

Con quel pensiero in testa, Frank superò il cancello ed entrò nel giardino della casa di Helena. Si stupì di quello che vide. La casa aveva tutte le finestre del piano superiore e tutte le portefinestre che davano sul giardino completamente spalancate. All'interno, al pianterreno, una donna con un grembiule di tela blu stava attaccando una spina a una presa di corrente. Uscì dalla sua visuale e poco dopo gli arrivò alle orecchie il rumore ronzante di un aspirapolvere. La vide affacciarsi alla portafinestra muovendo l'elettrodomestico avanti e indietro. Al piano superiore, nella stanza in cui dormiva Helena, un'altra donna con un grembiule uguale uscì sul balcone tenendo una stuoia kilim in mano. Dopo averla appesa alla ringhiera in ferro, prese a sbatterla con un battipanni di vimini.

Frank si avvicinò alla casa. Non era per niente soddisfatto di quello che vedeva. Dalla porta principale, quella in noce scuro, uscì un uomo. Era un tipo anziano, vestito con un abito chiaro con una certa pretesa di eleganza. In testa aveva un panama che lo metteva perfettamente in linea con lo stile della casa. Lo vide e venne verso di lui. Nonostante l'aspetto giovanile, quando riuscì a osservare bene le sue mani Frank giudicò che potesse essere più vicino ai settanta che ai sessanta.

«Buongiorno. Desidera?»

«Buongiorno. Mi chiamo Frank Ottobre e sono un amico dei Parker, quelli che abitano qui...»

L'uomo di colpo sorrise, mettendo in mostra una fila di denti bianchi che sicuramente erano costati un occhio della testa.

«Ah, americano anche lei. Piacere di conoscerla.»

Tese una mano ferma ma dalla pelle coperta di macchie. Frank pensò che oltre all'età ci dovesse essere qualcosa che non andava nel fegato di quel tipo.

«Mi chiamo Tavernier, André Tavernier. Sono il proprietario di quest'oggettino...»

Indicò con un gesto e un sorriso complice la casa.

«Mi spiace per lei, giovanotto, ma i suoi amici sono partiti.»

«Partiti?»

Sembrava sinceramente spiaciuto di dovergli confermare una brutta notizia.

«Già, partiti. Ho trattato questo contratto d'affitto a mezzo agenzia, mentre di solito lo faccio personalmente. Sono salito questa mattina con le donne delle pulizie per conoscere i miei inquilini e li ho trovati nel cortile con le valigie pronte, che aspettavano il taxi. Il generale, lei sa chi intendo dire, mi ha parlato di un imprevisto e che dovevano partire subito. Un vero peccato, perché avevano già pagato l'affitto per un altro mese. Io, per correttezza, gli ho detto che gli avrei rimborsato il periodo che aveva pagato in più, ma lui non ne ha nemmeno voluto parlare. Gran bella persona quella...»

Te lo vorrei dire io chi è la bella persona, specie di damerino alla naftalina.

Frank avrebbe voluto ribaltare i pronostici del signor Tavernier. Se aveva quell'abilità nel giudicare le persone, era meglio che nel corso dei suoi affari futuri si facesse sempre pagare in anticipo e in contanti. C'erano però altre cose che lo interessavano di più in quel momento che non aggiornare quel vecchietto sulla vera personalità dell'uomo a cui aveva dato in affitto la sua casa.

«Non sa dove sono andati?»

Il signor Tavernier ebbe un attacco di tosse, con un rintocco catarroso che parlava di qualche sigaretta di troppo, nonostante l'età. Frank dovette attendere che l'uomo tirasse fuori dalla tasca della giacca un fazzoletto immacolato e si pulisse le labbra prima di rispondere.

«Nizza. All'aeroporto, mi pare. Avevano un volo diretto per l'America.»

«Merda!»

L'esclamazione sfuggì dalle labbra di Frank prima che riuscisse a trattenerla.

«Mi scusi, signor Tavernier.»

«Non fa niente. A volte è liberatorio lasciarsi andare un po'.»

«Non sa a che ora fosse il volo?»

«No, mi dispiace. In questo non le posso essere d'aiuto.»

Frank non aveva certo il buonumore dipinto sul viso. Il signor Tavernier, da compito uomo di mondo, se ne accorse.

«*Cherchez la femme*, eh, giovanotto...?!»

«Prego?»

«La capisco perfettamente. Parlo della donna che era qui. Si tratta di lei, vero? Anch'io, se fossi salito fin quassù con la prospettiva di incontrare una donna come quella e avessi trovato la casa vuota, avrei avuto lo stesso viso deluso. Ai miei tempi, quando ero giovane e abitavo qui, questa casa ne ha viste tante da riempire un paio di libri...»

Frank era sui carboni accesi. Tutto quello che desiderava era mollare il signor Tavernier alle sue storie di cappa e spada per correre all'aeroporto di Nizza. L'uomo lo trattenne per un braccio. Frank glielo avrebbe volentieri spezzato. Non sopportava in genere le persone che impongono un contatto fisico, figurarsi in un momento in cui sentiva rintoccare i secondi che passavano come se avesse la testa infilata in una campana.

Tavernier si salvò esclusivamente in funzione di quello che disse.

«Eh sì, io la vita me la sono goduta, mi creda sulla parola. Tutto diverso da mio fratello, che viveva nella casa qui di fianco, quella là, ecco, quella che spunta col tetto dai cipressi.»

Assunse l'atteggiamento di chi confida un segreto di cui lui solo è a conoscenza. Qualcosa di difficile da credere.

«È la casa che quella pazza di mia cognata ha lasciato in eredità a un ragazzotto qualunque solo perché le ha salvato il cane. Un cagnaccio che non valeva l'albero contro cui faceva la pipì, capisce? Non so se ha mai sentito parlare di questa follia. E lei sa chi era quel ragazzo?»

Frank lo sapeva, lo sapeva benissimo. E non aveva la voglia e il tempo di sentirselo ripetere. Tavernier, ignorando quello che rischiava, lo trattenne di nuovo per un braccio.

«Era un assassino, un serial killer, quello che ha ammazzato tutte quelle persone in giro per Montecarlo e le ha scuoiate come delle bestie. Pensi a che persona mia cognata ha lasciato una casa di quel valore…»

Mentre la sua invece l'ha affittata a un benefattore dell'umanità… Se ci fosse il Premio Nobel per la stupidità, questo vecchio scimunito lo vincerebbe tutti gli anni.

Ignaro del giudizio nei suoi confronti, Tavernier si lasciò sfuggire un sospiro. Ci fu un'ondata di ricordi in arrivo.

«Eh sì, quella donna l'aveva proprio rincoglionito per bene, mio fratello. Non che non fosse una bella donna… Era bella come un *en plein* alla roulette, se posso fare un paragone, ma altrettanto pericolosa. Ti faceva venire voglia di giocare ancora, non so se mi spiego. Ci facemmo costruire queste case insieme, a metà degli anni Sessanta. Case gemelle, una di fianco all'altra, ma finita lì. Io stavo di qua e loro due stavano di là. A ognuno la sua vita. Ho sempre pensato che mio fratello fosse come un uomo in galera: palla al piede e tutto il tempo a disposizione speso ad accontentare i capricci di sua moglie. E ne aveva tanti di capricci, *bon Dieu* se ne aveva! Pensi che addirittura…»

Frank si chiese perché stesse lì ad ascoltare i vaneggiamenti di un ex libertino con le macerie nelle mutande invece di saltare sulla macchina e partire ventre a terra per raggiungere l'aeroporto di Nizza. Per un motivo che non riusciva spiegarsi, Frank aveva l'impressione che quell'uomo stesse per dire una cosa importante. E infatti Tavernier la disse. Nella vacuità dei suoi sproloqui, disse una cosa talmente importante che gettò Frank nell'esaltazione e nello sconforto più nero, al punto da evocargli di colpo l'immagine di un grande aereo che decollava, con il volto triste di Helena Parker a un oblò a guardare la Francia che spariva sotto di lei.

Chiuse gli occhi. Era impallidito al punto di far preoccupare il vecchio aspirante gentiluomo.

«Che ha, non si sente bene?»

Frank tornò a guardarlo.

«No, anzi, sto benissimo. Molto bene.»

Tavernier sottolineò il suo dubbio con un'espressione adeguata. Frank gli rivolse un sorriso che l'uomo fraintese. Quel vecchio idiota non avrebbe mai immaginato di avergli appena rivelato dove stava nascosto Jean-Loup Verdier.

«La ringrazio e la saluto, signor Tavernier.»

«In bocca al lupo, giovanotto. Spero che riesca a raggiungerla… ma se non ce la fa, si ricordi che il mondo è pieno di donne.»

Frank gli diede ragione con un gesto distratto mentre si allontanava. Era arrivato al cancello, quando Tavernier lo richiamò.

«Ah, senta, giovanotto.»

Frank si girò col desiderio di mandarlo a cagare. Lo trattenne un senso di gratitudine nei suoi confronti, per quello che gli aveva appena rivelato senza saperlo.

«Dica, signor Tavernier.»

Il vecchio gli fece un largo sorriso.

«Se per caso le servisse una bella casa sulla costa…»

Indicò con un gesto trionfale del dito la casa alle sue spalle.

«Eccola qui!»

Senza risposta, Frank superò il cancello. Si trovò in piedi di fianco alla macchina, a capo chino, a guardare le sue scarpe una di fianco all'altra sulla ghiaia. Doveva prendere una decisione e doveva prenderla in fretta. Infine decise di fare quello che era giusto fare, almeno come prima cosa. Però non era detto che non si potesse fare un tentativo, almeno il tentativo, di salvare capra e cavoli. Tirò fuori il cellulare e compose il numero della polizia di Nizza. Quando un agente rispose, disse chi era e chiese del commissario Froben. Poco dopo glielo passarono.

«Ciao, Frank, come stai?»

«Insomma… E tu?»

«Insomma anch'io. Dimmi tutto.»

«Claude, ho bisogno di un favore, grosso come una casa.»

«Tutto quello che vuoi, se posso.»

«All'aeroporto di Nizza ci dovrebbero essere delle persone in partenza. Il generale Nathan Parker, sua figlia Helena e il nipote, Stuart. Con loro ci deve essere un altro personaggio, un certo capitano Ryan Mosse.»

«*Quel* Ryan Mosse?»

«Esatto. Li devi bloccare. Non so in che modo, non so con che scusa, ma devi impedire loro di partire fino a che io non arrivo lì. Trasportano in America il corpo di una delle prime vittime di Nessuno, Arijane Parker. Magari puoi usare quello come pretesto. Qualche impiccio burocratico o che so io. È questione di vita o di morte, Claude. Per me, almeno. Pensi di farcela?»

«Per te questo e altro.»

«Grazie, grand'uomo, ci sentiamo fra un po'.»

Subito dopo Frank compose un altro numero, quello del comando della Sûreté. Chiese di parlare con Roncaille. Glielo passarono quasi immediatamente.

«Direttore, sono Frank Ottobre.»

Roncaille, che probabilmente stava vivendo da due giorni a forza dieci, lo investì come un tornado.

«Frank, dove cazzo si è cacciato?»

Il turpiloquio in bocca al capo della polizia non segnava un semplice uragano, ma la tempesta del secolo.

«Qui sta succedendo di tutto e lei sparisce? L'abbiamo messa a capo di un'inchiesta e invece di arrivare a qualcosa ci ritroviamo più morti per strada che passeri sugli alberi. Lo sa che dell'organico attuale della Sûreté fra poco non resterà più nessuno al suo posto? Io personalmente sarò fortunato se troverò un impiego come guardiano notturno...»

«Tranquillo, direttore, se non l'ha perso finora, il suo lavoro, credo proprio che lei resterà al suo posto. È tutto finito.»

«Che significa "è tutto finito"?»

«Vuole dire che è tutto finito. So dove si nasconde Jean-Loup Verdier.»

Silenzio dall'altra parte. Pausa di riflessione. Frank poteva sentire la portata del dubbio amletico di Roncaille. Essere o non essere, credere o non credere…

«Ne è sicuro?»

«Al novantanove per cento.»

«Non basta. Voglio il cento per cento.»

«Il cento per cento non è di questa terra. Il novantanove mi sembra una percentuale più che ragguardevole.»

«E va bene. Dov'è?»

«Prima voglio una cosa in cambio.»

«Frank, non tiri troppo la corda.»

«Direttore, serve che io le chiarisca un punto. A me, della carriera, non importa più nulla. È a lei che importa della sua. Se lei risponde di no a quello che le chiedo, chiudo il telefono e sarò sul primo aereo che decolla da Nizza con destinazione vaffanculo. E lei, per essere espliciti, può andare a farsi impiccare insieme al suo amico Durand, mi sono spiegato?»

Silenzio. Pausa per non morire. Poi di nuovo la voce di Roncaille, piena di rabbia trattenuta.

«Dica quello che vuole.»

«Voglio la sua parola d'onore che il commissario Nicolas Hulot sarà considerato come deceduto in servizio e la sua vedova avrà la pensione che compete alla moglie di un eroe.»

Terza pausa. Quella più importante. Quella del conteggio dei coglioni. Quando Roncaille rispose, Frank fu contento che fosse arrivato fino a due.

«Va bene, d'accordo. Andata. Ha la mia parola d'onore. Adesso tocca a lei.»

«Faccia uscire gli uomini e dica all'ispettore Morelli di chiamarmi al cellulare. E lei inizi a lucidare l'uniforme per la conferenza stampa.»

«Direzione?»

Finalmente Frank disse quello che Roncaille aveva pagato per sentire.

«Beausoleil.»

«Beausoleil?» ripete Roncaille incredulo.

«Esatto. In tutto questo tempo, quel figlio di puttana di Jean-Loup Verdier non si è mai mosso da casa sua.»

56

Pierrot prese il bicchiere di plastica pieno di Coca-Cola che Barbara gli tendeva e iniziò a bere come se si vergognasse a farsi vedere mentre lo faceva.

«Ne vuoi ancora?»

Pierrot scosse la testa. Le rese il bicchiere vuoto e si girò rosso in viso verso il tavolo dove stava riordinando una pila di cd.

Barbara gli piaceva ma lo intimidiva nello stesso tempo. Il ragazzo aveva una cotta per lei, fatta soprattutto di sguardi segreti, di silenzi e di fughe quando lei compariva. Bastava che lei gli rivolgesse la parola per farlo diventare paonazzo. La ragazza si era accorta da tempo di questo sentimento nei suoi confronti. Era un amore, se così si poteva definire, tipicamente infantile, in linea con il modo di essere di Pierrot, ma che come tutti i sentimenti andava rispettato. Sapeva quanta capacità di voler bene ci fosse nell'animo di quel ragazzo strano che sembrava perennemente impaurito dal mondo: c'erano il candore e la sincerità che si trovano solo nell'affetto dei bambini e dei cani. Poteva sembrare un paragone un po' riduttivo, ma era l'espressione di un affetto completo e sincero, un affetto che esiste in quanto tale, senza bisogno di contropartita.

Una volta aveva trovato sul mixer una margherita. Quando aveva capito che era lui il misterioso donatore di quel semplice fiore di campo, si era sentita morire di tenerezza.

«Vuoi ancora un panino?» chiese alla schiena di Pierrot.

Di nuovo il ragazzo scosse la testa, senza voltarsi. Era l'ora del pranzo e avevano fatto arrivare dallo Stars 'n Bars un vassoio di panini e tramezzini. Dopo la storia di Jean-Loup, a parte le voci e la musica che uscivano dai microfoni, i locali di Radio Monte Carlo sembravano diventati il regno del silenzio. Tutti si aggiravano come se fossero delle figure fatte d'aria. La sede dell'emittente era stata assalita ed era tuttora tenuta sotto assedio dai giornalisti come Forte Alamo dall'esercito messicano. Ogni componente dello staff era stato seguito, braccato, pedinato. Ognuno di loro si era trovato un microfono sotto il naso, una telecamera puntata sul viso, un cronista sotto la porta di casa. In effetti, quello che era successo giustificava ampiamente la tenacia dei mezzi di informazione nei loro confronti.

Jean-Loup Verdier, un protagonista di Radio Monte Carlo, si era rivelato uno psicopatico assassino ed era tuttora in fuga. La sua presenza aleggiava come uno spettro sul Principato di Monaco. Il giorno dopo la scoperta dell'identità del colpevole di quegli omicidi a catena, grazie alla curiosità morbosa della gente e la pubblicità dei media, gli ascolti erano praticamente raddoppiati.

Robert Bikjalo, il Robert Bikjalo di un tempo, avrebbe fatto un triplo salto mortale con avvitamento nel leggere i dati dell'audience. Ora faceva il suo lavoro come un automa, fumava come un turco e si esprimeva a monosillabi, come tutti, del resto. Raquel rispondeva alle telefonate con la voce meccanica di una segreteria telefonica. Barbara non riusciva a fermarsi un momento a pensare senza provare l'impulso irrefrenabile di piangere.

Il presidente stesso chiamava solo se era strettamente necessario.

A questo stato d'animo si era aggiunta la notizia della tragica morte di Laurent, avvenuta due giorni prima, durante un tentativo di rapina. Lo stato d'animo generale aveva avuto il colpo di grazia definitivo, aggiungendo ulteriore evanescenza a persone che già sembravano possedute dagli spettri.

Ma il più colpito da tutta quella storia era proprio Pierrot.

Si era rifugiato in un mutismo preoccupante e rispondeva alle domande che gli venivano rivolte solo con cenni affermativi o negativi del capo. Quando era in radio, la sua era una presenza silenziosa che svolgeva i compiti di sua competenza come se non esistesse. Stava rintanato nell'archivio per ore, al punto che più di una volta Barbara era scesa per vedere se stesse bene. Anche sua madre era disperata. A casa, passava tutto il suo tempo a sentire musica dall'impianto stereo con le cuffie in testa, come se gli servissero per isolarsi completamente dal resto del mondo.

Non aveva più sorriso. E non aveva più acceso la radio.

Sua madre era disperata per quell'involuzione del comportamento di Pierrot. Frequentare Radio Monte Carlo, sentirsi parte di qualcosa, guadagnare qualche soldo (per inorgoglirlo la madre non aveva mancato di fargli notare quanto quella cifra fosse importante per la loro economia domestica), aveva aperto per lui una porta sul mondo.

L'amicizia al limite dell'adorazione con Jean-Loup l'aveva addirittura spalancata. Adesso, poco per volta, stava richiudendo quella porta, e la donna temeva che una volta chiusa completamente, a nessuno sarebbe stato concesso di entrare. Mai più.

Era impossibile capire cosa gli passasse per la testa.

Eppure tutti, dal primo all'ultimo, sarebbero rimasti a bocca aperta se avessero potuto leggere i suoi pensieri. Ognuno pensava che la sua tristezza e il suo mutismo derivassero dall'aver scoperto che il suo amico era in realtà l'*uomo cattivo*, come lo definiva lui, quello che telefonava in radio ogni tanto con la voce dei diavoli. Forse il suo animo candido reagiva in quel modo perché era stato *costretto* a rendersi conto di aver riposto la sua fiducia in qualcuno che non la meritava.

Invece, la sua fiducia in Jean-Loup, la sua amicizia, non erano state minimamente intaccate dagli ultimi avvenimenti e dalle rivelazioni di quella gente sul conto del suo idolo.

Lui lo conosceva bene, lui era stato a casa sua, insieme avevano mangiato la Nutella con le crêpes e Jean-Loup gli aveva anche dato da assaggiare un bicchiere di vino italiano buonissimo che si chiamava «*il Moscato*». Era dolce e fresco e gli aveva fatto anche un po' girare la testa. Avevano ascoltato musica, e Jean-Loup gli aveva addirittura prestato dei dischi, di quelli neri di plastica, quelli preziosi, perché lui potesse ascoltarseli a casa. Gli aveva fatto una copia dei cd che preferiva, come quello dei Jefferson Airplane e di Jeff Beck con la chitarra sul ponte delle macchine e gli ultimi due dei Nirvana.

Tutte le volte che erano stati insieme, lui non aveva mai sentito Jean-Loup parlare con la voce dei diavoli, anzi...

Gli diceva cose da ridere con la sua bella voce che era uguale a quella della radio e a volte lo portava a Nizza sulla sua macchina e andavano a mangiare gelati grossi come montagne e a vedere i negozi di animali e si fermavano davanti alle vetrine a guardare i cuccioli esposti nei loro recinti.

Jean-Loup gli aveva *sempre* detto che loro due erano amici per la pelle e gli aveva *sempre* dimostrato che era la verità. Allora, se Jean-Loup gli aveva detto sempre la verità, questo significava una cosa semplicissima: erano gli altri che mentivano.

Tutti gli chiedevano che cosa aveva e cercavano di farlo parlare. Lui non voleva dire a nessuno, nemmeno a sua madre, che la causa principale della sua tristezza era che da quando erano successe tutte quelle cose non lo aveva più visto. E che non sapeva come fare per aiutarlo. Forse in quel momento era nascosto da qualche parte e aveva fame e non c'era nessuno che gli portava da mangiare, nemmeno un po' di pane e Nutella.

Sapeva che i poliziotti lo cercavano e che se lo prendevano lo mettevano in prigione. Pierrot non aveva un'idea ben precisa di cosa fosse una prigione. Sapeva solo che ci mettevano la gente che aveva fatto brutte cose e non la facevano più uscire. E se non facevano più uscire quelli che erano dentro voleva dire che non facevano nemmeno entrare quelli che erano fuori e che lui non avrebbe visto mai più Jean-Loup.

Forse i poliziotti potevano entrare a vedere quelli che stavano in prigione. Una volta anche lui era un poliziotto, un poliziotto *in orario.* Glielo aveva detto il commissario, quello con la faccia simpatica che non aveva più incontrato e qualcuno aveva detto che era morto. Ma lui ormai, dopo i pasticci che aveva combinato, forse non lo era più un poliziotto *in orario,* e forse doveva stare fuori dalla prigione come tutti gli altri senza poter andare a trovare Jean-Loup.

Pierrot girò la testa e vide Barbara che si allontanava verso la sala della regia. Guardò i suoi capelli rosso scuro che si muovevano come se ballassero sul vestito nero mentre camminava. Lui voleva bene a Barbara. Non come a Jean-Loup, ma in un modo diverso: quando il suo amico gli parlava o gli metteva una mano sulla spalla, non sentiva quel calore che saliva dallo stomaco come se avesse bevuto tutto d'un fiato una tazza di tè caldo.

Con Barbara era differente, non sapeva cosa fosse ma sapeva che le voleva bene. Un giorno le aveva messo un fiore sul mixer, per dirglielo. Aveva preso una margherita da un vaso in strada e l'aveva appoggiata sul piano dell'apparecchio mentre nessuno vedeva. Aveva addirittura sperato, fino a un certo punto, che Jean-Loup e lei si sposassero, così quando andava a casa sua li poteva vedere tutti e due.

Pierrot raccolse la pila di cd e si avviò verso la porta. Raquel fece scattare la serratura, come faceva di solito quando lo vedeva con le mani impegnate. Pierrot uscì sul pianerottolo e mise in movimento l'ascensore premendo il tasto di chiamata con il naso. Non aveva mai fatto vedere a nessuno questo suo modo di chiamare l'ascensore. Sicuramente avrebbero riso di lui se lo avessero visto, ma dato che il naso stava lì, in mezzo alla faccia, a fare niente, quando lui aveva entrambe le mani occupate tanto valeva...

Spinse con il gomito la porta scorrevole dell'ascensore e allo stesso modo la richiuse. All'interno, non si poteva usare il naso perché i tasti erano fatti in un modo differente. Fu costretto a un'autentica acrobazia, tenendo i cd premuti contro il mento per arrivare a premere il pulsante del pianterreno con un dito.

L'ascensore si mise in movimento dall'alto verso il basso. La mente di Pierrot lo aveva già fatto da parecchio tempo, nel suo modo un po' casuale, seguendo una logica che in qualche modo, nel *suo* modo, aveva un percorso del tutto lineare.

Aveva preso una decisione secondo un ragionamento assolutamente inoppugnabile.

Jean-Loup non poteva venire da lui? Allora lui sarebbe andato da Jean-Loup.

Era stato tante volte a casa sua e il suo amico gli aveva detto che teneva in un posto segreto, che da quel momento in poi conoscevano solo loro due, una chiave di riserva per entrare in casa. Stava appiccicata con del silicone sotto la cassetta delle lettere, all'interno del cancello. Pierrot non sapeva cosa fosse il silicone, ma una cassetta delle lettere sapeva benissimo che cos'era. Ce l'avevano anche lui e sua mamma, nella casa di Mentone, e non era una casa bella come quella di Jean-Loup.

Quando la vedeva, l'avrebbe riconosciuta.

Sotto, nella *stanza*, aveva il suo zainetto della Invicta che gli aveva regalato proprio Jean-Loup. Dentro ci aveva messo un po' di pane e un barattolo di Nutella che quel mattino aveva preso dal pensile della cucina, a casa. Non aveva del vino *il Moscato*, ma aveva preso una lattina di Coca-Cola e una di Schweppes e pensava che forse andavano bene lo stesso. Se il suo amico era nascosto da qualche parte, in casa sua, sicuramente sentendo che era lui che lo chiamava sarebbe uscito fuori. D'altronde, chi altro poteva essere? Solo loro due sapevano dove stava la chiave segreta.

Sarebbero stati insieme e avrebbero mangiato la cioccolata e bevuto la Coca e se ne era capace questa volta *lui* avrebbe detto a Jean-Loup delle cose da ridere, anche se non poteva portarlo a Nizza a vedere i cuccioli che giocavano nel box in vetrina.

E poi, se Jean-Loup non era lì, a casa sua, avrebbe dovuto aver cura dei suoi dischi, quelli neri, di plastica vinile. Doveva pulirli, controllare che le copertine non prendessero l'umidità, metterli bene in fila per il verso giusto per evitare che si piegassero, altrimenti quando lui tornava erano tutti rovinati. Doveva essere lui a occuparsi delle cose del suo amico, altrimenti che amico era?

Quando l'ascensore arrivò al pianterreno, Pierrot sorrideva.

Besson, un meccanico del rappresentante di motori marini che stava al piano sotto la radio, che era in attesa della cabina, aprì la porta. Se lo trovò di colpo davanti, in piedi nell'ascensore, la testa dai capelli arruffati che spuntava da sopra la pila di cd che teneva fra le braccia.

Vedendo il suo sorriso, sorrise anche lui.

«Ehilà, Pierrot, sembri la persona più indaffarata di tutta Montecarlo. Io fossi in te chiederei un aumento di stipendio.»

Il ragazzo non aveva la minima idea di come si facesse a chiedere un aumento di stipendio. In ogni caso, in quel momento, era mille chilometri lontano dal suo centro di interessi.

«Sì, domani lo faccio…» rispose evasivo.

Besson, prima di infilarsi nell'ascensore, gli aprì la porta sulla sinistra che portava all'archivio.

«Occhio alle scale», disse mentre gli accendeva la luce.

Pierrot fece uno dei suoi soliti cenni con la testa e prese a scendere i gradini. Quando arrivò davanti alla porta dell'archivio, spinse con il piede il battente che aveva lasciato aperto. Appoggiò il suo carico sul tavolo addossato alla parete, di fronte alla fila di scaffali pieni di dischi e cd. Per la prima volta da quando lavorava a Radio Monte Carlo, non mise immediatamente al loro posto i cd che aveva portato di sotto.

Prese il suo zaino e se lo mise sulle spalle, con il movimento facile che gli aveva insegnato il suo amico Jean-Loup. Spense la luce e chiuse la porta a chiave, come faceva tutte le sere prima di andare a casa.

Solo che adesso non stava andando a casa. Risalì le scale e si trovò nell'ingresso del palazzo, il largo corridoio che terminava con una porta a vetri. Oltre la trasparenza dei battenti, c'era il porto, c'era la città, c'era il mondo. Nascosto da qualche parte c'era il suo amico che aveva bisogno di lui.

Per la prima volta nella sua vita, Pierrot fece una cosa che non aveva mai fatto.

Spinse la porta, fece un passo e si diresse ad affrontare quel mondo da solo.

57

Frank stava seduto in attesa sulla Mégane nello spiazzo sterrato sopra la casa di Jean-Loup Verdier. Faceva piuttosto caldo e aveva tenuto il motore acceso per mantenere in funzione il condizionatore dell'auto. Mentre aspettava che arrivassero Morelli e gli uomini mandati da Roncaille, non poteva impedirsi di guardare continuamente l'orologio.

Nella sua testa costruì l'immagine di Nathan Parker e il suo gruppo in partenza all'aeroporto di Nizza, lui seduto impaziente su una poltroncina con Helena e Stuart di fianco, Ryan Mosse che sbrigava tutte le pratiche per l'imbarco. Vide la figura massiccia di Froben, o chi per lui, avvicinarsi e annunciare al vecchio generale che c'erano degli intoppi e che per il momento doveva rinunciare a partire. Non riusciva nemmeno lontanamente a immaginare che cosa si sarebbe inventato Froben per ottenere quel risultato, ma poteva benissimo immaginare la reazione del vecchio. Gli venne in mente d'impulso che non avrebbe voluto essere nei panni del suo amico commissario.

L'assurdità di quel pensiero del tutto istintivo, legato a un comune modo di dire, lo fece sorridere.

In realtà era esattamente quello che desiderava.

In quel momento *lui* avrebbe voluto essere all'aeroporto di Nizza e fare di persona quello che aveva chiesto come favore a Froben. Avrebbe voluto prendere da parte il generale Nathan Parker e dirgli finalmente quello che voleva dirgli. Anzi no, il *desiderio sfrenato* di dirgli. Senza bisogno di inventarsi nulla, solo di chiarire alcune cose…

Invece era lì, sentendo come sale sulla lingua il sapore del tempo che passava, a guardare l'orologio ogni trenta secondi con l'impressione che fossero trascorsi trenta minuti.

Si sforzò di levarsi quei pensieri dalla testa. Gli venne in mente Roncaille. Quella era un'altra faccenda. E un'altra grana. Il prode direttore doveva aver messo in moto gli uomini con un ragionevole dubbio nella testa. Frank era stato categorico durante la telefonata ma aveva espresso una certezza che era ben lontano dal possedere. Non aveva il coraggio di confessare nemmeno a se stesso che, più che una specie di bluff, la sua era stata una scommessa, e parecchio azzardata anche. Qualunque allibratore gliela avrebbe data trenta a uno senza pensarci troppo. In realtà, la sua affermazione di conoscere il nascondiglio di Nessuno non era una certezza assoluta, solo una ragionevole supposizione. La percentuale del novantanove per cento che aveva dichiarato al capo della polizia andava ridimensionata considerevolmente. Se la sua ipotesi non si fosse rivelata esatta, non ci sarebbero state grosse conseguenze, a parte l'ennesimo nulla di fatto. Niente sarebbe cambiato rispetto alla posizione in cui si trovavano ora. Nessuno era uccel di bosco e tale sarebbe rimasto. Semplicemente, quello che restava del prestigio di Frank Ottobre avrebbe avuto un calo considerevole, con delle conseguenze deprecabili. Roncaille e Durand avrebbero avuto in mano un'arma che lui stesso aveva caricato per far notare al rappresentante del governo americano quanto poco attendibile fosse il loro uomo dell'FBI nel prosieguo dell'inchiesta, nonostante l'indubbio merito di aver scoperto l'identità del serial killer. Inoltre, la sua sparata pubblica sugli effettivi meriti del commissario Nicolas Hulot poteva avere un effetto boomerang. Gli pareva di sentire la voce e il tono noncurante di Durand mentre diceva a Dwight Stone che, in fondo, se Frank Ottobre era arrivato a quel risultato, non era del tutto merito suo…

Invece, se la sua supposizione era esatta, tutto sarebbe finito in gloria. Lui sarebbe corso all'aeroporto di Nizza a mettere a posto le sue faccende personali circondato da un'aura di leggenda.

Non che la gloria gli interessasse particolarmente, però tutto quello che poteva essere d'aiuto per comporre la sua personale vertenza con Nathan Parker non poteva che essere bene accetto.

Finalmente vide sbucare dalla curva sotto di lui la prima macchina della polizia. Questa volta arrivarono senza farsi precedere dal suono delle sirene, come Frank aveva raccomandato a Morelli quando si erano sentiti al cellulare. Notò che la formazione dell'unità d'intervento era stata rinforzata in modo considerevole rispetto alla prima volta che erano saliti fino a lì per tentare di catturare Jean-Loup. C'erano sei macchine piene di agenti, oltre al solito furgone blu dai vetri scuri degli incursori. Quando le porte posteriori del furgone si aprirono, ne scesero sedici uomini, invece che dodici. Sicuramente altri agenti si erano già disposti di sotto in modo da fermare ogni possibile tentativo di fuga attraverso il giardino sul fronte anteriore della casa.

Una macchina si fermò, fece scendere due poliziotti e ripartì, per andare a mettere un posto di blocco più in alto, sul tratto di strada che saliva verso l'autostrada. Lo stesso provvedimento era certamente già stato preso più in basso.

Frank sorrise suo malgrado. Roncaille non voleva correre rischi. La facilità con cui Jean-Loup si era sbarazzato dei tre poliziotti aveva aperto definitivamente gli occhi, se ancora ce n'era il bisogno, sulla sua effettiva pericolosità.

Arrivarono quasi contemporaneamente anche un paio di macchine del commissariato di Mentone. Dentro c'erano altri sette agenti armati di tutto punto, agli ordini del commissario Roberts. Il motivo della loro presenza era ovvio: la collaborazione onnipresente della Sûreté Publique di Montecarlo con la polizia francese.

Frank scese dalla macchina. Mentre gli uomini si disponevano in attesa di ordini, Roberts e Morelli si diressero verso di lui.

«Che succede, Frank? Spero che prima o poi me lo dirai. Roncaille ci ha detto di raggiungerti qui al galoppo in assetto da combattimento, ma non ha voluto spiegarci niente. Però aveva un bel po' di pepe al culo e...»

Frank lo interruppe con un gesto della mano. Indicò il cancello e il tetto della casa, seminascosto dalla vegetazione e dai cipressi che spuntavano come dita dalla massa di cespugli. Tagliò ogni preambolo.

«Sta' qui, Claude. Se non ho preso un abbaglio, al novantanove per cento Jean-Loup Verdier sta nascosto in casa sua fin dall'inizio.»

Frank si accorse di aver propinato all'ispettore e agli altri la stessa percentuale di sicurezza che aveva millantato con Roncaille. Non ritenne opportuno rettificare.

Morelli si grattò il mento con l'indice della mano sinistra, come faceva sovente quando aveva delle perplessità. E in questo caso ne aveva parecchie.

«E dove, Cristo santo? Questa casa l'abbiamo rivoltata peggio che per le pulizie di primavera. Non c'è un buco in cui non abbiamo guardato.»

«Chiama gli uomini e di' loro di avvicinarsi.»

Se Morelli era stupito da quel comportamento un po' involuto, non disse nulla. Roberts, con la sua solita posa dinoccolata, stava in flemmatica attesa dell'evolversi degli eventi. Quando ebbe tutti gli uomini disposti a semicerchio davanti a lui, Frank parlò scandendo le parole come se, nonostante parlasse un francese praticamente perfetto, addirittura quasi senza accento, non si fidasse completamente di esporre i fatti in una lingua che non era la sua. Sembrava il *coach* di una squadra di pallacanestro che dava istruzioni tattiche ai giocatori durante il minuto di sospensione.

«Okay, ragazzi, statemi bene a sentire. Ho parlato con il proprietario della casa qui di sotto, la casa gemella di questa. Le due abitazioni sono state costruite contemporaneamente, a poche decine di metri l'una dall'altra, da due fratelli verso la metà degli anni Sessanta. Quello che abitava qui…»

Frank fece un gesto con la mano per indicare il tetto alle sue spalle.

«Quello che abitava qui, nella casa che poi sarebbe diventata di Jean-Loup Verdier, aveva una moglie un po', come dire, impressionabile. Una rompicoglioni, insomma. La faccenda di Cuba del '61, quando c'è stato il serio pericolo dello scoppio di una guerra nucleare, l'aveva fatta cagare sotto. Perciò aveva obbligato il marito a costruire sotto la casa un rifugio atomico. Proprio qui, sotto di noi, forse…»

Frank indicò con un dito l'asfalto su cui poggiavano i piedi. Morelli seguì istintivamente il gesto di Frank e abbassò la testa a guardare per terra. Quando se ne accorse la sollevò di scatto.

«Ma abbiamo addirittura esaminato le planimetrie delle due case. Non c'è segnato nessun rifugio antiatomico.»

«Non so che cosa dirti. Molto probabilmente è stato costruito in modo abusivo e sulle mappe catastali non ce n'è traccia. Nella costruzione contemporanea non di una, ma di due case, con ruspe che scavano da tutte le parti, camion che vanno e che vengono, un bunker infilato sotto terra può benissimo sfuggire ai controlli.»

A conferma delle parole di Frank, intervenne Roberts.

«Se questo rifugio è stato costruito ed esiste, le cose sono andate sicuramente come dice Frank. Quelli erano anni in pieno boom edilizio, e in quanto a controlli non andavano troppo per il sottile.»

Frank continuò per quello che sapeva.

«Tavernier, quello della casa di sotto, mi ha detto che l'ingresso del bunker era piazzato in un locale di sgombero, dietro una parete coperta da uno scaffale.»

Uno degli incursori alzò una mano. Era uno di quelli che avevano fatto irruzione nella casa quando avevano scoperto i cadaveri dei tre agenti e che l'avevano perquisita da cima a fondo.

«C'è una specie di lavanderia, nel seminterrato, alla destra del box, un locale che prende luce da delle bocche di lupo sul cortile della casa. Mi sembra di ricordare che una parete fosse occupata da uno scaffale.»

«Molto bene», rispose Frank. «Ora, il problema non credo sia tanto trovare il rifugio, ma di aprirlo o di costringere chi sta all'interno a venire fuori. Adesso farò una domanda oziosa. C'è qualcuno fra di noi che sa come funziona un rifugio atomico? Voglio dire, c'è qualcuno che ne sa qualcosa di più di quello che si vede nei film?»

Ci fu un attimo di silenzio generale, poi il tenente Gavin, il comandate dell'unità d'intervento, alzò una mano.

«Io qualche cosa ne so. Un'infarinatura, più che altro.»

«È già qualcosa. In ogni caso molto di più di quello che ne so io. Cosa si può fare per stanare quell'uomo da lì, ammesso che ci sia?»

Mentre diceva quelle parole, Frank nella sua testa vide distintamente due dita di una mano che si incrociavano in un gesto scaramantico.

Roberts si accese una sigaretta. Forse ispirato dal fumo che gli usciva dalla bocca, propose una seconda alternativa.

«Stando là sotto dovrà pur respirare, no? Se troviamo le bocche di aerazione possiamo provare a stanarlo con i lacrimogeni.»

Gavin scosse la testa.

«Non credo che sia una strada percorribile. Possiamo provare, ma se le cose stanno come ha detto Frank e il nostro amico ha mantenuto in efficienza le strutture, non c'è storia. Non parliamo poi se per caso le ha tenute al passo con l'evoluzione della tecnica. I rifugi atomici moderni sono dotati di un sistema di depurazione dell'aria mediante filtri a base di carboni attivi, normali o impregnati, che funzionano da adsorbitori. I carboni attivi sono usati come agenti filtranti, oltre che nelle maschere antigas, anche nei sistemi di ventilazione di ambienti ad alto rischio, come quelli delle centrali nucleari. Ci sono filtri del genere pure nei carri armati e negli aerei militari. Sono in grado di trattenere acido cianidrico, cloropicrina, arsine e fosfine. Figuriamoci dei semplici lacrimogeni.»

Frank si trovò a guardare con una certa considerazione il tenente Gavin. Se quella era una semplice infarinatura, chissà cosa ne poteva sapere su qualcosa in cui era *veramente* preparato.

Frank allargò le braccia, conciliante con se stesso.

«Okay, siamo qui per risolvere un problema. A volte le soluzioni si trovano continuando a dire stronzate. Adesso sparerò la mia. Tenente, quante probabilità abbiamo di riuscire ad aprirlo con gli esplosivi?»

Gavin si strinse nelle spalle, con l'espressione desolata di chi si trova nella posizione di dare solo cattive notizie.

«Uhmm... può essere una via. Io non sono un esperto di esplosivi, però, stando alla logica, un rifugio simile è costruito in modo da poter resistere alle conseguenze di un'esplosione atomica. Credo che bisognerebbe fare un bel botto per aprirlo. Però teniamo presente, questa volta a nostro favore, che si tratta di un prodotto che ha più di trent'anni, per cui non avrà il grado di efficienza di installazioni molto più recenti. Direi che, in mancanza di un'alternativa migliore, questa mi sembra la strada più percorribile.»

«Se optiamo per gli esplosivi, quanto ci vuole per poter essere operativi in tal senso?»

La smorfia di perplessità del tenente aveva un risvolto positivo, questa volta.

«Non molto. Abbiamo un artificiere, il brigadiere Gachot. Se metto subito in movimento lui e la sua squadra, ci vorrà il tempo strettamente necessario per arrivare fin qui con del C4 o qualcosa del genere.»

«Bene. Io direi di procedere, allora», confermò Frank.

Gavin si rivolse a uno dei suoi uomini che stava alla sua sinistra.

«Chiama il comando e attiva Gachot. Gli spieghi la situazione e gli dai le coordinate del posto. Lo voglio qui al massimo fra quindici minuti.»

L'incursore si allontanò di corsa senza rispondere con il secco «signorsì, signore» che Frank si sarebbe aspettato dopo un discorso in perfetto lessico militare come quello.

Frank guardò a uno a uno gli uomini davanti a lui.

«Altre idee?»

Attese un cenno che non venne. Decise di risolvere del tutto la loro serie di dubbi.

«Bene, le cose stanno in questo modo. Il nostro uomo, se è lì, non può scappare. Di ipotesi ne abbiamo a bizzeffe. Troviamo prima di tutto questo maledetto rifugio e poi decideremo che strada prendere. Si recita a soggetto, da questo momento in poi. Muoviamoci.»

Il passaggio dalle congetture all'azione trasportò gli uomini dell'unità d'intervento su un terreno a loro molto più congeniale. Tolsero i sigilli al cancello e, non appena fu aperto, scesero di corsa la rampa che portava al cortile e al box. In pochi istanti occuparono la casa secondo uno schema che faceva parte del loro addestramento.

Erano silenziosi, rapidi, pericolosi.

Tempo prima Frank avrebbe bollato la presenza di tutti quegli uomini come un ridicolo eccesso di prudenza. Dopo dieci morti, era stato costretto a pensare che quelle precauzioni non erano assolutamente sovradimensionate rispetto all'entità del loro compito.

Il soldato che prima aveva descritto loro la stanza dove probabilmente stava l'ingresso del bunker, fece loro strada attraverso il cortile. Sollevò la saracinesca ed entrarono nel box vuoto. La luce invase il locale dalle pareti verniciate di bianco. Sulla destra, appesa a un supporto fissato al muro, c'era una mountain bike, e in un angolo un portasci fatto apposta per il modello di macchina di Jean-Loup. Di fianco, un paio di sci carving con le racchette, chiusi con una fascia elastica.

Nessuno fece facili commenti sulla propensione allo sport del padrone di casa. Sapevano che al piano di sopra c'era anche un locale attrezzato a piccola palestra. Quell'uomo aveva dimostrato ampiamente, alla luce dei fatti, che tutto il tempo speso nella pratica dell'esercizio fisico non era stato vano.

Dalla porta sul fondo del box passarono in un corridoio che piegava ad angolo retto verso destra. Di fronte a loro, la porta aperta di un piccolo bagno di servizio. Si disposero in fila indiana. L'incursore procedeva davanti a tutti con l'M-16 spianato di fronte a lui.

Frank, Gavin e l'ispettore Morelli avevano estratto le pistole e avanzavano tenendole puntate verso l'alto. Roberts chiudeva la fila, muovendosi con quella sua andatura che lo faceva sembrare un gatto che camminava cercando di pulirsi le zampe. Non aveva sentito il bisogno di impugnare la pistola. Semplicemente aveva slacciato la giacca per essere pronto a farlo in caso di necessità.

Arrivarono in una stanza adibita a diverse funzioni. Probabilmente era il regno della donna delle pulizie. C'era una macchina per lavare e un'asciugatrice e tutto l'occorrente per stirare. A sinistra, sul lato opposto, un grosso armadio laccato di bianco occupava tutta la parete. Nell'angolo di fianco alla porta d'ingresso, una scala scendeva dall'alto. Un altro incursore, che proveniva dal piano superiore, la stava scendendo proprio in quel momento.

Addossato alla parete di fronte alla porta d'ingresso, c'era un mobile di legno fatto a ripiani.

«Deve'essere quello», propose l'agente sottovoce, indicandolo con la canna del fucile.

Frank annuì in silenzio e mise via la pistola. Si avvicinò al mobile. Iniziò a esaminarlo con attenzione sul lato destro mentre Morelli faceva la stessa cosa dall'altra parte.

Gavin e i suoi due uomini rimasero davanti a loro, le armi in pugno, come se da dietro quel mobile potesse uscire un pericolo da un momento all'altro. Adesso anche Roberts aveva estratto una grossa Beretta che nelle sue mani magre sembrava ancora più grande e minacciosa.

Frank impugnò un piano dello scaffale e provò a tirare verso di sé, poi provò a spingere di lato. Non successe niente. Fece scorrere le mani lungo il legno della parete laterale e non trovò nulla. Alzò la testa a guardare verso la sommità dello scaffale, che era di una trentina di centimetri più alto di lui. Si guardò in giro. Prese una sedia in metallo con la seduta in formica che era addossata alla parete di fianco e la trascinò vicino al mobile. Ci salì in piedi ed ebbe la possibilità di arrivare con lo sguardo sul piano superiore. Notò subito che sul legno, dalla sua parte, non c'era un briciolo di polvere. Poi, subito dopo l'angolo, posizionata verso la parete in una scanalatura del legno, vide una piccola leva metallica che pareva poter scorrere in una cerniera. Il meccanismo era ben lubrificato, senza tracce di ruggine. Sembrava in perfetta efficienza.

«Trovato», disse Frank.

Morelli si girò a guardarlo. Lo vide per qualche istante studiare con attenzione qualcosa che lui non vedeva sopra il piano del mobile.

«Claude, c'è qualche cardine in vista dalla tua parte?»

«No. Se c'è, è mascherato nel mobile.»

Frank guardò per terra. Non c'erano segni di scorrimento sulle piastrelle in gres del pavimento. Molto probabilmente l'apertura era verso l'avanti. Se il movimento era laterale e il mobile si fosse spostato in modo deciso, l'avrebbe fatto cadere dalla sedia. Pensò istintivamente a Nicolas Hulot e a tutte le altre vittime di Nessuno. Decise che era un rischio minimo rispetto a quello che era successo a loro. Si rivolse agli uomini in piedi davanti al mobile con le pistole spianate.

«State in campana. Vado.»

I tre si misero in posizione, le gambe divaricate e leggermente piegate, la pistola impugnata a due mani puntata verso lo scaffale. Frank spinse la leva fino in fondo. Si udì uno scatto secco e il mobile si aprì come una porta verso l'esterno, ruotando silenzioso su cardini bene oliati.

Davanti ai loro occhi comparve una pesante porta interamente fatta di metallo, incastonata in un muro di cemento a vista. Non c'era traccia di cardini. La chiusura era così perfetta che quasi non si vedeva il filo di separazione fra il battente e gli stipiti. Sulla destra, un meccanismo d'apertura a ruota che ricordava quello dei portelli dei sommergibili.

Rimasero tutti in silenzio, come affascinati, a guardare quella parete di metallo scuro. Ognuno, a modo suo, sembrava pensare a cosa, *a chi*, stava dall'altra parte.

Frank scese dalla sedia e si avvicinò alla porta. Impugnò la ruota che serviva anche da maniglia e tirò. La porta oppose la resistenza che si era spettato. Provò a girarla in un senso e nell'altro e dalla facilità con cui si muoveva capì che stava girando a vuoto.

«Non funziona. Deve essere bloccata dall'interno.»

Mentre gli altri abbassavano finalmente le armi e si avvicinavano anche loro alla porta, Frank rifletté sull'assurdità della situazione, mentre nella sua testa ora vedeva non una ma due mani con le dita incrociate. Si mise a fissare il metallo come se potesse fonderlo con lo sguardo.

Sei qui dietro, vero? Io lo so che ci sei. Stai lì, con l'orecchio incollato a questa porta blindata ad ascoltare le nostre voci e i rumori che stiamo facendo. Magari ti stai anche chiedendo come faremo a stanarti. La cosa assurda è che anche noi ci stiamo chiedendo esattamente la stessa cosa. La cosa grottesca, invece, è che dovremo fare i salti mortali, magari qualcuno ci rimetterà anche la pelle, per cercare di tirarti fuori da una prigione e infilarti in una prigione analoga, finché morte non vi separi...

Frank tutt'a un tratto si trovò a ripensare al viso di Jean-Loup e alla buona impressione che quel ragazzo gli aveva fatto fin dal primo momento. Rivide la sua espressione distrutta in radio, lo vide accasciato sul tavolo scosso dai singhiozzi dopo una delle telefonate. Risentì l'eco del suo pianto e nella sua memoria gli sembrò la risata di scherno di uno spirito malvagio. Ricordò il modo fraterno con cui gli aveva parlato quando era riuscito a convincerlo a non interrompere la trasmissione, non sapendo che nello stesso tempo lo stava incitando a continuare la sua catena maledetta di omicidi.

Gli parve di sentire nelle narici, attraverso quella porta chiusa, il profumo della sua acqua di colonia, che aveva sentito tante volte standogli vicino, un profumo fresco, leggero, che sapeva di limone e bergamotto. Pensò che forse, se avesse appoggiato anche lui l'orecchio sul metallo freddo, la voce naturale di Jean-Loup, calda e profonda, avrebbe attraversato lo spessore della porta per sussurrare un'altra volta le parole che erano state come un marchio a fuoco nelle loro teste fino ad allora.

Io uccido…

Sentì una rabbia gigantesca montargli dentro, nutrita dal senso di frustrazione profonda per tutte le vittime di quell'uomo, Jean-Loup, Nessuno o chiunque fosse. Era una rabbia così forte che ora, ne era certo, avrebbe preso quel battente di metallo a mani nude, lo avrebbe aperto come se fosse fatto di carta stagnola, avrebbe preso per il collo l'uomo che c'era dietro e lo…

Una serie di piccoli rumori sordi lo riportò a quella realtà da cui il suo odio lo aveva allontanato. Il tenente Gavin stava battendo con il pugno sul metallo della porta in diversi punti, ascoltando la risonanza che la sua mano produceva. Poi si girò verso di loro e aveva di nuovo la faccia delle occasioni poco allegre.

«Signori, spero che il mio uomo sia in arrivo carico di plastico solo per smentirmi. Non vorrei costruirmi la figura di quello che dà solo brutte notizie ma io, per prima cosa, cercherei un mezzo per comunicare con la persona che sta all'interno, ammesso che ci sia. Bisogna convincerlo che ormai è stato scoperto e che non ha più via di scampo. Temo di doverti avvertire che se quell'uomo non decide di sua spontanea volontà di uscire da lì dentro, stanarlo con l'esplosivo sarà una faccenda piuttosto complicata. Per aprire questa porta ne serve una quantità da far saltare mezza montagna.»

Undicesimo carnevale

L'uomo è al sicuro nel suo posto segreto, in quella scatola di metallo e cemento che qualcuno, tanto tempo prima, ha scavato sotto terra per timore di un'eventualità che non si è mai verificata.

Da quando ha scoperto la sua esistenza, quasi per caso, da quando ci è entrato per la prima volta e ha capito che cosa era e a cosa serviva, ha mantenuto il suo rifugio in perfetta efficienza. La dispensa è piena di cibo in scatola e di cartoni di acqua minerale. C'è un sistema semplice ma efficace di riciclaggio dei fluidi che gli permette, se necessario, di filtrare e bere le sue stesse urine. La stessa cosa vale per l'aria, che viene depurata attraverso un circuito chiuso a base di filtri e reagenti chimici che non necessita di attingere all'esterno. Le sue scorte di cibo e acqua sono tali che può resistere e attendere per più di un anno.

Esce solo ogni tanto, col buio, con l'unico scopo di respirare l'aria pura e sentire il profumo dell'estate appena contaminato dall'odore della notte, che da sempre è il suo habitat naturale. Nel giardino c'è un grosso cespuglio di rosmarino e il suo aroma acuto gli ricorda, senza ragione, il profumo particolare della lavanda. Sono così diversi l'uno dall'altro, eppure basta quel particolare a far uscire il ricordo fuori dalla sua mente, come in un juke-box il disco scivola silenzioso sul piatto, estratto fra tutti gli altri dal braccio meccanico del selettore. È il connubio della notte e dell'aroma, in un'immagine composta, oltre che da suoni e colori, da una sensazione olfattiva. Si muove nell'oscurità più completa per quella casa che conosce a menadito, silenzioso come solo lui sa essere silenzioso. A volte esce sul terrazzo e appoggiato al muro, nascosto nell'ombra della casa, alza la testa a osservare le stelle. Non cerca di leggerci il futuro, si accontenta di ammirare il loro ammiccare luminoso in quel frammento di presente. Non si chiede che cosa sarà di lui, di loro. Non è incoscienza o noncuranza, solo consapevolezza.

Non si condanna per aver commesso un errore. Era certo fin dall'inizio che prima o poi ne avrebbe commesso uno. È la legge del caso applicata alla vita effimera degli esseri umani, e qualcuno, tanto tempo prima, gli ha insegnato che gli errori si pagano. No, non proprio. Lo ha *obbligato* a imparare sulla sua pelle che gli errori si pagano.

E lui, anzi loro, li hanno pagati i loro sbagli. Ogni volta in maniera un po' più dura, con un aumento della punizione sempre maggiore man mano che crescevano e che il loro margine di errore diventava sempre più ristretto, fino a raggiungere l'intolleranza più assoluta. Quell'uomo era inflessibile, ma nella sua presunzione si era scordato di essere anche lui pur sempre solo un uomo. E quell'errore gli era costato la vita.

Lui è sopravvissuto e quell'uomo no.

Dopo quelle brevi sortite torna nel suo rifugio sottoterra e aspetta. Il metallo scuro di cui è foderato contribuisce a fare anche di quel posto un ambiente notturno, come se l'oscurità si infilasse attraverso la porta ogni volta che la apre, e si stendesse come vernice sulle pareti. È solo uno dei tanti nascondigli che la notte ha a disposizione per sopravvivere all'arrivo della luce, ma lui attribuisce a quel fatto un significato diverso, lo interpreta come una naturale complicità fra fuggiaschi.

In quell'isolamento non sente il peso dell'attesa né quello della solitudine.

Ha la musica e la compagnia di Paso. Questo gli basta.

Già, Vibo e Paso.

Non ricorda nemmeno più il momento in cui si sono persi i loro veri nomi e dalla loro fantasia sono saltati fuori quei due soprannomi senza significato. Forse c'è stato un riferimento preciso, forse l'unico riferimento preciso è stata la casualità assoluta. Un semplice guizzo di fantasia infantile, che come tale non ha bisogno di sollecitazioni logiche o plausibili. Come una fede, è o non è, semplicemente.

In quel momento, a occhi chiusi, sta riascoltando per la milionesima volta *Stairway to Heaven* dei Led Zeppelin, in una rara versione *live*. È seduto sulla sua poltrona a rotelle e fa dondolare lentamente lo schienale, seguendo quella melodia che evoca in qualche modo, gradino dopo gradino, una salita lenta e faticosa verso il cielo.

La scala esiste, il paradiso forse no.

Nell'altra stanza, il corpo è sempre steso nella sua bara di cristallo, come in animazione sospesa, in attesa di un risveglio al termine di un viaggio che invece non avrà mai fine. Forse ascolta la musica insieme a lui, forse se la sta perdendo a tratti, tutto preso nell'ammirazione del nuovo volto che indossa, l'ultimo che gli ha procurato per soddisfare la sua comprensibile vanità. Presto anche quell'immagine posticcia si deteriorerà, come tutte le altre. Allora dovrà provvedere in proposito, ma per il momento c'è tempo e la voce di Robert Plant che esce dalle casse da seguire con una sonnolenta priorità.

Il brano finisce.

Si appoggia al piano di legno e si allunga per premere il tasto di stop. Non desidera proseguire nell'ascolto del disco. Per il momento quell'unica canzone gli basta. Vuole accendere la radio, sintonizzarsi per un po' con le voci provenienti dal mondo esterno.

Nel silenzio sempre un po' attonito che sempre segue la musica, gli sembra di sentire una serie ritmica di colpi, come se qualcuno da fuori battesse sulla superficie esterna della porta provocando dei lontani rimbombi.

Si alza dalla poltrona e si avvicina alla porta. Appoggia l'orecchio e il freddo del metallo si trasmette alla pelle. La serie di colpi si ripete. Subito dopo, attraverso lo spessore del battente, una voce grida qualcosa. Sono parole indistinte che arrivano da una distanza incolmabile, ma lui sa benissimo che quelle parole, praticamente incomprensibili, sono per lui. Non le capisce ma ne indovina il senso. La voce lo invita di sicuro ad aprire la porta del suo rifugio e a uscire e arrendersi prima che…

Stacca l'orecchio dal metallo con un sorriso. È troppo esperto per non sapere che le loro minacce non sono vane. Sa che non possono fare molto per cercare di stanarlo, ma sa altrettanto bene che quel poco che possono fare lo faranno di certo. La cosa che non sanno è che non riusciranno mai a prenderlo. Non vivo, almeno.

Nessuna ragione al mondo può convincerlo a dar loro questa soddisfazione.

Abbandona la porta e raggiunge la stanza dove il corpo nella teca trasparente pare avere aggiunto alla sua abituale immobilità una tensione vitale. Un accenno di ansia sembra dipinta sulla pelle senza espressione della maschera che gli copre il volto. Pensa che una volta quel tipo di emozione era stata sul viso dell'uomo a cui apparteneva. Ora è solo un'illusione e niente altro. Ogni emozione è svanita per sempre nell'aria, insieme all'ultimo respiro.

C'è un lungo silenzio pensieroso. L'uomo resta a sua volta silenzioso, in attesa. Passano diversi minuti. I morti hanno a disposizione l'eternità e per loro quello spazio di tempo dura meno di niente. Per i vivi a volte può sembrare lungo quanto l'intera vita.

La voce nella testa torna e pone la domanda che temeva di sentire.

Che ne sarà di me, Vibo?

L'uomo rivede il cimitero di Cassis, il grande cipresso centrale, la fila di tombe di persone che non sono mai riuscite a essere la loro famiglia, solo il loro incubo. Non ci sono foto su quelle tombe, ma i volti delle persone che ci stanno dentro sono come dei quadri appena dipinti sui muri della sua memoria.

«Penso che tornerai a casa. E anch'io…»

Oh…

Un'esclamazione soffocata, un semplice monosillabo che comprende tutte le aspettative del mondo. Un richiamo alla libertà, alla luce del sole, al movimento delle onde del mare in cui tuffarsi uomini e riemergere bambini. Ci sono lacrime che scorrono liberamente dagli occhi dell'uomo e scendono lungo il viso fino a cadere sul piano di cristallo a cui adesso si è appoggiato. Sono povere e lucide lacrime senza nobiltà, ma hanno lo stesso colore di quelle onde.

L'affetto che splende nei suoi occhi è totale, senza confini. Guarda per l'ultima volta il corpo di suo fratello che indossa il viso di un altro uomo e lo vede com'era, come avrebbe dovuto essere: identico a lui, uno specchio in cui veder riflesso il proprio viso.

Si allontana di qualche passo dalla bara prima di riuscire a girarsi e darle le spalle. Torna nell'altra stanza e rimane un attimo in piedi davanti alla lunga teoria di macchine e registratori e apparecchi da cui nasce la musica.

C'è solo una cosa che può fare, a quel punto. È la sua sola via d'uscita e l'unico modo che gli resta per mettere i cani che lo stanno braccando di fronte a una nuova sconfitta. Se tende l'orecchio, gli pare di sentire le loro zampe raspare frenetiche dall'altra parte della porta di metallo.

Sì, c'è una sola cosa da fare e deve farla in fretta.

Estrae dal lettore di cd il disco degli Zeppelin e lo sostituisce con uno di heavy rock.

Lo sceglie a caso, senza nemmeno guardare di che gruppo si tratti. Lo mette sul piatto e preme il pulsante di start. Il carrello rientra silenzioso nel suo alloggiamento.

Con un gesto quasi rabbioso, alza il volume al massimo.

Gli pare di vedere distintamente, come in un film d'animazione, l'impulso musicale generarsi dal lettore laser, attraversare *jack* e *plug*, percorrere i cavi di collegamento, raggiungere le casse Tannoy di una potenza innaturale rispetto al piccolo ambiente in cui sono posizionate, risalire ai *tweeter* e ai *woofwer* e…

Di colpo la piccola stanza esplode. Pare che attraverso le casse il furore della ritmica e del metallo delle chitarre cerchi di trasferirsi al metallo delle pareti per scuoterle e farle vibrare con un perverso effetto di risonanza.

Nel rombo di tuono che la musica è chiamata a imitare, non può più sentire alcuna voce. L'uomo si appoggia con le mani al piano di legno e ascolta per un istante il battito del suo cuore. Spinge così forte che sembra destinato anche lui a scoppiare, sotto la spinta di tutti i watt di cui le Tannoy sono capaci.

C'è una sola cosa da fare. Ora.

L'uomo apre un cassetto subito sotto il piano alla sua destra e senza guardare ci infila una mano. Quando la tira fuori, le sue dita stringono una pistola.

58

«Fatto!»

Gachot, l'artificiere, un tipo alto e massiccio con baffi e capelli così scuri da sembrare tinti, si rialzò da terra con un'agilità sorprendente per un tipo della sua corporatura. Frank decise che quella che tendeva la sua divisa dei corpi speciali era una solida massa di muscoli e non il frutto di una propensione a infilare le gambe sotto un tavolo e far andare le ganasce come unica attività fisica.

Si allontanò dalla porta di metallo. Alla serratura era applicata con del nastro adesivo argentato una scatoletta della dimensione di un telefono cordless con una piccola antenna e due fili, uno giallo e uno nero, che partivano dall'apparecchio e finivano in un buco praticato nella porta poco sotto la ruota d'apertura.

Frank guardò il detonatore, del tutto anonimo nella sua semplicità. Gli venne da pensare alle stronzate che si vedevano nei film, in cui l'apparecchio destinato a far esplodere la bomba atomica che avrebbe distrutto la città e ucciso milioni di abitanti aveva sempre un display rosso su cui scorrevano implacabili i secondi, segnando all'indietro il tempo che mancava al botto finale. Ovviamente, il protagonista riusciva a disinnescare il congegno quando sul display mancava un solo fatale secondo, dopo lunghi istanti in cui, insieme agli spettatori, viveva il drammatico dubbio se tagliare il filo rosso o il filo verde. Quelle scene lo avevano sempre fatto sorridere. Il filo rosso o il filo verde. La vita di milioni di persone dipendeva dal fatto che l'eroe della storia fosse daltonico o meno...

Nella realtà era tutto diverso. Non c'era nessun bisogno di visualizzare il count-down di un detonatore collegato a un timer, per il semplice fatto che di solito non c'era nessuno a guardarlo mentre la bomba stava per scoppiare. E se qualcuno era costretto a farlo, non gliene fregava niente che il timer fosse preciso o no.

Gachot si avvicinò a Gavin.

«Io sono pronto. Meglio far sgomberare gli uomini.»

«Distanza di sicurezza?»

«Non ci dovrebbero essere problemi. Ho usato solo un po' di C4, che è un esplosivo molto maneggevole. Per il risultato che dobbiamo ottenere, se ho visto giusto, basta e avanza. Le conseguenze dello scoppio dovrebbero essere abbastanza contenute. L'unico rischio è rappresentato dalla porta, che è foderata di piombo. Possono partire delle schegge, se per caso ho sbagliato i calcoli e ne ho usato un po' troppo. Direi che è meglio posizionare tutti nel box.»

Frank ammirò l'eccesso di prudenza dell'artificiere, che era addestrato tanto a disinnescare bombe quanto a costruirne. C'era la modestia naturale di chi sa fare bene il suo lavoro, tantopiù che Gavin aveva detto che ne sapeva una più del diavolo.

Una in più dell'uomo che sta chiuso dall'altra parte di questa porta, allora, aveva pensato Frank.

«E per la stanza al piano superiore?»

Gachot scosse la testa.

«Nessun problema, se gli uomini stanno lontani dalla scala che scende nella lavanderia. Lo spostamento d'aria, ripeto, sarà molto contenuto, ma sfogherà da lì e attraverso le bocche di lupo, sul davanti.»

Gavin si girò verso i suoi uomini.

«Ragazzi, avete sentito. Stiamo per fare i fuochi artificiali. Aspettiamo fuori, ma subito dopo il botto entriamo di corsa dalla porta del corridoio e dalla stanza di sopra a tenere sotto controllo la porta del rifugio. Non sappiamo quello che succederà. Sicuramente il nostro uomo sarà un po' intontito dall'esplosione, ma può scegliere tra diverse opzioni.»

L'ispettore espose tutte le eventualità a cui si potevano trovare di fronte, contandole sulle dita della mano destra.

«Primo, esce armato e con l'intenzione di vendere cara la pelle. Non voglio vittime e nemmeno feriti, fra di noi. Se il caso è questo, come gli vediamo un'arma in mano, fosse anche un temperino, lo freddiamo senza pietà...»

Guardò gli uomini a uno a uno per vedere se avevano assimilato quello che aveva appena detto.

«Secondo, non viene fuori. Allora lo staniamo con i lacrimogeni. Nell'eventualità decida di uscire con intenzioni bellicose, ci si comporta come nel primo caso. Tutto chiaro?»

Gli uomini, fecero un cenno affermativo con la testa.

«Bene, allora ci dividiamo in due gruppi. Metà di voi con Toureu, al piano di sopra. Gli altri con me, nel box.»

Gli incursori si allontanarono col passo silenzioso che ormai faceva parte del loro modo di essere. Frank era ammirato dal grado di efficienza dimostrato da Gavin e dai suoi uomini. In particolare, adesso che era nel suo elemento, il tenente si muoveva con disinvoltura e lucidità. Frank se li immaginò seduti sulle panche del furgone, trasportati avanti e indietro, con il calcio dell'M-16 appoggiato al pavimento, a parlare del più e del meno, in attesa.

Adesso l'attesa era finita. Nel momento in cui si stava per entrare in azione, ognuno di loro aveva la possibilità di dare un senso a tutto il tempo speso nell'addestramento.

Quando tutti gli uomini furono usciti, Gavin si rivolse all'ispettore Morelli e al commissario Roberts.

«È meglio disporre i vostri uomini all'esterno, dove non c'è pericolo. In caso di movimento, non vorrei che qui sotto ci fosse troppa gente e finissimo per darci fastidio l'uno con l'altro. Manca solo che uno dei vostri finisca con una pallottola in fronte sparata da uno dei miei, o viceversa. Non credo che sarebbe una cosa di cui andare orgogliosi. Poi chi li sente, gli *scrivanisti*...»

«Molto bene.»

I due poliziotti si mossero per mettere i loro agenti al corrente della situazione e dare istruzioni. Frank sorrise tra sé. Immaginò che gli *scrivanisti*, secondo un neologismo tutto suo, fosse il modo di Gavin per definire quelli che stavano seduti dietro a una scrivania a dare ordini senza correre mai rischi sul campo.

Nella stanza rimasero in tre, il tenente Gavin, Gachot e Frank.

L'artificiere aveva in mano un telecomando, un apparecchio un po' più grande di una scatola di fiammiferi svedesi, da cui spuntava un'antenna uguale a quella del detonatore appeso alla porta.

«Aspettiamo solo lei. Quando vuole», disse Gavin.

Frank rimase un attimo a riflettere. Fissò il piccolo congegno radio in mano a Gachot. Nella sua mano sembrava ancora più minuscolo. Frank si chiese come facesse a trattare con quelle dita grandi congegni composti da parti a volte minuscole.

Il brigadiere Gachot si era presentato nel limite di tempo richiesto da Gavin. Era arrivato su un furgone blu dello stesso modello di quell'altro, con la sua squadra composta da due uomini oltre all'autista. Era stato messo al corrente dei fatti e, sentendo le parole «rifugio atomico», il suo sguardo si era incupito, facendolo sembrare ancora più scuro. Gli uomini avevano scaricato il loro materiale ed erano scesi nella lavanderia. Frank sapeva benissimo che in una di quelle valigie rigide, in plastica nera con i bordi di alluminio, modello *flight-case*, c'era del plastico. Pur essendo al corrente che senza un innesco in particolari condizioni era un esplosivo assolutamente innocuo, non riusciva a sentirsi del tutto tranquillo. Probabilmente in quella valigia ce n'era una quantità sufficiente da ridurre la casa e tutti loro in pezzi non più grandi di un francobollo.

Arrivato davanti alla porta, l'artificiere l'aveva osservata a lungo in silenzio. Aveva fatto scorrere le mani sulla superficie, come se il contatto potesse comunicargli qualche cosa che spontaneamente il metallo non gli voleva dire.

Poi aveva fatto una cosa che a Frank era sembrata un po' ridicola oltre che anacronistica. Aveva tirato fuori dalla sua attrezzatura un fonendoscopio e aveva auscultato gli ingranaggi del meccanismo, girando la maniglia da una parte e dall'altra, per controllare il senso di rotazione.

Frank stava in piedi in mezzo agli altri, friggendo come un uovo su una piastra. Gli era sembrato che tutti loro fossero i parenti di un malato, in attesa che il dottore comunicasse quanto era grave la malattia del paziente.

Gachot si era girato e aveva, buon per loro, parzialmente ridimensionato le previsioni pessimistiche dell'ispettore Gavin.

«Forse si può fare.»

Frank aveva pensato che il sospiro di sollievo generale avrebbe tirato su di almeno cinque centimetri il pavimento della stanza di sopra.

«La porta è blindata in funzione delle radiazioni e della sicurezza strutturale, ma non si tratta di una cassaforte. Non è stata costruita per custodire dei valori, voglio dire, ma solo per salvaguardare l'incolumità fisica degli occupanti. Per cui il meccanismo di chiusura è tutto sommato abbastanza semplice, anche considerato il fatto che è piuttosto vecchiotto, come modello. L'unico rischio che corriamo è che la serratura, invece di aprirsi, si blocchi del tutto.»

«In questo caso?» aveva chiesto Gavin.

«In questo caso sono cazzi. Bisogna davvero aprirlo con una bomba atomica e non ne ho neanche una con me, al momento.»

Con quella battuta, pronunciata come una sentenza, Gachot aveva un po' raffreddato l'eccitazione generale. Si era allontanato per controllare le valigie con l'attrezzatura che i suoi uomini avevano trascinato vicino alla porta. Ne era uscito un trapano che sembrava venuto fuori dalla borsa degli attrezzi dell'*Enterprise*, l'astronave di *Star Trek*. Uno degli uomini ci aveva avvitato una punta fatta di un metallo dal nome impronunciabile ma che Gachot aveva descritto come capace di perforare la blindatura di Fort Knox.

In effetti, la punta era penetrata nella porta con discreta facilità, almeno fino a una certa profondità, producendo dei trucioli metallici caduti a terra davanti all'uomo che stava maneggiando l'attrezzo, che infine aveva sollevato la maschera di protezione per lasciare il posto a Gachot. Il brigadiere si era inginocchiato davanti al foro e ci aveva infilato un cavo a fibre ottiche, collegato a un'estremità a una microcamera e all'altra a un visore che sembrava una maschera subacquea, che aveva indossato per controllare dall'interno il meccanismo della serratura.

Finalmente aveva aperto la valigia incriminata.

Davanti ai loro occhi erano apparsi dei pani di plastico avvolti in stagnola argentata. Gachot ne aveva aperto uno e aveva tagliato con un *cutter* un pezzo di esplosivo, che aveva l'apparenza di una plastilina grigiastra. L'artificiere lo maneggiava con estrema disinvoltura, ma dalle facce di tutti i presenti Frank sospettò che il pensiero generale non si discostasse molto da quello che lui aveva avuto in precedenza, durante il trasporto delle valigie.

Aiutandosi con una bacchetta di legno, Gachot aveva infilato piccole quantità di C4 nel foro praticato nella porta e ci aveva poi collegato i cavi che finivano al detonatore appeso di fianco alla ruota.

Adesso erano pronti. Tuttavia Frank non riusciva a decidersi a dare l'ordine.

Il suo timore era che qualcosa andasse storto e che dall'altra parte, per un motivo che non sapeva spiegarsi, ci potessero trovare un cadavere. Poteva essere una soluzione anche quella, ma Nessuno Frank desiderava prenderlo vivo, non fosse altro per avere negli occhi, per il resto dei suoi giorni, l'immagine di quel pazzo psicopatico mentre veniva portato via in manette. Non era quello che avrebbe *voluto* fare, era quello che andava fatto.

«Aspettate un attimo.»

Si avvicinò alla porta, fin quasi ad appoggiare una guancia alla superficie di piombo. Aveva intenzione di riprovare a parlare con l'uomo all'interno, ammesso che potesse sentirlo, di rinnovargli l'invito a uscire disarmato e con le mani alzate, senza costringerli a usare l'esplosivo. Lo aveva già fatto prima dell'arrivo della squadra di artificieri, senza ottenere alcun risultato.

Batté con forza il pugno sul metallo, sperando che il cupo rimbombo che aveva provocato si sentisse anche dentro.

«Jean-Loup, mi senti? Stiamo per fare saltare la porta. Non ci costringere a questo. Potrebbe essere pericoloso per te. Ti conviene venire fuori. Ti prometto che non ti sarà fatto alcun male. Ti lascio un minuto di tempo per decidere, poi faremo saltare la porta con l'esplosivo.»

Frank si allontanò, piegò il braccio destro e portò il quadrante dell'orologio sotto gli occhi. Fece scattare il pulsante del cronografo.

La lancetta dei secondi iniziò a girare, segnandoli uno dopo l'altro, come brutti ricordi.

...8, 9, 10

Arijane Parker e Jochen Welder, i loro corpi sfigurati nella barca incagliata fra le altre, al porto...

...20

Allen Yoshida, il suo viso sanguinante dal ghigno di teschio, gli occhi sbarrati al finestrino della Bentley, nel suo ultimo viaggio...

...30

Gregor Yatzimin, la sua grazia composta sul letto, il fiore rosso sulla sua camicia bianca, in contrasto con l'orrenda mutilazione del viso...

...40

Roby Stricker, steso sul pavimento, il dito contratto nel disperato tentativo di lasciare un messaggio prima di morire, con l'angoscia di chi sa tutto e capisce che non potrà mai più dire nulla...

...50

Nicolas Hulot, riverso nella sua macchina con il viso insanguinato e schiacciato contro il volante, morto per aver avuto la colpa di essere il primo a conoscere un nome...

...60

I corpi dei tre agenti trovati morti nella casa...

«Basta!»

Frank fermò le lancette. Quei sessanta secondi bloccati sul suo orologio, l'ultima chance che aveva dato a un assassino, gli sembrarono il minuto di raccoglimento che la misericordia di ognuno doveva alle sue vittime. La sua voce era tagliente come la punta del trapano con cui avevano forato il metallo.

«Apriamo questa maledetta porta.»

I tre attraversarono la lavanderia, arrivarono al corridoio e subito dopo girarono a sinistra per raggiungere gli altri in attesa nel box. Gli uomini stavano inginocchiati a terra, addossati alla parete di destra, quella più lontana dal punto in cui si sarebbe verificata l'esplosione. Morelli e Roberts erano in piedi nel cortile. Frank fece loro un gesto e i due uscirono dalla visuale della porta del garage per andare a mettersi al riparo.

Gavin si sistemò davanti alla bocca il braccetto del microfono con auricolare che lo collegava via radio ai suoi uomini.

«Ragazzi, ci siamo.»

Raggiunsero gli altri contro la parete, che si strinsero per far loro posto. L'ispettore Gavin fece un cenno con la testa a Gachot. Senza tradire nessuna emozione, l'artificiere sollevò un poco la mano che teneva il telecomando e premette il tasto.

L'esplosione, dosata perfettamente, fu molto contenuta. L'avvertirono più come vibrazione, che come scoppio. Lo spostamento d'aria, se c'era stato, rimase circoscritto alla sola lavanderia. L'eco non si era ancora spenta nell'aria che già i soldati erano scattati verso la porta, subito seguiti da Frank e da Gavin.

Quando arrivarono alla lavanderia trovarono gli uomini, quelli che erano nel box e quelli scesi di corsa dal piano superiore, in formazione davanti alla parete di metallo, con i fucili puntati.

Nel locale non c'erano danni evidenti. Solo il mobile in legno che mascherava l'ingresso del rifugio era stato divelto da uno dei cardini superiori e ora pendeva da una parte. Il poco fumo prodotto dall'esplosione stava uscendo dalle bocche di lupo spalancate dall'onda d'urto verso l'alto.

La porta del bunker era socchiusa. L'esplosione aveva aperto il battente soltanto di qualche centimetro, come se qualcuno fosse passato e l'avesse accostato senza richiuderlo completamente.

Dallo spiraglio proveniva una musica forsennata a un volume infernale.

Attesero qualche secondo ma non successe nulla. Nell'aria c'era l'odore acre dell'esplosivo. Gavin diede un ordine nell'interfono.

«Lacrimogeni.»

Gli incursori estrassero quasi contemporaneamente dal piccolo zaino che avevano alle spalle delle maschere antigas. Si tolsero i caschi in kevlar, le indossarono e rimisero i caschi sulle maschere. Frank sentì battere su una spalla e si trovò di fianco Gavin che gliene porgeva una.

«È meglio che si metta questa, se vuole rimanere qui. Sa come si usa?» chiese con una punta di ironia nella voce.

Per tutta risposta Frank indossò in un attimo la maschera nel modo corretto.

«Molto bene», disse compiaciuto Gavin, «vedo che all'FBI almeno vi insegnano qualcosa…»

Dopo aver indossato la sua, fece un cenno con la mano a uno degli uomini. Il soldato mollò il fucile contro la parete e strisciò contro la porta fino a trovarsi di fianco alla ruota, che stava ancora attaccata al battente nonostante la botta dell'esplosione.

Quando afferrò la maniglia e tirò, la porta si aprì morbidamente, senza nessun cigolio, come ognuno di loro si sarebbe istintivamente aspettato. Dalla facilità con cui lo fece, si capiva che il meccanismo di apertura era facile da azionare e che si muoveva su cardini in perfetta efficienza. La porta fu aperta solo quel tanto che bastava per permettere a un altro soldato di gettare nello spiraglio la granata lacrimogena che teneva in mano.

Dopo qualche secondo uscì una voluta di fumo giallastro.

Frank conosceva quel gas. Prendeva agli occhi e alla gola in modo insopportabile. Se c'era qualcuno all'interno del rifugio, gli sarebbe stato impossibile resistere all'effetto del lacrimogeno.

Attesero per degli istanti che sembrarono eterni, ma dalla porta non venne fuori nessuno. Solo e sempre quella musica ossessiva a un volume altissimo e quelle volute di fumo che ora sembravano avere un significato addirittura beffardo.

A Frank questa cosa non piaceva per niente. No, rifletté, non gli piaceva proprio per niente. Si girò verso Gavin e i loro sguardi si incrociarono attraverso gli occhiali della maschera. Dall'espressione dei suoi occhi capì che la pensava nello stesso modo. Tutti e due si rendevano conto di quello che significava.

Primo: nel rifugio non c'era nessuno.

Secondo: il loro uomo, vistosi perduto, piuttosto che cadere vivo nelle loro mani, si era tolto la vita.

Terzo: quel figlio di puttana aveva una maschera antigas anche lui. Era un'ipotesi tutt'altro che fantascientifica. Quell'uomo li aveva abituati ad aspettarsi di tutto. In quel caso, se avessero tentato di entrare, visto che dalla porta non poteva passare più di un uomo alla volta, bastava che si mettesse dietro a un riparo per fare altre vittime, prima che riuscissero in qualche modo ad abbatterlo. Era armato e tutti sapevano che ne era capace.

Gavin prese una decisione.

«Gettate una granata offensiva. Poi dovremo correre il rischio ed entrare.»

Frank capiva molto bene il punto di vista del tenente. Da una parte si sentiva quasi ridicolo in una situazione del genere, a comandare un gruppo di uomini in assetto di guerra all'assalto di una porta che poteva dare in una stanza vuota. Dall'altra non voleva assolutamente che, nel caso contrario, qualcuno dei suoi ci andasse di mezzo per evitare a lui una sensazione spiacevole. Erano uomini che conosceva a uno a uno e non voleva mettere in pericolo le loro vite.

Frank decise di risolvergli ogni dubbio. Appoggiò la sua maschera a quella del tenente perché potesse sentire meglio la sua voce.

«Dopo la granata entro io.»

«Negativo», rispose seccamente Gavin.

«Non c'è motivo per far correre dei rischi inutili ai suoi uomini.»

Il silenzio e lo sguardo di Gavin la dicevano lunga sul suo pensiero a riguardo.

«È una proposta che non posso accettare.»

La risposta di Frank non ammetteva repliche.

«Non voglio fare l'eroe, tenente. Ma questa storia è diventata un fatto personale fra me e quell'uomo. Le ricordo che dirigo io le operazioni e che lei è qui solo in appoggio. La mia non è una semplice proposta, è un ordine preciso.»

Poi cambiò il tono di voce, sperando che l'altro ne capisse l'intenzione attraverso il loro precario modo di comunicare.

«Se quell'uomo avesse ucciso, oltre a tutti gli altri, anche uno dei suoi migliori amici, si comporterebbe esattamente come me.»

Gavin fece un cenno con la testa a confermare che aveva compreso. Frank si avvicinò alla parete e tirò fuori la Glock. Si mise in piedi di fianco alla porta. Fece segno con la mano che era pronto.

«Granata», ordinò seccamente Gavin.

Il soldato che in precedenza aveva lanciato il lacrimogeno strappò la linguetta di una bomba a mano e la lanciò nel varco della porta. La granata offensiva era un ordigno studiato appositamente per quel tipo di incursioni, privo di effetto dirompente ma con la capacità di stordire gli occupanti di una stanza senza essere letale.

Ci fu un lampo di luce accecante e un forte scoppio, molto più forte di quello prodotto dal plastico. La musica assordante che usciva dal rifugio sembrò trasportata di colpo nel suo ambiente naturale, nel fragore di un concerto, tra fumi colorati e bagliori di luce accecante. Subito dopo, l'uomo alla destra di Frank si mosse e aprì la porta quel tanto che bastava da permettergli di entrare. Ne uscì uno sbuffo di gas lacrimogeno misto al fumo prodotto dalla seconda granata. La porta non era aperta a sufficienza da permettere di vedere cosa succedeva al suo interno. Frank si mosse con la velocità del fulmine e si infilò nel varco con la pistola spianata.

Gli altri rimasero fuori, in attesa.

Passarono un paio di minuti, e ognuno aveva dentro di sé i germi dell'eternità. Poi la musica cessò di colpo e il silenzio che seguì parve a tutti ancora più assordante. Finalmente videro la porta aprirsi completamente e la figura di Frank apparire sulla soglia, seguito da un'ultima voluta di fumo che aleggiò intorno alle sue spalle con l'aspetto inquietante di un fantasma che l'avesse accompagnato in un ritorno dall'oltretomba.

Indossava ancora la maschera antigas e non era possibile vederlo in viso. Teneva entrambe le braccia abbassate lungo il corpo, come se fossero senza energia. Stringeva ancora la pistola in pugno. Senza parlare, attraversò la lavanderia col passo di un uomo che ha combattuto e perso tutte le guerre del mondo. Gli uomini si fecero di lato per farlo passare.

Frank si diresse verso la porta di fronte a lui e imboccò il corridoio. Gavin lo seguì e insieme raggiunsero il box dove avevano atteso la detonazione del plastico. Ci trovarono Morelli e Roberts, con i volti dipinti dello stesso colore all'adrenalina che tutti avevano sotto le maschere antigas.

Ci trovarono la luce del sole che entrava dalla saracinesca sollevata disegnando un quadrato luminoso sul pavimento.

Gavin si tolse per primo il casco e la maschera. Aveva i capelli fradici e il viso tutto ricoperto di sudore. Si pulì la fronte con la manica della divisa blu da incursore.

Frank rimase in piedi ancora un attimo al centro del locale, al confine tra la luce e l'ombra, poi anche lui tolse la maschera. Apparve il volto di un uomo mortalmente stanco.

Morelli gli si avvicinò.

«Frank, che ti è successo là dentro? Sembri uno che ha appena visto tutti i diavoli dell'inferno.»

Frank si girò a guardarlo e gli rispose con la voce di un vecchio e gli occhi di chi non deve vedere più nulla nella vita.

«Molto peggio, Claude, molto peggio. Tutti i diavoli dell'inferno, prima di entrare in quel posto, si farebbero il segno della croce.»

59

Frank e Morelli videro uscire dalla porta del box la barella e seguirono con lo sguardo gli uomini che la infilavano nell'ambulanza. Sopra, coperto da un telo scuro, c'era il corpo che avevano trovato nel rifugio, il cadavere incartapecorito di un uomo senza volto che indossava come una maschera il volto di un altro uomo, ucciso per dargliene uno.

Dopo che Frank ne era uscito sconvolto, tutti gli uomini, a uno a uno, erano entrati nel bunker e ne erano venuti fuori con la stessa espressione di raccapriccio stampata sul viso. La vista del corpo mummificato, steso nella sua teca di cristallo, con addosso la maschera rattrappita dell'ultima vittima di Nessuno, era uno spettacolo in grado di far vacillare anche la mente più salda. Era uno spettacolo che ognuno di loro avrebbe avuto davanti agli occhi, di giorno e di notte, per chissà quanto tempo.

Ancora adesso Frank faceva fatica a credere di aver visto quello che aveva visto. E non riusciva a togliersi di dosso una sensazione malsana, il desiderio di lavarsi per un tempo infinito, come se avesse bisogno di disinfettare il suo corpo e la sua mente dal male allo stato puro che sentiva aleggiare in quel posto. Sentiva dentro una specie di malessere per aver anche solo *respirato* quell'aria, come se fosse impregnata di una follia in forma di virus così contagioso da infettare chiunque e renderlo capace di compiere le stesse azioni, in preda allo stesso morbo.

Una cosa Frank non riusciva a smettere di chiedersi.

Perché?

Quella parola continuava a rimbalzare nella sua testa come se contenesse il segreto del moto perpetuo, anche se si rendeva conto che la risposta a quella domanda non aveva importanza, non ancora.

Quando era entrato nel rifugio, aveva superato la porta e lo aveva controllato da cima a fondo, avanzando nel fumo con la pistola in pugno e il cuore che batteva così forte da impedirgli quasi di sentire la musica che spingeva fortissima. L'aveva spenta ed era rimasto solo il soffio ansimante del suo respiro che rimbombava nella maschera antigas. Oltre alla presenza immobile di quel corpo composto nella sua mostruosa vanità in una bara trasparente, aveva trovato solo stanze vuote.

Era rimasto a guardare il cadavere come ipnotizzato, per un lungo minuto, percorrendo la sua nudità pietosa con lo sguardo, senza riuscire a staccare gli occhi da quello spettacolo di morte sublimato da un'orrenda e geniale fantasia malata. Aveva fissato a lungo il viso coperto da quella specie di maschera mortuaria, che il tempo e la natura stavano riportando lentamente ad assomigliare al resto del corpo. Sul collo del cadavere alcune gocce di sangue raggrumato erano usciti dai bordi slabbrati a testimoniare la precarietà di quell'innaturale tentativo di trapianto.

Quello dunque era lo scopo di quegli omicidi? Tutta quella gente uccisa solo per illudere un morto di essere ancora vivo? Quale sanguinaria idolatria pagana poteva aver ispirato quella mostruosità? Quale poteva essere la spiegazione, se mai poteva essercene una logica, di quel rito funebre che aveva richiesto il sacrificio di tante persone senza colpa?

Questa è la vera pazzia, aveva pensato, *la capacità di nutrirsi di se stessa per generare solo e sempre altra pazzia.*

Quando era riuscito a riscuotersi e a staccare gli occhi da quella visione, era uscito da quell'incubo, per permettere a ognuno degli uomini che erano fuori in attesa di entrarci a sua volta.

Il rumore delle porte dell'ambulanza che si chiudevano riportò Frank dove stava. Da dietro il mezzo spuntò la figura allampanata di Roberts che stava venendo verso di loro. Alle sue spalle c'era una macchina della polizia che lo aspettava con il motore acceso e la portiera del passeggero aperta. Aveva la faccia di chi è stato in un posto nel quale non avrebbe voluto essere mai stato. Come tutti del resto.

«Bene, noi andiamo», disse con voce che non aveva colore.

Frank e Morelli gli strinsero la mano e, salutandolo, non si accorsero di parlargli con la stessa voce. Il commissario faceva fatica a guardarli negli occhi. Anche se aveva vissuto quella storia in maniera molto più epidermica, se non c'era stato dentro in modo forsennato fin dall'inizio come loro, aveva negli occhi la loro stessa stanca delusione. Si allontanò con la sua andatura dinoccolata, alla quale adesso si era aggiunto quel senso di spossatezza che ogni calo improvviso di tensione nervosa produce. Forse anche lui non vedeva l'ora di tornare alla sua vita di sempre, alle sue storie di miseria quotidiana o di quotidiana avidità, a uomini e donne che uccidevano per gelosia, per bramosia di denaro, per caso. Follie che duravano un attimo e non per sempre, follie che non si era costretti a portare appese ai ricordi, come macabri trofei, per il resto della vita. Forse anche lui, come tutti, aveva un solo desiderio. Allontanarsi da quella casa il più in fretta possibile e provare a dimenticare la sua esistenza.

Ci fu il tonfo di chiusura della portiera, il rumore del motore e subito dopo il retro della macchina che spariva su per la salita che dal cortile portava alla strada.

Gavin e i suoi uomini se ne erano già andati da un pezzo. La stessa cosa aveva fatto Gachot con la sua squadra. Avevano imboccato la discesa verso la città sui loro furgoni blu, carichi di uomini, armi, attrezzature sofisticate e di quel banale, ordinario senso di sconfitta che accomuna da sempre gli eserciti, grandi e piccoli, dopo una disfatta.

Lo stesso Morelli aveva fatto rientrare alla centrale la maggior parte dei suoi uomini. Un paio stavano ancora in giro a controllare le ultime operazioni e poi avrebbero fatto da scorta all'ambulanza fino all'obitorio.

I blocchi stradali erano già stati rimossi e la lunga coda di macchine in attesa nei due sensi si stava smaltendo a poco a poco, con l'aiuto di alcuni agenti che dirigevano la circolazione e impedivano ai curiosi di fermarsi per ficcare il naso. L'ingorgo che si era formato aveva impedito ai ficcanaso di professione, i giornalisti, di arrivare sul posto tempestivamente. Quando ci erano arrivati era già tutto finito e soprattutto non c'era niente di nuovo da sapere: questa volta, i rappresentanti dei media avevano potuto dividere con la polizia solo la delusione. Frank aveva delegato Morelli a parlare con loro e l'ispettore se ne era liberato in fretta e nel modo migliore. Senza fare troppa fatica, d'altro canto.

«Io rientro, Frank. Tu che fai?»

Frank guardò l'orologio. Pensò a Nathan Parker in furibonda attesa all'aeroporto di Nizza. Si era illuso di arrivare da lui indossando come un vestito nuovo il sollievo per avere definitivamente archiviato quella brutta storia. Voleva che tutto fosse finito, invece non era finito per niente.

«Vai pure, Claude. Adesso me ne vado anch'io.»

Si guardarono, e l'ispettore fece semplicemente un cenno della mano. Stavano usando il minor numero di parole possibile, perché a tutti e due sembrava di averle finite. Morelli si allontanò a piedi su per la rampa d'uscita, per andare a raggiungere la macchina che lo aspettava in strada. Frank lo vide sparire oltre la leggera curva, nascosto da una macchia di lentischi.

L'ambulanza fece retromarcia e iniziò la manovra per uscire dal cortile. L'uomo seduto sul sedile del passeggero gli rivolse uno sguardo senza espressione attraverso il vetro del finestrino. Non sembrava minimamente impressionato da quello che avevano dietro di loro. Che fossero morti da un'ora, da un anno o da un secolo, erano sempre cadaveri quelli che trasportavano. Era solo un viaggio come tanti altri. Sul cruscotto c'era un giornale sportivo ripiegato. Mentre il furgone bianco si avviava, Frank ebbe come ultima fugace visione l'immagine della sua mano che si allungava per prenderlo.

Rimase in piedi da solo al centro del cortile, sotto il sole di quel pomeriggio d'estate, senza riuscire a sentirne il calore. C'era nell'aria il languore malinconico di un circo quando viene smontato e il buio e le luci negli occhi non proteggono più la vista dalla realtà. Era rimasta la segatura piena di lustrini ed escrementi di animali. Non c'erano più acrobati e donne in costumi colorati, non c'era più la musica e l'applauso del pubblico, solo un clown in piedi sotto il sole.

E non c'è nulla di più triste di un clown che non fa ridere...

Nonostante il pensiero di Helena, non riusciva a decidersi ad allontanarsi da quella casa. *Sentiva* che c'era qualcosa che avevano dato per scontato e che invece scontato non era. Come sempre era successo fino a quel momento, era una questione di particolari. Di piccoli particolari. Il dettaglio della copertina del disco nel filmato, il riflesso del messaggio lasciato da Stricker nello specchio, una scritta capovolta che assumeva un significato completamente diverso...

Frank si impose di ragionare freddamente.

Durante tutto il periodo in cui era stato sotto scorta, Jean-Loup aveva avuto giorno e notte degli agenti intorno alla casa. Come aveva fatto a uscire eludendo la loro sorveglianza? Gli omicidi erano avvenuti sempre di notte, per cui era chiaro che nessun poliziotto, a meno che non ci fosse un motivo fondato, sarebbe entrato in un momento in cui si presupponeva che lui stesse dormendo. Oltretutto dopo lo stress di una telefonata con l'assassino.

Da quel lato Jean-Loup era al sicuro. Ma la garanzia finiva lì.

Sulla sinistra della proprietà, dal lato del cancello, c'era una specie di terrapieno che scendeva in basso quasi a strapiombo. La discesa era talmente ripida da escludere quella strada. Troppo pericoloso, considerando il fatto che quel percorso doveva essere compiuto di notte e senza l'aiuto di una torcia elettrica.

Poteva aver preso la via del giardino. In questo caso, per arrivare sulla strada, doveva uscire dal soggiorno sul davanti della casa, dal lato della piscina, scendere verso il basso, superare la rete di recinzione e attraversare il giardino della casa gemella, quella dove stava Parker.

Se era così, prima o poi qualcuno lo avrebbe notato. Da una parte, per quanto annoiati da quel servizio, c'erano dei poliziotti bene addestrati, dall'altra Ryan Mosse e Nathan Parker, due persone che sicuramente dormivano con un occhio solo. Per una volta avrebbe potuto farla franca, ma prima o poi quell'andirivieni notturno sarebbe stato scoperto.

Anche questa teoria faceva acqua, se non da tutte, almeno da diverse parti.

Tutti avevano dato per scontato che ci fosse una seconda uscita. La logica costruttiva diceva che doveva per forza esserci. Nel caso di un'esplosione, la casa sarebbe potuta crollare e le macerie avrebbero chiuso ogni via d'uscita agli occupanti del rifugio, del quale quasi tutti ignoravano l'esistenza. Tuttavia, dopo la perquisizione meticolosa del rifugio sotterraneo, non ne avevano trovato traccia.

Eppure...

Frank controllò un'altra volta l'ora. Gli venne da pensare, senza ombra di umorismo, che se avesse continuato in quel modo prima o poi avrebbe consumato il vetro dell'orologio, a forza di guardarlo. Infilò le mani nella tasca della giacca. Sentì da una parte le chiavi della macchina e dall'altra la consistenza dura del telefono cellulare. Pensò a Helena, seduta su una poltroncina all'aeroporto, con le gambe accavallate, che girava lo sguardo intorno a sé sperando di vederlo tra la gente.

Gli venne voglia di fregarsene di Nathan Parker e chiamarla al portatile, ammesso che fosse acceso. Per un attimo subì il fascino di quella tentazione, poi decise che era meglio di no. Non voleva tradire Helena e mettere in allarme il generale. Voleva che rimanesse lì, arrabbiato con il mondo intero ma non sospettoso, ad aspettare che lui avesse modo di arrivargli di fronte e finalmente parlare...

Tirò fuori le mani dalle tasche e le aprì e le richiuse finché non sentì che la tensione si stava allentando. Subito dopo, Frank Ottobre attraversò il cortile e tornò nel rifugio.

Si fermò sulla porta del bunker a osservare quel piccolo ambiente nascosto sottoterra, il regno di Nessuno. Nella penombra spiccavano i punti luminosi dei led rossi e verdi e i display delle apparecchiature elettroniche rimaste accese. Gli tornarono di colpo in mente tutte le storie che suo padre gli raccontava quando era bambino. Racconti di fate e gnomi in cui talvolta c'erano orchi che vivevano in spaventosi mondi sotterranei, da cui uscivano per rapire i bambini dalle loro culle e portarli nella loro tana per sempre.

Solo che lui non era più un bambino e quella non era una fiaba. E se lo era, non aveva ancora avuto il suo lieto fine.

Fece alcuni passi in avanti e accese la luce. Nonostante l'esigenza di contenere gli spazi, il bunker atomico era abbastanza grande. La paranoia di quella donna, le sue paure sul futuro del mondo, dovevano essere costate al marito una gran bella cifra, trent'anni prima. La struttura aveva una forma quadrata ed era suddivisa in tre ambienti.

Sulla destra c'era il piccolo locale che serviva contemporaneamente da bagno e dispensa. Avevano trovato ogni tipo di cibo in scatola sistemato in bell'ordine sugli scaffali di legno davanti ai sanitari, insieme a riserve d'acqua tali da rendere interminabile qualunque assedio.

Di fianco, c'era la stanza in cui stava il corpo nella sua teca di cristallo, allineata a un letto francese molto spartano. Il pensiero di Jean-Loup che dormiva accanto a quel cadavere gli fece sentire un senso di freddo, come se un alito maligno gli fosse arrivato da dietro all'improvviso. Represse a fatica il desiderio di girarsi e di guardare alle sue spalle.

Frank fece girare lo sguardo da sinistra a destra per il locale rettangolare in cui si trovava, sul quale si aprivano le porte della camera da letto e della dispensa-bagno. Iniziò a chiudere e aprire gli occhi a intervalli regolari e a proiettare nella sua mente le immagini della stanza come fossero diapositive.

Clic.
Un particolare.
Clic.
Cerca un particolare.
Clic.
Cosa c'è che non va? C'è qualcosa di strano in questa stanza.
Clic.
Una cosa piccola, una leggera incongruenza...
Clic.
Lo sai che c'è, l'hai vista, l'hai registrata...
Clic, clic, clic...

La stanza appariva e spariva come sotto l'effetto di una luce stroboscopica. Continuò a chiudere e riaprire gli occhi, come se ogni volta quello che cercava dovesse mostrarsi quasi per magia nella stanza. Si impose di pensare nel modo che tante volte aveva portato degli ottimi risultati.

La parete sulla sinistra.
Gli scaffali in alto pieni di registratori e di apparecchi elettronici, che erano serviti a Jèan-Loup per filtrare la sua voce e trasformarla in quella di Nessuno.
Le due casse Tannoy posizionate in modo da avere un effetto stereo ottimale.
Un sofisticato lettore di cd e mini-disc.
Un masterizzatore.
Una piastra per le musicassette e un lettore DAT.
Il piatto del giradischi, per i vecchi 33 giri.
I dischi, ordinati nella parte inferiore che sporgeva per funzionare anche come piano d'appoggio.
Alla sinistra gli Lp in vinile, alla destra i cd.

Al centro il vano che serviva da scrivania.

Sul piano un piccolo mixer, un computer Macintosh G4 che comandava gli impianti di registrazione.

Sul fondo, verso la parete, un apparecchio nero che sembrava un altro piccolo lettore di cd.

La parete di fronte.

Uno scaffale di metallo, ricavato dalla parete stessa, vuoto.

La parete sulla destra.

Le porte delle altre stanze e in mezzo un tavolo di legno e una piccola lampada alogena.

Frank si fermò di colpo.

Un altro piccolo lettore di cd...

Frank arrivò al fondo della stanza ed esaminò attentamente l'apparecchio appoggiato sul piano di legno. Non era un maniaco dell'hi-fi, ma alla luce delle sue conoscenze gli sembrò un modello abbastanza ordinario, di metallo nero, con un piccolo display sul davanti, che non pareva nemmeno troppo recente. Frank vide che dal retro uscivano dei cavi che finivano in un buco praticato alla base dello scaffale.

Sul piano dell'apparecchio, segnata sul metallo con un pennarello bianco, c'era una serie di cifre. Qualcuno aveva cercato in un modo piuttosto maldestro di cancellarle, ma erano ancora leggibili.

1-10

2-7

3-4

4-8

Rimase perplesso. Pareva un posto un po' inusuale dove segnare degli appunti...

Premette il tasto di espulsione e il carrello uscì senza rumore alla sinistra del display. Sul piano c'era un cd. Non era un compact-disc originale, ma una copia masterizzata. Sulla superficie dorata c'era una scritta in stampatello, sempre fatta con un pennarello, rosso questa volta.

Robert Fulton – «Stolen Music».

Ancora quel maledetto disco. Frank pensò che quella musica lo stava perseguitando come un anatema. Si mise a riflettere. Era naturale che Jean-Loup si fosse fatto una copia in digitale di quel disco, per ascoltarlo senza correre il rischio di rovinare l'originale. E allora perché, quando aveva ucciso Allen Yoshida, aveva sentito il bisogno di portare proprio l'Lp in vinile? Quel fatto poteva avere un significato simbolico, certo, ma il motivo poteva essere anche un altro, quale che fosse...

Frank si girò a guardare il lettore di cd modernissimo che stava fra gli altri macchinari alle sue spalle e tornò a posare gli occhi su quello molto più modesto che aveva davanti.

E si fece una domanda.

Perché uno che ha a disposizione un lettore come quello usa quest'affare da due soldi per ascoltare musica?

C'erano mille risposte a quella domanda, e ognuna era una risposta plausibile. Eppure Frank sapeva che nessuna era quella giusta. Appoggiò la mano sul metallo nero dell'apparecchio e mosse le dita sulle cifre tracciate in bianco come se si aspettasse di trovarle in rilevo.

Un'ipotesi è un viaggio che può durare mesi, anni, a volte una vita intera. L'intuizione che la avvalora percorre il cervello alla velocità di un lampo e l'effetto è immediato.

Un attimo prima c'è il buio, subito dopo arriva la luce.

Di colpo Frank capì a cosa serviva quel secondo lettore e cosa erano quei numeri che l'occupante di quel rifugio aveva cercato di cancellare in tutta fretta dalla sua superficie.

Quei segni bianchi erano le cifre di una combinazione.

Frank fece rientrare il carrello e schiacciò il pulsante di start contrassegnato con una freccia. Sul display comparve una serie di numeri, mediante i quali si poteva capire quale traccia era in corso di riproduzione e quanto tempo era trascorso dall'inizio.

Guardò i secondi correre lentamente su quel piccolo rettangolo luminoso. Dopo 10 secondi premette il pulsante che faceva passare il disco dalla prima traccia alla traccia successiva. Attese finché comparve la cifra 7, poi passò alla terza traccia. Quando il quadro luminoso segnò 4, passò alla quarta. Quando lesse il numero 8 sul display, premette il pulsante di stop.

Plick!

Lo scatto fu così leggero che se Frank non avesse trattenuto il fiato non lo avrebbe sentito. Si voltò verso la sua destra, da dove era provenuto il rumore. Vide che lo scaffale di metallo ora sporgeva di qualche centimetro rispetto a prima, rivelando un'aderenza così perfetta che quando era chiuso pareva essere tutt'uno con la parete stessa.

Infilò le dita nella fessura che correva lungo il fondo e tirò verso di sé. Scorrendo su delle staffe posizionate ai lati, il mobile venne fuori di circa un metro, mostrando dietro di sé una porta di forma circolare. In una nicchia scavata nel metallo del battente c'era un congegno d'apertura a ruota che sembrava una copia di quello dall'altra parte.

Quando avevano perquisito il bunker, non si erano chiesti il motivo per cui i ripiani dello scaffale fossero completamente sgombri. Ora che aveva una spiegazione, Frank riuscì a risalire a un quesito talmente sottile che nessuno aveva avuto l'acume di porsi.

Il mobile serviva in realtà a mascherare la seconda uscita.

Frank girò senza fatica la ruota in senso antiorario finché non sentì che la serratura si sbloccava. Spinse in avanti e la porta si aprì, ruotando silenziosa sui cardini. Pensò che Jean-Loup Verdier doveva aver impiegato un bel po' di tempo e un bel po' di conoscenze tecniche nella manutenzione di quel posto.

Dietro la porta apparve l'imboccatura di un cunicolo in cemento di circa un metro e mezzo di diametro, un buco nero che partiva del rifugio per finire chissà dove.

Frank infilò il telefono cellulare nel taschino della camicia, si tolse la giacca ed estrasse la Glock dalla fondina sulla cintura dei

pantaloni. Si accovacciò a terra e fu costretto a una piccola manovra da contorsionista per passare fra le staffe che reggevano lo
scaffale. Superò la porta a chiusura ermetica. Rimase un attimo a
fissare l'ingresso di quel tunnel e il buio che prometteva. Il leggero riverbero di luce che arrivava dal rifugio, parzialmente coperto
dallo scaffale e dal suo corpo, non permetteva di vedere più in là
di un metro. Pensò che poteva essere pericoloso, *molto* pericoloso inoltrarsi nel cunicolo in quel modo, alla cieca.

Poi gli venne in mente *chi* era fuggito da quella parte e tutto
quello che aveva fatto e si inoltrò deciso nel tunnel. A quel punto,
Frank non avrebbe rinunciato a farlo nemmeno se avesse corso il
rischio di trovare al di là un plotone di esecuzione.

60

Pierrot sporse appena la testa fuori dal cespuglio in cui stava nascosto e guardò verso la strada. Vide con sollievo che tutte quelle
macchine e quelle persone che aspettavano se ne erano andate e
anche i poliziotti che le avevano fermate.

Bene. Cioè, *adesso* andava bene, però prima si era preso davvero una bella paura...

Quando aveva lasciato la radio, era salito a piedi fino a casa di
Jean-Loup con il suo zainetto in spalla. Era un po' nervoso perché
non era sicuro di ricordare bene la strada, anche se ci era andato
diverse volte, perché ogni volta che era salito fino a Beausoleil era
sulla macchina di Jean-Loup, che si chiamava *una Mercedes*. Non
aveva fatto molto caso al percorso che avevano fatto, per via che
era troppo impegnato a ridere e a guardare in faccia il suo amico.
Quando era con Jean-Loup rideva sempre. Non proprio sempre
però, perché c'era qualcuno che diceva che solo gli scemi ridono
sempre e lui non voleva che dicevano che era uno scemo.

E poi non era abituato ad andare in giro troppo da solo, perché sua madre aveva paura che gli succedeva qualcosa di male o
che gli altri ragazzi lo prendevano in giro, come la figlia della signora Narbonne che aveva i denti storti e le pustole eppure lo
chiamava lo stesso «faccia da deficiente».

Lui non sapeva bene cosa fosse una faccia da deficiente e lo
aveva chiesto a sua madre. Lei si era girata dall'altra parte, ma non
abbastanza in fretta da impedirgli di vedere che aveva gli occhi lucidi. Pierrot non si era preoccupato troppo di quel fatto. Sua madre aveva spesso gli occhi lucidi, come quando guardava alla tele-

visione quei film dove alla fine c'erano due che si baciavano con una musica di violini che suonavano e poi si sposavano.

L'unica cosa che aveva temuto veramente era che gli occhi lucidi di sua madre significassero che prima o poi doveva sposare la figlia della signora Narbonne.

A metà strada gli era venuta sete e aveva bevuto senza fermarsi la lattina di Coca-Cola che aveva portato da casa. Lo aveva fatto un po' a malincuore perché l'aveva presa con l'intenzione di dividerla con Jean-Loup, ma faceva caldo e aveva la bocca tutta secca e il suo amico certo non se la sarebbe presa per così poco.

In ogni caso aveva ancora la lattina di Schweppes.

Era arrivato alla casa di Jean-Loup un po' sudato e aveva pensato che forse era meglio se si portava una maglietta di ricambio. Anche quello, però, non era un problema. Sapeva che Jean-Loup aveva un cassetto in un mobile nella lavanderia dove teneva le magliette che usava solo per fare i lavori in casa. Se la sua era troppo sudata gliene avrebbe presa una in prestito e poi gliela avrebbe resa dopo che sua madre l'aveva lavata e stirata. Una volta era già successo, quando stavano in piscina e la sua T-shirt era caduta in acqua e Jean-Loup gli aveva dato una maglietta blu con su scritto «Martini-Racing», solo che quella volta lui aveva pensato che era un prestito e invece era un regalo.

Adesso prima di tutto doveva trovare la chiave. Aveva visto la cassetta delle lettere in alluminio appoggiata all'interno del cancello, con su scritto Jean-Loup Verdier in verde scuro, lo stesso colore delle sbarre. Aveva infilato la mano tra le inferriate e aveva tastato il fondo della scatola di metallo. Sotto le dita aveva sentito la forma di una chiave bloccata da un leggero strato di una cosa che sembrava gomma da masticare secca.

Stava per tirare la chiave e staccarla, quando sullo spiazzo vicino al cancello si era fermata una macchina. Per fortuna Pierrot era coperto da un cespuglio e dal tronco di uno dei cipressi e, da dove stava, quello nella macchina non lo aveva potuto vedere. Aveva fatto capolino e aveva visto che nella macchina blu ferma sullo spiazzo c'era quell'uomo americano, quello che stava sempre con il commissario ma dopo non ci stava più perché qualcuno aveva detto che era morto. Si era spostato di corsa senza farsi vedere, perché magari se quello scopriva che era lì gli chiedeva cosa ci faceva e poi lo voleva portare a casa.

Era andato su per la strada, seguendo l'asfalto e tenendosi sempre al coperto. Dopo aver superato il pezzo che scendeva in basso così ripido che solo a guardare giù gli girava la testa, aveva scavalcato il guard-rail in un punto dove si poteva e si era trovato un cespuglio dove nascondersi lungo la discesa.

Dal suo punto di osservazione si vedeva il cortile della casa di Jean-Loup e aveva guardato con curiosità un sacco di gente andare e venire, soprattutto poliziotti vestiti di blu e poliziotti vestiti da poliziotti, più qualcuno vestito normale. C'era anche quello che veniva in radio e che quando parlava con qualcuno non sorrideva mai e quando parlava con Barbara sorrideva sempre.

Era rimasto nel suo nascondiglio per un tempo che gli era sembrato lunghissimo, finché non se n'erano andati tutti e il cortile era rimasto vuoto. L'ultimo ad andare via, l'americano, aveva dimenticato la saracinesca del box aperta.

Pierrot pensò che per fortuna c'era lì lui a prendersi cura della casa del suo amico. Adesso poteva scendere e andare a vedere se i dischi erano a posto e prima di andare via avrebbe chiuso la saracinesca, se no chiunque poteva entrare e rubare quello che voleva.

Si sollevò lentamente da terra ed emerse dal cespuglio guardandosi intorno. A stare accucciato per così tanto tempo le ginocchia gli facevano un po' male e gli erano venute le formiche nei piedi. Cominciò a pestarli a terra per farle andare via, come gli aveva insegnato sua madre.

Nel suo piccolo, Pierrot fece un piano d'azione.

Da dove stava non poteva arrivare al cortile della casa, perché lungo la scarpata che scendeva verso il mare c'era quel pezzo di discesa ripida in mezzo. Allora doveva salire fin sulla strada in asfal-

to e da lì scendere di nuovo giù e andare a vedere se rius
valcare il cancello.

Si sistemò lo zainetto sulle spalle e si preparò ad affr
salita.

Con la coda dell'occhio notò un movimento fra i cespu
co più in basso. Pensò di essersi sbagliato. Non era possib
ci fosse qualcuno sotto di lui. Se fosse passato lo avrebbe
perché da giù non si poteva salire. In ogni caso, per prud
tornò ad acquattarsi nel cespuglio. Scostò con le mani i ram
vedere meglio. Per un po' non successe niente e quasi stava
sando che si era sbagliato. Poi i suoi occhi colsero di nuovo
movimento fra i cespugli. Si mise una mano sulla fronte per ri
rarli dal riflesso del sole.

Quello che vide gli fece spalancare la bocca per la sorpresa.

Sotto di lui, vestito di verde e di marrone come se facesse par
te della terra e dei cespugli, con una borsa di tela a tracolla, c'era
il suo amico Jean-Loup che stava strisciando fuori da una macchia di arbusti.

Pierrot rimase senza fiato. Se era per lui si alzava e gli gridava
che era lì, ma forse non era una buona idea perché se i poliziotti
non erano andati via tutti allora qualcuno li poteva scoprire. Decise di salire un po' e di muoversi verso destra prima di segnalare
a Jean-Loup la sua presenza, in modo da essere coperto dal terrapieno.

Si spostò in silenzio, cercando di imitare i movimenti del suo
amico sotto di lui, che entrava e usciva dai cespugli senza nemmeno che si muovevano le foglie.

Quando arrivò al punto oltre il quale non poteva andare, vide
che c'era una posizione perfetta per essere coperto rispetto alla casa. Poco sotto di lui c'era una sporgenza non molto grande, ma abbastanza per potersi mettere in piedi e chiamare Jean-Loup senza
che i poliziotti lo vedessero.

Scese con prudenza fino ad arrivare il più vicino possibile alla
sporgenza che aveva individuato e si preparò piegando le gambe.

i alzò le bracçia al cielo e fece un piccolo salto. Non appena i
oi piedi si posarono sul terreno, quella sporgenza friabile
anò sotto di lui e il povero Pierrot iniziò a ruzzolare urlando
el vuoto.

61

Frank procedeva lentamente nel buio più totale.

Dopo un attento esame del tunnel, aveva visto che l'altezza era sufficiente a permettergli di avanzare accovacciato e aveva deciso di procedere in quel modo. Non era la posizione più comoda ma era sicuramente la meno rischiosa, vista la situazione. Aveva pensato con un sorriso amaro che mai nessuna occasione era stata più adatta di quella a essere definita a tutti gli effetti «un salto nel buio».

Dopo pochi passi, condotti con l'impressione di camminare come un cane ammaestrato, aveva perso l'aiuto del leggero chiarore che proveniva dalle sue spalle per entrare nel nero assoluto. Nonostante avesse dato ai suoi occhi il tempo di abituarsi all'oscurità, non vedeva assolutamente niente.

Teneva la pistola nella destra e il corpo appoggiato alla parete di sinistra, leggermente sbilanciato all'indietro, in modo da far avanzare la mano libera come avanguardia tattile per controllare che davanti a lui a non ci fossero ostacoli o, peggio ancora, delle aperture in cui poteva cadere. Se gli fosse successo qualche cosa lì sotto, in quel buco di cui tutti ignoravano l'esistenza, non ne sarebbe uscito fino al tempo della resurrezione universale.

Avanzava con cautela, metro dopo metro. Le gambe incominciavano a fargli male, specie il ginocchio destro. Era il ginocchio al quale durante una partita di football erano saltati i menischi e i legamenti crociati e che gli aveva precluso la possibilità di continuare a giocare nella squadra del college e ogni aspirazione di sport a livello professionistico, se mai ne avesse avute. Teneva di solito i muscoli delle gambe allenati a sufficienza per non avere problemi in tal senso. Purtroppo il suo allenamento, da un po' di tempo a quella parte, lasciava parecchio a desiderare, e la posizione in cui era costretto per avanzare nel tunnel avrebbe messo a dura prova anche le ginocchia di un sollevatore di pesi.

Rabbrividì leggermente. In quel buco non faceva per niente caldo. Tuttavia, per la tensione nervosa, sentiva il sudore che si allargava dalle ascelle sul tessuto leggero della camicia.

C'era nell'aria ristretta odore di foglie fradice e di umidità, unito a quello del cemento che foderava il cunicolo. Ogni tanto sfiorava con le mani qualche radice che era riuscita a infilarsi nelle connessioni fra i tubi. La prima volta aveva sobbalzato e aveva ritratto la mano come se si fosse scottato. Per forza di cose il condotto portava verso l'esterno: non era improbabile che qualche animale potesse risalirlo e trovarsi un posto per una comoda tana. Frank non era un tipo impressionabile, ma l'idea di un contatto fisico con una biscia o con un ratto non era il massimo delle sue aspirazioni, né in quel momento né mai.

Pensò che quella lunga caccia all'uomo, infine, stava dando corpo a tutte le sue fantasticherie. Quella era la situazione che aveva visualizzato istintivamente ogni volta che aveva pensato a Nessuno. Un avanzare lento, strisciante, furtivo, con il freddo e l'umidità che sono da sempre il regno dei topi. Ed era stata, nel contempo, esattamente la loro condizione durante le indagini: un procedere lento, a piccoli passi, con fatica, nel buio più totale, sperando che un esile raggio di sole arrivasse a tirarli fuori dall'oscurità assoluta.

Facci morire sì, ma nella luce...

In quella cecità totale, gli venne in mente un passo famoso dell'*Iliade*, la preghiera di Ajace. L'aveva studiata al liceo, un milione di miliardi di anni prima. I Troiani e gli Achei stavano combattendo vicino alle navi e Giove aveva mandato una caligine a offuscare la vista dei Greci, che stavano soccombendo. Allora Ajace aveva rivolto una preghiera al padre di tutti gli dèi, una preghiera accorata non per la propria salvezza ma per avere almeno la possibilità di andare incontro al buio della morte nella luce del sole. Frank ricordava che il suo eroe preferito aveva terminato la sua preghiera con quelle esatte parole.

Un cambio di pendenza del tunnel lo aiutò a ritrovare la concentrazione. Sentiva che adesso il pavimento, o meglio la parte che teneva sotto i piedi, si inclinava sensibilmente in avanti. Non c'erano molte probabilità che il condotto diventasse impraticabile. In fin dei conti era stato costruito per essere percorso da esseri umani e la pendenza doveva essere un fatto occasionale, più che voluto. Probabilmente durante la costruzione avevano trovato una vena di roccia ed erano stati costretti a deviare verso il basso per poter proseguire.

Decise di sedersi a terra e da quel punto in poi procedere in quel modo, raddoppiando la cautela. Non si preoccupò eccessivamente per l'inclinazione in aumento. Tutto il ragionamento che aveva fatto prima era valido, volendoci aggiungere anche che quel tragitto era stato percorso più volte da Nessuno, all'andata e al ritorno, se pure in condizioni molto più agevoli, nella fattispecie conoscendolo a menadito e con l'aiuto di una torcia elettrica.

Lui invece era in un buio assoluto e ignorava quello che poteva trovarsi davanti. O intorno, che era la definizione più esatta. Ma era proprio la natura di Jean-Loup che gli imponeva un'attenzione raddoppiata. Conoscendo l'astuzia perfida di quell'uomo, non era improbabile che avesse disseminato qualche trappola per un eventuale intruso.

Gli venne da chiedersi di nuovo *chi* fosse Jean-Loup e soprattutto chi lo aveva *creato*. Era ormai un dato di fatto che non era solo uno psicopatico, una persona debole e frustrata che, spinta dalla sua follia, portava a termine una serie di delitti per avere l'attenzione della stampa e della televisione. Quell'analisi sbrigativa riassumeva la maggior parte dei casi di cui era a conoscenza, ma era lontana dalla tipologia di Nessuno come la terra dal sole.

Quelle erano persone ordinarie, piagnucolose, con un'intelligenza al di sotto della norma, perlopiù costrette ad agire in quel modo da una forza più forte di loro e che accettavano le manette quasi come un sollievo.

Lui no, lui era qualcosa di diverso. C'era il cadavere nella sua bara trasparente a testimoniare la sua pazzia, certo. Nella sua mente si agitavano senz'altro pensieri che avrebbero fatto rabbrividire anche il più corazzato degli psicoterapeuti.

Ma la cosa finiva lì.

Jean-Loup era forte, astuto, preparato, addestrato alla lotta. Era un vero e proprio combattente. Aveva ucciso Jochen Welder e Roby Stricker, due persone dalla corporatura atletica e tonificata dall'allenamento, con una facilità irrisoria. Il modo sbrigativo con cui si era sbarazzato dei tre agenti in casa sua era stata la conferma definitiva a ogni dubbio in quel senso, se mai ce ne fosse stato ancora bisogno. Sembrava che in lui ci fossero, contenute nello stesso corpo, due persone diverse, due nature opposte che si rincorrevano cercando di raggiungersi e di annullarsi l'una con l'altra. Forse la definizione più giusta di se stesso l'aveva data proprio lui, quando parlava con la voce artefatta: «*Io sono uno e nessuno…*»

Era un uomo molto, molto, *molto* pericoloso, e come tale andava trattato.

Non si sentiva paranoico per quell'eccesso di prudenza. A volte certi eccessi fanno la differenza tra un uomo vivo e un uomo morto.

Lui lo sapeva bene, perché l'unica volta in cui era stato impulsivo ed era entrato in un posto d'istinto, quasi senza riflettere, si era svegliato in un ospedale dopo un'esplosione e quindici giorni di coma. Se lo avesse dimenticato, aveva un bel po' di cicatrici disseminate in varie parti del corpo a ricordarglielo.

E lui non voleva correre più rischi inutili. Lo doveva a se stesso, che decidesse o meno di continuare a essere un poliziotto. Lo doveva a una donna che in quel momento lo aspettava seduta in una sala d'attesa all'aeroporto di Nizza. Lo doveva ad Harriet, insieme alla promessa che non avrebbe mai dimenticato.

Continuò ad avanzare, cercando di fare il minor rumore possibile. Probabilmente Jean-Loup era già chissà dove, in quel momento, ma non era da escludere che potesse essere ancora all'estremità opposta del tunnel, accovacciato in attesa di avere via libera. In fin dei conti, quel buco sottoterra non poteva essere lungo fino alla periferia di Mentone. Doveva sbucare necessariamente in qualche punto a est della casa, lungo le pendici della montagna.

Sulla strada c'era stata senz'altro una bella confusione, per via dei posti di blocco: code di macchine, persone che uscivano dalle auto e si alzavano in punta di piedi a curiosare con lo sguardo e si chiedevano l'un l'altra che cosa stesse succedendo. Non sarebbe stato difficile cercare di confondersi fra di loro. È vero, la foto di Jean-Loup era stata pubblicata su tutti i quotidiani ed era apparsa in tutti i telegiornali d'Europa, ma Frank aveva perso da tempo la fiducia nell'efficacia di quelle misure. La gente comune passava di solito gli occhi sui visi degli altri con estrema superficialità. Ognuno vedeva solo quello che voleva vedere. Bastava che Jean-Loup si fosse tagliato i capelli e che indossasse un paio di occhiali scuri per avere ottime probabilità di confondersi in una folla senza correre rischi.

Però la strada era anche piena di poliziotti all'erta e con gli occhi bene aperti. E con quelli era un altro paio di maniche. Chiunque di loro avrebbe guardato con sospetto un uomo sbucato di colpo da un cespuglio qualche decina di metri sotto di lui e che si arrampicava per raggiungere il ciglio della strada. C'era di che mettere in allarme anche un cieco, e dopo tutto quello che era successo i poliziotti erano sottoposti da giorni a una tensione che li poteva portare prima a sparare e poi a fare domande. Non era da escludere che il suo uomo avrebbe atteso un ambiente un po' meno congestionato prima di uscire dal suo nascondiglio.

Continuò ad avanzare. Il rumore del fondo dei suoi pantaloni che strisciava sul cemento gli sembrava quello delle cascate del Niagara. L'attrito cominciava a procurargli dolore. Si fermò un attimo per cercare una posizione più comoda. Decise di rimettersi accucciato.

Mentre si rialzava, il *bip* del cellulare che ritrovava il campo suonò come l'orologio di un campanile nel silenzio assoluto di una notte di campagna. Quel segnale poteva tradire la sua presenza, però gli diede nel contempo la certezza che l'uscita doveva essere vicina.

Strinse gli occhi nell'oscurità. Gli sembrò di vedere dei punti luminosi davanti a lui, come dei segni tracciati col gesso bianco sulla parete nera di una lavagna. Cercò di accelerare l'andatura senza abbandonare la cautela. Specialmente adesso, che il cuore aveva di colpo aumentato i battiti.

La mano sinistra strusciava sempre lungo la parete di cemento, il dito della mano destra era contratto sul grilletto della pistola, il ginocchio faceva un male del diavolo, ma di fronte a lui c'era un sospetto di luce e forse una presenza in agguato che non era per nessuna ragione al mondo da sottovalutare.

I segni bianchi sulla lavagna si mossero come danzando, sospesi nell'aria, mentre si avvicinava. A poco a poco divennero più grandi. Frank capì che il condotto finiva in prossimità di un cespuglio e quello che vedeva era la luce che filtrava attraverso le fronde. Probabilmente si era alzato un soffio di vento e aveva agitato i rami. Ecco perché ai suoi occhi ingannati dall'oscurità i punti luminosi erano sembrati lucciole nel buio della notte.

Di colpo, da fuori, arrivò l'eco di un urlo disperato.

I propositi di prudenza di Frank caddero, come un castello di carte davanti a un ventilatore acceso. Con pochi passi veloci, per quanto glielo permetteva la posizione in cui stava, raggiunse il cespuglio che mascherava l'ingresso del condotto.

Scostò i rami con le mani e mise cautamente la testa fuori. Il foro d'ingresso del tunnel dava su una macchia abbastanza alta e folta da coprire l'intera circonferenza del tubo di cemento.

L'urlo si ripeté.

Frank si alzò lentamente in piedi. Il suo ginocchio disse alcune parole in una lingua che avrebbe fatto volentieri a meno di imparare. Si guardò intorno. Il cespuglio stava in una zona relativamente in piano, una specie di terrazza naturale sul fianco della montagna, disseminata di radi alberi dal tronco piuttosto esile coperto di rampicanti e infoltita in basso da cespugli di macchia mediterranea, misti a zone in cui i rovi la facevano da padroni. Alle sue spalle, come pietra di paragone, c'erano le due case gemelle e i loro giardini ben curati. Una cinquantina di metri sopra la sua testa, sulla sinistra, la strada. A circa metà del tratto di scarpata che lo divideva dall'asfalto, leggermente spostato di lato rispetto al suo cespuglio, Frank notò un movimento. Una figura che indossava una camicia verde e un paio di pantaloni tinta cachi e portava una borsa di tela scura a tracolla si stava arrampicando con circospezione tra gli arbusti su per la salita, verso il guard-rail.

Frank avrebbe riconosciuto quell'uomo fra milioni di altri e fra milioni di anni.

Portò la pistola davanti agli occhi, impugnandola a due mani. Inquadrò quella figura nel mirino e urlò finalmente la frase che sognava di dire da troppo tempo a quella parte.

«Fermo dove sei, Jean-Loup! Ti tengo sotto tiro. Non mi costringere a sparare. Alza le mani, inginocchiati a terra e rimani immobile. Subito!»

Jean-Loup girò la testa dalla sua parte. Non diede segno di averlo riconosciuto, né di aver capito quello che aveva detto, tantomeno di volersi adeguare alle sue richieste. Nonostante fosse abbastanza vicino da vedere la pistola nelle mani di Frank, continuò a salire, spostandosi verso sinistra.

Frank sentì il dito contrarsi sul grilletto della Glock.

L'urlo si levò ancora, forte e acuto.

Jean-Loup rispose, chinando la testa verso il basso.

«Tieniti forte, Pierrot, sto arrivando. Non avere paura, adesso scendo fino lì e ti tiro su.»

Frank spostò gli occhi nella direzione in cui aveva parlato Jean-Loup. Appeso con le mani al piccolo tronco di un'acacia cresciuta sul ciglio della scarpata, c'era Pierrot.

I suoi piedi annaspavano per cercare un appiglio sotto di lui, ma ogni volta che tentava di puntellarsi contro la parete il terreno friabile cedeva e il ragazzo si ritrovava a penzolare nel vuoto.

Sotto di lui c'era la scarpata che scendeva ripida verso il basso. Non era uno strapiombo vero e proprio, ma se Pierrot avesse mollato la presa sarebbe caduto e rimbalzato come un fantoccio di stracci per duecento metri, fino in fondo alla ripida discesa. Se mollava la presa, non aveva scampo.

«Fai presto, Jean-Loup. Non resisto più. Mi fanno male le mani.»

Frank vide la fatica sul viso del ragazzo e sentì una nota di paura vibrare nella sua voce. Ma ci sentì anche qualcos'altro: un'incrollabile fiducia che Jean-Loup, il dee-jay, l'assassino, la voce dei diavoli, il suo migliore amico, sarebbe venuto a salvarlo.

Frank mollò la tensione sul grilletto e abbassò leggermente la pistola mentre capiva cosa stava facendo Jean-Loup.

Non stava scappando, stava andando ad aiutare Pierrot.

Forse la fuga era stata la sua prima intenzione, di sicuro era andata come aveva pensato lui. Aveva atteso nel tunnel che tutto il trambusto fosse finito e quando aveva avuto via libera era sbucato fuori col proposito di sfuggire un'altra volta alla caccia della polizia. Poi aveva visto Pierrot in pericolo. Forse si era chiesto il motivo per cui Pierrot fosse lì, appeso a una pianta a invocare aiuto con la sua voce da bambino terrorizzato, forse no. Ma in un attimo aveva capito la situazione e aveva scelto. Ora si stava comportando di conseguenza.

Frank sentì una rabbia sorda montargli dentro, figlia della sua frustrazione. Aveva aspettato quel momento per così tanto tempo e, ora che aveva sotto tiro l'uomo che stava disperatamente cercando, non gli poteva sparare. Riportò la pistola in posizione, tenendola salda come non aveva mai tenuto un'arma in vita sua. Oltre la tacca del mirino c'era il corpo di Jean-Loup, che si stava muovendo per arrivare nel punto dove il suo amico era aggrappato all'albero.

Adesso Jean-Loup era arrivato di fianco a Pierrot, leggermente spostato verso l'alto. Fra di loro, il vuoto che la caduta del ragazzo aveva scavato nel terrapieno. Era impossibile, semplicemente tendendo una mano, raggiungerlo e dargli un appiglio per trarlo in salvo.

Jean-Loup parlò al ragazzo con la sua voce calda e profonda.

«Sono qui, Pierrot. Sto arrivando. Stai tranquillo che va tutto bene. Solo, ti devi tenere forte e devi stare calmo. Mi hai capito?»

Nonostante la precarietà della sua situazione, Pierrot rispose con uno dei suoi soliti cenni del capo. I suoi occhi erano spalancati dalla paura ma era sicuro che il suo amico avrebbe risolto tutto.

Frank vide che Jean-Loup, dopo aver appoggiato a terra la borsa che portava a tracolla, si stava sfilando la cintura dei pantaloni. Non aveva la più pallida idea di cosa intendesse fare per tirare fuori Pierrot dal pasticcio in cui si era cacciato. L'unica cosa che poteva fare era stare a guardare e continuare a tenerlo sotto controllo con la pistola.

Jean-Loup aveva appena finito di tirare fuori la cinta di cuoio dall'ultimo passante, che si sentì un rumore simile a un forte soffio in una cerbottana e accanto a lui si sollevò uno sbuffo di terra. Si piegò di colpo su se stesso e fu quel movimento istintivo che gli salvò la vita.

Ci fu di nuovo il soffio e un altro sbuffo di terra esattamente nella direzione in cui stava la sua testa una frazione di secondo prima. Frank di scatto si girò a guardare verso l'alto. Sul ciglio della scarpata, in piedi poco sotto il guard-rail, immerso nei cespugli fino alla vita, c'era il capitano Ryan Mosse. Teneva in mano una grossa pistola automatica con il silenziatore.

A quel punto Jean-Loup si girò e fece una cosa incredibile: si tuffò tra i cespugli di lentisco e sparì.

Così, semplicemente. Un attimo prima c'era, un attimo dopo non c'era più. Frank rimase a bocca aperta. Ryan Mosse probabilmente fu colto dallo stesso stupore, che tuttavia non gli impedì di spedire una serie di colpi in rapida successione nei cespugli, intorno al punto in cui si era infilato Jean-Loup, finché non esaurì il caricatore. Lo espulse e ne infilò subito uno pieno, estraendolo dalla tasca della giacca. Un momento dopo la pistola era di nuovo pronta a sparare. Iniziò con circospezione a scendere verso il basso, tenendo d'occhio qualunque movimento della macchia intorno a lui.

Frank spostò la Glock nella sua direzione.

«Vattene, Mosse. Questo non è un affare che ti riguarda. Posa la pistola e vattene. O dacci una mano. Prima dobbiamo pensare a quel ragazzo appeso là sotto, il resto viene dopo.»

Il capitano continuò a scendere, la pistola in pugno. Gli rispose senza smettere di controllare in ogni direzione i cespugli fra cui stava avanzando.

«Tu dici che questo affare non mi riguarda? Io dico di sì, Mister Ottobre. E decido io le priorità. Prima faccio fuori questo pazzo e poi se vuoi ti aiuto a tirare su il ragazzino scemo…»

Frank aveva nel mirino la figura massiccia di Ryan Mosse. E il desiderio di sparargli era forte, quasi quanto quello di sparare a Jean-Loup, senza concedergli l'attenuante di aver rischiato la vita per salvare un cane o un ragazzino scemo, come l'aveva chiamato.

«Ti ripeto, metti giù la pistola, Ryan.»

Il capitano fece una breve risata, secca e astiosa. La sua voce risuonò beffarda.

«Se no che fai, mi spari? E poi cosa racconti in giro, che hai ucciso un soldato del tuo Paese per salvare la pelle a un assassino? Metti giù quella scacciacani, e impara come si fa…»

Sempre tenendolo sotto tiro, Frank iniziò a spostarsi il più velocemente possibile verso Pierrot. Non si era mai trovato in una situazione simile, una situazione in cui doveva prendere una decisione avendo di fronte un numero così alto di varianti.

«Aiuto, non ce la faccio più.»

La voce accorata di Pierrot arrivò da un punto alle sue spalle. Frank abbassò la pistola e provò, per quanto gli era possibile, a raggiungere di corsa il punto in cui si era piazzato Jean-Loup in precedenza. Sentiva i rovi e i rami dei cespugli che cercavano di trattenerlo afferrandolo per i calzoni, come mani maligne spuntate per magia dal terreno. Ogni tanto girava la testa a controllare i movimenti di Ryan Mosse, che continuava con cautela la sua discesa giù per la china, la pistola in mano, frugando con occhi sospettosi fra gli arbusti in cerca di Jean-Loup.

Di colpo, i cespugli di fianco a Mosse si animarono. Non c'era stato il minimo movimento fra i rami, non c'era stato il minimo preavviso. Quello che emerse dalla macchia non era più lo stesso uomo che ci si era tuffato in cerca di scampo: non era Jean-Loup, ma un demone cacciato dall'inferno perché anche gli altri demoni ne avevano paura. C'era in lui una tensione innaturale, come se nel suo corpo fosse cresciuto di colpo un animale feroce e gli avesse regalato la forza dei suoi muscoli e l'acutezza dei suoi sensi.

Con quella concentrazione di agilità, di vigore e di grazia, Jean-Loup si mosse.

Un calcio fece volare via la pistola dalle mani del suo avversario. L'arma volò lontano, a perdersi tra i cespugli. Mosse era un soldato, sicuramente un *ottimo* soldato, con un addestramento adeguato alla triste fama che si trascinava dietro, preparato ad aspettarsi di tutto, in un combattimento.

Meno che un combattimento con i fantasmi, forse.

Piegò le gambe e assunse una posizione di difesa. Il capitano era più alto e più massiccio di Jean-Loup, ma la sensazione di minaccia che quel ragazzo emanava solo con il suo atteggiamento li metteva in qualche modo sullo stesso piano. Però Mosse aveva un vantaggio su Jean-Loup: aveva tutto il tempo che voleva. A lui non importava nulla di quel ragazzino appeso a un albero sulla scarpata, mentre sapeva che l'altro aveva fretta di correre in suo soccorso. Quella fretta era l'elemento su cui intendeva giocare per indurre il suo avversario a commettere un errore.

Non attaccò, ma attese, allontanandosi di un passo ogni volta che Jean-Loup si avvicinava. Mentre si muoveva, Jean-Loup continuò a parlare con Pierrot.

«Pierrot, mi senti? Sono ancora qui, non avere paura. Un attimo e arrivo.»

Mentre rassicurava il ragazzo, parve deconcentrarsi per un istante e abbassò la guardia. In quel preciso momento Mosse attaccò.

Da quel che accadde dopo, Frank capì che era stata una tattica di Jean-Loup per indurre Mosse all'azione. Tutto successe in pochi istanti. Mosse fece una finta di sinistro e subito dopo tirò una serie di *atemi* che Jean-Loup parò con una facilità addirittura umiliante. Mosse arretrò di un passo. Frank era troppo lontano per distinguere con chiarezza i dettagli, ma gli parve che l'espressione apparsa di colpo sul viso del capitano fosse di grande sorpresa. Fece un assaggio con un altro paio di colpi con le mani, poi, veloce come un fulmine, tirò un calcio. Frank pensò che era lo stesso tipo di colpo che aveva usato con lui, il giorno che si erano azzuffati nel vialetto della casa. Solo che Jean-Loup non cadde nella trappola come c'era caduto lui. Invece di parare il colpo e di deviarlo, esponendosi alla reazione dell'avversario, non appena vide partire il calcio si fece di lato e lo lasciò sfogare verso l'alto. Poi posò il ginocchio destro a terra, si infilò veloce come il fulmine sotto la gamba alzata di Mosse e la bloccò in alto con la mano sinistra, sbilanciando leggermente il corpo del capitano all'indietro. Lasciò partire un terribile pugno nei testicoli del suo avversario e contemporaneamente lo spinse in avanti.

Frank udì distintamente il sordo gemito di dolore di Mosse mentre cadeva. Il suo corpo non si era ancora adagiato completamente fra i cespugli, che Jean-Loup era già in piedi. Nella mano destra stringeva un coltello. Il movimento con cui lo aveva estratto era stato talmente rapido che a Frank sembrò che il coltello, in quella mano, ci fosse stato fin dall'inizio e che ora fosse semplicemente diventato di colpo visibile.

Jean-Loup si piegò e sparì nella macchia dove era caduto il corpo di Mosse.

Quando si rialzò, l'animale che pareva aver portato dentro fin a quel momento era sparito e la lama del coltello era coperta di sangue.

Frank non ebbe modo di vedere l'esito finale della lotta, perché nel frattempo era arrivato vicino al punto dove Pierrot stava appeso all'albero, lasciando Jean-Loup e Ryan Mosse alle sue spalle. Vide sul viso del ragazzo i segni della paura ma soprattutto il segnale preoccupante della fatica. Le mani che stringevano il suo provvidenziale supporto erano congestionate dallo sforzo. Capì che non ce l'avrebbe fatta a reggere ancora per molto. Frank gli segnalò la sua presenza e cercò di rassicurarlo parlandogli con calma, per infondergli una sicurezza che dentro di sé non riusciva a provare del tutto.

«Ci sono, Pierrot. Adesso vengo a prenderti io.»

Il ragazzo era talmente stanco che non trovò la forza di rispondere. Frank si guardò in giro. Stava nel punto esatto in cui si trovava Jean-Loup quando Mosse gli aveva sparato la prima volta, dove lo aveva visto sfilare la cintura dai pantaloni.

Perché?

Per la seconda volta si chiese quale fosse la ragione di quel gesto, come intendesse usare la cinta per soccorrere Pierrot. Alzò la testa e vide che a un paio di metri abbondanti sopra l'albero a cui stava aggrappato Pierrot c'era un tronco rinsecchito, più o meno delle stesse dimensioni. Le foglie erano cadute da tempo e i rami si protendevano verso il cielo come se per una bizzarria della natura le radici fossero cresciute al contrario. Di colpo comprese quali erano le intenzioni di Jean-Loup. Agì in fretta. Tolse il cellulare dal taschino della camicia e sganciò dalla cintura la clip che reggeva la fondina di cuoio. Li appoggiò per terra, vicino alla borsa di tela che Jean-Loup portava a tracolla.

Infilò la pistola che teneva in mano nella cinta dei pantaloni e rabbrividì leggermente al contatto della consistenza fredda dell'arma contro la pelle. Prese la cintura e controllò sia lo spessore di quella striscia color cuoio naturale sia la robustezza della fibbia. Sembravano tutte e due abbastanza resistenti per quello che intendeva fare. Infilò di nuovo la cinta nella fibbia e la fermò all'ultimo passante, in modo da avere a disposizione una specie di anello flessibile di cuoio, il più largo possibile.

Guardò la scarpata di fianco e sotto di lui. Pur con qualche difficoltà, c'era la possibilità di raggiungere quell'albero cresciuto e morto quasi parallelamente a quello da cui penzolava Pierrot. Si mosse con cautela. Puntellandosi con i piedi e aggrappandosi a cespugli che sperava avessero solide radici piantate nel terreno, raggiunse il tronco rinsecchito. Il contatto con la corteccia rugosa in qualche modo gli proiettò nella mente, come un flash, l'immagine del cadavere che avevano trovato nel rifugio. Uno scricchiolio minaccioso proveniente dall'albero sostituì di colpo a quell'immagine la visione del suo corpo che cadeva rotolando giù per la scarpata. Il discorso che valeva per Pierrot valeva anche per lui. Non sarebbe sopravvissuto alla caduta, se il tronco avesse ceduto o lui avesse perso l'appoggio. Cercò di non pensare a niente e di sperare che l'albero fosse robusto a sufficienza per reggere il peso di entrambi. Si accucciò lungo il tronco e si sporse in basso, cercando di far scendere il più possibile la cintura verso il ragazzo.

«Cerca di aggrapparti qui.»

Il ragazzo staccò esitando una mano dal suo appiglio, che tornò precipitosamente ad afferrare subito dopo.

«Non ci arrivo.»

Frank aveva capito ancora prima che Pierrot glielo dicesse che la lunghezza delle sue braccia unita a quella del cappio di cuoio non erano sufficienti a raggiungerlo. C'era una sola cosa che poteva fare. Si girò in modo da agganciarsi al tronco con le gambe e si lasciò pendere nel vuoto come un acrobata sul trapezio, torcendosi in modo da avere il supporto del terreno sotto il torace e una visuale migliore per dirigere dall'alto i movimenti di Pierrot. Reggendo l'anello formato dalla cintura con le due mani, questa volta riuscì a farlo scendere a sufficienza per arrivare all'altezza di quelle del ragazzo.

«Ecco, ci sono. Adesso lascia la pianta e aggrappati alla cintura, una mano alla volta.»

Seguì con lo sguardo la manovra esitante, quasi al rallentatore, con cui Pierrot portò a termine l'operazione. Nonostante la distanza, sentiva il suono del suo respiro, sibilante per l'ansia e la fatica. Il tronco da cui stavano penzolando, gravato da quell'aggiunta di peso, emise uno scricchiolio sinistro, molto più preoccupante di quello di prima. Frank sentì il peso di Pierrot interamente sulle sue braccia e sulle sue gambe aggrovigliate al tronco. Era certo che se Jean-Loup fosse stato al suo posto lo avrebbe tirato su senza sforzo eccessivo, almeno fino a fargli raggiungere un punto in cui poter mollare l'appiglio della cintura e aggrapparsi in qualche modo all'albero a cui stava appeso come un pipistrello. Lui sperò con tutte le sue forze di riuscire a fare altrettanto.

Cominciò a tirare con le braccia verso l'alto, sentendo la violenza dello sforzo accumularsi alla sensazione quasi dolorosa del massiccio afflusso di sangue alla testa che la posizione gli stava provocando.

Vide che Pierrot risaliva centimetro dopo centimetro, cercando di aiutarsi con il puntello dei piedi. Per la fatica, Frank iniziò a provare un terribile bruciore ai muscoli delle braccia, come se il leggero tessuto della camicia si fosse di colpo incendiato.

La pistola che aveva infilato nei pantaloni, richiamata dalla forza di gravità, si sfilò dalla cintola e cadde verso il basso. Sfiorò la testa di Pierrot e si perse rimbalzando per la scarpata.

In quel momento dal tronco partì un rumore che risuonò come uno sparo, simile al rumore di un ciocco che scoppietta in un camino.

Frank continuò a tirare con tutte le sue forze. Il dolore alle braccia, nello sforzo di sollevare quel peso che pareva aumentare a ogni secondo che passava, si fece insopportabile, come se il sangue nelle sue vene fosse stato sostituito da acido solforico puro. Frank ebbe l'impressione che le sue carni si stessero dissolvendo e che di lì a poco dalle sue braccia sarebbe apparso lo scheletro e che infine le ossa, non più protette dai muscoli, si sarebbero staccate dalle spalle e sarebbero precipitate in basso, insieme al corpo urlante di Pierrot.

Nonostante tutto, Pierrot continuava lentamente a risalire.

Frank seguitò disperatamente a tirare verso l'alto, facendo forza con le gambe, stringendo i denti, stupito lui per primo della sua stessa resistenza. Un istante dopo l'altro sentiva il desiderio di mollare, di aprire le mani per far cessare quel supplizio, quel fuoco di fornace che sentiva nella braccia. Eppure l'istante successivo, da qualche parte dentro di lui, sentiva arrivare nuova forza, come se una riserva di energia fosse immagazzinata in qualche regione oscura del suo cervello, in un ripostiglio segreto che solo la rabbia e l'ostinazione potevano aprire.

Adesso Pierrot era arrivato abbastanza in alto da permettergli di aiutarsi con il corpo. Frank arcuò la parte superiore del busto, che stava a contatto con il terreno, e riuscì a passare la cintura intorno al collo, trasferendo parte del peso ai muscoli delle spalle e della schiena. Il sollievo alle braccia fu immediato. Dopo aver saggiato per un secondo o due la sua resistenza, Frank lasciò la presa sulla cintura e tese le mani libere verso Pierrot. Con il poco fiato che aveva ancora a disposizione, gli diede le istruzioni su come intendeva procedere.

«Adesso fai la stessa cosa che hai fatto prima. Molla la cintura, con calma, una mano alla volta. Aggrappati alle mie braccia e arrampicati in su. Ti tengo io.»

Frank non era sicuro di riuscire a mantenere quella promessa. Tuttavia, quando Pierrot abbandonò il suo appiglio e il collo tornò libero, sentì il sollievo dal peso come un senso di refrigerio lungo la schiena, come se qualcuno gli avesse versato dell'acqua fresca sulla pelle coperta di sudore.

Sentì la stretta frenetica delle mani di Pierrot sulle braccia. Poco per volta, centimetro dopo centimetro, aggrappandosi in maniera caotica al suo corpo e ai suoi vestiti, il ragazzo continuò la sua lenta salita verso l'alto. Si stupì che avesse ancora tanta forza. L'istinto di conservazione era un alleato straordinario in certi frangenti, una specie di doping naturale. Sperò che quella forza non gli venisse di colpo a mancare, non adesso che la salvezza era a portata di mano.

Non appena gli arrivò a tiro, Frank afferrò Pierrot per la cintura dei calzoni e spinse in su, aiutandolo a raggiungere il tronco. Gli occhi gli bruciavano per il sudore che era colato dal viso. Li chiuse e li riaprì, mentre sentiva le lacrime di reazione colare e scivolare a perdersi nelle sopracciglia e sulla fronte, in quell'innaturale pianto rovesciato. Non riusciva a vedere più niente. Sentiva solo i frenetici movimenti del corpo di Pierrot che strisciava contro il suo, che ormai era un solo, unico, disperato lamento di dolore.

«Ci sei?»

Pierrot non rispose ma all'improvviso Frank si sentì libero. Chinò la testa fin quasi ad avere il contatto con la terra umida e calda. Sentì, più che vedere, la cintura che si sfilava dal suo collo e che cadeva rotolando a raggiungere la pistola. Poi girò la testa per non respirare terriccio insieme all'aria che i suoi polmoni richiamavano con disperata urgenza attraverso la bocca spalancata. La pressione del sangue alle tempie era diventata insopportabile. Sentì una voce arrivare dall'alto, alle sue spalle, una voce che sembrava provenire da una distanza incolmabile, come un richiamo lontano dalla cima di una collina. Nella specie di torpore che era arrivato ad avvolgere il suo corpo e la sua mente, Frank pensò che conosceva quella voce.

«Bravo Pierrot. Adesso aggrappati ai cespugli e vieni qui dove sono io. Con calma. Sei a posto, adesso.»

Frank sentì una leggera scossa trasmettersi al suo corpo sospeso e un nuovo crepitare del legno mentre il peso di Pierrot abbandonava il tronco. Pensò che forse quell'albero rinsecchito stava condividendo lo stesso sollievo che aveva provato lui liberandosi, come se non fosse materia inerte, ma una cosa viva.

Si disse che non era finita. Doveva vincere quella specie di sonnolenza, mentale e fisica, dovuta al calo di tensione che la consapevolezza di sapere Pierrot finalmente in salvo gli aveva messo addosso. Anche se non riusciva a trovare dentro di sé la minima traccia di forza fisica o di volontà, sapeva che non era il momento di mollare. Se si fosse adagiato ancora per un secondo in quell'illusoria sensazione di riposo, non ce l'avrebbe più fatta a rimettersi dritto e a recuperare l'appiglio del tronco.

Pensò a Helena e alla sua muta attesa all'aeroporto. Rivide la tristezza dei suoi occhi grigi, quella tristezza che voleva e forse poteva cancellare. Vide la mano di suo padre, Nathan Parker, sospesa come un artiglio su di lei.

La rabbia e l'odio arrivarono in suo soccorso. Strinse i denti e richiamò tutta l'energia che gli restava a disposizione, prima che volasse via e si disperdesse nell'aria come vapore bianco da una ciminiera. Diede un colpo di reni e aiutandosi il più possibile con le braccia si sforzò di tirarsi su. Gli addominali, l'unica parte del corpo che non aveva ancora messo in tensione, gli ricordarono all'istante quale e quanto bruciore i muscoli sotto sforzo potessero generare.

Vedeva il legno secco del tronco avvicinarsi lentamente come un miraggio. Un ennesimo scricchiolio gli ricordò che, come ogni miraggio, poteva dissolversi da un momento all'altro. Si impose di salire lentamente, senza movimenti bruschi, per non incidere eccessivamente sulla precarietà di quell'appiglio.

Finalmente la sua mano sinistra artigliò il tronco, subito seguita dalla destra. In qualche modo riuscì a riportarsi seduto. Il flusso violento del sangue che defluiva, ritrovando il suo corso normale, gli fece girare la testa. Chiuse gli occhi in attesa che passasse quel violento capogiro, mentre sperava che quelle due spugne rinsecchite che i suoi polmoni parevano diventati ce la facessero a contenere tutta l'aria che stava mandando dentro.

Restò così, nel buio confortevole delle sue palpebre chiuse, le braccia aggrappate al tronco, il ruvido contatto della corteccia contro la guancia, finché non sentì di aver recuperato almeno in parte le sue forze.

Quando riaprì gli occhi, a qualche metro da lui, sul piano, c'era Pierrot. Stava in piedi di fianco a Jean-Loup e gli cingeva la vita con le braccia, come se la sensazione del suo corpo che pencolava nel vuoto gli avesse lasciato la necessità di mantenere un appiglio con qualcosa o qualcuno per convincersi di essere veramente in salvo.

Jean-Loup gli teneva il braccio sinistro sulle spalle. Nella mano destra stringeva un coltello insanguinato. Per un istante Frank temette che avrebbe usato il corpo del ragazzo come scudo, che lo avrebbe minacciato con il coltello puntato alla gola e se ne sarebbe servito come ostaggio. Scacciò quel pensiero dalla mente. No, non dopo quello che aveva visto. Non dopo che Jean-Loup aveva abbandonato ogni possibilità di fuga proprio per correre in soccorso di Pierrot. Si chiese che fine avesse fatto Ryan Mosse. Nello stesso istante in cui se lo chiedeva, capì che in fondo non gli importava assolutamente nulla della sua sorte.

Colse un movimento dall'alto e alzò istintivamente la testa. Sul ciglio della strada, appoggiate al guard-rail, vide un certo numero di persone ferme davanti ad alcune macchine parcheggiate. Forse le grida di Pierrot avevano richiamato la loro attenzione o, molto più semplicemente, un gruppo di turisti si era fermato per caso in quel punto per ammirare il panorama e da lì aveva seguito le fasi concitate del salvataggio. Jean-Loup girò la testa e seguì la direzione del suo sguardo. Anche lui vide la gente e le macchine ferme quaranta metri sopra di loro. Le sue spalle parvero inclinarsi leggermente, come se un peso invisibile fosse arrivato di colpo a gravare su di loro.

Frank si alzò in piedi, sorreggendosi con le mani al tronco, e rifece al contrario il percorso con cui lo aveva raggiunto. Salutò il legno senza vita con la gratitudine che si riconosce a un amico fedele, che ti ha aiutato a cavarti d'impaccio in un momento difficile. Sentì sotto le dita il contatto vivo dei rami dei cespugli che stava usando come appiglio per tornare a posare i piedi sul piano, sulla salvezza, sul mondo orizzontale.

Quando ci arrivò, Jean-Loup e Pierrot stavano davanti a lui e lo guardavano. Frank trovò il lampo verde degli occhi di Jean-

Loup fissi nei suoi. Si sentiva sfinito. Pensò che non avrebbe avuto la minima possibilità di sostenere una lotta con quell'uomo, non con la debolezza che si sentiva addosso, non dopo quello che gli aveva visto fare poco prima, durante il combattimento con Mosse.

Forse Jean-Loup indovinò i pensieri che gli stavano attraversando la mente. Sorrise, e quel sorriso fiorì su un viso improvvisamente stanco. Dietro a quel semplice movimento del viso c'erano cose che Frank riusciva solo a ipotizzare: una vita divisa in un continuo passaggio dalla luce al buio, dal caldo al freddo, dalla lucidità al delirio, nel perenne dilemma se essere *uno* o *nessuno*.

Il sorriso di Jean-Loup si spense. La sua voce era la stessa che incantava i suoi ascoltatori alla radio. Irradiava tranquillità e benessere.

«Stai tranquillo, agente Ottobre. Non avere paura. So leggere la parola "fine" quando la vedo scritta.»

Frank si chinò a raccogliere il cellulare da terra. Mentre componeva il numero di Morelli, pensò all'assurdità di quella situazione. Era lì, disarmato, completamente in balia di un uomo che avrebbe potuto disintegrarlo anche combattendo con una mano legata dietro la schiena, e aveva la possibilità di restare in vita solo perché *lui* aveva deciso di non ucciderlo.

La voce di Morelli sbucò brusca dall'apparecchio.

«Pronto.»

Frank gli offrì in cambio la sua voce esausta e una buona notizia.

«Claude, sono Frank.»

«Che c'è, che ti succede?»

Le poche parole che disse gli costarono una fatica tremenda.

«Torna subito con una macchina a casa di Jean-Loup. L'ho preso.»

Non ascoltò la risposta piena di meraviglia dell'ispettore. Non vide Pierrot chinare la testa e stringersi ancora di più al corpo del suo amico, come reazione al senso di quelle ultime due parole. Mentre abbassava il cellulare, Frank guardava solo la mano di Jean-Loup che si apriva lentamente e che lasciava cadere a terra il coltello insanguinato.

62

La macchina con le insegne della Sûreté Publique di Montecarlo si spostò sulla destra e imboccò a una velocità folle lo svincolo dell'autostrada che scendeva verso l'aeroporto di Nizza. Frank aveva detto a Xavier che era questione di vita o di morte, e l'agente stava interpretando la dichiarazione alla lettera. Nonostante la sirena accesa, sentì distintamente le gomme che stridevano sull'asfalto mentre la forza centrifuga li spingeva verso l'esterno della curva. Arrivarono a una rotonda con evidenti segni di lavori in corso. Frank pensò che l'essere su una macchina della polizia non li escludeva dalle comuni leggi della fisica, una delle quali prevede il principio dell'impenetrabilità dei corpi. Temette che questa volta Xavier, nonostante tutto il suo talento, non ce l'avrebbe fatta a tenere in strada l'auto e che avrebbero sfondato i cavalletti di plastica bianchi e rossi e sarebbero precipitati rotolando nella scarpata di sotto, fra la vegetazione del greto ghiaioso del Var. Ancora una volta il suo pilota preferito lo stupì. Con colpo deciso del volante mandò la macchina in sbandata controllata e con un controsterzo da manuale uscì dalla curva.

Frank vide il corpo di Morelli rilassarsi, quando capì che sarebbe sopravvissuto. Percorsero un breve rettilineo e Xavier iniziò a rallentare. Spense la sirena quando entrarono nella corsia d'accesso del Terminal 2, dove un cartello indicava la zona di scarico bagagli e passeggeri, in cui era concessa solo una breve sosta per quest'operazione, denominata *Kiss and Fly*.

Frank sorrise fra sé per l'ironia di quella definizione.

Kiss and Fly, bacia e vola via.

Non credeva che Parker lo avrebbe baciato, prima della partenza.

Invece di seguire il normale percorso, a metà della curva sulla sinistra si fermarono davanti a un accesso riservato, protetto da una sbarra e da due sorveglianti dell'aeroporto Côte d'Azur. Vedendo le insegne della polizia, sollevarono la sbarra e li fecero passare. Poco dopo la macchina si arrestò dolcemente davanti al terminal delle partenze internazionali.

Morelli si girò di scatto verso l'autista.

«Se quando torniamo indietro guidi ancora così, ti garantisco che il prossimo volante che terrai fra le mani sarà quello di un trattore tosaerba. Le imprese di giardinaggio assumono volentieri gli ex poliziotti…»

Frank sorrise e dal sedile posteriore si sporse per mettere una mano solidale sulla spalla dell'agente.

«Non ti preoccupare, campione. Morelli abbaia ma non morde.»

Il cellulare di Frank si mise a suonare. Immaginava chi potesse essere. Infilò la mano nella tasca della giacca e tirò fuori l'apparecchio. Lo squillo era così imperioso che si stupì di non trovarlo addirittura rovente, come se la suoneria potesse avere una connotazione termica oltre che sonora.

«Pronto?»

«Pronto, Frank? Sono Froben. Dove sei?»

«Sono fuori dall'aeroporto. Sto scendendo adesso dalla macchina.»

Nella voce del commissario non c'era semplice sollievo, ma autentico refrigerio.

«Meno male. Il nostro amico sta facendo fuoco e fiamme. Fra poco dichiarerà da solo guerra alla Francia. Non ti dico che cosa non mi sono dovuto inventare per tenerlo buono…»

«Ci credo. Ma ti garantisco che non era un capriccio, da parte mia. Mi hai fatto uno dei favori più grandi che io abbia ricevuto in tutta la vita.»

«Okay, americano, fra poco mi metto a piangere dalla commozione e mi gioco il cellulare bagnandolo con le lacrime. Smettila con questo bieco tentativo di blandirmi e corri a togliermi dalle mani questa patata bollente. Ti vengo incontro.»

Frank aprì la portiera della macchina. La voce di Morelli lo bloccò mentre aveva già un piede sull'asfalto.

«Ti dobbiamo aspettare?»

«No, andate pure. Mi arrangio da solo per tornare.»

Stava per uscire ma ci ripensò. La fretta non deve cancellare la gratitudine.

«Ah, Claude…»

«Sì?»

«Grazie infinite. A tutti e due.»

Morelli lo guardò da sopra il sedile anteriore.

«E di che? Vai, che ti aspettano…»

Prima di scendere, Frank rivolse uno sguardo complice a Xavier.

«Scommetto mille euro contro un biglietto da visita di Roncaille che non riesci a tornare in un tempo inferiore a quello che abbiamo impiegato per arrivare fin qui…»

Chiuse la portiera con un largo sorriso sulle proteste di Morelli. Ma quando sentì alle sue spalle il motore della macchina che ripartiva, il suo sorriso era già sparito.

La cattura di Jean-Loup, la fine dell'incubo, aveva portato fra gli uomini della Sûreté Publique di Montecarlo una specie di atmosfera pre natalizia fuori stagione. Senza festoni o luminarie o brindisi, perché tutti quei morti sul cammino di quell'uomo vietavano ogni tipo di clamore. Però vederlo arrivare alla centrale in manette era stato per tutti, in piena estate, come un bel regalo da scartare sotto l'albero. Se qualcuno aveva pensato che Nicolas Hulot non era lì a dividere quel momento, lo aveva tenuto per sé. Il fatto che l'arresto fosse merito di un'intuizione geniale di Frank e che fosse stato condotto in solitario aveva fatto crescere a dismisura la stima generale nei suoi confronti o addirittura l'aveva fatta nascere dove non c'era. Aveva sorriso quando c'era da sorridere, stretto mani che gli venivano porte insieme alle congratulazioni, fatto parte di un'allegria che non riusciva a condividere sino in fondo. Ma si era adeguato al clima generale. Non ci teneva a fare la parte dell'unico uomo che non sorride nella foto di gruppo, per così dire.

Però aveva fatto subito un gesto che in quella giornata sembrava destinato a diventare un rituale. Aveva guardato l'orologio. E aveva chiesto una macchina per raggiungere il più in fretta possibile l'aeroporto di Nizza.

Attraversò il marciapiede con passo spedito. La porta a vetri del terminal riconobbe la sua fretta e si aprì docile al suo arrivo. Subito oltre l'ingresso lo accolse la figura familiare di Froben. Il commissario sbuffò platealmente e fece il gesto di uno che si deterge il sudore dalla fronte con la mano.

«Non sai nemmeno tu con che piacere ti vedo.»

«Non sai nemmeno tu come lo immagino.»

Frank aveva risposto con lo stesso tono e tutti e due erano sinceri.

«Ho dovuto fare i salti mortali per convincere il nostro uomo che non era necessario nessun intervento ufficiale. In pratica l'ho bloccato che aveva già un dito sul telefono per chiamare il presidente degli Stati Uniti. Ma sai com'è... Un aereo l'hanno perso, ma il prossimo volo per gli States parte fra poco più di un'ora. Ti garantisco che il generale Parker è un brutto cliente da gestire in un caso come questo.»

«Qualsiasi cosa tu mi dica su Parker non può lasciarmi incredulo. Anzi, sono io che potrei dire delle cose da lasciare incredulo te.»

Mentre parlavano, i due camminavano a passo veloce uno di fianco all'altro per raggiungere il settore dell'aeroporto dove Froben aveva parcheggiato la famiglia Parker. Arrivarono alla barriera dei controlli. Il commissario mostrò il distintivo agli agenti in servizio al metal-detector. Un poliziotto in uniforme indicò loro un passaggio laterale ed evitarono la fila dei passeggeri in attesa di far esaminare il bagaglio a mano. Piegarono a sinistra, in direzione dei gate d'imbarco.

«A proposito di cose incredibili, come sta andando quell'altra faccenda? Sbaglio o ci sono delle novità?»

«Ti riferisci a Nessuno?»

«Esatto.»

«L'abbiamo preso», disse Frank con voce neutra.

Il commissario lo guardò stupefatto.

«Quando?»

«Più o meno un'ora fa. In questo momento sta già in galera.»

«E me lo dici così?»

Frank si girò a guardare Froben. Fece un gesto vago con la mano.

«È andata, Claude. Capitolo chiuso.»

Non ebbe modo di aggiungere altro, perché nel frattempo erano arrivati davanti alla porta di una saletta riservata, piantonata da un agente.

Frank si fermò davanti alla porta dietro alla quale stavano il generale Nathan Parker, Helena e Stuart. Uno era una parte ingombrante del suo presente, gli altri due una parte del suo futuro. Rimase a fissare il battente come se fosse trasparente e potesse vedere attraverso quello che stavano facendo le persone in attesa all'interno. Froben gli si avvicinò e gli mise una mano sulla spalla.

«Ti serve aiuto, Frank?»

Colse un sottile tono protettivo nella sua voce. Quell'uomo aveva una sensibilità interiore in aperto contrasto con la sua apparenza da tagliaboschi.

«No, grazie. Tutto l'aiuto che mi serviva me lo hai già dato. Adesso me la devo cavare da solo.»

Frank Ottobre tirò un profondo respiro e aprì la porta.

La saletta era una delle tante anonime e confortevoli *vip lounges* che si trovano negli aeroporti, a disposizione dei viaggiatori provvisti di un biglietto di *business class*. Poltroncine e divani in cuoio, tinte pastello ai muri, moquette sul pavimento, uno spartano self-service da una parte, riproduzioni di Van Gogh e Matisse alle pareti insieme a qualche *affiches* di compagnie aeree in cornici di acciaio satinato. C'era il senso della precarietà che di solito si percepisce in ambienti del genere, come se tutti quegli arrivi e quelle partenze lasciassero in aria, nonostante il comfort, un senso di desolazione.

Helena stava seduta su un divano e sfogliava una rivista. Stuart era seduto di fianco a lei e giocava con la versione portatile di un videogioco. Davanti a loro, su un basso tavolino in legno con il piano di vetro, due bicchieri di plastica e una lattina di Fanta.

Il generale Parker era in piedi, di spalle, dall'altra parte della stanza. Guardava fisso la copia di una crocifissione di Dalí appesa al muro, le mani incrociate dietro la schiena.

Sentendo il rumore della porta che si apriva, girò la testa. Lo guardò come si guarda qualcuno che non si vede da tanto tempo e intanto si chiede un aiuto alla memoria per collegare un viso a un nome e un posto.

Helena sollevò la testa dalla pagina che aveva sotto gli occhi e quando lo vide il suo viso si illuminò. Frank ringraziò il destino che la luce di quello sguardo fosse riservata a lui. Non ebbe il tempo di godere appieno del suo sorriso. La rabbia di Parker esplose e arrivò come una nube nera a coprire il sole. Con due passi si era già messo fra di loro. Sul suo volto l'odio ardeva più delle fiamme di un incendio.

«Dovevo immaginarlo che dietro a tutto questo c'era lei. Credo che questo sia il suo ultimo, definitivo errore. Gliel'ho già detto una volta. Adesso glielo confermo. *Lei è un uomo finito.* Forse nella sua stupidità pensa che le mie siano solo parole al vento. Appena torno in America, farò in modo che di lei non restino nemmeno le briciole, farò in modo che...»

Frank fissò con la sua migliore espressione indifferente la faccia congestionata dell'uomo davanti a lui. Dentro di sé aveva grosse onde di burrasca che si schiantavano facendo scricchiolare l'esile impiantito in legno del molo. Nonostante questo, la voce con cui lo interruppe era così calma da riuscire a irritare ancora di più il suo avversario.

«Se fossi in lei, io mi calmerei, generale. Alla sua età, nonostante le perfette condizioni di salute, il cuore è un organo che va trattato con una certa prudenza. Non credo voglia correre il rischio di farsi venire un infarto e liberarmi della sua presenza in un modo così gratificante.»

Quello che passò in un istante sul viso del vecchio soldato fu come lo sventolio improvviso di mille bandiere, ognuna delle quali era mossa da un vento di guerra. Frank vide con piacere che oltre all'odio, all'ira e all'incredulità, era emersa per un attimo, sul fondo di quegli implacabili occhi azzurri, un'ombra di sospetto. Forse cominciava a chiedersi da che cosa Frank ricavasse la forza per parlargli in quel modo. Fu un lampo, poi lo sguardo di Parker si ricoprì della sua solita sprezzante onnipotenza. Si adeguò ai modi di Frank e anche la sua voce si calmò. La sua bocca si compose in un sorriso compiaciuto.

«No, mi dispiace disilluderla, giovanotto. Per sua sfortuna, il mio cuore è saldo come una roccia. È il suo, invece, che pare dedito a fibrillazioni che non gli competono. E questo è un altro dei suoi errori. Mia figlia…»

Frank lo interruppe di nuovo. E non era una cosa alla quale il generale Nathan Parker fosse molto abituato.

«Per quel che riguarda sua figlia e suo nipote…»

Frank fece una piccola pausa alla parola «nipote», abbassando il tono della voce in modo che il bambino non potesse sentire. Stuart stava seguendo attonito il loro alterco, seduto sul divano con le mani in grembo. Il gioco elettronico, completamente ignorato, continuava a emettere un desolato *bip bip bip…*

«…Per quel che riguarda sua figlia e suo nipote, dicevo, io consiglierei loro di andare a fare un giro al duty-free dell'aeroporto. Forse quello che dobbiamo dirci è bene che rimanga fra noi due.»

«Noi non dobbiamo dirci nulla, agente Ottobre. E mia figlia e mio nipote non debbono andare in nessuno stramaledetto duty-free. È lei che deve prendere quella porta e sparire per sempre dalle nostre vite, mentre noi saliamo su un aereo diretto in America. Le ripeto che…»

«Generale, forse lei non ha capito che i bluff, a lungo andare, non pagano. Prima o poi ci si trova davanti qualcuno che ha in mano un gioco abbastanza forte per venire a vedere. E per vincere. Di lei non mi importa assolutamente nulla. Se la vedessi bruciare vivo non le farei nemmeno il piacere di pisciarle addosso. Se preferisce che io dica quello che devo dirle davanti a loro, lo farò. Sappia che sono cose dalle quali non si torna indietro. Se vuole correre questo rischio…»

La voce di Frank si era abbassata al punto tale che Helena fece fatica a credere che stesse ancora parlando. Si chiese che cosa avesse detto a suo padre per farlo ammutolire in quel modo. Frank guardò verso di lei e fece un leggero cenno affermativo col capo. Helena si alzò dal divano e prese suo figlio per mano.

«Vieni, Stuart, andiamo a fare un giro. Credo proprio che qui fuori ci siano un sacco di cose interessanti.»

Il bambino la seguì senza fare storie. Come sua madre, viveva in casa del generale Parker. Non era abituato a ricevere consigli, solo ordini. E gli ordini non si discutono.

I due si avviarono verso la porta. La moquette assorbì il suono dei loro passi. L'unico rumore che lasciarono dietro di loro fu quello della porta che si chiudeva.

Frank andò a sedersi sul divano, nel posto dove Helena stava seduta fino a poco prima. Trovò quasi intatto il calore che il suo corpo aveva lasciato sul rivestimento di cuoio, e quel calore divenne il suo.

Indicò la poltrona davanti a lui.

«Si sieda, generale.»

«Non mi dica quello che devo fare!»

Frank notò una piccola nota isterica nella voce di Parker.

«Si sbrighi piuttosto a sparare fuori le sue farneticazioni. Abbiamo un aereo tra…»

Il generale guardò l'orologio. Dentro di sé, Frank sorrise. Anche per lui doveva essere stato un gesto abituale, fino a quel momento. Notò che doveva allontanare il quadrante dagli occhi per mettere bene a fuoco l'ora.

Parker sollevò lo sguardo dall'orologio.

«…Il nostro aereo parte fra poco meno di un'ora.»

Frank scosse la testa.

Negativo, signore.

«Mi spiace contraddirla, generale. Non il *vostro* aereo, il *suo* aereo.»

Parker lo guardò come se facesse fatica a credere a quello che aveva appena sentito. Sul suo viso si disegnò lentamente quel senso di sorpresa che si prova sempre davanti a una battuta che impiega un po' di tempo ad arrivare. Poi d'improvviso scoppiò a ridere. Frank vide con soddisfazione che era una risata sincera e pensò al piacere con cui gliel'avrebbe cancellata dalla bocca.

«Rida pure se le fa piacere. Ciò non toglie che lei partirà da solo e sua figlia e suo *nipote* resteranno qui, in Francia, con me.»

Parker scosse la testa, con la commiserazione che si usa davanti agli sproloqui di un idiota.

«Lei è completamente pazzo.»

Frank sorrise e si rilassò sul divano. Accavallò le gambe e appoggiò un braccio sullo schienale.

«Mi dispiace contraddirla un'altra volta. Un tempo forse lo sono stato, credo. Ma sono guarito. Purtroppo per lei, non sono mai stato in me come questo momento. Vede, generale, lei era così preoccupato di indicarmi gli errori che stavo commettendo che non si è preoccupato di badare ai suoi, che sono stati *molto* più gravi.»

Il generale guardò verso la porta. Fece due passi in quella direzione. Frank stroncò sul nascere qualunque iniziativa.

«Non può arrivare nessun aiuto da quella parte. Non le consiglio di coinvolgere la polizia di qui, se è questo che stava pensando. E se spera nell'arrivo del capitano Mosse, sappia che attualmente sta disteso sul tavolo di un obitorio, con la gola tagliata.»

Il generale girò la testa di scatto.

«Ma cosa sta dicendo?»

«Gliel'ho detto prima. Per quanto uno sia bravo, trova sempre uno più bravo di lui. Il suo tirapiedi era un ottimo soldato, ma temo di doverle confermare che Nessuno, l'uomo che doveva uccidere, era di gran lunga un combattente migliore. Se ne è sbarazzato esattamente con la facilità con cui Mosse pensava di sbarazzarsi di lui.»

A quella notizia, Parker sentì la necessità di sedersi. Sul suo viso abbronzato era comparsa di colpo una tonalità di grigio.

«In ogni caso, per quello che riguarda l'assassino di sua figlia, sappia che lo abbiamo preso e non c'è rischio che succeda quello che temeva lei. Lo chiuderanno in un manicomio criminale e non ne uscirà mai più.»

Frank si concesse una piccola pausa. Si sporse a sedere sul bordo del divano e fissò con attenzione l'uomo seduto in silenzio davanti a lui. Non riusciva a immaginare quali pensieri attraversassero la sua mente in quel momento. D'altro canto, se ne fregava nella maniera più assoluta. La sola cosa che desiderava era chiudere in fretta tutta quella storia e restare in piedi a osservare la sua schiena mentre percorreva il corridoio del *finger* che porta a un aereo.

Da solo.

«Credo sia il caso di partire dall'inizio, generale. E l'inizio è legato a me e non a lei. Non credo di dovermi dilungare troppo per raccontarle la mia storia. Lei la conosce fin troppo bene, vero? Sa tutto di me, sa di mia moglie e del suo suicidio, dopo che ero scampato per miracolo a un'esplosione mentre indagavo su Jeff e Osmond Larkin, due spacciatori di droga che controllavano un mercato da due o trecento milioni di dollari l'anno. Sono uscito distrutto da quell'esperienza. Mentre stavo cercando di emergere dal fondo del pozzo in cui ero sprofondato, sono capitato qui e mio malgrado sono stato coinvolto in questa indagine su un serial killer. Un assassino feroce come uno squalo che purtroppo ha fatto come prima vittima proprio sua figlia Arijane. E qui compare lei. Arriva a Montecarlo sconvolto dalla sofferenza e dal desiderio di vendetta...»

Parker prese quelle parole come se fosse messo in discussione il suo dolore di padre.

«Lei che avrebbe fatto se qualcuno avesse ucciso sua moglie in quel modo?»

«La stessa identica cosa che ha dichiarato di voler fare lei. Non avrei avuto pace finché non avessi ucciso il suo assassino con le mie stesse mani. Ma nel suo caso è diverso...»

«Cosa intende dire, buffone? Cosa ne può sapere lei di quali sono i sentimenti di un padre verso una figlia?»

Parker aveva parlato d'istinto, senza riflettere. Si rese conto immediatamente di quale errore aveva commesso dicendo quelle parole. Frank provò l'istinto di estrarre la Glock che aveva appesa alla cintura e di spargergli nella testa esattamente in quel momento, di spedire la materia cerebrale di quel pezzo di merda ad aggiungere un tocco naïf ai poster sulle pareti di quella stanza anonima. Pensò che lo sforzo compiuto per dominarsi probabilmente gli sarebbe costato dieci anni di vita.

Rispose. E c'era fiato gelato che usciva dalla sua bocca.

«È vero, generale, ignoro quali siano i sentimenti di un padre verso una figlia. Ma so perfettamente quali possano essere i *suoi* sentimenti verso una figlia. Lei mi fa schifo, Parker, letteralmente schifo. Gliel'ho detto che lei è un essere spregevole e che l'avrei schiacciata come uno scarafaggio. Nella sua presunzione, nel suo delirio di onnipotenza, *è lei* quello che non ci ha voluto credere...»

L'ombra di un sorriso passò sul viso di Parker. Forse giudicava la reazione che aveva provocato in Frank come una piccola vittoria personale.

«Se non sono troppo curioso, mi vuole spiegare come intende procedere per riuscirci?»

Frank estrasse una grossa busta gialla dalla tasca interna della giacca e la gettò sul piano di vetro del tavolino fra di loro.

«Ecco qui. Tutto quello che le sto per dire ha una conferma in questa busta. Ora, se permette, vorrei continuare...»

Parker fece un gesto con le mani, per invitarlo a proseguire.

Con la mente ancora in subbuglio, Frank dovette fare un grosso sforzo per calmarsi e procedere con ordine nell'esposizione dei fatti.

«Come le stavo dicendo, lei è arrivato qui, a Montecarlo, distrutto per la morte di sua figlia e per il modo barbaro in cui è stata uccisa, manifestando in termini molto poco riservati, devo dire, il desiderio di mettere personalmente le mani sul suo assassino. Così poco riservato da sollevare persino qualche sospetto.»

Fece una pausa, poi scandì, quasi fino a sillabarle, le parole successive.

«Lei era lontano cento chilometri da questa intenzione. *Quello che a lei faceva gioco era l'esatto contrario, che quel serial killer continuasse a uccidere.*»

Parker scattò in piedi, come se si fosse trovato improvvisamente un cobra sulla poltrona.

«Ora ne sono sicuro. Lei è un pazzo furioso e andrebbe rinchiuso nella stessa cella con quell'altro.»

Frank gli fece cenno di tornare a sedere.

«I suoi equilibrismi dialettici mi sembrano gli sforzi di un topo in una damigiana. Perfettamente inutili. Non ha ancora capito, Parker? Non ha ancora capito che so tutto di lei e del per niente compianto capitano Mosse?»

«Lei sa tutto? Tutto su *che cosa?*»

«Se avrà la compiacenza di non interrompermi più, riuscirà a saperlo prima di imbarcarsi sul *suo* aereo. Perché lei capisca bene, dobbiamo fare un passo indietro e tornare alla mia storia. Dei due spacciatori che le dicevo, uno, Jeff Larkin, è rimasto ucciso nel corso della sparatoria in occasione della loro cattura. Pace all'anima sua. L'altro, Osmond, è finito in galera. Il proseguimento delle indagini su quei due galantuomini ha fatto emergere nell'FBI il sospetto che per i loro traffici avessero la collaborazione di qualcuno molto in alto, qualcuno che, nonostante gli sforzi, non c'è stato verso di identificare…»

Il viso di Nathan Parker, adesso, era una maschera di pietra. Si sedette sulla poltroncina di cuoio e accavallò le gambe, con gli occhi socchiusi, in attesa. Quello non era più il litigio di due galli in un pollaio. Era il momento in cui Frank stava calando a una a una le sue carte, e per ora il generale sembrava solo curioso di capire quali fossero.

Frank non vedeva l'ora di cambiare quella curiosità nella certezza incredula della sconfitta.

«Chiuso in prigione, l'unico contatto di Osmond con il resto del mondo, a quel punto, era il suo avvocato, un semisconosciuto legale di New York, sbucato dal nulla ad agitare le acque. È venuto fuori il sospetto che questo avvocato, un certo Hudson McCormack, fosse molto di più di un semplice difensore. È stata formulata l'ipotesi che potesse essere quel contatto con l'esterno che la galera stava negando al suo cliente. Il mio partner all'FBI, quello con cui conducevo l'indagine sui Larkin, mi ha mandato via e-mail una foto di McCormack perché, guarda caso, il personaggio in questione stava arrivando proprio qui, a Montecarlo. Strana la vita, vero? La versione ufficiale era che ci veniva per partecipare a una regata, ma lei sa bene quanto me come le cose ufficiali a volte possano nascondere delle cose ufficiose molto più significative…»

Il generale inarcò le sopracciglia.

«Vuole essere così cortese da spiegarmi che cosa c'entro io in tutta questa storia di guardie e ladri?»

Frank si chinò sul tavolino ed estrasse dalla busta gialla la foto che gli aveva mandato Cooper, quella scattata nel locale. La spinse con le dita attraverso il tavolino sino a farla arrivare davanti a Parker. Quel gesto gli ricordò la notte dell'arresto di Mosse, quando gli aveva mostrato la foto del cadavere di Roby Stricker.

«Le presento il compianto avvocato Hudson McCormack, legale di Osmond Larkin e ultima vittima di Jean-Loup Verdier, il serial killer meglio conosciuto come Nessuno.»

Il vecchio gettò alla foto un'occhiata distratta e subito sollevò lo sguardo.

«Lo conosco semplicemente perché ho visto le sue foto sui giornali. Prima non sapevo nemmeno che esistesse.»

«Davvero? È strano, generale. Vede questa persona di spalle seduta al tavolo con Hudson McCormack? Non si vede in viso, ovviamente. Ma il locale è pieno di specchi…»

Il tono di voce di Frank cambiò, come se la sua mente stesse divagando dietro a una riflessione personale.

«Lei non ha idea dell'importanza che hanno avuto gli specchi in tutta questa storia… Gli specchi hanno la pessima abitudine di riflettere quello che hanno di fronte.»

«So come funziona uno specchio. Ogni volta che ne ho davanti uno vedo l'uomo che farà di lei un mucchietto di cenere.»

Frank sorrise, conciliante.

«Complimenti per l'umorismo, generale. Un po' meno per la sua presunta abilità strategica e la scelta dei suoi uomini. Come le dicevo, il locale dove questa foto è stata scattata è pieno di specchi. Grazie all'aiuto di un ragazzo in gamba, *molto in gamba*, sono riuscito a scoprire, attraverso un ingrandimento del gioco dei riflessi, l'identità della persona seduta con Hudson McCormack a quel tavolo. E guardi un po' di chi si tratta…»

Frank estrasse un'altra foto dalla busta. La gettò sul tavolino senza nemmeno guardarla. Invece questa volta fu Parker che prese la foto dal tavolo e la tenne a lungo davanti agli occhi.

«Non si può dire che il capitano Ryan Mosse fosse un tipo molto fotogenico. Ma a lei non serviva un fotomodello, vero Parker? A lei serviva un uomo che fosse esattamente quello che il capitano era: una specie di psicopatico fedele sino al fanatismo, disposto a uccidere chiunque lei volesse eliminare a un suo semplice comando.»

Inclinò leggermente il busto verso Nathan Parker. C'era un tono ironico nella sua voce, assolutamente non casuale.

«Generale, la sua espressione incredula indica che sta per negare che quello nella foto con Hudson McCormack sia Ryan Mosse?»

«No, non lo nego affatto. Si tratta effettivamente del capitano Mosse. Però, questa foto prova solo che lui conosceva quest'avvocato di cui lei mi parla. Che c'entra con me?»

«Ci arriviamo, generale, ci arriviamo...»

Questa volta fu Frank a guardare l'orologio. E senza doverlo allontanare dagli occhi.

«E credo sia anche necessario farlo abbastanza in fretta. Per una questione di aerei in partenza, cercherò di essere il più sintetico possibile. Ecco come sono andate le cose. Lei e Mosse avete fatto un patto con Laurent Bedon, il regista della trasmissione di Radio Monte Carlo. Quel poveraccio aveva bisogno di soldi più dell'aria che respirava e non deve essere stato difficile convincerlo. Denaro, di cui lei è provvisto in abbondanza, in cambio di tutte le informazioni di cui fosse venuto in possesso a proposito di questa indagine. Una spia, come in ogni guerra che si rispetti. Ecco perché, subito dopo la telefonata dell'assassino, quando siamo arrivati a identificare Roby Stricker come possibile vittima, Mosse era già lì con lui. Poi quel ragazzo è stato ucciso e il mio desiderio che fosse Ryan Mosse il colpevole era talmente forte da farmi commettere un errore. Mi ha fatto dimenticare la prima regola di un poliziotto: esaminare *tutti* gli elementi a disposizione da *tutti* i punti di vista. Pensi all'ironia della sorte. Un riflesso in uno specchio ha portato Nicolas Hulot a capire chi era il vero assassino e lo stesso particolare lo ha fatto capire a me. Come appaiono semplici le cose, *dopo*, vero?...»

Frank si passò le mani tra i capelli. La stanchezza cominciava a farsi sentire ma non era il momento di rilassarsi, non ancora. Dopo ci sarebbe stato tutto il tempo per riposare e anche la compagnia giusta per farlo nel migliore dei modi.

«Lei si deve essere sentito un po' sperduto mentre il suo scagnozzo era in galera, non è così? Un intoppo che non ci voleva. Quando Nessuno è stato finalmente identificato, l'innocenza di Mosse è stata provata e lui è stato scarcerato. Deve aver provato un certo sollievo, io credo. Niente era perduto. C'era ancora tutto il tempo di risolvere i suoi problemi personali, tantopiù che le era arrivato addosso un autentico colpo di fortuna…»

Frank fu costretto suo malgrado ad ammirare la tenuta nervosa del generale Nathan Parker. Stava seduto di fronte a lui, impassibile, senza battere ciglio. Forse qualcuno in passato, incontrandolo, aveva pensato fra sé e sé di non desiderare di averlo per nemico. A Frank invece era successo. Se lo era trovato contro e ora non vedeva l'ora di sbarazzarsi di lui.

Non provava esultanza, solo un profondo senso di vuoto. Si accorse con stupore che quello che desiderava di più non era il gusto, molto umano, di batterlo. Il piacere più grande sarebbe stato quello di non averlo mai più davanti agli occhi.

Continuò la sua esposizione dei fatti.

«E le spiego in cosa è consistito esattamente il colpo di fortuna di cui sto parlando. Nessuno è stato identificato ma è riuscito a fuggire. In tutto questo caos di avvenimenti, deve essere stata una cosa alla quale ha fatto fatica a credere. Il capitano Mosse di nuovo a disposizione e quell'assassino nascosto da qualche parte, in barba alla polizia e *libero di uccidere ancora.*»

Si guardò il dorso di una mano. Si ricordava perfettamente quando stendere le mani significava solo mettere in evidenza il tremore che le agitava. Ora la sua mano era ferma, salda. Poteva stringerla a pugno con la certezza che il generale Parker ci stava chiuso dentro.

«Infatti, poco dopo, Nessuno ha fatto all'agente Frank Ottobre una nuova telefonata. Non nel solito modo, però. Questa volta ha chiamato da un cellulare, senza sentire il bisogno di ma-

scherare la voce. Perché farlo, in fin dei conti? Tutti ormai sapevano benissimo chi era: Jean-Loup Verdier, il dee-jay di Radio
Monte Carlo. Il cellulare con cui è stata fatta la telefonata, un
anonimo telefonino a scheda, è stato poi abbandonato su una
panchina a Nizza, da dove era partita la chiamata. Lo abbiamo
rintracciato con un sistema di rilevamento satellitare mobile e lo
abbiamo recuperato. Sull'apparecchio, oltre a quelle del ragazzino che lo ha trovato, non c'erano altre impronte. E questa è stata una cosa strana…»

Guardò Parker come se non avesse ancora una risposta alla
domanda che gli fece.

«Perché Nessuno si è preoccupato di cancellare le impronte,
quando sapeva benissimo che conoscevamo la sua vera identità?
Lì per lì non ci ho fatto caso, anche perché l'attenzione di tutti era
concentrata sul significato della telefonata. L'assassino confermava la sua intenzione di fare altre vittime, nonostante tutta la polizia che gli stava dando la caccia. E così è stato. Hudson McCormack viene ritrovato cadavere con la testa scorticata nella macchina di Jean-Loup Verdier, abbandonata davanti al comando della
Sûreté. Tutto il mondo è inorridito di fronte a questa nuova impresa. Tutti si sono chiesti la stessa cosa. È mai possibile che non
si riesca a catturare questo essere diabolico che continua imper-
territo a uccidere e a svanire nel nulla come se fosse un fantasma?»

Frank si alzò dal divano. Si sentiva talmente stanco che quasi
si stupì di non sentire le sue giunture cigolare. Per contro, il suo
ginocchio aveva stranamente accettato una tregua. Fece alcuni
passi nella stanza e si mise alle spalle del generale seduto immobile sulla poltrona. L'uomo non si girò a seguirlo con lo sguardo.

«Credo sia stata la morte di Laurent Bedon a mettermi una
pulce nell'orecchio. Una morte del tutto casuale, un uomo rimasto ucciso durante un banale e maldestro tentativo di rapina. Però
mi ha fatto nascere dentro un sospetto. E i sospetti sono un po' come le briciole nel letto, generale: finché non te ne sbarazzi, non
riesci a dormire. È cominciato tutto da lì. La morte di quel di-

sgraziato di Bedon è stata l'elemento scatenante, il motivo per cui ho fatto esaminare la foto dal mio amico e ho scoperto che era Ryan Mosse l'uomo seduto in un bar di New York insieme a Hudson McCormack. È stata il motivo per cui, alla stessa persona, ho dato da analizzare anche il nastro della telefonata che ho ricevuto personalmente da Nessuno. Sa che cosa abbiamo scoperto? Glielo dico lo stesso, anche se lo sa già. Abbiamo appurato che si trattava di un montaggio. Cosa non fa la tecnica, oggigiorno, eh? Può essere un aiuto incredibile, però va usata *cum grano salis*, se mi permette la citazione. Il messaggio è stato esaminato parola per parola ed è saltato fuori che c'erano, al suo interno, delle espressioni ripetute più volte: "luna", "cani", "parlare con me". L'analisi dell'intonazione ha dimostrato che ogni parola era stata pronunciata *due volte esattamente nello stesso identico modo*. Il grafico vocale di ognuna, sovrapposta all'altra, corrispondeva perfettamente. Mi dicono che sia impossibile che questo si verifichi, come non esistono due fiocchi di neve identici o due impronte digitali uguali. Ciò significa che quelle parole sono state prese e incollate su un nastro, una dopo l'altra, fino a comporre il messaggio desiderato. E che quel nastro è stato usato per fare la telefonata che io ho ricevuto. È stato Laurent, non è così? È lui che vi ha dato i nastri delle trasmissioni con la voce di Jean-Loup, così da avere materiale sufficiente per quello che vi serviva realizzare. Dopo questo, che altro c'è da dire?»

Continuò come se quello che stava per dire fosse del tutto inutile, con l'espressione di chi spiega l'ovvio a qualcuno che si ostina a non voler capire.

«Dopo la telefonata, Mosse è salito a casa di Jean-Loup Verdier, ha prelevato la sua macchina, ha ucciso Hudson McCormack, gli ha riservato lo stesso trattamento che Nessuno riservava alle sue vittime e ha mollato macchina e cadavere davanti alla centrale.»

Frank si fermò di fronte a Parker. Lo fece intenzionalmente, per costringere il vecchio ad alzare la testa a guardarlo mentre traeva le conclusioni. In quel momento, in quella stanza anonima di un aeroporto, lui era la giuria e il suo verdetto era inappellabile.

«*Quello era il suo vero scopo, Parker.* Eliminare qualsiasi collegamento dell'eroico e potente generale Nathan Parker con Jeff e Osmond Larkin, ai quali forniva copertura e protezione in cambio di una congrua percentuale sugli incassi. Scommetto che ogni volta che il prode generale Parker ha partecipato a una guerra in giro per il mondo non ha protetto solo gli interessi del suo Paese, ma ne ha approfittato per curare anche i propri... Non so il motivo per cui lei lo ha fatto e non me ne frega niente. Questi sono problemi suoi e della sua coscienza. Alla luce dei fatti, dubito che ne abbia una. Il povero McCormack, il vostro contatto con Osmond Larkin, un poveretto entrato in un gioco troppo grande per lui, ne sapeva abbastanza per mettervi nei pasticci, se avesse parlato. E lo avrebbe fatto sicuramente, per pararsi il culo se le cose si fossero messe male. Per cui è stato ucciso in modo da far ricadere la colpa su un serial killer che aveva già ucciso diverse persone con la stessa identica modalità. Se anche Nessuno fosse stato catturato e avesse dichiarato la sua innocenza a proposito dell'omicidio dell'avvocato, chi gli avrebbe creduto? Mi fa sorridere pronunciare questa parola: *nessuno*. Forse Hudson McCormack vi ha portato un messaggio del suo cliente. È una curiosità che mi può pure togliere, a questo punto. Penso, ed è una semplice supposizione la mia, che Osmond Larkin vi abbia minacciato di aprire i registri se non veniva tirato subito fuori di galera. Il fatto che sia rimasto ucciso in prigione durante una banale rissa fra detenuti posso anche giudicarlo una coincidenza, ma mi pare che di coincidenze in questa storia ce ne siano un po' troppe...»

Frank si sedette di nuovo sul divano, regalando al suo avversario l'espressione di un uomo stupito lui per primo delle cose che sta dicendo.

«Quante coincidenze, vero? Come quella di Tavernier, il proprietario della casa che avevate preso in affitto. Mentre stavate partendo, quel chiacchierone deve aver rivelato anche a voi la faccenda del rifugio atomico che suo fratello aveva fatto costruire per la moglie. Lei ha capito dove stava nascosto Jean-Loup e ha lasciato Mosse a occuparsi di lui. Una volta eliminato anche l'ultimo testimòne, il cerchio era chiuso. Tutte le bocche che potevano intonare il coro sarebbero state chiuse, a una a una. E vuole sapere una cosa buffa?»

«No, ma penso che la dirà lo stesso.»

«Infatti. Poco prima di venire qui ho saputo che il delinquente che ha provocato la morte di Laurent Bedon è stato arrestato. Si tratta di un banale scippatore che ripuliva gente uscita con un po' di soldi in tasca da un casinò.»

«E il risvolto buffo quale sarebbe?»

«Che l'inizio dei miei sospetti è stato causato dall'unica morte che si può definire un incidente e non un vero e proprio omicidio. Un delitto che io in un primo tempo vi avevo attribuito e del quale eravate assolutamente innocenti.»

Parker si assentò per un istante, come se stesse riflettendo su tutto quello che Frank gli aveva appena detto. Frank non si fece illusioni. Era solo una pausa, non una resa. Era il giocatore di scacchi che prende tempo prima di una contromossa, dopo aver sentito pronunciare dal suo avversario la parola «scacco».

Parker fece un gesto vago con una mano.

«Le sue sono solo supposizioni, non ha modo di provare *con sicurezza* niente di quello che sta dicendo.»

Eccola, la contromossa che Frank si aspettava. Sapeva bene che il generale non aveva tutti i torti. Quella che aveva in mano era una serie di indizi significativi, ma di cui nessuno rilevante al punto da diventare un prova a sostegno dei capi d'accusa. Tutti i testimoni erano morti e l'unico ancora in vita, Jean-Loup Verdier, non era esattamente quello che si definisce un teste attendibile. Però questo era il *suo* bluff, e stava al generale pagare per venire a scoprire il suo gioco. Allargò le braccia in un gesto che significava tutto-può-essere.

«Forse le cose stanno come dice lei. O forse no. Lei ha a sua disposizione i mezzi per pagare degli avvocati in grado di tirarla fuori dai guai e non farla finire in prigione. Per quanto riguarda lo scandalo è tutt'altra cosa. Un'assoluzione per insufficienza di prove serve a evitare il soggiorno in una cella, non i dubbi sulla colpevolezza. Provi a riflettere… Pensa davvero che il presidente degli Stati Uniti voglia ancora sentire il parere di un consigliere militare sospettato di aver dato la stessa consulenza anche a dei trafficanti di droga?»

Il generale Parker lo guardò a lungo senza parlare. Si passò una mano fra i capelli candidi tagliati corti. I suoi occhi azzurri avevano perso lo scintillio guerriero ed erano finalmente diventati gli occhi di un uomo anziano. Tuttavia la sua voce era ancora stranamente vitale.

«Penso di aver capito dove vuole arrivare…»

«Lei crede?»

«Se non volesse qualcosa da me, a quest'ora mi avrebbe già denunciato all'FBI. Non sarebbe venuto qui da solo, ma con un esercito di poliziotti. Allora abbia il coraggio di essere esplicito.»

Frank pensò che la reputazione di Parker non era per niente usurpata. Sapeva benissimo di essere sconfitto ma, come tutti i soldati degni di questo nome, aveva individuato una possibilità di scampo e ora la stava sfruttando.

«Molto più che esplicito, generale. Addirittura lapidario. Dipendesse da me, non avrei nessuna pietà di lei. La considero un verme e l'appenderei volentieri a un grosso amo e la calerei in acqua in un braccio di mare infestato dagli squali. Questo è esattamente quello che *io* farei. A suo tempo le dissi che tutti gli uomini hanno un prezzo ma che lei non era riuscito a capire il mio. Eccolo, il mio prezzo, ora glielo dico io. Helena e Stuart in cambio del mio silenzio.»

Frank fece una pausa.

«Come vede, generale, su qualche cosa aveva ragione. In qualche modo, siamo fatti della stessa pasta, noi due.»

Il vecchio piegò la testa un attimo.

«E se io…»

Frank scosse la testa.

«La proposta non è negoziabile. Prendere o lasciare. E non è tutto…»

«Che cosa intende dire?»

«Intendo dire che ora lei tornerà negli Stati Uniti e si renderà conto di essere troppo vecchio e stanco per la vita militare. Darà le sue dimissioni. Qualcuno cercherà di dissuaderla ma lei sarà irremovibile. Mi sembra giusto che un uomo come lei, un soldato che tanto ha dato la suo Paese, un padre così provato dalla sorte, si goda gli ultimi anni della vita in santa pace.»

Parker lo guardò fisso. Frank si sarebbe aspettato di vedere tutto sul suo viso, meno che quella curiosità apparsa all'improvviso.

«E lei mi lascia libero così, senza fare niente? Dov'è finita la sua coscienza, agente speciale Frank Ottobre?»

«Esattamente dove è finita la sua. Ma mi pare che il peso che la mia coscienza deve sopportare sia infinitamente meno greve del suo.»

Il silenzio che cadde fra di loro era abbastanza eloquente. Non c'era più nulla da dire. In quel momento, con quella scelta di tempo perfetta che solo la casualità può dare, la porta si aprì e la testa di Stuart fece capolino nella stanza.

«Oh, Stuart, vieni, puoi entrare, abbiamo finito le nostre chiacchiere fra uomini…»

Stuart entrò di corsa, seguito dalla figura esile di Helena. Stuart non poteva capire, lei non *riusciva* a capire. Fu Nathan Parker a darle la notizia, indirettamente, parlando con un bambino che credeva di essere suo nipote e che invece era suo figlio. Il vecchio si inginocchiò senza sforzo apparente davanti a lui e gli mise le mani sulle braccia.

«Be', Stuart, c'è una novità. Sai che ti avevo detto che dovevamo tornare subito in America?»

Il bambino fece un cenno affermativo con la testa che a Frank ricordò l'ingenuo modo di comunicare di Pierrot. Il generale indicò Frank con la mano.

«Bene, dopo aver parlato un po' con questo mio amico, mi pare che non sia necessario che torniate anche tu e la mamma. Io avrò molto da fare a casa e non riusciremmo a vederci molto, per un bel po'. Ti piacerebbe fermarti qui e prolungare la vacanza?»

Il bambino spalancò gli occhi, incredulo.

«Davvero nonno? Magari possiamo anche andare a vedere Disneyland Resort a Parigi?»

Parker guardò Frank, che fece un cenno affermativo socchiudendo gli occhi in modo quasi impercettibile.

«Certo, Disneyland e un sacco di altri posti...»

Stuart alzò le braccia e fece un salto verso l'alto.

«Urrà!»

Corse ad abbracciare la madre, che lo accolse con un viso che sembrava scolpito nella pietra dell'incredulità. Il suo sguardo attonito passava da Frank a suo padre, come chi ha ricevuto una bella notizia che ha bisogno di tutto il suo tempo per essere assimilata.

Stuart le strillò addosso tutta la sua gioia con voce acuta.

«Mamma, stiamo qui. Lo ha detto il nonno. Andiamo a Disneyland, andiamo a Disneyland, andiamo a Disneyland...»

Helena cercò di calmarlo mettendogli una mano sulla testa, ma Stuart sembrava inarrestabile. Cominciò a ballare per la stanza, ripetendo quelle parole come una filastrocca senza fine.

Bussarono alla porta.

«Avanti», disse Parker mentre si rialzava. Fino a quel momento aveva assistito così, piegato a terra, all'esultanza di Stuart. Frank aveva pensato che quella era esattamente la sua condizione in quel momento. Un uomo in ginocchio.

La faccia di Froben spuntò all'interno del battente.

«Scusate...»

«Vieni Froben, entra pure.»

C'era un po' di comprensibile imbarazzo dipinto sul viso del commissario. Vide con sollievo che l'atmosfera era tesa ma che non c'era guerra per aria. O che non c'era più, perlomeno. Si rivolse a Parker.

«Generale, mi scuso per l'inconveniente e l'incresciosa attesa. Volevo dirle che il suo volo è appena stato annunciato. Abbiamo già provveduto all'imbarco del feretro, e per i bagagli...»

«Grazie, commissario. Ci sono stati dei cambiamenti di programma, in questi ultimi istanti. Mia figlia e mio nipote restano qui. Se vuole essere così cortese da far imbarcare solo i miei, gliene sarò grato. Li riconoscerà facilmente. Sono due valigie rigide blu della Samsonite.»

Froben piegò la testa. A Frank sembrò il gesto di un maggiordomo in una commedia inglese.

«È il minimo che possa fare per farmi perdonare, generale.»

«La ringrazio. Arrivo subito.»

«Va bene. Le ricordo il gate d'imbarco. È il diciannove.»

Froben uscì da quella stanza con il sollievo incredulo di chi è scampato a un incidente stradale senza riportare nemmeno un graffio.

Parker si rivolse di nuovo a Stuart.

«Okay, io devo andare. Tu fai il bravo. *Roger?*»

Il bambino scattò sull'attenti e fece un saluto militare, come se fosse un vecchio gioco tra di loro. Parker aprì la porta e uscì senza degnare di una parola o di uno sguardo sua figlia.

Frank si avvicinò a Helena e le sfiorò una guancia con la mano. Avrebbe affrontato un intero esercito di generali Parker per quello che trovò nei suoi occhi.

«Come hai fatto?»

Frank le sorrise.

«Tutto a suo tempo. Adesso ho ancora una cosa da fare. Un paio di minuti e arrivo. Voglio solo essere sicuro di un'ultima cosa...»

Uscì dalla porta e cercò con lo sguardo la figura di Nathan Parker. Lo vide che si allontanava lungo il corridoio, di fianco a Froben che lo stava accompagnando all'imbarco. Li raggiunse un attimo prima che il generale imboccasse il *finger* per salire a bordo. Era l'ultimo passeggero. La sua condizione privilegiata gli aveva permesso di ottenere il beneficio di una piccola attesa supplementare.

Quando lo vide arrivare, Froben si fece da parte, con discrezione.

Parker gli parlò, quasi senza girarsi.

«Non mi dica che ha sentito il desiderio irrefrenabile di venirmi a salutare.»

«No, generale. Volevo semplicemente essere sicuro che partisse e fare insieme a lei un'ultima considerazione.»

«Quale considerazione?»

«Più volte lei mi ha detto che sono un uomo finito. Ora vorrei semplicemente sottolineare che *lei* è un uomo finito. Non mi importa che lo sappia tutto il mondo...»

I due si guardarono. Occhi neri contro occhi azzurri. Occhi di due uomini dai quali l'odio non sarebbe mai scomparso.

«Lo sappiamo lei e io e questo mi basta.»

Senza una parola, Nathan Parker si girò, superò la transenna e si avviò lungo il corridoio. Non era più un soldato, non era più un uomo, soltanto un vecchio. Tutto quello che si lasciava alle spalle d'ora in poi non sarebbe stato più un problema suo. Il vero problema sarebbe stato quello che aveva davanti. Mentre scendeva verso la carlinga dell'aereo, la sua figura venne accolta e riflessa da uno specchio sulla parete.

Una coincidenza, forse, una delle tante.

Ancora uno specchio...

Con questo pensiero in testa, Frank rimase in piedi a seguire Parker con lo sguardo finché girò l'angolo e lo specchio rimase uno schermo vuoto.

63

Frank raggiunse la fine del corridoio e si trovò davanti alla porta dell'ufficio di Roncaille. Attese un attimo prima di bussare. Pensò a tutte le volte in cui si era trovato davanti a una porta chiusa, prima di quel momento. Vera o figurata che fosse. Questa era solo una delle tante, ma adesso tutto era diverso. Adesso l'uomo conosciuto come Nessuno era al sicuro tra le sbarre di una cella e il caso poteva passare a pieno titolo a ingrossare il dato statistico delle indagini condotte a buon fine.

Erano passati quattro giorni dall'arresto di Jean-Loup e dall'incontro con Parker all'aeroporto di Nizza. Aveva trascorso tutto quel tempo in compagnia di Helena e suo figlio, senza leggere giornali, senza guardare la televisione, cercando solo di lasciarsi alle spalle per un po' tutta quella storia.

Farlo per sempre era impensabile.

Aveva lasciato l'appartamento di Parc Saint-Roman e con Helena e Stuart avevano trovato rifugio in un piccolo e discreto albergo dell'interno, un posto in cui era possibile sfuggire alla caccia ossessiva dei giornalisti letteralmente scatenati sulle sue tracce. Lui ed Helena, nonostante il desiderio, non avevano ritenuto opportuno dormire nella stessa camera. Non ancora. Ci sarebbe stato tempo anche per quello. Aveva impiegato le sue giornate a riposare e a familiarizzare con Stuart, cercando di costruire un rapporto con lui. La conferma ufficiale che la promessa di Disneyland sarebbe stata mantenuta, aveva creato un ottimo presupposto. Il fatto che la vacanza sarebbe stata integrata da una decina di giorni sul Canal du Midi, a bordo di una house-boat, aveva iniziato a cementarlo. Stuart era rimasto affascinato quando gli aveva detto che avrebbero passato le chiuse e dormito in barca e che lui avrebbe potuto addirittura pilotarla. Adesso non restava che attendere che il cemento facesse presa.

Frank si decise e bussò.

La voce di Roncaille lo invitò a entrare. Aprendo la porta, Frank non si stupì di trovarci Durand. Lo sorprese invece la presenza del dottor Cluny.

Roncaille lo accolse con il suo solito sorriso da pubbliche relazioni, che adesso sembrava molto più spontaneo e naturale. Il capo della polizia, in quel momento di *grandeur*, sapeva come si comporta un perfetto padrone di casa. Durand sedeva con la sua solita espressione e gli fece solo un cenno con la mano.

«Bene, Frank, mancava solo lei. Venga, si accomodi. Il dottor Durand è appena arrivato.»

Il tono era così mondano che Frank si stupì di non trovare sulla scrivania una *frappeuse* con lo champagne e i bicchieri. Probabilmente ci sarebbero stati dopo, in un altro momento e in un altro luogo.

Roncaille tornò a sedersi alla scrivania. Frank prese posto sulla poltrona che il direttore gli aveva indicato. Attese in silenzio. Non c'era più nulla che lui potesse dire. C'erano solo delle cose che desiderava sapere.

«Visto che ci siamo tutti, credo sia meglio arrivare subito al sodo. Ci sono dei risvolti di questa vicenda su cui lei non è informato, cose che riguardano più che altro la storia di Daniel Legrand, alias Jean-Loup Verdier. Ecco, a grandi linee, quello che siamo riusciti ad accertare.»

Roncaille si appoggiò allo schienale e accavallò le gambe. Frank trovò strano che Durand gli permettesse di condurre le operazioni, anche se il motivo gli era del tutto indifferente.

Roncaille divise con lui quello che sapeva con la naturalezza e la benevolenza con cui un santo aveva diviso a suo tempo il mantello con un povero.

«Il padre, Marcel Legrand, era un pezzo grosso dei servizi segreti francesi. Era la persona che dirigeva il loro addestramento, un esperto di ogni cosa faccia parte del bagaglio di un appartenente ai corpi speciali o a un servizio d'intelligence. A un certo punto sembra abbia iniziato a dare segni di squilibrio. Ignoriamo i dettagli precisi di questo aspetto della faccenda. Siamo risaliti fin dove abbiamo potuto, ma il governo francese non è che si sia sbottonato molto, in tal senso. Deve essere stata una faccenda che ha procurato un bel po' di grattacapi. Tuttavia le informazioni di cui siamo venuti in possesso sono sufficienti a capire quello che è successo. Dopo un po' di episodi definiti *incresciosi*, Legrand è stato invitato, per così dire, ad abbandonare di sua spontanea volontà il servizio attivo ed è stato messo in pre-pensionamento. Questo fatto deve averlo colpito non poco e deve aver contribuito a dare la mazzata finale alla sua mente un po' traballante. Si è trasferito a Cassis, con la moglie incinta e la governante, una donna che era con lui fin dall'infanzia. Ha comperato quella tenuta, La Patience, dove si è rinchiuso vivendo come un eremita, senza avere quasi più rapporti con il resto del mondo. E ha imposto quella condizione anche al resto della famiglia. Nessun contatto, per nessun motivo.»

Roncaille si girò verso il dottor Cluny. Gli porse la parola, attribuendogli tacitamente, fra tutti loro, il ruolo di persona meglio qualificata a esporre il resto di fatti con una componente psicologica così rilevante.

Lo psicopatologo si tolse gli occhiali e si pinzò con l'indice e il pollice la radice del naso, come faceva di solito. Frank non era ancora riuscito a capire quanto quel gesto fosse frutto di un attento studio per richiamare l'attenzione e quanto frutto della casualità. In ogni caso non era così importante. Cluny si rimise gli occhiali. Aveva catturato l'attenzione generale. Molte delle cose che stava per dire erano novità anche per gli stessi Durand e Roncaille

«Ho avuto dei colloqui con Jean-Loup, anzi, con Daniel Legrand, che è il suo vero nome. Con una certa difficoltà sono riuscito ad abbozzare un quadro generale, perché solo a tratti il soggetto rivela la volontà di aprirsi e di uscire dalle crisi di totale estraniazione in cui precipita a volte. Dunque, come diceva il direttore poco fa, la famiglia Legrand arriva in quel paesino della Provenza. La signora Legrand era italiana, sia detto per inciso. Questo penso sia stato determinante, nonostante tutto, sul fatto che Daniel o Jean-Loup, come preferite, lo parla così bene. Io direi di continuare a chiamarlo Jean-Loup, per maggiore chiarezza.»

Si guardò in giro in cerca del loro consenso. Il silenzio generale gli indicò che non c'erano obiezioni. Cluny proseguì nella sua esposizione dei fatti. O perlomeno di come pensava si fossero svolti.

«Poco dopo il loro insediamento la signora partorisce. Secondo la logica misogina del marito, che nel frattempo è diventata una vera e propria ossessione, nessun medico viene chiamato ad assistere al parto. La signora mette al mondo, badate bene, non un solo bambino, ma *due gemelli*, Lucien e Daniel. Solo che c'è una grossa complicazione. Il piccolo Lucien nasce deforme. Il viso del bambino è completamente deturpato da escrescenze carnose che fanno di lui un essere mostruoso. Da un punto di vista clinico, non posso dirvi con esattezza di cosa si tratti perché mi posso basare solo sulla testimonianza di Jean-Loup, e su questo argomento non si apre con facilità. In ogni caso, gli esami sul DNA del cadavere scoperto nel rifugio hanno rivelato senza ombra di dubbio che i due sono fratelli. Il padre rimane sconvolto da questo dramma e, se possibile, le sue condizioni mentali peggiorano ulteriormente. Rifiuta la nascita del figlio deforme come se non esistesse, al punto che denuncia la nascita di un solo bambino, Daniel appunto. L'altro viene tenuto nascosto in casa, come un segreto da custodire gelosamente, una vergogna di fronte al mondo. La madre muore alcuni mesi dopo il parto. Il referto del medico che ha redatto il certificato di morte parla di generiche cause naturali. Non c'è motivo per sospettare diversamente.»

Durand interruppe con un gesto l'esposizione di Cluny e si inserì nel discorso.

«Abbiamo suggerito al governo francese la riesumazione del cadavere della signora Legrand, ma non ci pare che, dopo tanti anni e la scomparsa di tutte le persone coinvolte in questa vicenda, questo dettaglio possa assumere per loro un interesse vitale.»

Durand si appoggiò allo schienale della poltrona con l'espressione di chi trova deprecabile una simile mancanza di cura dei dettagli. Con un gesto diede di nuovo la parola a Cluny.

Cluny l'accolse come un dovere e non come un piacere.

«I due bambini crescono sotto la mano rigida e ossessiva del padre che si occupa della loro educazione *in toto*, senza interferenze esterne. Né asilo, né scuola, tantomeno la frequentazione di bambini della loro stessa età. Nel frattempo è diventato un autentico maniaco. Forse è afflitto da mania di persecuzione, una persona ossessionata dalla figura retorica del "nemico", che vede dappertutto e in ogni persona al di fuori della casa dove vivono rinchiusi come in una fortezza. Anche in questo caso, sono solo mie supposizioni, non supportate da fatti concreti. Il solo a cui sono concessi sporadici contatti col mondo, sempre sotto il rigoroso controllo del padre, è Jean-Loup. Il gemello, Lucien, rimane prigioniero in casa, una persona il cui volto non può essere mostrato al mondo, una specie di Maschera di Ferro, per citare un esempio letterario. A tutti e due viene imposto un rigido addestramento militare, lo stesso che Legrand impartiva agli agenti dei servizi segreti di cui faceva parte. Ecco il motivo della preparazione di Jean-Loup nei campi più disparati, compresa la sua abilità nel combattimento. Non mi voglio dilungare, ma lui stesso mi ha rivelato dei particolari agghiaccianti, perfettamente in linea con la personalità che Jean-Loup ha sviluppato successivamente...»

Cluny fece una pausa, come se fosse meglio che quei particolari rimanessero, per il bene di tutti, di sua esclusiva competenza. Dal canto suo, Frank cominciava a capire. O perlomeno cominciava a *immaginare*, che era più o meno quello che era stato costretto a fare Cluny. Stava venendo fuori una storia che galleggiava nel tempo come un iceberg nel mare, ed esattamente nello stesso modo lasciava emergere solo la parte meno voluminosa. Una parte coperta di sangue. E questa parte il mondo l'aveva battezzata Nessuno.

«Posso dire che Jean-Loup e il suo povero fratello praticamente non sono mai stati bambini. Legrand è riuscito a trasformare uno dei giochi infantili più antichi del mondo, il gioco della guerra, in un autentico incubo. Questa esperienza ha legato i due fratelli in un modo indissolubile. Già l'abituale rapporto tra due gemelli è molto più saldo e particolare di quello tra due normali fratelli: il mondo è pieno di esempi che lo dimostrano. Figuriamoci in questo caso in cui, perdipiù, uno dei due era in condizioni di evidente menomazione. Jean-Loup si è attribuito il ruolo di difensore e protettore del fratello meno fortunato, che il padre trattava come un essere inferiore. Jean-Loup stesso mi ha confidato che l'epiteto migliore con cui il padre lo definiva era "brutto mostro"…»

Ci fu un attimo di silenzio. Cluny diede a tutti il tempo di assimilare ciò che aveva appena detto. Quello che stavano ascoltando era in qualche modo la conferma che c'era un trauma dietro alla persona di Jean-Loup. Ora che ne stavano accertando la consistenza, ognuno si rendeva conto che superava di gran lunga ogni più fantasiosa congettura. E non era finita.

«È un affetto morboso quello che li lega. Jean-Loup vive il dramma del fratello come fosse il suo, forse in misura ancora maggiore, più viscerale, perché lo vede indifeso di fronte alla furia e alla persecuzione del loro stesso padre.»

Cluny fece una nuova pausa. Li costrinse a un nuovo rito degli occhiali. Frank, Roncaille e Durand glielo concessero, con pazienza. Se lo era guadagnato nel corso dei suoi colloqui con Jean-Loup, a contatto con l'oscurità della sua mente, cercando attraverso il passato di ricostruire i motivi di un presente senza futuro.

«Non so dire di preciso quale sia stata la causa scatenante di quello che è successo nella casa di Cassis in una notte di tanti anni fa. Forse non ce n'è una in particolare, ma una serie di concause che nel corso del tempo hanno creato le condizioni ideali per innescare la tragedia. Voi sapete che nella casa in preda alle fiamme è stato trovato un corpo dal viso devastato…»

Altra pausa. Gli occhi dello psicopatologo vagarono per la stanza, non in cerca ma in fuga dagli occhi degli altri. Come se fosse in parte responsabile di quello che stava per dire.

«*È stato lo stesso Jean-Loup a uccidere suo fratello.* Il suo affetto è ormai arrivato al punto tale che, nella sua mente malata, pensa che quello sia l'unico modo per guarirlo "dal suo male", come lo definisce lui. Come se quell'aspetto fosse una vera e propria malattia. Dopo c'è il gesto simbolico della liberazione, il rituale della scarnificazione del volto per liberare il gemello dalla sua deformità. Successivamente uccide il padre e la governante, che evidentemente ritiene sua complice, in modo da rendere plausibile l'ipotesi del duplice omicidio coronato da un suicidio. Poi dà fuoco alla casa. Potrei infilare in tutto questo il significato simbolico della catarsi, ma mi sembra del tutto inutile e retorico, più che scientifico. Poi è fuggito. Ignoro i dettagli della sua latitanza…»

Roncaille intervenne a riportare per qualche istante sulla terra quel racconto che sembrava sospeso in un limbo da saga delle streghe.

«Dai documenti che abbiamo trovato in casa di Jean-Loup siamo risaliti a un conto cifrato in una banca di Zurigo. Probabilmente erano soldi depositati da Marcel Legrand, un bel mucchio di soldi, fra l'altro. A Jean-Loup è bastato essere a conoscenza del codice per avere a disposizione la somma che c'era depositata. Non sappiamo *dove* abbia vissuto fino a che non è ricomparso qui a Montecarlo, prendendo a prestito il nome di un ragazzo morto per un incidente a Cassis, ma sul *come* non ci sono dubbi. Con quella cifra a sua disposizione poteva vivere tutta la vita senza lavorare.»

Il pubblico ministero Durand intervenne.

«Teniamo presente una cosa. Dato che per tutti in quella casa ci viveva *un solo* ragazzo, l'aver scoperto il corpo di uno della sua età non ha nemmeno lontanamente fatto sospettare la presenza di un altro. In ogni modo, l'incendio che ha devastato praticamente tutta la casa ne ha distrutto ogni traccia. Da qui l'archiviazione piuttosto sbrigativa del caso. Questo ha dato la possibilità a quel pazzo di trafugare il corpo del fratello dal cimitero di Cassis, quando ha saputo che non era stato divorato dalle fiamme.»

Durand tacque. Dopo una leggera esitazione, Frank si infilò in quella pausa.

«E la musica?» chiese a Cluny.

Lo psicopatologo si prese un attimo di tempo prima di rispondere.

«Il rapporto di quell'uomo con la musica è un punto che sto ancora cercando di approfondire. Sembra che il padre ne fosse un appassionato totale e un collezionista maniaco di incisioni rare. Probabilmente è l'unica cosa voluttuaria che ha concesso ai figli in cambio di tutto quello che ha fatto loro sopportare. Anche su questo aspetto la comunicazione è difficile. Quando gli parlo di musica, il soggetto chiude gli occhi e si estrania completamente.»

Ora tutti pendevano dalle labbra di Cluny. Se lui se ne accorse non lo diede a vedere. Probabilmente quello di cui era venuto a conoscenza lo coinvolgeva ancora, anche durante la sua semplice esposizione.

«Quello che vorrei far rimarcare a questo punto è un aspetto sottile di tutta questa vicenda. L'aver ucciso il fratello ha creato in Jean-Loup un senso di colpa inconscio di cui non si libererà mai più. Lui riteneva e ritiene tuttora il mondo responsabile della morte di suo fratello e di tutto quello che ha dovuto patire per colpa del suo aspetto mostruoso. Questa è la genesi della tipologia di Jean-Loup come serial killer, a cavallo fra quella del missionario e quella del controllo del potere. Un complesso eteroindotto da un disagio familiare che ha come rivalsa la conquista di una normalità effimera per il fratello. Il vero motivo per cui ha ucciso tutte quelle persone e ha utilizzato la maschera del loro viso su quello del suo cadavere è che gli sembrava un atto dovuto, un modo per ripagare quel poveretto di tutto ciò che aveva dovuto subire...»

Lo psicopatologo era seduto con le gambe leggermente divaricate. Abbassò lo sguardo verso il pavimento. Quando lo rialzò, c'era della pietà nei suoi occhi.

«Che ci piaccia o no, quell'uomo ha fatto tutto per amore, un abnorme e incondizionato amore nei confronti del fratello. Questa è la conclusione.»

Cluny si alzò quasi subito, come se l'aver terminato la sua esposizione lo avesse di colpo sollevato da un peso che non aveva piacere di portare da solo. Adesso che era riuscito a dividerlo con altre persone, riteneva che la sua presenza in quella stanza fosse diventata superflua.

«Per il momento è tutto quello che vi posso dire, signori. Datemi un paio di giorni e vi farò avere un rapporto scritto. Nel frattempo continuerò i miei incontri con quell'uomo, anche se ormai quasi tutto quello che dovevamo sapere è venuto fuori.»

Roncaille si alzò e girò intorno alla scrivania per ringraziare personalmente lo psicopatologo. Gli strinse la mano e lo accompagnò alla porta. Passando di fianco a Frank, Cluny gli appoggiò una mano sulla spalla.

«Complimenti», disse semplicemente.

«Complimenti a lei e grazie di tutto.»

Cluny rispose con una specie di smorfia che forse era un sorriso o forse una dichiarazione di modestia. Fece un cenno della mano a Durand, che sedeva immobile, pensieroso. Durand rispose con un movimento contenuto della testa.

Cluny uscì e Roncaille richiuse delicatamente la porta alle sue spalle. I tre restarono soli nella stanza. Il capo della polizia riprese il suo posto alla scrivania. Frank tornò a sedere sulla sua poltrona e Durand rimase sospeso nei pensieri in cui era immerso.

Infine il procuratore generale si alzò e andò a guardare fuori dalla finestra. Da quel posto di osservazione si decise a rompere il silenzio. Parlò stando di spalle, come se si vergognasse a mostrare la faccia.

«A quanto pare, questa storia è finita, e sembra che sia finita per merito suo, Frank. Il direttore Roncaille le confermerà che il principe stesso ci ha pregato di farle pervenire il suo personale compiacimento e le sue congratulazioni per il risultato raggiunto.»

Fece una pausa che era molto lontana dall'effetto magnetico di quelle di Cluny. Si decise a girarsi.

«Sarò sincero con lei come lei lo è stato con me. So che non le piaccio, me lo ha detto chiaramente a suo tempo. Nemmeno lei mi piace. Non mi è mai piaciuto e non credo possa arrivare a piacermi mai. C'è fra di noi un abisso e né io né lei faremmo mai il minimo sforzo per costruirci sopra un ponte. Tuttavia, per amore di giustizia, c'è una cosa che le devo dire…»

Fece due passi e arrivò davanti a Frank. Gli tese la mano.

«Vorrei averne tanti di poliziotti come lei.»

Frank si alzò e strinse la mano che Durand gli porgeva. Per il momento e forse per sempre era il massimo che tutti e due potevano fare.

Poi Durand tornò a essere quello che era, un procuratore generale freddo, elegante e con una piccola pretesa di efficienza.

«Ora, se non vi dispiace, vi lascio. Arrivederci, direttore, complimenti anche a lei.»

Roncaille attese il rumore della porta che si chiudeva. La sua espressione si alleggerì notevolmente. Più che altro divenne meno formale.

«Adesso che farà, Frank? Tornerà in America?»

Frank fece un gesto che poteva indicare il nulla assoluto o un qualunque posto del mondo.

«Non lo so. Per il momento mi darò uno sguardo in giro, vedremo. C'è tempo per decidere…»

Si salutarono e finalmente Frank si sentì autorizzato ad andarsene. Mentre aveva la mano sulla maniglia della porta la voce di Roncaille lo fermò.

«Un'ultima cosa, Frank…»

Frank rimase immobile.

«Dica.»

«Volevo confermarle che ho provveduto per quella cosa che mi ha chiesto, a proposito di Nicolas Hulot.»

Frank girò su se stesso e fece un leggero inchino con la testa, come si conviene davanti al comportamento di un avversario cavalleresco che si è rivelato un uomo d'onore.

«Non ne ho mai dubitato nemmeno per un istante.»

Uscì dall'ufficio, richiudendo la porta dietro di sé. Mentre percorreva il corridoio si chiese se Roncaille avrebbe mai sospettato che le sue ultime parole erano una clamorosa bugia.

64

Frank uscì dall'ingresso principale della Sûreté Publique del Principato di Monaco e si trovò fuori, nel sole. Socchiuse gli occhi per il riverbero improvviso dopo la luce cauta dei corridoi della centrale. Il Frank Ottobre di poco tempo prima avrebbe provato fastidio trovandosi in quella luminosità piena, in quel segno inconfondibile di vita.

Adesso non più.

Ora bastava un semplice paio di occhiali scuri. Estrasse i Ray-Ban dal taschino della giacca e li infilò. Erano successe tante cose, quasi tutte brutte, alcune addirittura orrende. Tante persone erano morte. Ora e in passato. Una di queste era il suo *amico* Nicolas Hulot, uno dei pochi uomini che avesse conosciuto a cui quella definizione non andasse stretta.

In piedi in mezzo a Rue Notari c'era l'ispettore Morelli che lo aspettava, con le mani infilate in tasca. Frank scese quella scala di pochi gradini e lo raggiunse con calma. Mentre si avvicinava, sfilò gli occhiali che si era appena messo. Claude meritava di essere guardato negli occhi, senza schermi e senza barriere. Gli sorrise e guardò se nell'armadio possedeva ancora un tono di voce leggero, magari un po' frusto ma vero.

«Ciao, Claude, che fai qui? Aspetti qualcuno che non arriva?»

«No, caro mio. Io aspetto solo gente che so che può arrivare. Nel caso specifico, aspettavo proprio te. Non pensavi mica di andartene e cavartela così? Mi devi qualcosa. Ti ritengo ancora responsabile di un ritorno da Nizza su una macchina guidata da un pazzo scatenato.»

«Xavier, eh?»

«L'ex agente Xavier, vorrai dire, che ora sta consultando disperato la pagina delle offerte di lavoro con particolare attenzione alle imprese di giardinaggio. Sai, per via dei trattori tosaerba...»

Proprio in quel momento l'agente Xavier Lacroix arrivò da Rue Suffren Raymond al volante di una macchina della polizia. Passò davanti a loro e dal finestrino sorrise e fece un cenno di saluto. Si fermò poco più avanti. Giusto il tempo di far salire un altro agente che era in strada ad aspettarlo e la macchina ripartì subito dopo.

Sul viso di Morelli comparve di colpo l'espressione rarefatta dell'uomo-colto-in-castagna. Frank rise. Era contento che fra di loro ci fosse, per un semplice fatto naturale, un'atmosfera così diversa da quella che aveva appena lasciato di sopra, nell'ufficio di Roncaille.

«Se non l'hai fatto prima, questa di adesso mi sembra un'ottima ragione per cacciare l'agente Lacroix. Ho il sospetto che, per colpa sua, tu abbia appena fatto una discreta figuraccia.»

«Chi, io? E quando mai? Basta solo un briciolo di sana, onesta faccia tosta. Tu piuttosto, che cosa hai intenzione di fare nell'immediato futuro?»

Frank si mantenne sul vago.

«Magari me ne vado un po' a zonzo, sai com'è...»

«Solo?»

«Certo! E chi vuoi che se lo pigli un ex agente dell'FBI sforacchiato come un colabrodo?»

Morelli ebbe la sua rivalsa. Proprio in quel momento una Laguna station-wagon metallizzata sbucò esattamente da dove era arrivata la macchina di Xavier e si venne a fermare di fianco a loro. Alla guida c'era Helena Parker, il viso sorridente e uno sguardo che sembrava non appartenerle. Se qualcuno, solo una settimana prima, le avesse fotografato il dettaglio degli occhi e l'avesse confrontato con gli occhi che mostrava adesso, avrebbe fatto fatica a dire che si trattava della stessa donna. Stuart era seduto sul sedile di dietro e osservava incuriosito l'ingresso del comando della Sûreté Publique.

Morelli lo guardò, ironico.

«Solo, eh? Io penso che nel mondo esista da qualche parte una rudimentale amministrazione della giustizia. Questo permetterà a te di salire su questa macchina e a Lacroix di mantenere il suo posto...»

Gli tese la mano e Frank la strinse con piacere. Il tono era diverso, adesso. Era il tono di chi ha visto e parla a un amico che ha visto le stesse cose.

«Vai, prima che questa donna si accorga che sei un uomo sforacchiato come un colabrodo e decida di partire da sola. Qui ormai è finita.»

«Già, è finita. Questa. Vedrai che domani, da qualche parte, ne ricomincia un'altra.»

«È così che funziona, Frank, a Montecarlo come in qualunque altro posto. Qui è solo un po' più lucida.»

Morelli rimase indeciso se spingersi oltre. Non per insicurezza ma per un senso di riservatezza che Frank aveva dovuto imparare a riconoscergli.

«Hai già deciso che farai, dopo?»

«Per il lavoro intendi?»

«Sì.»

Frank scosse le spalle, noncurante. Morelli sapeva benissimo che non era così, ma per ora non si poteva certo pretendere più di tanto.

«L'FBI in questo momento è come il paradiso, può attendere. Adesso mi serve solo una bella vacanza, una di quelle vere, dove si ride e ci si diverte, con le persone giuste.»

Frank fece un gesto significativo con la mano verso la macchina.

Morelli d'improvviso allargò gli occhi e infilò una mano in tasca della giacca.

«Accidenti, a momenti mi dimenticavo. Ti avrei dovuto far rincorrere dalla polizia di mezza Francia per darti questa.»

Estrasse dalla tasca una busta di carta azzurrina, leggera.

«Senza contare che la persona che mi ha fatto avere questa lettera per te non mi avrebbe mai perdonato.»

Frank la osservò un istante, senza aprirla. Sulla busta c'era il suo nome scritto con una calligrafia femminile, delicata ma non leziosa. Immaginava di chi potesse essere. Per il momento la infilò in tasca. Allungò una mano per aprire la portiera.

«Ciao, Claude. Noi in America diciamo *take it easy*, prenditela comoda.»

«*Tu* te la prenderai comoda, in giro per il mondo, in vacanza.»

A conferma di quell'augurio, dall'interno della macchina arrivò la voce acuta di Stuart.

«Andiamo a Disneyland», disse in inglese.

Morelli fece un passo indietro e alzò gli occhi al cielo. Finse un'espressione desolata, a uso e consumo del bambino che si sporgeva nello spazio fra i due sedili anteriori. Rispose in un buon inglese, appena arrotato dalla sua *erre* francese.

«Eccoli là. Loro a Disneyland e io qui, a tirare la carretta.»

Fece una leggera concessione al mondo e ai presenti.

«A Montecarlo, se vogliamo, ma pur sempre a lavorare sodo e solo come un cane.»

Frank si sedette in macchina, richiuse la portiera e aprì il finestrino. Parlò a Helena, ma in modo che l'ispettore lo sentisse.

«Parti pure, prima che questo accattone ci rovini la giornata. Io non so dove li vadano a prendere i poliziotti, in questo posto. E poi dicono che la polizia di Montecarlo è fra le migliori del mondo...»

La macchina si mise in movimento e Frank lasciò a Morelli un ultimo gesto dal finestrino. Arrivarono al fondo di Rue Notari e girarono a destra. Alla fine di Rue Princesse Antoinette si fermarono per dare la precedenza. Frank vide all'angolo Barbara che stava risalendo la via camminando spedita, i capelli rossi che fiammeggiavano nel movimento ondeggiante dell'andatura. Mentre la macchina ripartiva, Frank si girò a seguirla con lo sguardo. Si disse che la presenza di quella ragazza, in quella strada, non era solo un caso. Morelli gli aveva appena detto che aspettava solo persone del cui arrivo era certo...

Helena gli diede un leggero colpo sul braccio. Quando si girò verso di lei vide che sorrideva.

«Ehi, non siamo ancora partiti e già ti giri a guardare le altre donne?»

Frank si appoggiò allo schienale e si mise gli occhiali scuri con un gesto plateale.

«Se ti può interessare, la donna che abbiamo appena incrociato è la vera causa della presenza di Morelli in strada. Altro che saluti commossi all'amico in partenza. Hai capito quello che restava a Montecarlo solo come un cane?»

«Questo avvalora la teoria che il mondo è pieno di uomini vili e mentitori.»

Frank guardò la donna seduta al suo fianco. In pochi giorni si era come trasformata. E il solo pensiero che fosse in parte merito suo stava trasformando anche lui. Sorrise e scosse energicamente la testa, in aperto contrasto con quello che lei aveva appena affermato.

«No, questo avvalora la teoria che *il mondo* è pieno di vili mentitori. Solo per un inevitabile fatto statistico alcuni di loro sono uomini.»

Frank finse di voler bloccare la reazione di Helena dandole le istruzioni sul percorso. Indicò con la mano la strada.

«Prendi qui a destra. Costeggiamo il porto e poi seguiamo le indicazioni per Nizza.»

«È inutile che sfuggi, questo è un discorso che intendo riprendere», ribatté Helena.

La sua espressione tuttavia smentiva il tono bellicoso delle sue parole. L'auto imboccò la breve discesa verso il porto e dopo percorse la banchina affollata. Stuart era appeso al finestrino e pareva affascinato da tutto quel colorato caos estivo di persone e di barche. Indicò un enorme yacht privato, ancorato sul molo di destra, che aveva addirittura un piccolo elicottero parcheggiato sul ponte superiore.

«Mamma, guarda quella barca quanto è lunga. C'è anche l'elicottero.»

Helena rispose senza voltarsi.

«Be', te l'ho spiegato, Stuart. Il Principato di Monaco è un posto strano. È uno Stato molto piccolo ma ci viene un sacco di gente importante.»

«Ah, io lo so perché. Qui non si pagano le tasse.»

Frank non ritenne opportuno spiegargli che prima o poi le tasse si pagano, in qualunque parte del mondo uno si trovi. Non era un discorso che Stuart potesse capire e lui non aveva voglia di farlo. Non aveva nemmeno voglia di pensare, in quel momento. Si lasciarono alle spalle il punto dove era stato trovato il cadavere di Arijane. Helena non disse nulla e Frank nemmeno. Fu contento di avere addosso i Ray-Ban in modo che lei non potesse vedere i suoi occhi. Arrivarono alla curva della Rascasse. Lasciarono alla loro sinistra l'edificio in cui stava Radio Monte Carlo. Frank rivide per un istante la cabina di regia dietro la vetrata e la luce rossa con la scritta «ON AIR» che si accendeva e immaginò il dee-jay che era in onda e…

Basta. È finita. E se domani ne dovesse iniziare un'altra, non è più una cosa che ti riguardi.

La station-wagon imboccò la strada per uscire dalla città e, non appena superò il bivio per Fontvieille e prese la strada per Nizza, quella piccola tensione che si era creata a bordo sembrò svanire. Spostandosi sul sedile in cerca di una posizione migliore, Frank sentì un fruscio di carta nella tasca della giacca. Infilò la mano e tirò fuori la busta azzurra che gli aveva consegnato Morelli.

Ambasciatore non porta pena. Ma chi ha scritto questa lettera sicuramente sì.

La busta non era sigillata ma aveva semplicemente la linguetta infilata all'interno. Frank tirò fuori un foglio azzurro come la carta della busta, piegato in due. Quando lo aprì si trovò davanti agli occhi un breve messaggio scritto con la stessa calligrafia delicata sulla busta.

Ciao bell'uomo,
mi unisco alle congratulazioni generali all'eroe del giorno. Ci metto accanto i ringraziamenti più sinceri per tutto quello che hai fatto per me. Ho appena ricevuto una comunicazione dalle autorità del Principato di Monaco. Ci sarà una cerimonia ufficiale in memoria del commissario Nicolas Hulot in riconoscimento dei suoi meriti e ho saputo da fonte certa che tu ne sei il principale artefice. Tu sai ciò che significa questo per me, e non mi riferisco solo al risvolto economico, che mi garantirà una vecchiaia serena, per quanto lo possa essere la mia.
Di fronte a certi avvenimenti, l'unica cosa che il mondo desidera è dimenticare in fretta. A qualcuno spetta il compito di ricordare, perché non succedano di nuovo.
Sono molto orgogliosa di te. Tu e mio marito siete gli uomini migliori che io abbia incontrato nella mia vita. Nicolas l'ho amato e lo amo ancora. E a te vorrò bene per sempre.
Ti auguro tutta la fortuna che meriti e che sicuramente troverai. Un bacio.

Céline

Frank rilesse la breve lettera di Céline Hulot due o tre volte prima di ripiegarla e tornare a infilarla nella tasca della giacca. Mentre si districava nel traffico e infilava la strada in salita per l'autostrada, Helena girò un istante lo sguardo verso di lui.

«Brutte notizie?»

«Tutt'altro. Sono i saluti e gli auguri di una cara amica.»

Stuart si sporse nello spazio fra i sedili. La sua testa era praticamente tra quella di Frank e quella di Helena.

«È una che vive a Montecarlo?»

«Sì, Stuart, abita qui.»

«È una donna importante?»

Frank guardò Helena. La risposta che diede a Stuart valeva soprattutto per lei.

«Certo che è una donna importante. È la moglie di un poliziotto.»

Helena sorrise. Stuart si ritrasse, perplesso. Tornò a sedersi sul sedile posteriore a guardare il mare che spariva dal finestrino, a mano a mano che proseguivano verso l'interno. Frank allungò la mano per prendere la cintura di sicurezza. Mentre la allacciava si rivolse a Stuart.

«Giovanotto, da questo momento, cinture allacciate fino a nuovo ordine. *Roger?*»

Frank decise che, dopo tutto quello che aveva passato, si era guadagnato il diritto di essere un po' stupido. Distese le braccia davanti a lui, come un capocarovana che indica a un convoglio di pionieri la strada del West.

«Francia, stiamo arrivando.»

Lui ed Helena accolsero con un sorriso la rumorosa reazione del bambino. Mentre controllava che Stuart si allacciasse la cintura in modo corretto, Frank si prese il tempo di osservare senza parere il profilo della donna che stava al volante, concentrata nella guida in mezzo al traffico congestionato della Costa Azzurra in estate. Seguì con gli occhi il suo profilo e il suo sguardo era una matita che stava disegnando in modo indelebile quel momento nella memoria.

Pensò che non sarebbe stato semplice, per tutti e due. Avrebbero dovuto dividere equamente i loro sforzi tra la fatica di vivere e la fatica di dimenticare. Ma stavano insieme, e questo fatto era già di per sé un'ottima premessa. Si sistemò al meglio sul sedile e appoggiò la nuca al poggiatesta. Chiuse gli occhi, dietro allo schermo degli occhiali scuri. Si ricordò per i tempi a venire che tutto quello che gli interessava al mondo stava in quella macchina con lui e decise che in fondo era impossibile desiderare di più.

Ultimo carnevale

Adesso finalmente tutto è bianco.

L'uomo sta appoggiato con le spalle al muro, sul lato più lungo di una piccola stanza rettangolare. È seduto per terra, abbracciato alle ginocchia ripiegate, e osserva il movimento delle dita dei suoi piedi nelle calze bianche di cotone. Indossa una giacca e un paio di pantaloni di tela ruvida, pure bianca, come bianchi sono i muri fra cui è rinchiuso. Addossato alla parete di fronte a lui, saldamente fissato al pavimento, c'è un letto tubolare in metallo.

È bianco anche quello.

Non ci sono lenzuola, ma bianchi sono il materasso e il cuscino. E bianca è la luce che piove dal soffitto, protetta da una pesante grata frettolosamente verniciata di bianco, che pare essere la fonte stessa del candore abbacinante di quella stanza.

Quella luce non si spegne mai.

Alza lentamente la testa. I suoi occhi verdi guardano senza angoscia l'unica minuscola finestra, posta così in alto da essere irraggiungibile. È il solo orologio che ha a disposizione per segnare il passaggio del tempo.

Chiaro e scuro. Bianco e nero. Giorno e notte.

Non sa perché, ma l'azzurro del cielo non si vede mai.

La sua solitudine non gli pesa.

Anzi, prova una sorta di fastidio ogni volta che, da fuori, gli arriva un segnale dal mondo. Ogni tanto si apre una feritoia nella porta, in basso. Sul pavimento scivola un vassoio con delle ciotole di plastica piene di cibo. La plastica è bianca e il cibo ha sempre lo stesso sapore. Non ci sono posate. Mangia con le dita e restituisce il vassoio e le ciotole quando la feritoia si riapre. Ne riceve in cambio una pezzuola bianca e bagnata con cui pulirsi le mani, che deve restituire subito dopo.

Ogni tanto una voce gli dice di mettersi al centro della stanza e di stendere le braccia in avanti. Controllano i suoi movimenti da uno spioncino al centro della porta. Quando vedono che è nella posizione giusta, la porta si apre e alcuni uomini entrano e gli infilano le braccia in una camicia di forza e gliela legano stretta dietro alla schiena. Ogni volta che è costretto a indossarla, sorride.

Sente che quegli uomini massicci vestiti di verde hanno paura di lui e ha notato che cercano in ogni modo di evitare il suo sguardo. Sente quasi *l'odore* della loro paura. Eppure dovrebbero saperlo che il tempo della lotta è finito. Lo ha detto più volte all'uomo con gli occhiali che trova nella stanza in cui viene accompagnato, quello che vuole parlare, quello che vuole sapere, quello che vuole *capire*.

Gli ha anche detto più volte che non c'è nulla da capire.

C'è solo da accettare quello che accade e continuerà ad accadere, nello stesso modo in cui lui accetta senza reazione di essere rinchiuso in tutto quel bianco finché lui stesso non arriverà a farne parte.

No, la sua solitudine non gli pesa.

L'unica cosa che gli manca è la musica.

Sa che non gli permetteranno mai di averla, così ogni tanto chiude gli occhi e riesce a immaginarla. Ne ha suonata così tanta e sentita così tanta e *respirata* così tanta che adesso, se la va a ricercare, la ritrova intatta, uguale al momento in cui è entrata dentro di lui. I ricordi, quelli fatti di immagini e parole, miseri colori sbiaditi e rauchi suoni imbastarditi dalla ricerca di un significato, adesso non gli interessano più. Nella sua prigione, la memoria ora gli serve solo a ritrovare come un tesoro nascosto tutta la musica che possiede. È l'unica eredità che gli ha lasciato quell'uomo che un tempo si è arrogato il diritto di essere chiamato «padre», prima che lui decidesse di non essere più suo figlio e gli togliesse quel diritto insieme alla vita.

Se si concentra bene, riesce a sentire come se fosse accanto a lui la svisata di una mano agile sul manico di una chitarra elettrica, il suono rabbioso di un assolo che pare una corsa su per una scala che gira e gira e sale verso l'alto e sembra non avere mai fine.

Sente il brusio delle spazzole sul rullante di una batteria o il fiato umido e caldo di un uomo che si fa strada a fatica nell'imbuto tortuoso di un sassofono e come tale diventa una voce di umana malinconia, la fitta acuta del rimpianto per qualcosa di bello che si possedeva e che si è sbriciolato fra le mani, corroso dal tempo.

Può ritrovarsi seduto proprio nel mezzo di una sezione d'archi e sorvegliare da sopra la spalla il movimento rapido e leggero dell'archetto del primo violino o infilarsi senza sospetto fra le volute sinuose di un oboe o fermarsi a osservare dita dalle unghie curate che si agitano nervose dietro le corde di un'arpa come animali selvatici dietro le sbarre di una gabbia.

Può accendere e spegnere quando vuole quella musica che, come tutte le cose immaginarie, è perfetta. Lì dentro c'è tutto quello che gli serve, tutto il suo passato, tutto il suo presente, tutto il suo futuro.

La musica basta e avanza per sconfiggere la solitudine. La musica è l'unica promessa mantenuta, la musica è l'unica scommessa vinta. Lo aveva detto a qualcuno, una volta, che la musica è tutto, che è l'inizio e la fine del viaggio, che la musica è il viaggio stesso. Lo hanno ascoltato ma non gli hanno creduto. D'altronde, cosa ci si può aspettare da chi la musica la suona e la sente ma non la *respira*?

No, non ha alcun timore della solitudine.

E poi non è solo.

Mai, nemmeno adesso.

Nessuno lo ha capito finora e forse nessuno riuscirà a capirlo in seguito. Ecco il motivo per cui hanno cercato così lontano quello che era davanti ai loro occhi, come fanno tutti, come fanno da sempre. Ecco il motivo per cui è riuscito così a lungo a nascondersi tra quegli occhi frettolosi, esattamente come il nero si nasconde tra i colori. Nessuno di loro potrebbe accettare il bianco abbagliante di una stanza come quella in cui si trova lui senza mettersi a urlare.

Lui non ne sente il bisogno. Non sente nemmeno il bisogno di parlare.

Appoggia la testa al muro e chiude gli occhi. Li sottrae solo per qualche istante al candore di quella stanza, non perché lo teme, ma perché ne ha rispetto.

Sorride, mentre la voce arriva forte e chiara nella sua testa.

Ci sei, Vibo?

Ringraziamenti

Arrivati alla fine di un lavoro come questo, i ringraziamenti, oltre che un fatto dovuto, diventano un piacere personale. Per cui, voglio ringraziare l'Ambasciata degli Stati Uniti a Roma, il Federal Bureau of Investigation e la Sûreté Publique del Principato di Monaco, per l'assistenza data a una persona che si presentava come scrittore e che, in quel momento, lo era solo nella sua testa.

Grazie a Gianni Rabacchin, Assistente della Polizia di Stato di Asti, e al Maresciallo Pinna dei Carabinieri di Capoliveri, che oltre a essere un nome e un grado su una divisa, sono anche degli amici.

Lo stesso discorso vale per il dottor Gianni Miroglio e il dottor Agostino Gaglio che, in un mondo di baroni, sono dei veri gentlemen della medicina. A loro unisco il professor Vincenzo Mastronardi, psichiatra criminologo clinico, titolare di Psicopatologia Forense della facoltà di Medicina all'Università di Roma La Sapienza, che nonostante i suoi innumerevoli impegni è riuscito a trovare il tempo per una consulenza preziosa come la sua amicizia.

Un saluto e un ringraziamento ad Alberto Hazan e allo staff di Radio Monte Carlo, con una menzione particolare ad Alain Gaspar che ha supportato e sopportato le mie incursioni con un savoir-faire davvero encomiabile. E sia lode al cielo per il suo italiano che è molto migliore del mio francese…

Saluto e ringrazio il mio amico Jeffery Deaver che mi ha dimostrato, polenta alla mano, come un grande autore possa abitare nello stesso corpo di una persona semplice e simpatica.

E, a proposito di libri, grazie a Claudia e Alberto Zappa per dei volumi che forse terrò «in prestito» per sempre…

Grazie di cuore ai supporter, una compagine di lettori obbligati composta da Doretta Freilino, Mauro Vaccaneo, Laura Niero, Enrico Biasci e Roby Facini, che mi hanno rifornito di carburante e gomme nuove nei miei frequenti e forse assillanti pit stop.

Grazie a Roberta, per esserci e arrivarci sempre: come e dove, se permettete, sono squisitamente fatti nostri.

Grazie a Piergiorgio Nicolazzini, il mio agente letterario, che ha accettato di occuparsi di un aspirante scrittore praticamente «sulla fiducia». Per lo stesso motivo grazie ad Alessandro Dalai, a Eugenio Rognoni e a tutta la Baldini&Castoldi, con un particolare riferimento al mio editor Piero Gelli per i suoi preziosi consigli che mi hanno aiutato a uscire dalla «Sindrome di Matarazzo» e a Paola Finzi, eroica redattrice che è riuscita a incappare in una delle mie bisestili crisi di nervi.

Se ho scordato qualcuno, sappia che manca in questo elenco ma non nel mio cuore.

Per quanto riguarda me, temo di essermi preso, qua e là, alcune libertà sia narrative sia geografiche. Questa è, per il momento, l'unica cosa che mi accomuna a certi grandi autori, che sono in qualche modo responsabili della presenza di questo volume nelle librerie. La precisazione «per il momento» non è un rigurgito di presunzione ma l'unico, soffice ottimismo che mi concedo. Giova inoltre ricordare, ove ce ne fosse bisogno, che i fatti narrati in questo romanzo sono di pura fantasia e che i personaggi non appartengono alla vita reale.

Forse neanche l'autore…